THE POETRY OF FRANCE

The Poetry of France

VOLUME II 1600–1800

AN ANTHOLOGY
WITH INTRODUCTION AND NOTES
BY

ALAN M. BOASE

LONDON
Methuen & Co Ltd
11 NEW FETTER LANE EC4

First Published in 1973 by
Methuen & Co Ltd, 11 New Fetter Lane, London EC4P 4EE

Printed in Great Britain by
Richard Clay (The Chaucer Press) Ltd,
Bungay, Suffolk

SBN 416 17110 9 hardback
416 77630 2 paperback

Distributed in the USA by

HARPER AND ROW PUBLISHERS, INC.

BARNES AND NOBLE IMPORT DIVISION

Oh! . . . me dis-je, mais ceci chante tout seul! . . . Il n'y a pas d'autre certitude de poésie.

PAUL VALÉRY

CONTENTS

(*An asterisk indicates poems which are incomplete*)

Contents

Honorat Laugier de Porchères

Jean-Oger Gombauld

Mathurin Régnier

François Mainard

Étienne Durand

Contents

Jean Auvray

Claude Hopil

Honoré du Bueil, Marquis de Racan

Théophile de Viau

Marc-Antoine de Girard, Sieur de Saint-Amant

Contents

Denis Sanguin de Saint-Pavin

Jean Desmarets de Saint-Sorlin

Pierre de Marbœuf

Claude de Malleville

Vincent Voiture

Guillaume Colletet

Gabriel Du Bois-Hus

Contents

Contents

Contents

Guillaume Amfrye de Chaulieu

Madame Deshoulières

Jean Racine

Anthony Hamilton

Jeanne Bouvier de La Motte, Madame Guyon

François de Salignac de La Mothe Fénelon

Bernard le Bovier de Fontenelle

Anonyme (Chansons populaires)

Jean-Baptiste Rousseau

Antoine Houdart de La Motte

Contents

Alexis Piron

Charles-François Panard

François Arouet, dit Voltaire

Charles Collé

Charles-Simon Favart

François-Joachim de Pierres de Bernis

Ponce-Denis Écouchard Le Brun

Contents

André Chénier

FOREWORD

The present volume of *Poetry of France* has been so long delayed that I must blush for my own dilatoriness. What once was to have been a book in two parts has become one in four volumes; looking still further back, what was originally the project of an *anthologie de la poésie 'baroque'*, which I tried to sell to Jean Paulhan, has here become the final part of a general survey, covering both the seventeenth and eighteenth centuries! The revaluation of much poetry of the late Renaissance and the seventeenth century in France has been a feature of the last forty years, one which, with a certain number of friends and colleagues, I have lived through and had a part in. Today I must acknowledge my own debt to some of them in preparing this volume. To Jean Rousset, in particular, to whom Marcel Raymond first introduced me in a Swiss lakeside village – was it Mourgues? – when he was still a blond young research student. His *Anthologie de la poésie baroque française* (Paris, 1961) is the most brilliant supplement to his panoramic *Tableau de la littérature de l'âge baroque en France* (Paris, 1953), illustrating the ingenious pattern of those themes or psychological 'categories' by which he has illustrated *l'âme baroque*. A few of his exhibits are, indeed, original 'finds' or favourites of my own, whether Du Bois-Hus or Étienne Durand; far more are those unknown poets whom he has restored to us, like Auvray or Claude Hopil. But, while Rousset has so persuasively used these to illustrate one aspect of an epoch, and been legitimately content to extract a couple of stanzas or a passage from a poem, I have felt bound to preserve whole poems or, when this is impossible for an age when poets still spread themselves, to indicate, with what may seem pedantry, what has been omitted. To my own countryman and colleague, Alan Steele, I must also register a debt. His *Three Centuries of French Verse* (Edinburgh, 1956), a masterpiece of compression, reflects the general revaluation to which I have referred, without perhaps enjoying the scope to exploit insights, in which I detect Georges Poulet's pupil, both on the devotional poets and on the despised eighteenth century.

Again, it was Paul Éluard who first insisted on taking the folksong into the general canon of French poetry and 'Henri Davenson'

(H. Marrou) who indicated how false it was to consider 'written literature' as having no bearing on the oral tradition. Following up this line (as already in Volume I), I have sought to show its nature in a more varied way than Dr Brereton did in his useful Penguin volume. It would, however, be slightly absurd to attempt to list the sources of what are mere items in a compilation, for, after all, what else is an anthology?

As to my own formula for this kind of book, I need do no more than remind any new reader that the ideal kept in view has been the presentation of poems – the best in my humble judgement – plain and unadorned. This allows for enjoyment of one's reading – cultivating that 'state of grace' which is so essential to reading poetry – without the constant reminder by nasty little marginal signs that one might be improving one's mind with matter appropriate to the apparatus of study. Those annotations can be found tucked away at the end. An introduction tries to strike the balance between historical generalities, with the occasional discussion of 'poetics', and some samples of elucidation which, quite often, involve some reference to our own poetry. Without such reference, how can anybody acquire a sense of values?

Each of the other volumes has also included a few pages on the mechanics of French verse, on what should make it 'tick' for our ears. There was an elementary but basic essay in the nineteenth-century volume where most younger readers, students or not, are apt to begin, a special note on some contemporary innovations in Volume IV, and one on poetic practices before 1600 in Volume I. Here, it has seemed less necessary to include any such feature. Not because the rigorous treatment of 'elision', 'hiatus', or rhyming for the eye have not their own oddity, not because Malherbe's views on the difficult rhyme are necessarily echoed by all poets, not because a certain degree of 'liberation' from the tyranny of the end-stopped line and mild experiments in varying *coupes* or accent cannot be found in Delille and Chénier, but simply because prosodic practice is so standardized that any work of reference will enlighten those who need to learn.

I must again thank some of my friends and ex-colleagues for their help in tiresome proof-reading.

INTRODUCTION

Can we equate, it may be asked, 1600 as a round date with a break or a new departure in the strongly flowing stream of French poetry? Boileau thought so, as the famous 'Enfin Malherbe vint' is there to testify. The half-line – which may not be more than a half-truth – is more quoted than the justificatory sequence which follows. Rightly so, since the important affirmation (so soon to become a dogma) was that *good* French poetry only began with Malherbe. Dogma it remained; till Sainte-Beuve and the Romantics showed its absurdity and did something to redress the balance as between Ronsard and Malherbe – between 'le prince des poètes' and 'le tyran des mots et des syllabes', to bestow on each the descriptions of their own contemporaries. What matters to us at this juncture is not how things looked in 1673 when Boileau wrote, but in 1630 when Malherbe had just died. Or even more in 1600 itself.

Certainly it is precisely from the November of that very year that we can place the startling rise to fame, prestige and influence of a hitherto obscure man of forty-five. Malherbe belongs, in other words, to the generation of d'Aubigné, Sponde, La Ceppède, as of those fellow Normans, Du Perron, Bertaut and Vauquelin. Of the first trio mentioned Sponde was already dead, the other two had written, respectively, all or most of their verse, whether published earlier or later. The two bishops of the second trio had virtually ceased to write it by that year, when Malherbe heard his Ode of Welcome to Henry's new Queen, just landed at Marseilles, declaimed with *éclat* and ceremony at Notre-Dame-de-la-Sed outside Aix, thus setting his foot at long last on the path which led five years later to a formal court appointment and rooms under the Duc de Bellegarde's roof just opposite the Louvre. It was thus his very seniority which contributed to his influence among his younger *confrères*, especially when he chose the role of 'debunker' of reputations – first and foremost that of Desportes, still living and a figure of influence, a benevolent host to writers – but also, less overtly, that of the long-dead Ronsard himself.

The new age, in which an exhausted France had been induced to accept the sensible compromise of the Edict of Nantes, was to be progressively characterized by a mistrust of enthusiasm, of imagination even, a gradual leaning towards pedestrian rationalism, a positive passion for codification and rule-making. No one is more representative of this shape of things to come than the poet who has been described recently as indulging in 'un certain scepticisme à l'égard de la culture en général' and whom some contemporaries regarded as having no more metaphors than the dozen chairs which limited the number of his possible visitors. Even the chairs have their symbolic value since Malherbe's significance is due both to what he preached or inculcated in a chosen band of admirers and to the intrinsic merit of what poetry he wrote. His influence on the original band, and later on a far wider range of writers, was indeed partly the product of a technical superiority but partly just the result of the dogmatism of his views. As a critic has said: 'Puisqu'il a senti que sa vocation de rigueur était la marque originale de son tempérament, il l'a cultivée.'

To us today it is, of course, the poetry itself that matters. Its basic qualities are, perhaps, best seen in such a piece as the well-known *Paraphrase*: *N'espérons plus, mon âme, aux promesses du monde* (p. 5). These stanzas – confined to rendering the Psalmist's 'Put not your trust in princes' – must indeed be among the poems which allow even an immature, untutored foreign ear to seize the strength which French verse can have. The symmetric accentuation of the *alexandrins tétramètres*, the number of lines with a marked break in the middle, indeed the stanza form chosen with its final two half-lines, inserting an anticipatory rhyme, all contribute to this effect, as do the repeated imperatives of the opening, the balanced amplifying structure of almost every phrase from 'Sa lumière est un verre et sa faveur une onde' to 'D'arbitres de la paix, de foudres de la guerre'. Malherbe's limitations and his qualities are further defined if one compares his paraphrase with the one poem of James Shirley which we all know, *Death the Leveller*:

> The glories of our blood and state
> Are shadows not substantial things.

Not only is the theme similar but the *effect* of Shirley's stanza form is curiously so with its shorter rhymed lines – 'Sceptre and Crown / Must tumble down'. If Malherbe's poem contains no telling concrete phrases like the 'poor crooked scythe and spade' to stand for the realities of lesser humanity, the direct naming of the worms within those proud tombs has a not dissimilar effect. Of Shirley's poem it has been said that in its use of traditional metaphor and statement it already heralds the Augustan age. The description fits this paraphrase too, which has been picked out by Henri Morier in his *Psychologie des styles* as the *projection* of the particular brand of *caractères forts* which he calls, rather oddly, *le style imprécatoire*, informed by a stoical, egalitarian, militant Christian spirit. In fact, what may well strike the English reader is that there is nothing in Malherbe's pessimistic disenchantment to correspond to the specific Christian evocation of the redeeming 'Victor-Victim' which one finds in the last stanza of Shirley's piece.

No one would think of Malherbe as a devotional poet. Yet we cannot overlook the fact that his earliest success was the free adaptation of Tansillo's *Lagrime di San Pietro*[1] which he was later to disavow completely and to refuse to include among his poems. The contrast between *N'espérons plus, mon âme* and *Les Larmes de Saint Pierre* suggests that it is necessary to consider Malherbe in another dimension – his own development. It would be easy to overstate the differences between the two 'manners' – they have certainly been exaggerated – but they are essential to a fuller understanding of the poet.

The wealth of hyperbole and often clumsy conceit which Malherbe employs upon the theme of St Peter's disavowal of his Master is heralded by the fulsome compliment to Henri III with which it begins, and facilitated by a loose narrative progression which frames three main developments: the eyes of Christ which 'speak' to Peter, and Peter's two monologues, one of which is devoted to a digression on the Massacre of the Innocents. The elaborate Mannerism of Malherbe, not unrelated to the formal rhetoric of Du Perron nor to the late Sponde *courtisan* poems, appears to me to be distinguished above all by clumsy over-emphasis. Expressions like 'une fidèle preuve à l'infidélité' or 'Un homme tout nu de glaive et de courage' represent a

[1] First published, 1560, in only 42 stanzas or *pianti*. Malherbe worked on the 1585 edition.

heavy-handed use of textbook rhetorical figures. Perhaps it would be fairer to take two of the most admired stanzas of this poem, so often reprinted around 1600. The first concerns the Innocents of whom the remorseful St Peter cries:

> Ce furent de beaux lys, qui mieux que la nature
> Mêlant à leur blancheur l'incarnate peinture
> Que tira de leur sein le couteau criminel
> Devant que d'un hiver la tempête et l'orage
> A leur teint délicat pussent faire dommage
> S'en allèrent fleurir au printemps éternel.

The elaboration of the lily image through the *unnaturally* spilt blood to the 'eternal spring' is happily woven together in a single sophisticated stanza. But look alas! at what follows! The word-play on these mute infants – 'créatures parfaites / Sans l'imperfection de leurs bouches muettes [*sic*!]' – provides an over-facile antithesis between his false speech and their lack of speech, and this sprawls sententiously over the whole following stanza, disfigured by the ludicrous hyperbole of 'cris qui en tonnerre éclatent' and sighs which 'se font vents que les chênes combattent'. This kind of writing ('Le peu qu'ils ont vécu . . . Et le trop que je vis') continues into an apotheosis passage very close to the Mannerism of Du Perron.

Similarly the still more often quoted dawn which comes at the close of the poem:

> L'Aurore d'une main, en sortant de ses portes,
> Tient un vase de fleurs languissantes et mortes,
> Elle verse de l'autre une cruche de pleurs,
> Et d'un voile tissu de vapeur et d'orage,
> Couvrant ses cheveux d'or, découvre en son visage
> Tout ce qu'une âme sent de cruelles douleurs.

This essentially pictorial mythological personification, for all its artificiality, 'comes off' in my view, as do many of the baroque, decorative flights of fancy which will distinguish Théophile and others, but what can we say of what follows? Malherbe does not wish to let us forget the solar eclipse which is said to have followed the Crucifixion. But the 'Soleil . . . qui comme un criminel chemine au trépas', whose horses 'tantôt vont et tantôt se retardent', whose 'crown' is 'hidden', 'unwished-for', 'cependant qu'on attache / A celui qui l'a fait des épines au front' is apt to appear to anyone with a Christian upbringing a vaguely scandalous confusion of planes of reference and of the 'tone' at which hyperbole and the verbal conceit can operate! More generally one can observe in the whole poem a fondness for sustained metaphor which almost turns to allegory.[1]

What is revealing is to note how far and in what respects the maturer Malherbe would seem to reject his own early style. Thus there is little doubt that the elaborate metaphors of the stanzas just quoted became for him *du galimatias* – to quote the term he enjoyed bestowing not merely on bold but on all loosely conceived imagery, such as that of Desportes. What few metaphors there are in an austere poem like the *Prière pour le roi Henri le Grand allant en Limousin* (p. 1) are wholly conventional, there are never more than one to a stanza. A certain literality, combined with a degree of hyperbole – 'Les veilles cesseront aux sommets de nos tours; . . . le peuple . . . Si ce n'est pour danser n'orra plus de tambours' – constitute its more memorable moments. The willed nobility – 'grand jeu d'orgues' (it has been said) – leaves one too often conscious that its rhythmic, sententious symmetries have been obtained at the expense of too much verbal dilution:

> Et qui n'a point de peur n'a point de jugement.

or

> Ton pouvoir absolu, pour conserver notre aise,
> Conservera celui qui nous l'aura causée.

The style then of the 'public' poetry of Malherbe's most ambitious efforts does suggest a development which reflects the anti-metaphor views expressed by the Cardinal Du Perron – the literary *colonel-général* of those years, to use Marie de Gournay's phrase. We have seen in an earlier volume[2] how this was at least in part a reaction to the bathos into which a Du Bartas could so easily fall, to the 'roughness' of Jodelle or Belleau, yet it was not so much an attack on every kind of metaphoric writing as on any which did not lend a vague,

[1] Cf. Stances IX . . . 'Les yeux furent les arcs, les œillades les flèches / Qui percèrent son âme', etc., a passage directly reflecting Tansillo, it should be added.

[2] *Poetry of France*, Volume I, Introduction, p. lxxxiii.

generalizing and ennobling effect to poetic expression, and was thus inimical to all but oratorical verse. These comments may appear to endorse the now fashionable claim that most features of 'Malherbian reform' had already been anticipated in their several ways by Desportes and Du Perron. It would seem to me rather that, while Du Perron, for all his eclectic and varied background, does already embody a 'Ciceronian' reaction[1] to the various forms of Mannerism to be found among his contemporaries and thus heralds a kind of *académisme*, Malherbe set upon this his own special stamp. For example, his famous remark that *les crocheteurs* of the Port au Foin were the best guide to vocabulary implies an attitude to words much nearer the Pléiade cult of trade and local idioms than the logical trend which his purist exclusion of the *bas*, the *sale* and the harsh would seem to imply, and which eventually two generations later led to a dangerously restricted 'poetic vocabulary'. Of course, it is true that this 'fighting shy' of metaphor meant more and more that antithesis and paradox (of a minor verbal kind) already tended (as in Bertaut) to become the *sign* – external and dangerously superficial – of poetry itself. But Malherbe's ear is in all his work a crucial factor and his doctrine of the difficult rhyme was quite his own.

A poem such as *Beaute, mon beau souci* (p. 1) is a wonderful illustration of how much can depend on the most typical traits of a poetry of *conceits*, with its economical metaphors by allusion, but also how temperament and certain rhythmical *parti-pris* go far to make us think of it in retrospect as the poem whose first lines open a door on a whole sea world of the feminine enigma only to run – so quickly, alas! – into the sands of banality. If the *beau souci* idea – that load of caring gladly assumed – is echoed by half a dozen contemporary poems (thus showing its appropriateness), the tidal metaphor for the lady's caprice is (I think) as much Malherbe's own as his Penelope's web. Yet the whole structure, what the poem says, is established on what appears as almost a business proposition – not just that the poet's love could cease if not returned and rewarded, but that it will automatically do so. It is interesting to notice how much this kind of poem (of which some dozen parallels can be found around this time) may owe its vogue to the evident fact that the world was tired of that idealized fiction, the *amoureux transi* of Petrarchan tradition – who

[1] See loc. cit.

is to become a figure of fun, as in Régnier's poem on this theme.[1] Reflection shows, however, I think, that Malherbe wished to lend a playful nuance to his down-to-earth plea, and what has played him false is precisely what Boileau singled out as the very reason for holding him to be the great innovator – the inventor of the symmetrically balanced *alexandrin*, of the *mélodie binaire* of some recent theorists. One can see how such phrases as 'Madame, avisez-y, vous perdez votre gloire', instead of being arch, suggest the warning finger of a pedagogue precisely because of the too marked rhythm.

However, *Beauté mon beau souci* is there to remind us of the opening images of other poems – 'Beau ciel par qui mes jours sont troubles ou sont calmes'. And even if the rhythm plays the poet false on occasion, one of Malherbe's assets was his ear for rhythm – heard to advantage in some of the songs which his contemporary Boesset and Boesset's son-in-law Guedron were to set to music. Here his penchant towards the end-stopped line and the inscriptive effect were clearly out of place and are naturally absent in the shorter lyric metres. One of the most entrancing of these songs – the most 'baroque' indeed – is *Sus, debout, la merveille des belles* (p. 6) where two nine-syllable lines (Malherbe *could* choose *l'impair*) are followed by two ten-syllable lines and produce a skipping effect which conveys the gaiety of this buoyant invitation to country pleasures. The sheen on the fresh grass that art can never imitate is, however, part of an evocation each detail of which suggests not nature but certain refinements of pictorial art. In

> L'air est plein d'une haleine de roses,
> Tous les vents tiennent leurs bouches closes

it is the mythological landscape – or even map – with its cherub-headed winds which is brought to mind. And a sun-god with all the glory of some *ballet de cour* Apollo seems to belong to the day Daphne was wooed but not won. The wording of this conceit with a final allusion to father Peneus whose protecting waters his daughter sought in vain brings us to another Malherbian trait – his fondness for the unusual rhyme – a byword among his contemporaries (who

[1] *Stances contre un amoureux transi*, which end: 'Souffrir mille et mille traverses,/ N'en dire mot, prétendre moins/Donner ses tourments pour témoins/De toutes ses peines diverses,/De coups n'être point abattu,/C'est d'un âne avoir la vertu.'

jested about the rhymes *turban–Liban* and *marin–Turin*) much as our own contemporaries did with Aragon twenty years ago. Perhaps English readers ought to remember that – strange to relate – such rhymes rarely have the slightly comical flavour which is usually theirs in English.

So far as treatment of the 'pastoral theme' is concerned we are nearer here to the artifice of Donne's *The Bait* than to Marlowe's *Passionate Shepherd.* It is a commonplace today to see this theme, if not in all the forms so adventurously and tiresomely explored by Empson, as a natural escape from the complicating refinements of increasingly sophisticated *mores*, to see, in fact, its social role. After all, whether we think of Theocritus, Virgil, Sannazaro or Malherbe's own contemporary, d'Urfé, against their respective backgrounds, the case seems clear.

What still needs wider recognition is the aesthetic and indeed the philosophical importance of the pastoral mode. Richard Cody's recent *Landscape of the Mind* gathers the many threads together in a remarkable way. It is too easy to forget that the evocation of the Golden Age, as we find it, for example, in Tasso's *Aminta* (which is echoed here), has implicit in it the Orphic syncretism of the Florentine Renaissance, that the *Aminta* is, in Cody's words, 'a footnote to Plato', that 'the measure of good pastoral is always the gap between the lyric simplicity of the words and the multiplicity of senses they suggest'. Here in Malherbe's poem the *reductio ad vulgare* of the invitation to spy upon *bergers et bergères*, because 'C'est chez eux qu'Amour est à son aise' – completed by the last stanza's allusion to 'votre honneur, le plus vain des idoles' – has only a characteristic and rather chilling rationalism about it. Whether Malherbe *argues* his consolation to a parent bereft of his daughter, or *argues* his suit to a woman, French poetry is set by him on a trend towards a discursive prose construction which lasts for more than a couple of centuries. Strangely enough, the most generous and touching effusions of Malherbe are in prose. To those who think of him as a dry old stoic (or alternatively as *Père Luxure*) one must quote the splendid letter to Balzac where he exclaims of women:

> Toutes choses, à la vérité, sont admirables en elles; et Dieu qui s'est repenti d'avoir fait l'homme, ne s'est jamais repenti d'avoir

> fait la femme. Mais ce que j'en estime le plus, c'est que, de tout ce que nous possédons, elles sont seules qui prennent plaisir à être possédées. Allons-nous-en vers elles, elles font aussitôt la moitié du chemin; leur disons-nous *mon cœur*, elles nous répondent *mon âme*; leur demandons-nous un baiser, elles se collent sur notre bouche; leur tendons-nous les bras, les voilà pendues à notre cou. Que si nous les voulons voir avec plus de privauté, y a-t-il péril ni si grand ni si présent où elles ne se précipitent pour satisfaire à notre désir? . . .

And the old man ends with a sigh that he no longer finds grace in their eyes.

It is curious to be brought to realize what an enormous reputation was earned by 'le tyran des mots et des syllabes' for a comparative handful of poems. It has been justly remarked that he was 'forced into silence by his own demands' (Philip Wadsworth), but if such a conclusion is to be accepted it is only after one has made a distinction with the case of Paul Valéry, about whom the same observation could be made. Valéry's silence – early not final – was in function of an ideal of *poésie pure* with all the phrase implies by way of a doctrine of inspiration.[1] Malherbe's artistic conscience was essentially that of a technician, of one who by preference proscribed and prescribed – no hiatus, no rhyming of congeners, break your stanza at the third line and so on – although no doubt one can speak of his spirit of intellectual craftsmanship. He is, for me at least, the author of admirable lines or snatches rather than of poems which have any structural inevitability. Even the much vaunted *Consolation à M. du Périer* falls into plethoric and redundant stanzas before finding those stoic accents on man's fate which bring us back almost to the note of *N'espérons plus*, so much is this one of the few themes which really move his imagination. It is difficult, on the other hand, to have much patience today with Malherbe's ferocity at the expense of Spaniards and Protestants – a wholly literary showing of one's teeth, like Horace on conquered Scythians or ultimate Britons. Indeed perhaps the thought indicates how specifically Latin are the virtues of a style from which the fluidity as well as the *audaces* of a certain Mannerism have gone and only certain relics of pomp and hyperbole remain.

[1] See *Poetry of France*, Volume IV, Introduction pp. xix, xx.

At least once, however, he succeeded in combining his genuine feeling for France and her rulers in an unexpected and hyperbolic form. It is one of the few pieces he ever succeeded in completing in time for a *ballet de cour*, the *Récit d'un berger* (p. 8) which begins:

> Houlette de Louis, houlette de Marie,
> Dont le fatal appui met notre bergerie
> Hors du pouvoir des loups! . . .

For many readers the 'crook' with which the poet endows those shepherds of the people, the Queen Mother and the young Louis, is seen as a piece of pastoral whimsy in the spirit of Dresden china figures. This is to betray an ignorance of shepherds, their ways and their weapons – as also of the value of the pastoral tradition. The crook is not simply the curved stick to catch a sheep with, it is an arm of offence and its heavy iron end is made either to be thrown at the wolf or to sling a charge of earth or stones at him.[1] Malherbe's 'conceit' has, then, a good deal more to it than one might think at first sight, and to end the *récit* he has predicted a return to the Golden Age with all the hyperbole of Virgil's Fourth Eclogue but also something of its prophetic fervour.

Indeed, these last two poems throw light on what is at first sight an inconsequentiality which is bound up in the appraisal of Malherbe as a poet. 'Il avait aversion contre les fictions poétiques', Racan tells us, and illustrates from a set-to between Malherbe and Régnier – once friends, as he admits – which shows, in the former, that degree of literal-mindedness which has been called 'imaginative illiteracy'. Yet the *récit du berger* is all *fiction poétique*. He despised Tasso but he made an exception of the *Aminta* – echoed, as we have seen, in his *Sus, debout, la merveille des belles*. André Chastel writes in his foreword to Marie-Françoise Christout's study of *Le Ballet de cour*:

> Le ballet se meut entre une symbolique générale, instituée par la philosophie et l'iconographie de la Renaissance, et l'actualité politique.

Both in the apparently simple pastoral *chanson* and the elaborated *récit du ballet* with its direct political allusions, more than one might

[1] See Jacqueline Duchemin, *La Houlette et la lyre* (Paris), pp. 283–6.

think survives, despite Malherbe's temperament and his sarcastic *boutades*, of that 'Orphic theology', so potent still in the world of the Pléiade. The *Aminta*, in its often omitted Intermezzi which introduce successively Proteus – 'sacro marin pastore' – and finally Pan, the Shepherd of Men, and symbol of the Deity, its parting line – 'Il gran Pan vi licenzia' – still bears the stamp of this Platonic descent. Yet, though the aura of Tasso's pastoral masterpiece hangs over this poem, the decline into mere political flattery with all its contingent risks is neatly illustrated by the additional stanza which alluded to the Queen Mother's first minister as Pan. It was he, the Italian Concini, who was to be assassinated by the young King's orders only two years later, when the same Malherbe called him *excrément de la terre* in another poetic effusion! Such a detail may serve to illustrate the importance and the flaws of the attempted *Gesamtkunstwerk* of the *Ballet de cour* and of this particular creation. To this theme we shall have to return again and again. For indeed much of the lyrical poetry of the age has to be regarded as a fragmentary realization of those great spectacles; and it is only in a forgetfulness of their very existence that we can fully applaud Henri Lefebvre's conclusion in a letter to his friend, Mallarmé:

> Avez-vous lu le vieux Malherbe? Cet esprit si sec ne sent que l'orgueil et rend admirablement les sentiments hautains, aussi quand il rencontre la fierté ou l'invective, ses odes se dressent en strophes d'airain. Mais aussi, quel entourage d'une platitude prétentieuse et d'une fausseté désespérante. Il passe à côté de lui-même . . .

Even if Lefebvre's is an incomplete view, it is not unfair. And it leads on to a number of other questions. Is Malherbe really, then, as Boileau thought and as the modern manuals repeat to this day, *le premier des classiques* – an expression which rests on a whole group of peculiarly French assumptions? Or must we declare with Antoine Adam – moved by Malherbe's total lack of a sense of the ridiculous (a possibly inadequate reason) – 'La vérité, c'est que Malherbe est un "baroque" '? Adam's case is an illuminating one. He admits *le vieux tyran*'s hostility to all flights of fancy, but draws attention to the way in which his imagination, starting out from the *real* (as I noted about the *Prière pour le roi*) deforms and magnifies what it touches. Adam is impressed by Malherbe's love of the over-emphatic and views his inconsequential return to much 'classical mythology' as due to the poet's desire to astonish and to impose an image of force and grandeur. For him the pictorial metaphors of *Sus*, *debout*, *la merveille des belles* almost clinch the matter. For Marcel Raymond, a more subtle critic, Malherbe is 'trop tendu pour un pur classique', which is as good as describing him as some sort of *classique*, at least.

Yet these terms, too often bandied to and fro, are not perhaps so irremediably opposed to each other. The early seventeenth century was, in literature as in the visual arts, a moment of change all over Europe. The one basic 'polarity' of the preceding age was between the antique or 'classical' and a whole gamut of various exciting *maniere* – an ideal of strict observance as against virtuoso expressionism of one sort or another. Whereas – or so one is tempted to say – the corresponding terms are now to become *académisme* on the one hand and baroque on the other, adding, moreover, that the nuances which lead from one to the other are infinite. And if this kind of spectrum is involved who can doubt that Malherbe stands at the 'academic' end? Who can doubt, too, that this is clarified by comparison? Indeed, one has often felt that all this terminology verges on futility for lack of a full gallery of examples. An anthology such as this may help to clarify some of the problems *ambulando*. Certainly, so far as Malherbe is concerned, we lack his own *art poétique*, for the Desportes commentaries are hardly a substitute, and the inferences drawn by a nineteenth-century grammarian – F. Brunot – sometimes debatable. But we have this missing book of 'doctrine' in the form of the appropriately named *Académie de l'art poétique* of Deimier (1610), a treatise 'qui fonde en théorie le rationalisme poétique' in the words of Pierre Colotte.[1] Not only is *la raison* – and indeed *la clarté*! – already there proclaimed a poetic touchstone, but even the concept of 'poetic licence' is condemned as an 'erreur affectée et lunatique'.

Certainly, also, one is led on to ask a whole series of questions about the other poets of the opening century and about the speed with which Malherbe acquired a reputation and a band of disciples.

It is, as it happens, unusually easy to get some inkling of this situation since from just before 1600 a new kind of periodic anthology starts to be published in France, each printer aiming at a selection of

[1] Pierre Colotte, *Pierre de Deimier, poète et théoricien de la poésie* (1953).

the best contemporary verse. Indeed, some ten collections appeared in under five years. The earliest of all (1597) is almost an anomaly, featuring, as it does, almost the whole sparse poetic production of the already dead Sponde, together with his self-appointed sponsor, Laugier de Porchères, and a selection of Desportes, Du Perron, Bertaut and some lesser figures. It is to this basic stock that the *recueils* of Du Petit Val, Du Breuil and Guillemot will add new poems for fifteen years or more. It would not be unfair to regard the general flavour as a cross-section of the various Mannerisms of the last years of the sixteenth century.

The situation is well summed up by that seventeenth-century poet and historian of poets, Guillaume Colletet, in connection with the obscure Jean Godard (whose *Loisirs* of 1606 were reissued as *La Nouvelle Muse* fourteen years later):

> . . . Quiconque les voudra consulter y trouvera sans doute assez de pointes d'esprit, ou du moins assez d'antithèses et de contre-batteries de mots. Ce qui était à peu près le genre d'écrire de la fin de l'autre siècle et de l'entrée de celui-ci. Mais que ce Poète, d'ailleurs assez intelligent, n'affecta dans sa Province de Beaujolais qu'après que la mode en fut passée à la Cour: et que les Porchères et les Spondes, qui les avaient le plus mises en vogue, eurent cédé la place aux Lingendes et aux Malherbes, de qui les Muses polies avaient bien plus de raison et bien moins de pointes . . .

This is the more telling since the Godard in question had achieved an early celebrity for his over-facile imitations of Ronsard – *La Flore ou les Amours de Jean Godard* – and his conversion to a new style of writing – new in 1604 if not in 1618 – is all the more significant. His *Stances de l'ambition* (p. 10) indicate the mildly 'metaphysical' vein which must have been 'in the air' at the turn of the century. The subtlety of

> Sorcière des esprits dont le charme ne dompte
> Que les cœurs plus ardents à se rendre invaincus . . .

rings the changes on a sentiment which was less ambiguous for that age than ours. The almost Valéry-like *Ma pensée, où pensez-vous être?* (p. 12) is still more the expression of a gauche, imperfect talent, no doubt, but not of one afraid to be thought 'quaint'. One may well feel that these pieces illustrate exceptionally well the difference between the 'conceit' as we know it in Donne and his followers, where the *discordiae concors* must be more than a *jeu de mots*, and, on the other hand, the so-called *pointe d'esprit*, where something nearer a pun than an epigram suffices.

'Mon Dieu que le penser est un peintre savant', we find Pierre Motin, too, exclaiming. Motin, a more talented poet, not much younger than Godard, provides a pattern of evolution more significant than his achievement. We have his *Vers inédits* (published only in the last century) which give us some vivid glimpses of Bourges in the 1580s as seen by a young man in love. The bell for vespers cuts short his visit to Mlle La Croix. Yet he will not go to the Jesuit *salut*, for

> Leur musique me fâche, ils la font trop durer.

The best of his reproachful love sonnets (p. 14) owes its impact to the same conversational attack, the same ability to convey the varying inflexions of the speaking voice that we have in Jean de Sponde. The injury of broken promises, the sarcastic recital of hypothetical excuses and the wry jest of the close – unelaborated, a mere 'throw-away line' – bespeak a talent (for concision and force) which was to remain largely unfulfilled. Indeed, it would be possible to point to a set of *stances* in which the same theme – woman inconstant as the moon – is laboriously worked out in half a dozen separate stanzas (see *Second Livre des Délices*, p. 407, *O siècle d'injustice et d'infidélité*).

This instance of poetic dilution is one of the features which render Motin's career so revealing. Several years of deliberate silence lie between the early verse and what we find in *Les Muses ralliées* and the other *recueils* from 1599 onwards. His *Reconnaissance faite à l'Inconstance, comme la plus favorable Déesse que les Amants doivent honorer* introduces a favourite 'baroque' theme, for it finds its place in a series going from Du Perron's *Temple de l'Inconstance* to Étienne Durand's *Stances* (see below p. 34). The accumulation of typical images of change and movement – sea, rainbow, clouds, fire – takes us through:

> Girouettes, moulins, oiseaux de tous plumages,
> Papillons, cerfs, dauphins et les conins sauvages
> Qui perdent de leurs trous la mémoire en courant.

Des fontaines, des vents, des songes, des chimères,
Sablons toujours mouvants, tourbillons et poussières
Des pailles, des rameaux et des feuilles des bois.

and ends with the same theme of changing thought itself. The poet interjects that he would add to his picture, were it possible, *ma pensée*:

Mais elle est trop soudain de mon esprit passée
Car je ne pense plus à ce que je pensais.

Yet Motin's *Tableau*, half-seriously elaborated with a nice taste in pseudo-cosmology – himself to take the place of Proteus – declines into a profession of Don Juanism a good deal less convincing than that of d'Urfé's *Hylas* (see below). One could also quote a splendidly vigorous treatment of the *pénitent de l'amour* theme which only lacks the touches of genius we find in d'Aubigné's almost hysterical *Stances*. But Motin's own note becomes increasingly that of *Est-ce mon erreur ou ma rage?* (p. 14) where the final stanza allows us to see the lover's threat of imminent suicide as subject to a last-minute revisal. In other words, his forte is the expression of a measure of ambivalence and detachment which, however, one does not find in his noble *Ode*, written to introduce his friend Régnier's *Satires* to the public.

Yet, apart from that ode and the three poems given by Jean Rousset, Motin's best poems are difficult of access for, in spite of being one of those whom the Academy in its first *projet de dictionnaire* quoted as the 'good models',[1] he has never achieved the distinction of having his maturer verse collected in a volume. It is not difficult to see several reasons for this fact and they, too, are not without interest. Thus, the bulk of all Motin's poems in the *recueils* are posthumous attributions. One has to assume that these are well founded. Many are clearly *pièces de circonstance*, as indeed are most of the *recueils collectifs* poems in general, thus reflecting more reliably this poet's reputation and the taste of the time. A very large number of these *pièces* are bawdy poems which first saw the light of day in *Les Muses gaillardes* and the *Cabinet satyrique*. It was over forty years ago that Fernand Fleuret and Louis Perceau announced a complete

[1] '. . . un des auteurs sachant le mieux leur langue et dont les exemples auraient force de loi.'

republication of these *poésies satiriques*, over thirty since a critical edition of the other poems was prepared by an Irish lady. Is one to think that Fleuret and Perceau found the harvest of 'epigrams' – obligatorily based on three-letter words – too thin? Certainly the sheer linguistic bravura of Sigogne is lacking in Motin. Or did Miss Stephens sheer off in alarm at the improper harvest and feel that, after all, for the rest, Boileau was not so wrong about 'ces vers où Motin se morfond et nous glace'?

In fact, the interest of Motin's later verse is what it reveals about the beginnings of preciosity. It is in the first years of the century that a certain 'specialization' of *poésies gaillardes* and *poésies galantes* may be observed. The *poésies gaillardes* may well combine pornography with an element of personal lampoon, as can be abundantly illustrated from not only Sigogne but Berthelot and others. One may observe that this narrowing down to a personal application is no less true of the *poésie galante* – thus Motin typically offers in *De quoi sert à mes yeux le retour de l'Aurore?* the sorrows of the lady whose lover is more interested in hunting than in love-making (*Délices de la poésie française*, p. 779). However, both the *gaillard* and the *galant* create colloquial tone and rhythmic interest in poems which are songs, with or without a refrain. And this is where Motin excels. His *finesse* is well seen in a neat poem *Il est vrai je soupire*, where the rhythm makes the lightness of touch:

> Adieu soupirs et larmes,
> Flamme et discrétion,
> Vous n'avez point de charmes
> Contre sa passion.
> Il faut des traits d'or pour se rendre vainqueur
> De son cœur.

Or, more amusingly, in the *Chanson*: *Que j'aime ces petits rivages* (p. 15).

It would be plausible to see in Motin an independent who, technically speaking, was already adapting himself to the *sauvages loix* of Malherbe, to which his friend, Régnier, was still taking exception in 1607.

It is strange that much of Régnier's fairly short life should have been spent dancing attendance in Italy on the Cardinal de Joyeuse, so much does his 'voice' depend on the earthy, indigenous flavour of French idioms and French proverbial sayings. There is more of the Italian Bernesque linguistic fantasy in that old fox, Sigogne, who only shuttled back and forth from Paris to Picardy – till the King banished him to be Governor of Dieppe, where he died. Unlike his uncle, Desportes, Mathurin Régnier does not seem to have brought back a stock of Italian verse books with him although, indeed, one of the satires shows a familiarity with Mauro's paradox on honour (*In Deshonore dell'Honore*) and others with Caporali, Berni or even Ariosto. No, the parallel could be drawn rather with that other exile in papal Rome, Joachim Du Bellay. Régnier's satires, however, were written after his return and, if something of the savage indignation of the Juvenal tradition is not foreign to his inspiration, they reveal a very different temperament. The pure satirist lunges out from the rock-like basis of moral imperatives – 'I know what's right!' But Régnier is, perhaps, the first poet to reflect a large measure of Montaigne's 'relativism' – if one may sum up in such a concept all that in the *Essais* ranges from a spontaneous delight in diversity to a calculated lesson in how to reduce over-zealous emotion and overweening self-righteousness. Yet, in spite of comments on the ethical oddity that marrying one's sister is 'Inceste chez nous, en Perse charité' or quoting that fallacy of sense-perception we have all experienced in a railway station – and which you then got on a canal – to show that 'cette raison est une étrange bête', relativism is mainly invoked to defend or justify the satirist's liability to counter-attack. And while it is true that the many social satirists – Du Lorens, Sonnet de Courval, Angot de L'Éperonnière, Garaby de La Luzerne, all Normans – with their sketches of life and character, seem to derive their manner from Régnier, his own earliest pieces are centred on literature as much as life and, to be more specific, turn on the great Malherbe–Desportes issue.

After all, not only was he Desportes's nephew but he appears to have been present at the famous *brouille du potage* (see p. 285). Indeed, according to one story, he (and not Jean Godard) was taunted in the King's presence for a harmless *licence poétique*. It is, therefore, hardly surprising that Malherbe is alluded to constantly. He is 'Notre Mélancolique / Duquel il vaut moins être ami qu'ennemi' (VII); or again the *renfrogné* who

> Suant, crachant, toussant, pensant venir au point
> Parle si finement que l'on ne l'entend point. (II)

all of which reaches a climax in the ninth of Régnier's original ten. It is the one which Boileau's friend, Brossette, dubbed *Le Critique outre* (p. 23), a title which neatly suggests the line of attack, since the outrageous nature of Malherbe's fault-finding (not that the man is actually named) is found to lie no less in the wholesale condemnation of *toute l'antiquaille* (plus the Pléiade) than in the concentration on mere technical detail, where it could, in fact, be shown that the views of Ronsard and Du Bellay have a sense of nuance lacking in the new poet-schoolmaster.

The satire is above all a splendid example of the variety of good satiric 'tone', moving from caustic irony to the half-laughing suggestion that Uncle Desportes's income and hospitable board were tests of his success, from indignation at a discounting of the higher flights of *le cheval volant* to a point where his 'relativism' merges into a Christian advocacy of humility, only to switch back to the stinging sarcasm of the close. But if we require an indirect but telling piece of evidence of Régnier's regard for the great Ronsard we shall find it in the fact that he appears to have deliberately chosen the printer and the simplified orthography of his great predecessor for the first edition of 1608, and in Motin's prefatory *Discours* we find a recommendation to his friend not to allow his mind to be obsessed by Malherbe. In a sense *le beau style bas* can provide a spontaneity, a variety and a splendid rough earthiness from which a renewal of poetry can sometimes spring. It was something like this which happened in England when John Donne passed from his early satires to the 'manly', intellectual yet impassioned style of the *Songs and Sonnets*. It is part of Ben Jonson's repertoire, too. Alas! – Régnier having died too soon and being a different kind of man anyhow – it is difficult to see anything similar in France, unless it be the intensely individual energy of a poet like Jean Auvray – to whom I shall return. There are, however, two figures of the opening century of different value as poets but who both were far more closely bound up with the whole absorbing occupation of court entertainments than Malherbe or Motin.

The first of these has already been mentioned, Laugier de Porchères, who, I suppose, has now lost the unusual posthumous celebrity of having one of his earlier poems used in Courteline's *Suite du Misanthrope*, where Courteline's Oronte quotes in full the execrable

> Ce ne sont pas des yeux, ce sont plutôt des Dieux,
> Ils ont dessus les Rois la puissance absolue . . .

(It is his *second* poetic attempt to rival 'Belle Philis, on désespère/ Alors qu'on espère toujours'!) Porchères's sonnet, one should add, was written in honour of *la belle Gabrielle*. The flatly epigrammatic is what most characterizes, too, the couple of poems with which Porchères saw fit to present his 'recovery' of Sponde's already published as well as his unpublished poems (see above, p. xxxv). In spite of Colletet's comment there is little in common between them other than a certain *contre-batterie de mots*, to use his own term.

The significance of Porchères is rather his identification from 1594 with *vers de ballet* and court entertainments. His courageous *Prosopopée de Mars* shows him as an admirer of the unfortunate Biron, and a vividly picturesque description of *Les Courses et la pastorale du parc devant Turin* reveals his presence there, celebrating the hopes of a French marriage for Carlo-Emmanuelle's daughter – who in fact was to wed Francesco Gonzaga in 1608. Those nuptials are remembered for the first performances of Monteverdi's *Arianna* and the *Ballo delle ingrate*. Indeed, Porchères stayed long enough to make contact with Marino, who arrived for the occasion and who introduces his name into the panegyric he wrote for the Duke of Savoy.[1]

The highlight of his career would appear to have been the *Ballet de Monsieur de Vendôme* and the *Carrousel du Camp de la Place Royale* in 1612. Such a poem as *Orphée qui attire les arbres par sa voix* (p. 19) has a subtle, swaying rhythm which cannot but remind the modern reader of Valéry's *Au platane*, while even the rhymes and the general smoothness show how far the lessons of Malherbe had been taken to heart (I think) by the Princesse de Conti's *intendant des plaisirs nocturnes* who, in spite of the *éclat* of his *Discours de la fable de Psyché* (1618), was to outlive his fame to become a mere amiable eccentric in the eyes of many.

A more considerable poet who, instead of living to eighty-one was executed at the age of thirty-three – in a sense, one of the 'lost

[1] Porchères returned the compliment with a prefatory poem to *La Lira*, as well as to the *Panegirico* itself.

leaders' of whom the period has too many – is Étienne Durand, another forgotten figure, rightly rescued by the indefatigable Lachèvre over sixty years ago. However, the extent to which Lachèvre was anxious to read into the verses of Durand's *Méditations* the direct reflexion of the poet's passion for his cousin – and indeed the cause of all his woes – has perhaps prejudiced some modern readers against Durand (cf. Adam's omission of his name).

Look, however, at one of his sonnets – *Pourquoi courez-vous tant, inutiles pensées* (p. 33). The attack, the rhythmical directness, the sense-pattern expressed without metaphor, to end with a half-serious witticism, seem to me typical of Durand. Here, as elsewhere, the general intensity of utterance may remind us of two poets – Sponde and d'Aubigné – of another generation. Durand is often more metaphorical in his sonnets, though without 'metaphysical' ingenuity – even his inevitable flea lacks subtlety. On the other hand, the extent to which these love-poems do succeed in just not falling into the *clichés* of gallantry, the extent to which a couple of the *Élégies* seem to correspond to a highly plausible real-life situation, all this pleads in favour of Lachèvre's view, not so inappropriate in considering a young man of under twenty-five, but it also means that in a pretty narrow and monotonous way the anguish of frustrated desire holds the centre of the picture, although in the final *Discours*, the treatment of the lovers' confession and recollection merits comparison with Théophile's maturer *Élégies*.

What are, however, more remarkable than any of these poems are certain of the *Stances*. For example, *Stances de l'absence* which is splendidly constructed on the 'Hell is absence' theme:

> Tous les maux de l'enfer ne sont rien qu'une absence.

Only the epigrammatic neatness of the close – 'Absent comme présent mon malheur est égal' – detracts somewhat from the impassioned effect. Or again the *Stances de l'amour* with its repeated questions:

> Si l'Amour est un Dieu, que n'est-il sans enfance?
> Ou s'il est un enfant, que n'est-il sans puissance?
> Ou s'il est si puissant, que n'est-ce par raison?

The serious analysis of love which follows –

> Faible divinité qui ne reçoit son être
> Que du bien ou du mal que le désir fait naître

– is, unfortunately, over-elaborated by two stanzas devoted to one of those somewhat infantile 'fables' of which the Pléiade were too fond, but the bitter ending makes it again a remarkable testimony to the extraordinary promise of the unfortunate Durand.

What, however, is the most remarkable single poem of the *Méditations* is the now relatively well-known *Stances à l'Inconstance* (p. 34). The theme of ubiquitous cosmic and human mutability, of metamorphosis within and without, is almost obsessive in this age, and has often been regarded, perhaps too indiscriminately, as a symptom of the baroque. This means, as we have already had occasion to see, that the poem fits into a series and its originality is best demonstrated by some brief comparison. Du Perron's *Temple de l'Inconstance* (*Muses ralliées*, 1599) is a charmingly witty, emblematic poem in which the inconstant lover imagines installing his inconstant mistress in a new sort of shrine. He will come with a pretended offering of his heart; she, seated on a tripod of quicksilver, will prophesy unforeseeable thoughts recorded on green leaves for the wind to disperse, while he will feed the mutable Proteus, the Old Man of the Sea. Motin, as we have seen, passes from a nice piece of myth-making which offers us *Inconstance* as

> Arbitre des humains, contraire à l'espérance
> Et la fidèle sœur de Fortune et d'Amour

through an evocation of changing nature, changing thought where his place would be with Proteus and Achelaos, but only to end – rather cheaply – with an affirmation of temperament which makes him, in fact, equate love and riches with *bonne fortune*.

Durand offers more than this. Wind and water are the origin of this *esprit des beaux esprits*, second essence of creation, which manifests itself in changing human desire no less than in the revolving heaven, in the dance of the atoms, in the waves of the sea and the succession of the seasons. The mark of Montaigne's influence on Durand is clear in every line of the two stanzas which follow:

> Je peindrais volontiers mes légères pensées
> Mais déjà le pensant mon penser est changé . . .

And immediately this mobility is claimed as the secret grace that saves from all obsessive thoughts: ambivalence, in fact, as something between a fact and an ideal, since the poet's final offering to Mutability is the lady herself and her heart. So for all the intellectual sparkle of the earlier part of the poem – which has its serious undertones – we finish once again with a merely witty ending – not witty enough to include (as it might have) a compliment to the lady's 'infinite variety'!

Durand has, however, other tunes to play. There is quite subtle irony in an *Ode* which begins with love's denial. There is a welcome freshness of sensuality in a *Folâtrerie*. And there is, above all, the need for the reader to recollect that most of these poems are those of a very young man. What of the years between, when he was the official organizer and author of at least two of the most important *ballets* of the Regency?

The political significance of the *Ballet de Madame, Sœur du Roi* has already been seen. It was a great state occasion in the Salle de Bourbon, vacated only four weeks before by the Estates-General, an occasion for which there is a documentation which includes not only Durand's factual description but the over-flowery allegorical 'explanation' of a certain Élie Garel – *Les Oracles français* – and much contemporary comment. We have seen the nostalgic themes of a new Golden Age which it sought to evoke – although *le père* Ménestrier, expert of a later generation, was to remark sourly that Durand, 's'il eût su la fable et s'il avait été instruit des Ballets des Anciens, aurait fait quelque chose de plus juste', and Margaret McGowan speaks of a 'simple défilé de personnages'.[1] This is to ignore the way in which 'le subtil Durand' (as Élie Garel calls him) used the scenic machinery of the new Italian *machiniste*, Francini, to sensational advantage, as well as the importance of the *récits chantés* of Guédron and Boesset. The cloud, growing to cover the whole stage, and from the centre of which Night emerged in the first entry, the appearance of *les ardents* or *feux follets*, the forest perspective from which ten shepherds – nine of them *maréchaux de France* – successively emerged, the sky in which Aurora appeared to announce the arrival of the King as Apollo, followed by his sister as Minerva, and the final scene in which more than thirty celestial personages descended on the

[1] *Le père* Ménestrier, *Des ballets anciens et modernes* (1682), p. 106. Margaret M. McGowan, *L'Art du ballet de cour en France, 1581–1643* (Paris, 1963), pp. 85–99.

stage to the sound of the Tritons' music, while the chariot of Princess Elizabeth appeared, 'traîné par les deux Amours, l'un chaste aux mains libres, l'autre voluptueux aux yeux bandés' – the impact of all this on contemporaries is clear enough. If metamorphosis, in the form of transformation scenes, is so prominent, one can distinguish the notion of cyclical change (night to day, seasons, elements), all with some structural sense. What, unfortunately, is lacking is any good poetry apart from Malherbe's *récit.*

When, two years later, the king himself engaged Durand to produce *la Délivrance de Renaud*, inspired by Tasso and indicating a political intention, emphasized by the fact that Luynes himself danced the part of Renaud, the poet did contribute a couple of poems – *Pour M. de la Roche Guyon, représentant le Démon de la Chasse* and another for *Le Général des Galères, représentant le Démons des Fous* – which, disappointingly, show a pretty wit rather than any real development of poetic talent.

Comparing the Jacobean with the Caroline masque, Enid Welsford wrote many years ago now:

> During the reign of James I the masque, in spite of all its faults, was the expression of a living ideal. The classical deities were not mere conventional abstractions, but inhabitants of a golden world. The lyrics were full of the rhythms and lilt of the dance. The whole performance was a radiant, idealized presentation of courtly revels. During the Caroline period all this was changed. There was an unpleasant mingling of pompous deities and realistic contemporary types, the setting became tasteless and extravagant, the lyrics were no longer dancing songs, but gallant, neatly-turned compliments . . . (*The Court Masque* (Cambridge, 1927), p. 244.)

The more one studies the evidence accumulated by Margaret McGowan for the French *ballet de cour* the clearer it becomes that, in France, things had gone the same way still sooner. Of course, Henrietta-Maria's French taste, her orders and, indeed, the victory of Inigo over Ben were the prime factors in England. But in France we note how, already by 1610, in the *ballet de la Foire Saint Germain* a number of purely humorous or grotesque *entrées* became a feature (while, one might say, Jonson made use of the equivalent

Bartholomew's Fair in a quite different and separate type of entertainment).[1] One has the feeling that in 1615, perhaps for the last time, there might have been a French poet to write, as Ben did two years later for his *Vision of Delight*:

> Break, Fancy, from thy cave of cloud
> And spread thy purple wings, . . .
> And though it be a waking dream
> Yet let it like an odour rise
> To all the Senses here,
> And fall like Sleep upon their eyes
> Or music in their ear.

To pursue the English analogy (the better to mark the differences), it is relevant to point out the recognized influence of the masque on English poetry from Spenser to Milton (not to speak of Shakespeare himself). 'Not merely did the Masque supply Spenser with imagery, it influenced the structure of his greatest poem', making it a series of pageants not an epic (*The Court Masque*, p. 305) – a view all the more convincing when, some twenty years ago, a ballet version of the *Faerie Queen* allowed one to appreciate how effective allegorical impersonation on the stage can be. Even leaving the 'golden world' of *Comus* aside, onwards from the early *On the Morning of Christ's Nativity*, with its reflection of the machinery and devices of the stage, to the Eden of *Paradise Lost* – set out like 'a woody theatre of Stateliest view'

> Where Universal Pan, Knit with the Graces and the Hours in dance
> Led on the Eternal Spring . . .

Milton is full of echoes and recollections of the masque. It is essential that we should seek more assiduously than has been done hitherto for similar influences in France.

As C. S. Lewis has maintained, the historical moment is one at which, for the European imagination, 'a third world of myth and fancy' is born:

[1] Another indication of the conventional trend is provided by the same *Ballet du Duc de Vendôme* where 'L'Entrée des Comètes de cette année' indicates a return to the *Almanach* level, while a Florentine *Mascherata* of 1612 makes a feature of 'quatre stelle erranti retrovate del Signore Galileo Galilei, fiorentino, matematico di S.A.', in other words the new planets discovered by Galileo!

> The probable, the marvellous-taken-as-fact, the marvellous known to be fiction, such is the triple equipment of the post-Renaissance poet. . . . But this triple heritage is a late conquest. Go back to the beginnings of any literature and you will not find it. At the beginning the only marvels are the marvels which are taken for fact. The poet has only two of these three worlds. In the fulness of time the third world has crept in, but only by a sort of accident. The old gods, when they ceased to be taken as gods, might so easily have been suppressed as devils. . . . Only their allegorical use . . . saved them as in a temporary tomb for the day when they would wake again in the beauty of acknowledged myth. . . . And when they rose they were changed and gave to poetry that which poetry had scarcely had before. . . . The gods were not to paganism what they are to us. . . . Pure aesthetic contemplation of their eternity, their remoteness, their peace, for its own sake, is curiously rare. . . . For poetry to spread its wings fully, there must be, besides the believed religion, a marvellous that knows itself as myth.[1]

The relevance of this 'third world' to masque and ballet, as to the nostalgia of pastoral, is clear enough with all its implications for the poetic imagination. Yet, even the creation of a whole world which caught the fancy of the men and women of that age does not necessarily assure that poetry spreads its wings as widely as Lewis suggests. And this is the lesson of, perhaps, the greatest French work of the early seventeenth century, *L'Astrée* – quite certainly its best-seller, inspiring dozens of plays and several novels, a renewal of the Arcadian tradition which became *le bréviaire des sentiments et des bonnes manières* of more than one generation. It may be easy to laugh at that ninny, Céladon, and find d'Urfé's world of gentleman-shepherds and druids incredibly phoney. Yet, as many have suspected, it owes more to the nostalgic, innocent dreams of its author's own adolescence than to the learned researches of Claude Fauchet's *Antiquités des Gaulles* or even to a study of Léone Ebreo. It is easy to forget that real shepherds are a race apart – in d'Urfé's Forez as even today in Upper Aragon, a natural self-constituted aristocracy – and that the author's principal hero is a boy of fifteen who spends much of the long romance

[1] C. S. Lewis, *The Allegory of Love* (Oxford and New York, 1936 and 1958), pp. 82–83.

disguised as a girl in a deliciously ambiguous proximity to his Astrée. The vast *roman à tiroirs* displays many qualities, a certain episodic invention, and amusing dialogue – *marivaudage*, one might call it, *avant la lettre* – not to mention a gallery of types, among whom the most effective is, of course, Hylas, the self-professed inconstant. All – including Hylas – indulge from time to time in writing poetry or singing songs. It is sad to have to admit that, even when Hylas celebrates almost cheerfully *ma feue maîtresse* (ex-, not late), the lyrics of *L'Astrée* are in general somewhat flat.

On the other hand, the questionable advantage given by writing for a given situation sometimes makes itself felt. Even, long before *L'Astrée*, in the narrative poem, *Le Sireine*, a work of d'Urfé's youth, derived directly from Montemayor's romance, the messenger who reports to the hero Diane's grief at his absence and her inability to forget him finds accents for once not marred by a certain juvenile clumsiness. When, in the First Book of *L'Astrée*, Silvandre is overheard confessing his love for another and more noble Diane in the *Stances des désirs trop élevés* (p. 17) the teasing dialogue that follows adds something to the rather solemn mythologizing comparisons of Silvandre. And when, in the Fourth Book, Florice complains that men are incapable of real friendship and all women always betrayed, the treatment of the commonplace makes us suddenly conscious of all that the feminism of *les précieuses* owed to d'Urfé.

Of course, d'Urfé was not only a man astride the two centuries, but half-French, half-Italian – or Savoyard – in his culture and background. His epic, *La Savoyiade*, is a mere fragment which may remind us of Du Bartas, but in *La Silvanire, fable bocagère*, the charming pastoral play published after his death, he explains his view that rhyming verse is not suited to dramatic expression. Certainly the splendid scene of the first act where Adraste, *fou par amour*, is interrogated on love by two girls, written in *vers libre* with a minimum of rhyme, gives one a fresh view of the unrealized possibilities of a slightly enigmatic personality.

The erotic Platonism which d'Urfé revealed in his *Épîtres morales* in the years when *L'Astrée* was being elaborated indicates a depth of philosophic conviction which presents a curious contrast with a poet only a year or two younger but who, nevertheless, survived well into the second half of the seventeenth century, Jean-Oger Gombauld.

As Colletet noted in his *Vies des poètes français*, no one wrote better sonnets. It was a sonnet on the death of Henri IV which seems to have founded his precarious fortunes, since for it Marie de' Medici granted him a pension. The impecunious Protestant, tall and rather mysterious, kept to the end his religious convictions and, pathetically enough, felt obliged to leave it to his friend, Conrart, to publish his *Traités et lettres touchant la religion.* Gombauld's *Endymion*, too self-consciously written for (and dedicated to) the Queen Mother, is possibly a better work than his dramatic experiments. The best of his love sonnets seem to me to benefit by being written to a situation. Real or fictitious is neither here nor there, but certainly seen in depth. That is the point. Thus both in *Il est beau, vous l'aimez* (p. 20), where the poet mourns not his rejected love but the catastrophe his beloved is preparing for herself, and in the stoical resignation of *Puisqu'elle a pu changer* (p. 21) I find a certain firmness which looks forward to Baudelaire and, in the strange invocation to the prophetic dream (p. 21), a positively Nervalian touch.

Gombauld is, perhaps, better known for one or two fine religious sonnets, but the elaborated contrast between human deafness to the ubiquitous divine voice (p. 21), or the avenging imprecation on the worldly great (p. 22) are, to my mind, infinitely less appealing than the *envoi* in which the sense of exile on earth becomes a link forged with Christ himself (p. 22).

It is interesting to compare Gombauld with a poet ten years younger, who was the most gifted of Malherbe's direct disciples, François Mainard. There is no evidence that Malherbe exercised any influence on the older of these two men. They share a certain gravity and energy, but the disappointed *rancune* of the younger (and lesser) man lends a certain acid to his sonnets as well as to his once celebrated epigrams.

The much admired *Belle Vieille*, with its too explicit boast of a lifelong infatuation is, I find, a chilling affair which ends in some sort of necrophilia, and the charming opening *désaveu* of 'Hélène, Oriane, Angélique – Des noms puisés dans les romans' turns quickly to a 'Vive Barbe, Alix et Nicole' because

> Sans parler Balzac ni Malherbe . . .
> D'abord je les couche sur l'herbe
> A la merci de mon désir.

Perhaps, to give Mainard his due, one needs above all to read the *Ode a Alcippe* (p. 30). In a sense this is as good as anything in Horace – or, if you like, in Marvell or Dryden. It has the force which is given by a stanza which combines the pithy tightness of shorter lines with the expansive sweep of the three final *alexandrins*. Of course, it is State verse, public poetry, but from the *Beatus ille* of the opening injunction to leave court and office, and the astringent reminders of what each and all of us must leave behind, down to the universal dissolution when the world itself:

Sans savoir où tomber tombera quelque jour . . .

at every turn Mainard renews a commonplace. The splendid sonnet on the Roman civil war – where the pity of it takes on a national dimension – shows how Mainard could have risen to any theme in a major key. In fact, however, it is the lesser, more personal tragedies of an old man who looks back and laments a philistine age, or with real remorse regrets all he has sacrificed to ambition, which provide the occasion of his best poems. Richelieu disappointed all the hopes of this poet, as of many more important figures, but to few was it given to take their revenge in more witty yet more devastating terms (p. 32), while an unexpectedly tender *Épigramme* (p. 33) shows how what is essentially a *compliment précieux* can be given an inscriptive finality, illuminated by a tiny ray of lyrical feeling.

Malherbe's other close confidant and cherished disciple was a younger man, Honoré du Bueil, Marquis de Racan, who as a page in Bellegarde's household found in the 'tyran des mots et syllabes' a kind of second father. The *style imprécatoire* of Malherbe (see above, p. xxv) is never far away in Mainard; it is totally foreign to Racan. It is fascinating to read Racan's *Stances*: *A Tircis sur la retraite* (p. 41) immediately after Mainard's *Ode à Alcippe*. The point of departure, the thought of creeping age, is the same. Yet what Racan celebrates is a kind of sunlit, afternoon maturity, in which a return to the paternal acres plays no small part. On the one occasion on which Racan read a paper to his friends of the Academy, it was an enthusiastic and typically personal effusion on Montaigne's *Essais*. There is something of Montaigne's epicureanism – no shallow one – in his *Stances*. To characterize fully his talent, one must needs refer, however, to his *Bergeries*, probably the only French *pastorale drama-*

tique which has been read and admired since first published in 1618. Not, indeed, for its dramatic sense, nor for anything like the mythologizing lyricism of the *Aminta*.[1] Despite the title, Racan's characters are no shepherds; they are genuine peasants. He somehow manages to combine a real feeling for French country pursuits, French country people and French countryside, full of picturesque touches such as were more common in the previous century, with a certain urbane elegance which, one may feel, he would have discovered even without his apprenticeship to Malherbe. Similarly, the combination of fluidity and firmness which he shows in his paraphrases of the Psalms, however much it owes to Malherbe's lesson in the matter of stanzaic form, does seem his very own and, to my mind, is their greatest quality, rather than those occasional picturesque touches which so ravished Valery Larbaud (see *Ce vice impuni, la lecture*).

Though so different in temperament, Racan was the faithful guardian of Malherbe's memory and lived long enough to be consulted by Ménage in the fifties (when, indeed, many of his paraphrases appear to have been written). But he was only one year older than Théophile de Viau, who figured for a few years as the brightest and most controversial young man of a new generation, and whose misfortunes and early death made him (like Durand) a kind of 'lost leader'. The amusing parody of Malherbe's *Cette Anne si belle* – with its suggestion that the good, old war-horse should be put out to grass[2] – corresponds perhaps more closely to his detached view than the facile formula of uniting (as he writes elsewhere) 'la douceur de Malherbe à l'ardeur de Ronsard'. That it was still possible to regard 'for or against Malherbe' as an issue in 1619, when Théophile's verses began to appear in print, is proved by Marie de Gournay's *Défense de la poésie*, also written in that year.

Of course, Montaigne's *fille d'alliance* was, by this time, known as an eccentric lady already in her fifties, but her violently anti-Malherbian views were founded on a warm and genuine poetic sense and a

[1] In any case, all the French *pastorales* display a preference for the complicated *chassés-croisés* of the *Pastor Fido* and the vogue ends by merging into the tragi-comedy, as we see in Mairet's *Sylvie*.

[2] Ce brave Malherbe
Qu'on tient si parfait,
Donnons-lui de l'herbe,
Car il a bien fait.

shrewdness of judgement which gives them a diagnostic value, and makes them a useful background to the varied achievement of Théophile and his *libertin* friends. Her initial explosion of indignation was provoked by being present at a gathering where she witnessed 'the venerable ashes of Ronsard and his poet contemporaries scattered to the winds', and the recently dead Du Perron and Bertaut treated with hardly less respect by those who had so adulated them while still alive. This pair of ecclesiastics she regards, indeed, as the faithful successors of the Pléiade, in contrast to Malherbe, and not at all as the figures who explain how the latter's battle was already half-won before his arrival – this being the view of many modern critics.[1]

The main charge is, of course, that Malherbe and his *nouvelle bande* have a merely technical, indeed grammatical, approach to poetry – *poètes grammairiens* – and, apart from *l'oriflamme de la rime*, their ambition is simply calculated to attack 'l'élocution du Poème au joug de la prose, et de la prose triviale'. The development of this fairly familiar theme in her vivid, if congested, pages is significant, for it leads here – more particularly in a supplementary essay, *Sur la version des poètes antiques* – to an out-and-out protest against the anti-metaphor trend. 'Quelle maladie d'esprit de certains Poètes et Censeurs de ce Temps,' she exclaims, 'que l'interdiction absolue de Métaphores, hors celles qui courent les rues', or – as she puts it elsewhere – 'hors celles que les artisans pelotent depuis un siècle entier, ignorées pour métaphores de tels parleurs'. Few of the *demoiselle*'s criticisms bear more directly on Malherbe's poetics – and even his practice – than this. All lofty poetry needs figured speech, and her understanding of what metaphor involves has an unexpected profundity. Metaphor not only provides 'le contentement de voir deux objets . . .; c'est l'art de les représenter l'un par l'autre, bien que souvent ils soient éloignés d'une infinie distance, l'entendement de l'Écrivain semblant par son entremise transformer les sujets en sa propre nature, souple, volubile, appliquable à toutes choses . . .'

We have already had to discuss this issue, both in connection with

[1] It may be added that, in the view of K. Lévi (*Fêtes de la Renaissance*, ed. Jacquot (Paris, 1956)), the *air de cour*, with its stanzaic repetition of a melody, is a gradual phenomenon, beginning already in the 1560s. This would appear to dispose of the degree of musical influence on Malherbe with which Renée Winegarten has made great play (*French Lyric Poetry in the Age of Malherbe* (Manchester, 1954)).

Malherbe and, indeed, earlier in another volume of this anthology in connection with Du Perron.[1] For a penetrating treatment of *La Querelle de la Métaphore* we must refer the reader to Jean Rousset's essay in *L'Intérieur et l'extérieur* (Paris, 1968)[2] where it is well shown that, however much Marie de Gournay may have seemed a lone voice in her own generation, she is already arguing along the lines which, with Tesauro in Italy and Gracián in Spain, were to provide a complete baroque figurative philosophy. Its relative absence in France will be seen later to carry wide-reaching consequences.

It is, of course, odd that Marie de Gournay should apparently remain oblivious of the fact that Du Perron, whom she admired, and Malherbe, whom she abhorred, stood more or less together in what is one aspect of an anti-poetic rationalism. It is no less significant to see how far all Marie's views are dominated by the expressionism of a past age. Thus, for all her praise of metaphor, she has only contempt for the epigrammatic *pointe*. If she is against a purism which arbitrarily rejects words, it is in the name of expressiveness. The new writers – 'douillettes, femmelettes, pédagoguesses poupines', as she calls them – have not understood that 'la valeur d'un écrit, comme du vin, est en son esprit et sa vigueur . . . qu'il est parfois besoin de mêler aux vers la dureté, la rudesse, l'âpreté'. She protests even against 'le vain nuage de particules inutiles' and the shyness about 'dictions fortes et ces voix brèves qui fortifient à toute heure une clause en la resserrant'. These traits are all based on a new ideal of smoothness, for which her final jibe is 'Que nous profite aussi d'être riches en polissure, si nous polissons une crotte de chèvre?'

A further question inevitably arises. Why this concentration of attack on 'les frisés de la Cour, les courtisans de l'aigrette et de la moustache relevée' (to use some of her vivid expressions)? Who are the poets in question? The question is the more difficult to answer as not only Régnier, Motin, Porchères, d'Urfé, Lingendes are all mentioned with a word of praise, but even Théophile, whose *Élégies* are quoted as 'la fleur de ses Poèmes'. And yet, 'les frisés' hardly sound like Malherbe's pet pupils. Historians like Antoine Adam have brought forward groups of minor poets who exemplify the search for an academic purism. And yet, the most amusing satirical comment

[1] See above Introduction p. xxvii and *Poetry of France*, Vol. I, p. lxxxiii.

[2] Op. cit. pp. 56–71.

is provided by Marie de Gournay's own (?) *sizain* for one of these:

> Mes vers piaffent jusqu'aux Cieux,
>   Je fais miracles en prose
> Car je sais par cœur tous les Dieux
>   De la Métamorphose.
> Pour vos yeux qui sont mes flambeaux
>   Je fais des Almanachs nouveaux.
>
> (*L'Ombre*, p. 36)

Despite the allusion to Ovid's *Metamorphoses*, this sounds much more like an almost prophetic account of the socialization and, consequently, the trivialization of poetry, which was to produce the immense crop of *précieux* or *salonard* facetious (or would-be witty) verse. How this was to stand to other aspects of a complicated development will emerge more clearly as we study Théophile and his successors.

The best-known, probably, then as now, of all Théophile's poems is also the earliest – *Le Matin*. Not only did it quickly inspire parodies, but its author himself made fun of it in what is as near to a literary manifesto as he ever got. *Description d'une matinée*, as the first of several slightly different versions is entitled, begins (in all of them) with the eight lines which tempt one to anthologize the poem once again:

> L'Aurore sur le point du jour
> Sème l'azur, l'or et l'ivoire,
> Et le Soleil lassé de boire
> Commence son oblique tour.
>
> Ses chevaux au sortir de l'onde,
> De flamme et de clarté couverts,
> La bouche et les naseaux ouverts,
> Ronflent la lumière du monde.

The facile mythologizing image of the sun's chariot is redeemed by the splendid transitive use of *ronfler*. The sun's horses *snort out* light itself. Thenceforward each succeeding quatrain provides a separate vignette or little picture. Mario Praz suggests that one should regard such poems, organized like a garland or *collier de perles*, as typical of the post-Renaissance lyric and certainly it is Théophile who, in France, creates or advances the vogue for description by vignette, although here the poem as a whole fails because it falls into a quite incoherent time-sequence (after suggesting this as its plan). Nor has it instead the framework of mood which holds together the not dissimilar picture of morning activity in Milton's *L'Allegro*, the most sprightly of his juvenile works, nor the logic and the imperative tense of the Malherbe *Chanson* examined already (p. 6).

What is revealing is to see how Théophile parodies himself some ten years later at the beginning of his unfinished *Histoire comique*, for it is by the most direct echoes of *Le Matin* that he pours scorn on 'l'élégance ordinaire de nos écrivains'. More surprisingly, his scorn is not merely for the over-bejewelled Dawn of the opening. Alluding to another quatrain which speaks of the stars dimming out into invisibility, he continues . . . 'les étoiles, éblouies d'une plus vive clarté, . . . devenaient peu à peu la couleur du ciel'. And here one could well have sworn the verse in question reflected observation rather than a reminiscence by any Renaissance painter of Ovid's Phaeton and Phoebus from the Second Book of *Metamorphoses*.

It is, however, the lessons which Théophile draws which matter. The message is *Il faut écrire à la moderne*, and this is meant in a fuller sense than Malherbe's technical finickiness. No invoking of the Muses or other *singeries*. It was Ronsard's vigorous mind and sheer imagination that made him a great poet, not his Pindaric paraphernalia! More important still is the other failing which Théophile sees as the reaction from a distaste for humanist 'superfluities' – and here he echoes Marie de Gournay and separates himself again from Malherbe – the illusion 'qu'une métaphore était une extravagance'.

The slow stages by which his newer position was to be reached can be illustrated by Théophile's other celebrated, early piece, *La Solitude* (p. 44). This, again, employs the vignette technique – or *pointillisme*, as it has been, perhaps misleadingly, called – and invites comparison with the poem of the same title by Saint-Amant. Indeed, it has been disputed which was written first. The question is badly put, since Théophile's *Ode* is a relatively skilful amalgam of which, perhaps, some stanzas may have been influenced by the far more unified *Solitude* of Saint-Amant.[1] Besides, Théophile's *solitude à deux* is distinct in theme, if not in treatment, from the isolation in nature which Saint-Amant declares to be 'l'élément des bons esprits' and the source of poetic inspiration. Nevertheless the identity of title not unnaturally raises the question of the relationship to the *Solidades* and *Soleares* of Spanish poetry, so comprehensively and brilliantly studied by Karl Vossler more than thirty years ago.[2]

In Théophile's *La Solitude*, we begin, indeed, with what is an evocation of place (Stanza 1: 'ce val solitaire'), a place sacred to love, to *his* love (Stanza 15: 'Sainte forêt ma confidente'). From then on it is Corinne and the exquisite sensuality of her wooing which constitute the poem. How – and how successfully – are these welded together? First, we are given the evocation of the rutting stag seeing his own strange image in the bright water where, at dusk, a Naiad makes the stream sing her song. So far a simple symbolism keeps place and mood in line. But then, for no less than twelve stanzas (of the complete text) one mythological association after another is, as it were, wished or gratuitously imposed upon the forest scene – nymphs and satyrs, Silenus' grave, Venus and Cupid and eventually Endymion and Diana, Apollo, Hyacinthus and the wicked Boreas who caused his death. It is, indeed, this sort of passage which has provoked one critic to speak of nature becoming with Théophile and his fellow poets, Saint-Amant and Tristan, 'a playground for the poet's fancy'! In Tristan's case we shall see how mythological allusion can clearly have simply an idealizing or hyperbolic function; but, certainly, whimsical and even inconsequential elements occur here in Théophile – not merely the uncoordinated allusion to Venus and Diana, for instance (see Notes), but more strictly the macabre introduction of the birds of ill omen and the presence of werewolves! This is, in fact, precisely where it could well be that a not very successful borrowing from Saint-Amant's poem has taken place. There we have a series of allusions centred on a poor suicide for love, and osprey and owl are fully incorporated into the tonality of the poem. Here, the addition of the *loups-garous* may appear a facetious and misplaced

[1] See A. Adam, *Théophile de Viau* (Paris, 1935), pp. 46, 47, 63, 172, and Jean Lagny, *Saint-Amant* (Paris, 1964), pp. 55–6. It is clear that both poems circulated for several years before being published and that their authors were not unacquainted.

[2] Karl Vossler, *Poesie der Einsamkeit in Spanien* (Munich, 1935).

touch. On the other hand, the stanza which conveys the forest stillness shut in by the tree-tops moving in the wind, or the ravishing sounds of the nightingale's song, is a reminder that a sensitive reflection of physical sensations through their effects is Théophile's forte.

This is, indeed, what is achieved with great success in the second part of the poem. There is hardly a single overt mythological touch. A note of tenderness enters into the celebration of Corinne in that place which enhances her beauty. What in both Donne and in Mallarmé is the very sign of true love – 'My face in thine eye, thine in mine appears' – figures again, a true 'metaphysical' conceit, and the flavour of the ending forces upon us the reflection that, especially for that age, the crime *par excellence* against love is 'to kiss and tell'. The winds cannot stop whispering, but they never tell. Nor can they, bodiless creatures, know what human love is.

La Solitude, flawed poem, amalgam, though it may be, shows the kind of poet of love which Théophile might have become, as do the charming *Stances* (*Quand tu me vois baiser tes bras*) (p. 48) where only the banal exclamatory stanza at the end detracts from the impression of ecstatic silence round the sleeping girl which the poet has already created for us.

'Potentially' is, indeed, alas! the operative word so far as the whole of Théophile's poetry is concerned. From the moment when he took a post in the household of the young Duc de Candale until his final year of liberty, undermined in physical health and peace of mind by persecution and imprisonment, it is the human drama, the psychological interest of what could happen to a sensitive man of great intelligence, rather than his literary achievement *per se*, which emerge the more one studies the evidence. And this is the more tragic in that so many of his troubles seem to have arisen out of an attempt to be a free man – and a free writer – in that age of authority. He chose the service of a young *grand seigneur* who was his own contemporary; who had broken with his father (once one of Henri III's *mignons*); who was wildly enamoured of Sully's daughter, the Duchesse de Rohan; and who assumed a conversion to Protestantism to please her. Service, then, with a man of independence rather than principle, but who would treat him as an equal and a friend. Yet, for all that, he found himself a *poète de cour*. Much of what he produced in those years – or when he abandoned Candale for the more congenial Liancourt – has this character. He had shown already in Holland how he could emulate the hyperbolic, baroque vein of Malherbe – the best touch in his ode to Prince Maurice is the stanza praising the conversion of church bells to those cannon which were the country's bulwark against Spain – the stanza which was unprintable in France! His *vers de ballet* for *Les Princes de Chypre* (*Les Nautonniers*), as later for Luynes in the role of *Apollon champion* (p. 49), show how the double meaning, passing from minister to god, lends itself to a similar style – an effect for which Benserade was to be famous.

It is, however, a whole group of somewhat formless epistles which, under the title of *Satire* or *Élégie*, have constituted the most recently admired of Théophile's poems. The satires are a less pungent reflexion of Régnier, but they, the elegies – and a fragment of prose fiction – all support the view that Théophile had the kind of lively intelligence that could have made him a prose-writer in the Montaigne tradition, faithful above all to his own personal convictions and everywhere retaining an admirable spontaneity. He has something of that determination to be honest about love which makes his contemporary, John Donne, still so modern a voice. But Donne's *Elegies*, still more his *Songs and Sonnets*, have (of course) always some real unity, some formal pattern. This is just what is lacking in Théophile. One of the richest of these *Élégies* is recognized by modern editors as merely the running together of at least three separate poems, which is, perhaps, an adequate reason for giving only part of it here (pp. 50–4).

The poet's self-depreciation, his modest talent, his fears that what he once achieved simply to win the favour of some great man or to please a friend, he can no longer do to celebrate his new love, Cloris, this constitutes the opening gambit of *Souverain qui régis l'influence des vers*. It possesses considerable psychological interest, yet its multiple digressions choke the articulation of the admirable theme (worthy of Rimbaud):

> Ainsi ces Dieux Païens furent ce que nous sommes,
> Ainsi les vrais Amants seront plus que les hommes.

and it is only with what one might call the 'Goodmorrow feeling' (since we have just alluded to Donne) that we find ourselves launched on what is at once a celebration of love (again the theme of 'My face in thine eye, thine in mine appears'), as well as a critique of conventional lovers. This second part of the whole ends with what is a direct reminiscence of the end of *La Solitude*, but how sadly changed into a flat, banal and superfluous conceit. Perhaps the most remarkable of the other *Élégies* is the disillusioned reflection on the effects of old age on the heart, and of the dangers to courage, honour or virtue of a literal observance of 'all for love' (p. 55).

One is, indeed, obliged to regard much of Théophile's work, as Blackmur says of D. H. Lawrence, as being 'the ruins for the most part of an intended life rather than an achieved art'. Yet this is not true of some of his latest work.

The six odes of *La Maison de Silvie* (see p. 57) constitute a remarkable *tour de force* when one reflects that much of these poems in ten-line stanzas must have been worked out and memorized in the poet's noisome, condemned cell in the Conciergerie.

The intention to celebrate his enchanted refuge at Chantilly and its *châtelaine*, the Duchesse de Montmorency, is best realized in the earlier, descriptive odes – of which the third is, in my view, the most successful. It has the swan-lake as its theme. This exercise first evokes a natural décor, centred on the green island and its effigy of the water-god, Palaemon or Melicertes, and then builds upon it a fantastic, nocturnal scene in which a host of bathing cupids, Diana and her retinue of stars, the Cycnus of mythology, and the now animate statue of Melicertes himself all play their part. It is a poet's realization of what the stage-craft of the great court entertainments could only limpingly achieve with paint and carpentry. The final touch is supplied by the white bird (whose feet and skin are black) pursuing with half-raised wings the godlings, in each of whom he thinks he sees his Phaeton brought back to life:

> Ainsi dedans comme dehors
> Il lui tient l'esprit et le corps,
> La voix, les yeux et la mémoire.

No poem of Théophile's accumulates more of the traits in which Jean Rousset has seen the baroque aesthetic. Running water, reflecting water, rippling water, waves – but no storms or rocks are part of this miniature world – the proliferation of decorative aspects is still surbordinate here to a general structure. Instead of the metamorphosis of the previous ode where the Tritons are, by the sight of Silvie, changed – Actaeon-wise – into the white deer of the park, we have the far more subtle illusion of Cycnus himself.

Although it has been claimed that *Pyrame et Thisbé* was inspired by a poem in Marino's *Sampogna*, it is worth noting how little Théophile (unlike Saint-Amant) would appear to owe to the Italian. One's final impression of his poetry is not given by the somewhat contrived world of *La Maison de Silvie*, but by the much more direct, posthumously published poem which is his own swan-song *A Monsieur de L. sur la mort de son père* (p. 60). Here we start from that manifest passion for the natural scene which can be noticed in all he wrote about his own family estate, but in a more lyrical form where *rêverie*, as mother of poetry, is given an almost Romantic flavour, and the warmth of the sun, the coming of spring, acquire a symbolic value as opposed to 'les froides nuits du tombeau', a thought only too natural to a man who had spent nearly two years in the dark. Death the leveller assumes a new and more vivid form and, indeed, is transformed into death the annuller of time and distance:

> Votre père . . .
> . . . est aussi mort qu'Alexandre
> Et vous touche aussi peu que lui.

The most remarkable feature of the evocation of the final cosmic cataclysm on which the ode ends, however, is not the 'Peut-être arrivera demain' which makes it so different from Mainard's poem (see p. 32) but the way in which the suggestion of the physical transformation of the created world at God's hands is coupled with the demotion of those planetary names of power – Saturn, Mars, Jupiter. It is, in fact, a declaration of no confidence in the still influential 'judicial' astrology, with its love of 'mansions', ascendancies and horoscopes.

It is difficult to dissociate Théophile's abortive career from his writings. In many ways, his difficulties with authority, civil and ecclesiastic, reflect some credit on his character and his intelligence. The poet who, at the end of his brief life, can claim that his ambition is unsatisfied by 'cette basse et facile occupation des vers' is no nonentity. They also show still more clearly how far court or feudal patronage inevitably impinged on the independent-minded. It is symbolic that his final and most faithful patron was the last of the great feudal lords, Montmorency, who was to lose his head in the only armed rising against Richelieu – that name which is symbolic of the new system, which we now call the *ancien régime*. Friends like Saint-Amant and Tristan knew a different kind of patronage. They also fall under a specific Italian influence – that of Marino – whereas the only Italian who counted for Théophile was the luckless Vanini, who gave some philosophic depth to his aggressive deism.

For such reasons, among others, it is logical at this point to turn aside and look at some poets on whom these new social influences seem not to have been brought to bear. Such a one is Jean Auvray, whose life and even dates seem still wrapped in some obscurity. If one chose to judge by *Le Banquet des Muses ou les diverses satires* (1628), he is simply one of a whole group of Normans like Sonnet de Courval, Du Lorens, Angot de L'Éperonnière who, deriving mainly from Régnier (and Berni), write vigorous and picturesque attacks on crying social ills and abuses, though, indeed, the verve, the prolixity of Auvray combines with an unexpected degree of irony in *Les Nonpareils* and *Les Chevaliers sans reproche*. What is significant is how many other sides there are to Auvray. Not merely is he capable of a long *Épithalame* whose humanist fervour is worthy of Ronsard, and a series of *tableaux* which extends to a splendid description of fireworks – putting the stars in eclipse – for the fall of La Rochelle, or the *fatrasies*, *Le Bonnet* and *Le Pourceau*, rescued by Jean Rousset in his *Anthologie de la poésie baroque*. What, however, is still more remarkable is his record as a religious poet. His *Trésor sacré de la Muse Sainte* was published in 1611, and some of his best poems are reworkings of these written more than twenty-five years later.

The immense wealth of French devotional poetry in the sixteenth and seventeenth centuries is, almost wholly, a recent rediscovery. Fifty years ago, in the first volume of his great *Histoire littéraire du sentiment religieux*, where La Ceppède was first reintroduced to modern readers, l'abbé Bremond claimed that, especially for devotional writers, the sixteenth century continues well into the middle of the following century while, in his recent comprehensive study in the same field, Terence Cave[1] maintains that, whereas La Ceppède (see *Poetry of France*, Vol. I, pp. 177–81) 'prolongs the Renaissance dream of a universal framework of thought, drawing together the types and symbols of the pagan and the Biblical world', already his contemporary and friend, César de Nostredame (b. 1555) 'mirrors the taste of a generation eager for an easy and accessible devotion'. Evidence of this trend piles up, indeed, as the seventeenth century advances. However, what can be claimed is that up till 1630 and after, devotional themes still continue to foster a splendid sense of symbolic values, so that it is in this field that something of the emotional intensity of the generation of Sponde, Favre, Chassignet and others is maintained and that the personal touch, or simply the personal image or metaphor, is still to be found. Jean Rousset says of the remarkable fragment from Auvray's *Vierge au pied de la Croix* that the theme – 'vanity-all-is-vanity' – is less significant than the immense plethora of images which it evokes:

> . . . Voilà la girouette où tournent nos désirs,
> Le sable où nous jettons l'ancre de nos plaisirs,
> L'onde où nous bâtissons nos folles espérances,
> L'air où nous écrivons l'orgueil de nos puissances,
> Voilà que c'est du corps que tant nous chérissons,
> Voilà ce petit ver que tant nous caressons,
> Ce poulpe monstrueux qui soi-même se ronge,
> Ce fétide bourbier où notre âme se plonge,
> Cet opaque brouillard qui cache sa splendeur,
> Ce charbon qui noircit sa céleste candeur,
> Ce tison de péché qui la brûle et l'enflamme . . .

Yet, in fact, this passage, which tumbles immediately after into banality, is a remarkable instance of the strength of the trend – inconstancy of human nature, *la dénéantise de l'homme*, as Montaigne would say – which continues throughout this whole period. It also, indeed, supplies a confirmation of Rousset's view that we have here one of the psychological traits which may fairly be regarded as typical

[1] Terence C. Cave, *Devotional Poetry in France, c. 1570–1613* (C.U.P., 1969). See also the recent *Métamorphoses spirituelles* by Cave and M. Jeanneret (1972).

of the baroque.[1] Certainly other passages of *La Vierge au pied de la Croix* do indulge in the kind of assault on the emotions by way of gory description, which makes one realize how much, whether in poetry or in the arts, formal pattern is the necessary counterbalance to physical horror. Thus what reveals the overwhelming painter in Grünewald is the way in which the mysterious symmetry of a Crucifixion conditions a positive response to the decomposing, acerated flesh of the Isenheim Christ. Auvray is far from being a Grünewald, but he is nearer to the pictorial vision of a César de Nostredame than to the extraordinary balance of La Ceppède. A closer examination of *La Vierge au pied de la Croix* can reveal, however, in the seven sonnets on which L. K. Donaldson-Evans ıas published a fine article (*French Studies*, October 1971), how, aking two sonnets together (p. 36), we have in the first the instinc-ive refusal to recognize in 'ce fantôme affreux . . . ce difforme Lépreux' the Saviour himself, which passes rapidly into the horror-truck realization that World, Flesh and Devil are all three respon-ible for blinding the poet's eyes. Yet, the full import of the scene is only reached in the following sonnet enlarged, as Mr Evans points out, to make 'la peau toute sanglante' 'into an all-encompassing ymbol of the Redemption'.

It would be easy to show how the tradition of the sonnet series on Christ's Passion is maintained by a Lazare de Selve or, more tamely, n Arnaud d'Andilly's *Vie de Jésus*; or how the *Memento mori* produces the best poems of a religious, such as *le père* Gody or a ayman like Pierre Patrix or his fellow Norman, Pierre de Marbœuf (p. 92). These – all grown men in the first decade of the century – ear out Bremond's judgement. To find, however, a wholly new ote within the devotional current, we must turn to the still little-nown Claude Hopil.

Hopil (except in his youthful *Œuvres chrétiennes*) writes as the oet of genuine mystical experience. His *Divins Élancements d'amour* are very specifically an attempt to express the inexpressible. These hundred canticles of the *Divins Élancements* – or the fifty of *Les Doux Vols* (still less known) – are at once *élévations*, aspirations

[1] Over thirty years ago in *The Fortunes of Montaigne* I suggested a much wider rele-ance of the *vanitas* theme and its possible connection with certain forms of religious elief.

for the return of moments of mystical vision and determined efforts to state, in terms at once theological and poetic, the nature, the sensation of the divine presence:

> Faisant toujours monter de Ciel en Ciel l'idée
> Par mille élancements jusqu'au dernier ressort,
> Alors que dans l'excès le sentiment est mort
> L'âme commence à voir . . .
> Elle brûle sans voir la cause de sa peine,
> Meurt de ne mourir pas pour voir l'Être vivant . . .
>
> (*Cantique* VI)

It is in such terms that we find the intensity of aspiration expressed again and again, but also with a touching effort to hold the balance between comprehension (in so far as the word is permissible) and intense emotion:

> Tirez un peu le voile, ô gardien céleste,
> Afin que comme Amour mon Dieu se manifeste
> Non comme vérité;
> Je ne sais que je dis, l'amour, la sapience
> Avec la vérité sont une même essence
> Dedans la Trinité.
>
> (*Cantique* XI)

The heritage of certain celebrated negative images of the pseudo-Denis which seem to have been adapted by Hopil have been admirably analysed by Jean Rousset in a recent essay. Suso's 'dazzling darkness of silence' becomes 'l'obscurité claire où loge le silence' or, elsewhere, 'ta claire obscurité, pure et divine Aurore'. What is, more specifically, Hopil's own metaphor for the veil through which God may be seen is *le brouillard*, *brouillard lumineux*, *brouillard divin*. As one of the finest of the *Cantiques* begins (No. 51, Rousset, II, p. 194):

> Ravi dans ce brouillard où la simple ignorance
> Voit plus que l'œil ne voit ni que le cœur ne pense,
> En un lieu sur tout lieu,
> Élevé sur tout temps, tout terme et tout espace
> J'entrevoyais mon Dieu.

The other remarkable feature of the *Divins Élancements* is th emphasis on the doctrine of the Trinity. Here, as has been pointed out,[1] the discovery of a triple distinction is derived from a variety of sources and is seen in the celestial hierarchy, in the 'regions' of the air, and in the human psyche too:

> Mémoire, esprit et cœur (petit ternaire) adore
> La Grande Trinité, que je voudrais encore
> Adorer en mourant.

What is still more astonishing than the *Divins Élancements* is the smaller collection of poems published in the same year. Here there are perhaps fewer *cantiques* which are wholly successful and yet their more emotive character, the inspiration which is sometimes closer to the erotic vocabulary of the Song of Songs, sometimes to the most famous of all St Teresa's visions, deserves to be better known. The imagery of flight and of ascension (*vol d'esprit*) occurs with features which would have delighted Bachelard.

However, the most astonishing of all these *Cantiques* (p. 39) has an almost Blakean paradoxical simplicity. Its background is best conveyed by the plate of *La vraie charité c'est d'aimer Dieu pour Dieu* which J.-P. Camus had engraved for his *Caritée* and which showed a female figure setting light to heaven with her torch and pouring water on the flames of hell. The controversy of *le pur Amour* is, in a very real sense, the first chapter of the whole quietist controversy, grounded in a laudable and necessary reaction to automatic practices of piety, deliberately encouraged by the Counter-Reformation, but which could easily bring devotion to something uncomfortably close to the Tibetan prayer-wheel. The *élévations* of Hopil mark, perhaps, a new phase. Meditation seeks more directly the experience of mystical union, of which a Carmelite priest, *le père* Cyprien, was to offer to French readers one of the great examples of mystical poetry in a close French rendering of St John of the Cross's *Noche Oscura* some ten years later. An expression of such ecstasies is still nourished upon or expressed by the astonishing concrete imagery of St John, however elaborate the interpretation it receives. The scruple of a contemplative prayer which seeks to eschew imagery and encourages a mistrust of emotion as part of our sensual make-up

[1] Jean-Claude Brunon, 'Langage et vision mystique chez Hopil', *Cahiers du baroque*, 3 (Montauban, 1969), p. 112.

is indeed the centre of the quietist phase, to which we must return later.

The year 1629, when Hopil published his two remarkable little books, was more significant for the appearance of the first edition of Saint-Amant's poems. Only four years younger than Théophile, their poetical débuts were made, as we have already seen, almost simultaneously – about fifteen years earlier – when Saint-Amant's *Solitude* appears to have been his first passport to fame. Indeed, I have already commented on the close but rather ambiguous connection between this piece and Théophile's poem of the same title. Interesting though the resemblances are – the same visual *pointillisme*, for instance – it seems more important to realize the difference in the very nature and character of the two men as well as in their achievements.

Le bon gros Saint-Amant was a central figure of the literary world for over thirty years, and a member of the Academy from the moment Richelieu set it up. As a personality, this jovial man, inseparable from his lute, strikes one sometimes as a sort of seventeenth-century Théophile Gautier – Gautier who indeed wrote the best vindication of this victim of Boileau that the nineteenth century produced. If it is correct to call him a *libertin*, it is in the *bon viveur* sense rather than that of *libre-penseur*. We have seen the 'modernist' declarations of Théophile, but those of Saint-Amant were those of a man who, disclaiming all knowledge of the classics, was unusually well acquainted with Italian, Spanish, and even had some knowledge of English.

It is not surprising that he must be reckoned one of those on whom Marino had an important influence. In the preface to the volume of 1629, he voices in particular his admiration for the idylls of *La Sampogna* which certainly served as the model for some of his own early poems. Saint-Amant set an unusually high value on originality and, in this, one might well regard him as sharing the cult of what the Italian poet called *la bizarria della novita*. What is more relevant are more specific resemblances.

As both *La Lira* and *La Sampogna* show, Marino's *canzoni* or longer lyrics usually offer a series of stanzas, each complete in itself, each built round one or more *concetti*, and each reaching its own epigrammatic, antithetic climax. Not all *stances* need be built on such a model, but Mario Praz's comment on its prevalence in this period has already been quoted. The feeling of disparity which can arise between the looseness of general structure and the effort towards epigrammatic concentration is, perhaps, specially characteristic of Marino. It is certainly the fault which has often been found in the immensely lengthy *Adone* – for which Chapelain was briefed (at d'Urfé's suggestion) to write a preface when the poem was first published in 1622 – and who later declared that Saint-Amant was the only man he knew who had ever read the *Adone* to the end! The ingenuity of angle of vision or 'subject' which one finds in Marino and his disciples is often accompanied by a sensual evocativeness, whether refined or coarse, but rarely by any depth of feeling.

Similarly, a series of brilliant variations on a theme as in *La Solitude* (pp. 63–9) constitutes the very type of Saint-Amant's most telling work and, alas, its weakness. Take one of the most admired of his odes – *Le Contemplateur* (pp. 69–77) – in which, indeed, he declares to Bishop Cospeau (who received him into the Catholic Church) that he will give an account of his occupations:

> Où d'un art pompeux et divers
> Je ferai briller mes pensées.

It is full of splendid passages (all in the setting of Belle-Île, the home of the Duc de Retz, his protector and friend): how he thinks of the Flood – a vision of the sea-god, Glaucus – his walk home by the light of glow-worms and his sudden moment of panic in the dark; and above all the evocation of the Last Judgement. Yet, even if we admit the intention of a poetic epistle, informal and disjointed, what a jumble it all is! The *choses vues* and indeed *faites*, whether the seascape viewed from the cliff-top, and the cormorant-shooting or the coney-catching don't really fit in with 'seeing' the halcyon nesting, nor this pseudo-ornithological observation with reflections on La Rochelle and the famous *digue*. Of course, this is not to deny that some of these changes of plane have their own charm. The vast seascape makes him think of Noah's flood, and hence a passing pigeon begets the surmise as to whether Noah's dove was not a first incarnation of the Holy Ghost! Or the sunrise brings to mind Michelangelo's vision of the last time it will happen. Yet the ten-line stanzas, with their rather diluted epigrammatic *chute*, seem rather out of place in the informality of a poetical epistle, while the grotesque side of Saint-Amant produces not only the resurrected *parvenu* who, without retinue,

> N'est plus suivi que de son ombre,
> Encore va-t-elle de côté.

As also the feeble quips in the same Last Judgement passage about the brother and sister who fear to be accused of incest since they were laid in the same grave!

Le Contemplateur illustrates something like the Marino ideal and the Marino technique and indicates possibly the reason for its only being half-successful. What it lacks is what most of Saint-Amant's more ambitious poems also lack – a structure adequate to their dimensions, a lack of large-scale composition which renders illusory any attempt to see in him a poetical equivalent to a painter such as Poussin, despite the visual character of his imagination. As a counter-proof, we might well take what is, in my own view, a superb example of Saint-Amant at his best – *Le Passage de Gibraltar* (p. 77).

Of this *caprice héroï-comique*, begun on d'Harcourt's flag-ship, the poet declares in a prose preface: 'l'ardeur du bon Phébus échauffant mon âme avant que ses rayons eussent éclairé mes yeux, je m'y laissai aller brusquement, à l'aspect des Étoiles qui nous regardaient boire, et fis, le verre, et non la plume à la main, les premiers couplets de cette Pièce.' These lines and the passage which follows, on the beauty and sheer excitement of seeing a whole flotilla, under more bunting than sail, move into battle order in the rising sun – and himself being part of it – are of a piece with the spirited extravagance of those opening stanzas in which the pole-star – 'Lampe de notre course / Quand le grand Falot est gîté' – and Mars – 'la fière planète' – are toasted in turn. The progress through the Straits with its various landmarks, the enumeration of the French fleet, vessel by vessel, and the subsequent liberation of the Îles de Lérins provide Saint-Amant with a prefabricated structure, though one has to admit that sixteen stanzas devoted to the ships are too much of a good thing.

Of course, to the surprise of the French, not a shot was fired to contest the passage, and this brings us to the burlesque flavour with which Spanish inaction – and the persons of their leaders, Olivares and Ferrandina – are taunted. Burlesque! – the very adoption of the word into French is disputed by Sarasin and Saint-Amant; and it is worth noting that the same preface to the *Passage* singles out Tassoni's *Secchia Rapita* (The Stolen Bucket) as an example of the combination of the heroic and the ridiculous which Saint-Amant declares he has set himself the task of emulating in France. Too much has been made of distinctions between the heroi-comic (such as the *Rape of the Lock*), the parodic (which plays its part in *Don Quixote*, for example) and the 'travesty', as in Scarron's *Virgile travesti* or Fielding's *Thumbelina*. The important point is the nuance of intention, and in this poem Saint-Amant's half-serious insults would be best described as a 'flyting', that Scottish term beloved of Dunbar and Lindsay of the Mount. If we think of his *Rome ridicule*, his *Albion*, or the scurrilous *Gobbin*, written to order at the expense of the hunchback Duke of Savoy, one has to agree that 'flyting' was an art at which Saint-Amant excelled.

Burlesque, however, can fulfil different roles. In *Le Melon* (p. 84), a good example of Saint-Amant's descriptive talent in praise of the delicious fruit is completed (imitating Tassoni) by a novel form of hyperbole in the banquet on Olympus, where it is a melon which is transformed into Apollo's lyre!

As a descriptive poet, as a poet with a talent for a certain type of verse narration, his major exercise is the long-planned and ambitious *Moïse sauvé*, the *idylle épique* where biblical history from Abraham almost to the entry into the Promised Land is ingeniously arranged round the finding of the infant 'hero' in the bulrushes. In spite of the visual character of his imagination and that taste for the trivial detail – which is in general so much to our own modern liking, but which so provoked Boileau's indignation as being unworthy of the 'noble' subject – one has to admit that *Moïse sauvé* is curiously 'flat' for such a spirited poet. Where it does come alive is in the single sensory image. Of two struggling figures:

> Leur ombres sur le pré font un autre duel

Or in the rather beautiful closing passage when the day of rescue is over:

> Déjà les rossignols chantaient dans les buissons,
> On oyait dans le Nil retomber les poissons.

What is, of course, as much part of Saint-Amant's technique as these *choses vues* (or *entendues*) is the 'conceit' whose influence on the structure of many poems has already been referred to. Gérard Genette, in one of the essays of *Figures*, has pointed out the odd contradiction whereby the world-picture of a nature where the fluid elements – air, water, even fire – predominate, in which movement and transformation are everywhere, producing that 'vitalist aesthetic' which one thinks of as essentially baroque, is *also* a world of polarized, antithetical qualities – 'une sorte de géométrie matérielle':

> Le spectacle de la moisson [in Saint-Amant] se résume dans ce raccourci: *L'or tombe sous le fer*, où s'allient de façon caractéristique une métaphore visuelle 'spontanée' (*l'or des blés mûrs*) et une métonymie toute conventionnelle: le *fer* pour la faucille, la matière pour l'objet. Dans cette dissonance de figures réside toute la subtilité de la 'pointe' . . . Qu'importe si l'épi n'est pas d'or *comme* la lame est de fer, il ne s'agit que de *sauver les apparences*, en commençant par les plus précieuses: celles du discours . . . L'antithèse spécieuse dispose et prépare les choses en vue d'une réconciliation factice, l'*oxymore* ou alliance de mots . . . Le monde ainsi biseauté devient à la fois vertigineux et maniable, puisque l'homme y trouve dans son vertige même un principe de cohérence.

This subtle analysis is exemplified in almost all the poets of the period. In Saint-Amant, however, there is another, more personal element, of still greater significance. *Le bon gros* had, undoubtedly, the talent to bring into his poetry his person, his presence, his joviality, and even his lute. He creates a kind of intimacy with his reader – who is thus often invited to associate himself with the poet's own friends. And this *rapport* lends itself to the variety of notes from grave to gay, the variety of manner, archaic or familiar and colloquial by turns – justifying (if it needs justification) the *réconciliation factice* of Genette's phrase) – which has much to do with the liveliness of Saint-Amant. Moreover, when he indulges in the 'Marotic', it is not that type of continuous parody which renders a good deal of Voiture so quickly monotonous. There is in Saint-Amant some good literary satire (*La Pétarade aux rondeaux* and *Les Nobles Triolets*, for example). The *Épîtres* of his maturity are splendid examples of these traits, though too long to include here. The counterproof might well be sought in *Moïse sauvé* and the fulsome verses written for the Polish queen which lack his usual *brio*. He once published a supplement of his more frivolous and convivial verses, entitled, with heavy irony, *Raillerie à part*. One might say that none of his good poems are without *raillerie* and it is appropriate that he should have adopted for many the title of *Caprice*.

It is Tristan L'Hermite who, with his friends, Théophile and Saint-Amant, completes a trio consisting of the three most influential poets of Louis XIII's reign. *Le Promenoir des deux amants* (p. 116) – perhaps deservedly the best known of his poems – demands some comparison with the *solitude* poems of his friends. Again *solitude à deux*, again a scenic description *par petites touches* and, though there is perhaps more unity than in Théophile's poem, it is worth noting that Debussy instinctively divided the poem into *three* songs. It has often been felt to be one of the most personal of Tristan's poems, and this is perhaps a way of recognizing the wish-fulfilment idealization of the *solitude* genre.

The differences are revealing. The *place* of the fascinating opening stanzas evokes the play of light and shade on water, what one sees in water, and through water – where reality and illusion can change roles – in fact that world of imagination which is not real yet not false either, as Lewis says. Better still, one might say that water (as we look into the clear depths or into the surface mirror that once tempted Narcissus) can be recognized as the symbol of art – at least when it does not merely serve the faun's more practical end, as the poet quizzically adds. Yet, even this is more subtly woven into the picture than one would think. The touches of colour (reflecting the faun as he thinks he is or really is) – red or yellow? – seem 'les songes de l'eau qui sommeille'. Or, as an earlier version of the stanza declared, they are 'les songes innocents de la Naïade qui sommeille'. Even shorn of the *naïade* in its definitive form, the first part of the *Promenoir* is as full of mythological allusions as Théophile's poem. Yet their role seems better defined. They are part of the 'rajeunissement de l'univers' – rather vaguely stated in a stanza which echoes a Charles d'Orléans *rondel* which the poet could not have read. The virgin forest is so intact that no hunt but Diana's ever yet came there. The aged oak belongs to the primitive world of the Dodona oracle, the thickets those where Venus was wooed by Anchises. These *concetti*, which evoke by a sort of negative idealization – no huntress except the Goddess of Hunting, no tree but a dryad oracle – have a distancing effect, emphasized by the past tense. Their natural complement lies in the presence of the nightingale, not merely heard but seen, spotlighted by a sun-ray and, more generally, by the flowers which make *verdure* tapestries of green nature; and the spring dance of nymphs clinches the vision as an earthly paradise where neither thunder nor tempest ever came.

As in Théophile's *Solitude*, the second part of the poem is very specifically a lover's wooing treated, as it were, scenically, thus bringing us back to the pool, tranquil as a dark glass. If the fancied *mille Amours* lodged in Climène's blond hair might seem in danger of becoming a too clumsy materialization, Tristan skilfully weaves picture and sentiment together with the fear that his sighs will break the reflection. It may well be felt that the poem is thus in a sense complete. Yet, again like Théophile, a 'coda' more specifically erotic, more scenic too, stages the proffered gift of water from her hands and the impetuous kisses which follow.

It would be vain to linger over the charms of this poem (even to note the treacherous limitations of the love-poem of *presence* into which it turns). It is worth while pointing out, however, how certain themes appearing here are repeated with that admirable freshness which is one of Tristan's qualities. The girl in the glass of *Le Miroir enchanté* (p. 119), an early example, is especially notable, since in its opening lines –

> Amarille, en se regardant
> Pour se conseiller de ses grâces . . .

– he created that charming image which, after La Fontaine and others had used it, was to be cruelly caricatured in *Les Précieuses ridicules* by turning an agreeable *jeu d'esprit* into a dictionary term – a general feature indeed of the *anti-précieuse* campaign.

Two other early poems help to situate Tristan's work in relation to Théophile and Saint-Amant. *La Mer*, written at the siege of La Rochelle in 1627, invites comparison with Saint-Amant's *Contemplateur*. The seascape of the opening is observed with a painter's eye and is more successfully developed from stanza to stanza. The subsequent storm is a bravura piece, even if echoes of Ovid are to be heard and explain, no doubt, the appearance of Tritons and halcyons, but all is subordinated, even in its latest form, to a celebration of Gaston's rescue of the Île de Ré. The other *ode* (*A Monsieur de Chaudebonne*) was (we know) submitted to Théophile in the last few months of his life and earned his approval. As in Théophile's *Ode à son frère*, it celebrates his home and the place of his birth, to which his protector's displeasure seems to consign him:

> L'écho d'un bois ou d'un rivage
> Où les bergers vont s'enquérir . . .
> La musique de mille oiseaux,
> Le bruit et la chute des eaux
> Qui se précipitent des roches,
> Et l'ombre au fort de la chaleur
> Me feront de justes reproches
> Si je m'y plains de mon malheur.

And both poems emphasize not only the common influence of Marino – of which the *Plaintes d'Acante*, elaborated with copious borrowings from the *Sospiri d'Ergasto*, is the prime example – but the splendid skill of Tristan in the use of the ten- or even twelve-line stanza. As in the case of Ronsard, one can again and again enjoy the rhetoric of compliment executed with a spontaneity and ease so foreign to the vaunted odes of Malherbe, even if nothing very significant is being said.

The most telling of Tristan's *Vers héroïques* (the title under which he eventually assembled most of his more ambitious poems) are, indeed, those in which he combined the pathos of unrewarded fidelity with a real dignity. Never more so than in *La Servitude* (p. 120), written in 1645, when he had at last resolved to leave Gaston for the charming Duchesse de Chaulnes. Yet it is really in the theatre that he gave the best idea of his powers. His *Mariane*, the greatest success of the French stage before *Le Cid*, has a hysterical intensity which brought on the actor Mondory's apoplexy. It is, however, rather *La Folie du sage*, where the *sage* himself becomes aware that beyond the whim of his Prince lies the unforseeable caprice of Fortune itself and that the Stoics are *effrontés imposteurs* – or *La Mort de Sénèque*, where the stoicism with which the philosopher meets his death is outdone by the heroism of the tortured *hetaira*, Epicharis. One can distinguish through the plays the outlines of Tristan's *libertinage*, a philosophy of blind destiny – as, too, his later reconciliation with the Church, in the use of the tradition of Seneca's enlightenment by the *Dieu de l'homme de Tarse* in the final scene of the play which bears his name.

It is the more necessary to remind the reader of Tristan's dramatic achievement (still today unaccountably neglected) because so much of the bulk of his verse is occasional and complimentary – the *vers de société* of a poet who complained more than once that he could never achieve the *solitude* and the time to satisfy his artistic conscience. Some of the most polished, such as *La Belle Esclave maure* (p. 124) or *La Belle Gueuse* (p. 124), are directly imitated from the Italian, whether Marino or, in the last case, Achillini – and this influence is also to be found in narrative poems like Tristan's *Orphée*. What is lacking is the colloquial, impromptu tone, so much a feature of Saint-Amant. Even the rather easy wittiness of *Marotisme* or burlesque is rarely indulged in by Tristan.[1]

The question of occasional verse and its frequent reliance on Italian models, whether Marino or earlier, assumes no little importance in assessing the poetry of several minor figures of this same generation. Thus Claude de Malleville indulges in no less than three versions of *La Belle Matineuse* (from Annibale Caro's *Eran l'aure serene e l'onde chiare*) and, like Tristan, has his version of Marino's *Nera si, ma se' bella*, as well as a particular penchant for Ongaro. It appears (according to Émile Magne) that Malherbe's approval of Voiture's version of *La Belle Matineuse* (*Des portes du matin l'amante de Céphale*) was his entrance ticket to the Hôtel de Rambouillet. We also find in Georges de Scudéry a whole series of similar poems. An interesting document on this vogue is the 'lecture', given by Vion de Dalibray in the Maréchale de Témines's salon, on French and Italian taste in sonnets, with a series of examples. He translates a sonnet (*d'un Auteur italien moderne*) which compares the wound of love to a dagger, so deep in his heart that the name on the blade is hidden; his pallor to the ashes that cover Etna; his tears to the Nile, whose source is unknown; and his ambitious desire to the topmost twig of a tree, whose roots are, nevertheless, fixed in his heart. Of

[1] Note his *Carte du Royaume d'Amour*, published posthumously in 1658, which shows Tristan's participation in fashionable *préciosité*.

this poem, Vion, not unnaturally, objects that the four 'images' or comparisons of which it is constructed offer four 'epigrams', lack unity, and display *quelque affectation de science*. The French (he notes) prefer something more familiar, and he goes on to offer as superior models two other sonnets, the first offering a single extended comparison of the stricken lover to a stricken tree wasted by thunder, the other (imitated from T. Stigliani's *Orologio de polvere*) where the ashes of the dead lover continue that unending agitation or movement which was his unhappy lot in life. The latter is more 'modern' and has (though no names are mentioned) the mark of Marino in its ingenious hyperbole.

There is no doubt of the stimulus given to occasional verse by Marino's practice of obtaining a spice of novelty from choice of subject (not merely *Belle vedove* but *Madonne in carrozza*, *Desideri di bacio furtivo*, etc.) as well as by ingenious hyperbole. A recent book tells us it was soon over,[1] though, as a matter of fact, men like Ménage and Chevreau, more grammarians than poets, continued the cult until late in the century. Yet one has only to look at Malleville and think of the competition element to realize that this is one of the ways in which poetry was becoming simply a game – and, one might add, a social game. Far better than any of Malleville's sonnets are some of his *rondeaux*, a genre where mordant wit has an inevitable place and whose status as a social amusement had been traditional, at least since Marot. As for Malleville's lengthy Malherbian *Vanité du monde*, these *stances* seem strangely empty, compared to Marbœuf's *Tableau de la beauté de la mort* (p. 92), where something close to the stoicism of Malherbe's famous *Consolation* is renewed and bettered by a welcome freshness of imagination.

Similarly, for all the greater liveliness and evidence of feeling in Vion de Dalibray's own sonnets, the only one of them worth anthologizing is the charming *Bienheureux les soupirs qui passent par ta bouche* (p. 115), where the praise of *la bocca bella* has an almost sixteenth-century directness, but the surpassing touch is the portrait element incorporated in the final compliment. And this in spite of the wide variety of Vion's interests, in which *la beuverie* and an interest in Galileo (fostered by his friend, Le Pailleur) find expression.

The mention of Le Pailleur – an *esprit fort* – brings one to the fact

[1] R. La Thuillière, *La Préciosité* (Geneva, 1966), p. 207.

that it is not unnaturally in the independents and eccentrics that some forms of genuine poetic expression – informed by a taste for psychological subtlety – can be found. An example of this is certainly Saint-Pavin, early example of the *abbé incrédule* and also of what came to seem that quintessence of elegant persiflage, not untouched by feeling, which is the realization of the *précieux* spirit as I would understand it.

It is, of course, Voiture who passed with his own contemporaries, with younger men like Saint-Évremond, and even passes with the literary historian of today, for the inventor of a certain form of wit which he helped to launch in the half-frivolous, half-serious, but always sophisticated *milieu* of the Hôtel de Rambouillet. Fontenelle defined Voiture's real gift as knowing how to 'badiner noblement et agréablement', that is to say, to do so in the language of the educated world of his own day. When we read the voluminous and entertaining reconstruction of his life by Émile Magne, we are tempted to reduce the role of this vain and worthless little man to an undeniable gift for creating that atmosphere of fun – of merriment of one sort or another – which was so necessary to the life of the essentially melancholic Arthénice. And when one turns to Voiture's verse – laborious pleasantries about ladies with dirty sleeves or the unexpected exposure of a 'pearly posterior' –

> Les Dieux qui siègent dessus nous,
> Assis là-haut sur les étoiles,
> Ont un moins beau siège que vous –

it is difficult to understand his reputation. The *Réponse à la plainte des consonnes* (p. 96), triggered off by the general *huée* at the expense of Neufgermain (the contemporary MacGonagall, as one might call him), has a wholly *cocasse* or ludicrous quality which is perhaps more effective. It is true that Voiture re-established a vogue for what Du Bellay had called *épiceries* – *ballades*, *rondeaux*, *triolets*, and a taste for a flavouring of pseudo-archaic *Marotisme*. There were also further poetic games – the competition of flower-pieces – *La Guirlande de Julie* – to which a dozen *habitués* of the Hôtel contributed – a faded bouquet which was never very fresh! There are also, to be sure, some songs – *L'Année est bonne* and *Sur l'air de lanturlu* (pp. 98–100). It seems to be forgotten that this is where, behind the fashionable world of the Hôtel, lies the still lively *chanson populaire*. The first of these soon runs out of its refrain and turns into a list of the 'beauties' of the *salon bleu*. One mightn't be far wrong to guess that this complimentary extension was added rather in the spirit of the vaudeville with its new words to an old tune. *Lanturlu*, occasioned by a royal edict, neatly illustrates *l'esprit frondeur* which produced the immense crop of *mazarinades* and justified Chamfort's witticism about the constitutional character of the *ancien régime*.

Turn to the letters or to the *Métamorphoses – de Lucine en rose, de Julie en diamant*. There one has to recognize Voiture's gift of *badinage*. Perhaps the letter is the form of expression which finds its true place between the literal impromptu of speech and the still ephemeral character of the epistolary word! The subject, of course, is almost always gallantry in some vein or other. In an attempt to sum him up Émile Magne writes: 'Réagissant contre la vulgarité, il aboutit inévitablement à la préciosité.'

What about this much bandied word? Unlike the author of a recent ponderous tome, it is precisely as a literary or critical term – *qualification esthétique et morale* – that it interests us here, and the fact has simply to be faced that the more general validity any term has, the less well defined it can be. It may be true that *préciosité* cannot be reduced either to an early form of 'feminism' or to *salon* literature or to a use of 'hyperbolic language', but certainly in its most pronounced seventeenth-century form it is the product of a conjunction of these.

As early as Deschamps, *faire la précieuse* appears as a critical judgement on feminine conduct, perhaps short of 'prudish', but 'idealistic', 'romantic' or 'over-delicate'. It seems to me that the researches of Antoine Adam and now, more recently, Roger La Thuillère, though able to pinpoint the vogue of *préciosité* as a social and psychological phenomenon, do not really add any new nuance to Saint-Évremond's verdict that its ideal was to show women how to 'aimer tendrement leurs amants sans jouissance et à jouir solidement de leurs maris avec aversion'. For a social world which still cherished the ideals of the *Astrée* that is something more profound than it may sound. Yet nothing along these lines is completely adequate to the forms of *préciosité* as a literary quality. What is crucial is rather a certain *tone*, or a certain scale of tones – *tone* of voice or its written equivalent – which is the prerogative and sometimes even the privilege of the poet who speaks neither to the general public nor to his male boon-companions (like Saint-Amant) nor to the one and only woman of his heart, but to the *côterie* – a public elect or select, where more than one feminine heart can enjoy the *ambivalence* of hyperbole, or those quotation marks which need to be felt in the *précieux* superlative as in the very centre of their typical *gamme*. It is even this which relates it more intimately than one might think to the burlesque which can be (and often is) a form of self-mockery. The deprecatory, insinuating tone is common to Charles d'Orléans and to Mallarmé as it is to certain successors of Voiture, of whom the greatest is La Fontaine. This is a central feature of the *précieux* quality in literature. But it is only rudimentary in Voiture himself.

What was new in Voiture was his single function as entertainer of the *ruelles* and, in particular, that of the *divine Arthénice*, a new specialism to which neither Sarasin nor Cotin, much less Benserade or Tristan, were ever to approximate. If these names may serve to indicate that particular form of the socialization of poetry which is *préciosité*, it is well to remember that Voiture's own generation could still show a variety of kinds of poet. There were still essential eclectics – or eccentrics – like Guillaume Colletet, whose evocation of the world of romance has a very different flavour from the *Marotisme* of the salon *rondeaux* (see p. 100); whose friends, *Les Illustres Bergers*, as they called themselves, continued to admire Ronsard as much as Malherbe and thought nobly of the poet's task. It is not inappropriate that the man who had the piety to devote himself to *Les Vies des poètes français* should have constituted for his Claudine and himself a kind of private Forez at Rungis in the Parisian *banlieue*, and should have ended his days in what had once been Ronsard's house in the Faubourg Saint-Marceau. Another such was Georges de Scudéry, who showed his fidelity to the memory of Théophile in publishing his works, and to the memory of Richelieu, too, who had given him his chance in the theatre and (at last) that post of *Gouverneur de Notre Dame de la Garde* which his more than Gascon conceit had long coveted. He is one of those who show how, like Tristan, they had learnt from Marino to turn almost too easily those paradoxical sonnets (see p. 133) where *concettismo* and sensuality are nicely adjusted *pour créer le brouhaha* in a *salon*, and whose descriptive vein cherished the mobility of the tumbling waters of Vaucluse (p. 133). Again, it is not lyric (or even epic) poetry which constitutes Scudéry's claim to fame (in spite of his *Alaric*). It is rather that his *Comédie des comédiens* was a first and amateurish *Illusion comique*, just as his *Amour tyrannique* failed to rival *Le Cid*, and that he had a hand in the interminable romances of his sister, Madeleine.

Perhaps the most varied of all, the most talented and the most eccentric is Jean Desmarets de Saint-Sorlin, whose defects no less than his qualities reveal many aspects of the baroque age. His comedy *Les Visionnaires*, with its burlesque of eccentrics from which Molière's *Fâcheux* derives, is perhaps less significant here than the strange role he played for years in Richelieu's entourage. In the introductory pages of his *Délices de l'esprit* he describes how, after the Cardinal had dispatched the business of Church or State:

> il me faisait entrer seul avec lui pour se divertir sur les matières plus gaies et plus délicates où il prenait un plaisir merveilleux. Car ayant reconnu en moi quelque peu de fertilité à produire sur-le-champ des pensées, il m'avouait que son plus grand plaisir était lorsque, dans notre conversation, il enchérissait de pensées par dessus les miennes: et que si je produisais une autre pensée par dessus la sienne, alors son esprit faisait un nouvel effort, avec un contentement extrême, pour renchérir encore plus dessus cette pensée: et qu'il ne goûtait aucun plaisir au monde si savoureux que celui-là.

Of course, we know from Tallemant of the Cardinal's less delicate *divertissements*, sponsored by Bois (Boisrobert), the great man's private buffoon, but the passage from Desmarets – its *surenchère de pensées* – conjures up something more original. Indeed, if a vision of competing poets trying to outdo each other in praise of a lady's eyebrow could well stand as the symbol of preciosity (*La Guirlande de Julie* was just that!), then Desmarets and Richelieu capping each other's profounder witticisms exemplify the baroque imagination, with its delight in the hypothetical as well as the hyperbolic – 'carambolages de vues' as Bremond suggests – 'Raisonnons jusqu'au sophisme mais non pas jusqu'au sérieux', as Saint-Sorlin said himself. It is, indeed, from one form of this that his successful *Visionnaires* springs – that literary 'sport' on the model of the *Commedia*, where *poète extravagant*, *amoureux en idée*, *riche imaginaire* are each of them brilliantly burlesqued. But the other side, the moralist side which was later to lead him into *la mystiquerie* (the term is Chapelain's), unfortunately encouraged him to indulge in an excess of allegory, of which the title of *Les Amours du compas et de la règle* has been quoted in derision, forgetting that this abridgement ignores *ceux du soleil et de l'ombre*, more meaningful for a fervent admirer of architecture. Indeed, that title leads on directly to the best of his poems, written during the years after the Cardinal's death, when he accepted a post of *intendant* with his master's nephew and heir, and spent ten years in the fabulous décor Richelieu had created for himself, leaving of the parental château only that particular room in which he happened to have been born. *Les Promenades de Richelieu* celebrate not merely various aspects of the great château and its gardens, but the Christian virtues. Thus a meditation on *la Charité* is made to spring from an autumn afternoon walk, one on hope from a spring stroll in the *iardin potager*. Much of the descriptive verse is no better (and no worse) than l'abbé Delille, curiously neoclassical in its smooth, dilute manner, and mixed with much moralizing which can be quaint in its fearless confrontation with the obvious. However, at least once the gifts which have been referred to are shown. Under the dull title of *La Mansuétude* (p. 88) we are first offered a startling evocation of the façades of Lemercier's château seen by moonlight. With an architect's eye, Desmarets notes how the *douce clarté* emphasizes light and shade, how the great pale mass of the building creates a black ghostly shadow, a shape which covers the whole *parterre*. He passes on without a pause to a third vision seen in the same silence: the upside-down reflection in the moat, where the palace sits on its domes and obelisks. It is indeed a *promenade* where the changing natural scene, 'la Nature . . . en ses rares effets', is seen as gentle – imperceptible like the whirling planets – presided over by Shadow, Silence, Solitude and Peace and thus preparing us for Sleep. Yet, the thought of sleep amid this spell-bound scene provokes the further reflexion that God, in the life eternal, will provide the pleasure of open-eyed repose, of which the spectacle before him, motionless and silent save for the sound of a fountain playing somewhere, can give us some image.

A friendly nature, emanation of the Deity, is in fact offered as in the fullest analogy with *le doux Jésus*, and what might be called an anatomy of *la douceur* is given as the complement or concomitant of all that is beautiful or good, and brings us back in a final prayer to the Lamb of God and his Mother to grant that sleep which is the 'Paisible mort des Saints'.

In this poem, it is as if the 'narrative' of a particular experience permitted the emergence of a meaning not wholly foreseen by the poet, not wholly comprehended by him. We seem on the verge of passing beyond the typical world of metaphysical or baroque imagery, and passages in it may read almost like Lamartine. Even the creation of mood by repetition – *doux*, *douceur* – to an extent which has here justified in my eyes a substantial cut, confirms that the world of intellectual billiards as played with Richelieu or the typical emblematic neatness of his *Apollon à Dafné*[1] have been left far behind in this flawed masterpiece.

Jean Rousset has, however, used one of Desmarets's last poems, *Protée et Physis*, published only in 1670, to make a brilliant conclusion to his study of the whole theme of metamorphosis as one of the cornerstones of the baroque aesthetic:

> Protée-Art est épris de Physis-Nature. Il promène sa bien-aimée à travers un parc où il déploie ses séductions qui ne sont que feintes et illusions . . . villes et palais qu'un seul jour a construits . . . des jardins et des jets d'eau . . . . Le vertige qui prend alors Physis c'est celui que nous avons reconnu par tous les personnages saisis par le trompe-l'œil théâtral:
>
> Mes sens et ma raison sont ici enchantés,
> Serait-ce une illusion? Sont-ce des vérités?

And we are told that Nature accepts them all as truth. Yet both the allegorical means of expression and the suggestion that art is, in the last analysis, not a perfecter but a 'seducer' of nature show that the philosophical position of Desmarets was not – or was no longer – that of a Tesauro, for whom metaphoric creation is revelation.

On the other hand, in an exact contemporary, whose career is

[1] It ends:

Que ta feuille soit toujours verte,
Arbre de mon mal glorieux;
Toujours ma tête en soit couverte,
Et le front des victorieux.

obscure and who early disappears from view, we are provided with a poetry which, quite clearly, embodies the 'high baroque' more completely than any other French poetry I know. I refer to Gabriel Du Bois-Hus, the author of *La Nuit des nuits*. Here is a poet (pp. 101–14) significant somewhat for the same reasons as Crashaw, that is because our response definitely demands the recognition of a distinct aesthetic, demands that the artificial, the 'unnatural', the floridly ingenious, the surprising, be admitted as valid means of expression – or, more fundamentally, involves the type of art which forces us to realize that emotions which we refer to as themes (or 'contained' in a poem) are subject to that transvaluation which has been the cause of over-hasty theorizing about aesthetic emotion, since the pain of tragedy or the pathos of love, no less than the joy of returned love, are all caught up and transvalued in that wave of exhilaration, that intense yet controlled excitement which is the very atmosphere of lyrical poetry with its language of metaphor and symbol.

I first stumbled on Du Bois-Hus nearly forty years ago and, having ploughed through the hyperbolic prose of his panegyric of Richelieu, came with delight upon that 'Christmas Eve Ode' (as it might be called) of which fragments are now in all the anthologies.[1] Look at those opening stanzas which so splendidly convey the emptiness, the hush and expectancy of that evening of all others – and not just by evoking the fading light, the evening flight of the marsh birds, thus creating a vast empty landscape by the imagined trajectories – but more unexpectedly by the tears of that 'orphan air' from which the sun has disappeared. Stanza by stanza, moment by moment, the evening scene is built up by a mixture of *concetto* and observation, as in Théophile. The conceit of the fish, fondled by the stars mirrored in the flat calm, is capped a moment later by the fancy that their zigzag reflections make of them a shoal of 'Salamandres marines'. What Douglas Bush writes of Crashaw – the struggle between 'the organic unity of baroque inspiration (the clash and fusion of extremes, human and divine, pictorial and abstract) and a dazzling string of associated images' – applies exactly to this poem.

The spell is not just these felicities – fancy embroidery, if you will –

[1] My involuntary instrumentality in making Du Bois-Hus known through Thierry Maulnier's well-known *Introduction à la poésie française* (Paris, 1939) was the subject of a letter to the *T.L.S.*, 15 February 1968.

nor simply the general theme of the Nativity. It is also the unusual stanza chosen by the poet, as one may convince oneself on comparing Du Bois-Hus's poem to the early and 'italianate' *Ode on the Morning of Christ's Nativity* of John Milton. The impression of a strange resemblance resolves itself into something other than Milton's 'winds with wonder whist / Smoothly the waters kist . . .' or his 'Stars with deep amaze . . .', for these are almost part of the traditional Christ-child story. Milton's setting sun 'pillowing his chin upon an Orient wave' or even the 'enamelled Arras' of the rainbow show indeed the same type of concettist imagination. Above all, there is the same admirable pulsation of a stanza which expands and contracts with the stresses marked by redoubled rhymes. And, it might be added, the stanzaic effect, in itself additive, takes on in both poems a ritual overtone.

This comparison with Milton is illuminating in a quite different way, for it brings out the immense difference in these two works which comes from the superior unity of the English poem. The celestial concert heard by the shepherds, the actuality of a world at peace, seem to portend the return of a golden age which cannot be yet, but which, none the less, is the actuality of a new age and the end of the ancient gods. This meaning of the event is never lost from sight. *La Nuit des nuits* may sometimes make us feel the poet is too prolix, but second reading will show that the old folk theme of summer in midwinter is not omitted, with bird-song and blooming flowers, although it fits in awkwardly enough with an over-sentimental effusion on the sufferings of the half-frozen Babe.[1] Nor is the menace of Herod forgotten; it produces a quaintly patriotic explosion at the close of the first part.[2] What is lacking, however, is any celestial concert or any *articulate* message of peace on earth.

All that follows (the second part of *La Nuit des nuits* and also the first part of *Le Jour des jours*) is inferior – and desperately unequal,

[1] On Milton and Du Bois-Hus cf. my article in *Rev. Sciences Humaines* ('Poètes anglais et français de l'époque baroque'), juillet–décembre 1949, pp. 179–81. In the German Nativity plays the oldest shepherd, the only one who does not sleep, hears all the birds singing under the full moon: '. . . Die Vögel tut all' singen, der Kuckuck schreit so laut / Der Vollmond scheint prächtig, das Nordlicht daneben . . .'

[2] Cf. *Nuit des nuits*, p. 108, 'Prends les armes, lâche Sion . . . Quittez, Roi de mon cœur, quittez / Ces abominables cités . . . L'Europe vous attend, la France ouvre ses bras . . .'

though full of unexpected interest. Thus Louis XIII's solemn consecration of his kingdom to the Virgin in February 1638 (presumably on Anne's pregnancy) together with the tradition of the pre-Christian Chartres altar dedicated to the Virgin are used to trigger off a vivid if boastful survey of the victories of the reign – all crowned, of course, by the birth of *mon petit roi*. While the beginning of *Le Jour des jours*, after expressions of delirious joy, moves through an attack on astrological prediction[1] to the general accusation that French poets have failed criminally to herald the great event, the last part of this poem is, however, the natural – and in itself sufficient – complement to the magical beginning of *La Nuit des nuits*, since it is the evocation of rejoicings for Louis's baptism. Saint-Germain, his birthplace, and all the surrounding countryside – Meudon, Limours, Rueil – are all appealed to; and, in particular, 'toi, Seine majestueux [*sic*], . . . Liquide et pompeuse couleuvre', to provide water for this rite. With the extensive aid of the pathetic fallacy, this builds up to a general jollification in which the very season has turned back from September to summer. The elaborate development on waterworks, including fountains spelling out the emblems of father and son in moving water, the evocation of the lead and bronze of statuary coming to life, all this is, in fact, based on the famous gardens and grottos of Saint-Germain, constructed as part of Henri IV's Château Neuf. It was Thomas Francini, whose name we have met in connection with the development of *ballet de cour* décor, who was sent from Florence to install both parterres and grottos, as described and engraved already in 1624 and again more elaborately – and theoretically – by Jacques Boyceau de la Barantière precisely in 1638. After the beauty of the child himself, as painted by the Graces, has been celebrated, we end with a description of the fireworks rivalling the stars.

Of course, even pruned, as is pardonable for the modern reader (pp. 101–14), both these poems are far too long. Yet it would be hard to find any poet – even among the Marinisti, some of whom Du Bois-Hus may have read – who has caught the spirit of *le baroque fleuri* at its most exhilarating.

[1] This seems motivated by Louis XIV's birthmark – a crown – on which Du Bois-Hus founds a further poem, *Le Miroir du destin*. The Dauphin is regarded as literally marked out for the conquest of Europe and Asia! It may be recollected that, though an astrologer was in attendance at the prince's birth, *for the first time* this was done shamefacedly and in secret.

His career itself seems like a kind of sudden explosion of fireworks. The hyperbolic flattery of *le Grand Condé* in *Le Prince illustre*, his other principal publication, is still interlarded with some vivid poetic description, as well as one or two confidences on his poetic convictions. It has indeed a further interest. Less than forty years later, in the fourth dialogue of *La Manière de bien penser*, we have the typical reaction of a purist – but an intelligent purist – of the next generation, l'abbé Bouhours. *Le Prince illustre* ('que nous avons lu en notre jeunesse') supplies the point of departure for a discussion of the difference between *le galimatias* and *le phébus* – between a 'profound obscurity' and 'un brillant qui signifie ou semble signifier quelque-chose; le soleil y entre d'ordinaire . . .' The dialogue which goes on to touch on Góngora and Gracián is a good indication of the 'classical' prejudice against metaphor and *agudeza*, voiced with considerable intelligence.

The seductive exuberance of Du Bois-Hus is, of course, only achieved through an ample use of *procédés* – no more to be condemned as necessarily a fault than the rhetorical inflation and amplification by which a Victor Hugo often achieved his impact, as Claudel once claimed. One of the boldest and most subtle of these is the subject of an interesting analysis by Jean Rousset (*Tableau de la littérature de l'âge baroque*, pp. 184–7). In *La Nuit des nuits* we read (p. 105):

> . . . oiseaux, luths animés,
> Vivants concerts . . .
> Volantes voix . . .

and in *Le Jour des jours* (p. 110), 'vivants violons'. Similarly in Martial de Brives (of whom there is much more to be said presently):

> Voix visibles, sons emplumés,
> Luths vivants, orgues animés . . . (p. 132)

and, of course, the *citaras de pluma* or *violines aslados* of Góngora are paralleled in many other poets of the baroque period, French and Italian as well as Spanish. Rousset points out the 'mechanism' involved in these startling images. By changing the position of noun and epithet, 'singing bird' moves through the stage of 'flying song' to a specific kind of music – violin or lute – and thus to the repeated phrases of Góngora (and Marino). This useful analysis is coupled with the more doubtful suggestion that such metaphors, often presented in strings – 'jeu cérébral qui, au lieu de dire, veut masquer' – should be seen as the link between baroque and preciosity, and in contrast to the function of metaphor in much modern poetry.

However this may be, it is essential to see 'luths animés' and 'voix visibles' as special forms of a far more general metaphoric structure with more varied and deeper roots than the 'prettification' so prominent in Rousset's examples. When *le père* Martial (just mentioned) describes the angels, in his *Paraphrase sur le cantique* (pp. 125–32), as:

> Substances immatérielles,
> Dépendantes divinités,
> Du flambeau des Éternités
> Intelligibles étincelles . . .

or Godeau, in a similar *Cantique*, the stars as:

> Chères Compagnes du Sommeil,
> Claires rivales du Soleil,
> Yeux du Ciel . . .

we must recognize the similarity, even if the reversal of noun and adjective is lacking. We must (I think) admit the aptness of Bremond's description: 'des avalanches de définitions métaphoriques'. The dynamism of so much of the poetry and, in particular, the religious poetry of the period, its concettist description, finds in these series of metaphors something which, as the examples show, is more than a *jeu cérébral*. If it masks, its periphrasis is only the more expressive (as good periphrasis can be). Similarly *multiple* 'metaphoric definition' – a contradiction in terms for many logicians – is a not unhelpful way of describing the polyvalence of genuine metaphor.

In any case, it is hardly possible to read *le père* Martial, or *le père* Le Moyne, or *le père* Bussières, to mention only three *prêtres-poètes* (pp. 125–32, 134–42, 147–8), without thinking that the admirable phraseology of various litanies has sometimes served as an unconscious model – *Rosa mystica*, *Turris Davidica*, *Turris eburnea*, *Domus aurea*, *Janua coeli*, *Stella matutina* . . . Few people would find in them a trace of 'preciosity'. There is another strong educative influence, too, namely the practice of acquiring a copious vocabulary, specifically recognized in the Jesuit *Ratio Studiorum* by elaborating lists of rhetorical synonyms, both arresting and perplexing the meaning through allusions.

Certainly, there could be no better introduction to the poetry of Martial de Brives, the name in religion of Paul Dumas, the son of a Toulouse magistrate, who preferred to become a Capuchin monk rather than take over his father's *charge*. Indeed, this detail from the earliest edition of his poems, only printed after his death, is almost all the information we have about his life – except that gout made it difficult for him to preach, a fact to which we may owe much of his verse. There is reason to think that some of his poems had circulated long before 1653, when a first incomplete edition was published. It does, however, contain the paraphrase of the *Bénédicité*, quoted above. The splendid feeling of the manifold glory of created nature is rendered by *le père* Martial with such freshness of perception that it outshines all the many other paraphrases of this particular canticle, although his *Laudate Dominus* (*Psaume* 147) has also fine things in it. It is the unconventional simplicity of *le père* Martial which determines the best and the worst in him. Thus in *L'Extase de la Sainte Vierge au moment de la naissance de son Fils* he makes Mary exclaim:

> Mon Dieu, faut-il que je délaisse
> L'heur de vous avoir
> Pour celui de vous voir.
> J'avais mon bien-aimé
> Dans moi-même enfermé,
> Et je goûtais une extrême douceur
> A le sentir si proche de mon cœur.
> Que fais-tu, cœur confus
> Dans ma poitrine
> Où Dieu n'est plus?

Whereas his attempt at irony gives us the bathos of his *Vérités du monde*:

> Le Monde est bon, il est fidèle aux âmes,
> Il va sans s'égarer tout droit
> – Ouida, ouida
> Tout droit aux flammes!

Qu'il est adroit, que sa conduite est sage!
On voit bien qu'il est tout esprit
– Ouida, ouida
Esprit d'orage! . . .

Something of the same simplicity of heart, combined with a really individual poetic vision, is to be found in the Jesuit, Jean de Bussières. His ode, *Aimer Dieu sur tout*, starts off with a similar 'avalanche' of *définitions métaphoriques* – 'océan de lumière, / Œil du monde', applied to God as light. As an eighteenth-century critic writes: 'Personne n'a plus vivement senti que l'Essence de la Poésie est de peindre et animer tout . . . Son expression est toujours créée . . .'

The freshness of perception, this delight in nature – the great qualities of his *Descriptions poétiques* – are nowhere better seen than in his *Élégie*, *La Neige* (pp. 147–8). The moral lesson, *aimer la Chasteté*, is heavily underlined – as it always is with Bussières, but it is a lesson taken for himself, and the description of the dancing, dazzling flakes in movement is irresistible. There is always some happy touch about Bussières's descriptions. They tend to the acuity of 'close-up' vision – the blades of grass in *Les Prairies*, the fascination of a single unfolding rose which is quite different from (for example) the Ausonius catalogue of different roses at different stages (for the text which may have inspired Ronsard, see Vol. I, p. 122).

Le Jour naissant invites comparison with Théophile's *Le Matin*, as he might have written it according to his own plea for modernity and simplicity, while *Le Jour mourant* seems to be finding a too easy analogy for death in the fading crimson, when the poet injects 'un doute nouveau / Si cette tombe n'est qu'un berceau.' Perhaps the *innocente tromperie* of *L'Arc en ciel* is Bussières's analytical masterpiece, the most explicit adoption (as Jean Rousset says) of the rainbow as the very emblem of the baroque spirit. 'On y voit se construire longuement, précieusement, à force d'images qui se superposent et se substituent comme l'arc-en-ciel lui-même, le merveilleux édifice – que soudain le poète détruit . . .'

There is more subtlety in such 'description' than one might think – only rather less flamboyant than *Le Soleil couchant* of the Breton, La Ménardière – that rather startling baroque 'exhibit' which has featured in anthologies ever since Dominique Aury unearthed it from the thin but luxuriously printed folio of La Ménardière's occasional verse.

Le Soleil couchant (p. 148) may appear at first sight the complement of Bussières's *Jour mourant*, but written with a remarkable pictorial vocabulary. In fact, whereas Bussières, Martial de Brives, and even that other Breton, Du Bois-Hus (*pace* Bouhours) are perfectly clear and coherent, *Le Soleil couchant* is one of the most oddly enigmatic poems of the century. Only the habit of printing a mere selection of stanzas has disguised this from most readers. Only its undeniable clumsiness – Tallemant regarded La Ménardière as a wretched poet as well as 'une espèce de fou qui sait beaucoup de choses' – makes one hesitate to assert that its real analogy is with Mallarmé's *Victorieusement fui* – the passionate sky, fading from crimson and gold to the fleecy white of a mackerel sky, is quite certainly presented as the 'objective correlative' of human emotion here as there, though La Ménardière's trick of strewing his poem with a few imperfectly integrated *allusions à clé* argue a very different relationship between poet and *destinataire* from the 'trésor présomptueux de tête' of Mallarmé's Méry.[1]

La Ménardière professes, in a preface, his admiration for Voiture and Sarasin, his detestation of 'cet infâme et vilain Burlesque' and his ideal of elegance and taste. Ambition would then place him very much on what Rousset calls 'la charnière du Baroque et du Précieux', but his subtleties are so laboured (see Notes) that, despite his painterly palette of descriptive terms, wit is the last quality one could attribute to him, and certainly the first of Voiture or Sarasin. There is yet another test. The very first stanza of *Le Soleil couchant* is backed up by a reference to Pliny (almost worthy of T. S. Eliot) to draw our attention to different speeds of apparent movement in the planet Venus, at sunrise and at sunset. The 'time-signal' aspect is not irrelevant and possibly 'poetic', but it is a sad confession of failure that it is nowhere conveyed in the poem. La Ménardière's taste for the abstruse is seen to better advantage in another poem, *Follette: Aventures énigmatiques d'une dame fort légère* (reprinted by Rousset, *Anthologie* I, 137), which begins in a nice tone of whimsical irony, but sinks under the weight of almost thirty stanzas! His *Madrigal*, admired by Paul

[1] See Notes on this poem where this topic is further elucidated.

Éluard, is more precisely an *énigme* on *Une Mandore* and achieves its effect with economy and some subtlety.

However, before turning to other, less debatable forms of preciosity, there is still to be considered a far more important figure of this generation, another Jesuit poet, Pierre Le Moyne, who is in many ways the most complete exponent of a quite conscious baroque aesthetic. His poetic career began with his *Triomphes de Louis le Juste* (or, as it later became, *L'Hydre défait*) – an ambitious *action de grâces* for the Fall of La Rochelle, full of patriotic and religious sentiment, most of which must have been written in three or four months. Facility was to remain his characteristic for the next forty years. Certainly, this début placed him in Richelieu's good books and, with his talent as a preacher (convents were his speciality), no doubt contributed to bring him from Dijon to the Collège de Clermont in Paris. Meanwhile, he had written those *Hymnes de la sagesse divine* and *Hymnes de l'amour divin* which provoked cries of admiration from Guez de Balzac: 'Quelle hardiesse d'esprit! Quelle magnifique expression! De quel enthousiasme est-il possédé?' Balzac's own taste was, of course, all for grandiloquence, but his excitement is fully justified. His question is answered in the opening lines of the first of these odes:

. . . Ni Permesse ni Castalie
Ici ne peuvent m'aider:
Leurs eaux ne servent qu'à farder
Une populaire folie:
Du Thabor même et de l'Hermon
Les ruisseaux sont pleins de limon:
Du Jourdain la source est vulgaire:
Mon sujet veut que j'aille en chercher dans les Cieux;
Et que pour y monter l'Aigle du Sanctuaire
M'élève sur son aile, et me prête des yeux . . .

Le Moyne's claim that true poetry for a Christian demands a Christian inspiration was one which he never ceased to make. It explains the choice of St Louis as the subject of his epic. It explains Boileau's remark:

Il s'est trop élevé pour en dire du mal
Il s'est trop égaré pour en dire du bien

(in imitation of Corneille on Richelieu); for Boileau's strangely dogmatic views on *le merveilleux chrétien* were the subject of their controversy. What it does not explain is the amazing neglect of these two pairs of odes which have an order of sublimity which is quite out of the reach of Malherbe, Racan or their like. Le Moyne's *Sagesse* is the Holy Spirit, the *Hagia Sofia* or Logos. The twin odes are the Poem of the Creation declared by the Word itself, while the divine love of the second pair of hymns (pp. 134–8) is 'l'amor che move il sole e l'altre stelle', of which the sun is the triple symbol, first the divine sun round which the angels – 'miroirs volants' – revolve, sharing and reflecting his light and warmth, a pattern repeated, secondly, on the physical plane by the radiance of 'le beau Prince des Planètes'; from which even Altair and Cicnus are thought of as borrowing their light! And it is, finally, the spiritual Sun, Christ, whose crucifixion lit a torch from which those souls who catch fire constitute 'un Vésuve d'Amour':

> . . . Arrête ici, mon cœur, ta vie est en ce lieu;
> Sois un bouton de feu sur ces belles épines,
> Tu seras un rubis sur le trône de Dieu.

The richness of these *hymnes* must be clear, even from such an inadequate indication, but clear, too – along with startling beauties – some of the arduous abstraction inseparable from any cosmological poetry. A Martial de Brives is content with the traditional panorama of the *Benedicite omnia opera*. Le Moyne's grandiose scheme commits itself, as just seen, to a heliocentrism – not that it matters that his distant constellations are in fact many times brighter than the sun. 'Modernism' can play any poet a shabby trick, as when Le Moyne works in an 'explanation' of the recently observed sun-spots which seemed to make nonsense of the perfect and unchanging status attributed to the superlunary world. On the other hand, the ability to present with simplicity the notion of the divine choice, among 'Mille mondes qui pouvaient naître', of that one which was to emerge from 'Le Néant, la Nuit et le Vide' is typical of the philosophical level as well as the sheer poetic talent of Le Moyne. Certainly, he never again produced anything comparable.

To convince oneself of Le Moyne's achievement even in this vein alone one need only turn to Godeau's religious verse, in particular his various *cantiques*, which suggest a disadvantageous comparison even with Martial de Brives for they remain curiously flat. Of course, Godeau, *le nain de Julie*, that cheerful, likeable, ugly little man who produced a Tulip for her garland and was then condemned by Richelieu to wear a mitre, had indeed a singular destiny. His growth, morally at least, is indeed best measured by his correspondence and his reluctance up till the very last to sign the infamous *Formulaire* which the King forced on the Jansenists, but as a poet he hardly counts today.

To return to Le Moyne, his vast *Peintures morales* of 1640 and 1654 is, of course, a prose work in which he undertook the task which La Bruyère was to set himself thirty years later, but in Le Moyne's case the characters are discussed in declamatory prose modelled on Guez de Balzac instead of with the economy and wit of La Bruyère. As Bremond showed, it is none the less a highly significant book intended to present an anti-stoical philosophy of which a famous chapter on *Le Sauvage* (the 'Puritan') was interpreted by the Jansenists as an attack on themselves. In due course, Pascal was to select Le Moyne as the chief subject of attack in his ninth *Provinciale*, not only for his satirical character of the 'Puritan', but still more unfairly for his *Dévotion aisée*. The voluminous *Peintures* also contains a series of brilliant *tableaux* or *intermèdes* in verse which were later reprinted by themselves under the title *Les Tapisseries*. Many of these are among the more remarkable of his poetical performances. Thus Actéon claims to represent 'le misérable état de l'homme déchiré par ses passions': and it gives us a complete dramatization of that unfortunate young man's transformation, concentrating indeed on the actual process as he himself may be imagined to have felt it. The 'molles boucles d'or' on his brow become a stag's head, while fear – the stag's fear – takes the place of the hunter's love of the chase. He sees horns everywhere around him and finally is revealed to himself by his antlered head reflected in the waters of the river. Still more remarkable in many ways is the study of hatred, rage and cruelty constructed round the figure of Hannibal (pp. 138–42), in which the intensification of these sentiments is given a form which makes one feel that between d'Aubigné and Hugo no French poet produced poetry, rhetorical indeed, but marked by such energy and imagination.

It is not surprising that, apart from a number of those charming poems about country pleasures and natural beauty with which Le Moyne acknowledged the summer hospitality of some of his well-to-do friends, there is an awareness of the social or the national scene. *La Carte de Paris* contains some singularly outspoken passages on the wicked extravagance of the rich and the iniquity of 'un Chef qui suce tout':

> . . . toi, ville sans borne, abîme de trésors,
> Tu n'épands que disette et famine au dehors.

There is also, for example, a verse-letter to *le Grand Condé* (thought to have been once intended as a dedication of his epic, *Saint Louis*) which, although too long, like so much of his poetry, begins with a heroic sweep and flourish:

> Hâtez votre retour, Seigneur, doublez le pas;
> Les flots sont abaissés, le port vous tend les bras;
> Et les vents dont le souffle avait grossi l'orage
> A peine ouvrent la bouche, attachés au rivage . . .

and so on in a twenty-line opening *tirade*. Of course, the eighteen cantos of the *Saint Louis* were the apple of his eye. One of his contemporaries claimed to have read them through three times at a sitting! This feat at least conveys an estimate of their narrative impetus. One would have guessed that Tasso's *Gerusalemme* was sometimes present to his mind from his managing to include more than one warlike Saracen heroine. None the less, his own comments on 'les cajoleries, les mignardises et les mollesses que le Tasse donne à son Renaud et son Armide', his insistance that the heroic style should eschew 'antithèse, allusion, rencontre et ce qu'on appellerait mieux bagatelle' shows, as does the whole of his *Dissertation du poème héroïque*, how individual, penetrating and coherent was his whole poetic philosophy. In fact, his various writings on poetry, on emblems and 'devices' constitute the French equivalent to Tesauro and Gracián, and offer us some sort of baroque aesthetic.

Le Moyne insists on the creative character of poetry. The poet is 'créateur de sa besogne', and is so by the creation of images: there are 'pointes nobles et vigoureuses, comme sont celles des lances', suited even to the epic, as well as those hair-splitting *mignardises* which he disdains. And, in a typically metaphoric onslaught on the Malherbian canon, he declares: 'il ne serait pas juste qu'en fait de poésie les Oisons entreprissent de brider les Aigles et de donner le ton aux Cygnes.' Two further features of his views on epic poetry help still better to situate him. He demands a calculated balance between the *vraisemblable* and the *merveilleux*: 'Il est du grand poème comme d'un Palais magnifique, où il faut des parties qui soutiennent et qui affermissent; et d'autres parties qui surprennent et qui étonnent.' This is to lend a fresh depth and nuance to the *far stupir* of a Marino. It is also, in a sense, symbolic of the way in which a traditional and (in this case) Aristotelian framework receives a novel, modern addition – a combination which helps to define the whole baroque age. And the reason which Le Moyne gives relates his views to those of Corneille – the Corneille of the *Discours* – since the *merveilleux* is (he says) 'la matière de l'admiration . . . qui excite l'émulation des Grands qui ne s'ébranlent que pour de grandes choses.'

This is not the place to elaborate on Corneille's heroic world. It is strange that far the greatest writer of the first half of the century should have hardly any place in these pages. Yet the devotion with which he set himself the task of translating rather than paraphrasing the entire *Imitation* of A Kempis, in the three years when he had temporarily renounced writing for the stage, has given us some of the finest religious verse of the century, something with an inner glow and strength which one may well contrast with the rubies and diamonds of Le Moyne (pp. 134–42). There is indeed another superlative translation of one of the greatest religious masterpieces of the age – St John of the Cross's *Noche Oscura*, for which the almost unknown Father Cyprien de la Nativité was responsible. The long dialogue of Christ and the Soul inspired directly by the Song of Songs is rendered with a verbal skill and sensibility which was the subject of a remarkable essay of Paul Valéry, the least mystical of men.

It is strange that so much of Pascal's caricature has stuck to the Jesuit poet's reputation. Though Boileau disapproved of his epic, it is salutary to remember that Le Moyne condemns the biblical epic from the same kind of motive which caused the former to recommend poets to shun *le merveilleux chrétien*. You must not take liberties with Holy Writ. Indeed, one of Le Moyne's few exercises in lighter vein is the entertaining *Hiver burlesque* which is also one of the few which draws seriously on classical mythology. It is almost as if this half-frivolous use was, in his view, just the stuff for the *ruelles*!

Of course, if we really want to find a poet in holy orders who lived for the *salons*, we can turn to Charles Cotin, whose name survives for most of us in the lampoon offered by Molière in the Trissotin of *Les Femmes savantes*. Cotin states his own claims in the preface to a collection of *rondeaux* published in 1650: 'après les énigmes il eût manqué quelque chose aux divertissements des dames si on ne leur eût donné les rondeaux' – and he goes on to recommend hose two 'pastimes' as being the real genre for polite society. They are not exhausting, since even the most talkative can keep quiet while a mere *rondeau* is read. Although these remarks vividly illustrate to what depths poetry could be reduced, Cotin himself occasionally produced something worth reading on a quite different plane. His *Énigme* and one of his religious sonnets (p. 143) testify to another side of his character, perhaps unfairly treated by posterity. His remarks on hat other *genre de salon*, the *métamorphose*, which could certainly run o inordinate length, witness the once-famous *Métamorphose des eux de Philis en astre* of Germain Habert, do show that Cotin had he root of the matter in him. A final indication of the poetic potentialities of the enigma is provided by the one brilliant sonnet of a younger nan, Étienne Pavillon, on *Les Prodiges de l'esprit humain* (see). 191).

But, since we have thus returned to the world of the *salon*, it is ime to look at Sarasin and Scarron.

Both must have appeared in the 1630s as a pair of captivating and vitty young men, much fêted in certain salons for their entertain-nent value and their verses. Both were to die young, both have emained familiar names at least, yet in rather different ways.

Scarron's fate has become a legend. L'abbé Scarron was afflicted, vhen he was only twenty-eight, by an appalling and painful paralysis vhich doubled up his legs and screwed his head at an angle. He lived or eighteen years fixed to a special chair and bore this martyrdom vith a courage and resilience which endeared him further to all his cquaintances, and brought him the practical sympathy of the Queen Aother in the form of a pension. His marriage in 1652 to a oor young orphan, Françoise d'Aubigné, the future Madame de

Maintenon, is equally well known, Scarron has to his credit as a writer the excellent *Roman comique* with its vivid picture of a troupe of strolling players, and a number of highly successful comedies. As a poet, however, his name is associated above all with the *style bouffon pur et net de pédanterie* of his *Typhon* and his *Virgile travesti* which Sarasin *son voisin* introduced the Italian term *burlesque* to describe. In fact, what the poet called his *vermisseaux* – or *little* verses – with their amusing manner 'in the low style' – first appear in the description of *La Foire Saint Germain*; to be compared with Boisrobert's *Épîtres* The sudden craze for *travestis* is simply the application of this style (often completed by Marotic archaisms) to *l'explication des choses le. plus sérieuses*, the most famous of these being Virgil's *Aeneid*.

It has to be admitted that this is the side of Scarron which is now unreadable (except possibly for the *Relation véritable*, devoted to Voiture's arrival in the nether world). In fact, by the time the hack-poet, Loret, and the other verse chroniclers had 'cashed in' on the mode, Scarron himself refused to complete the laborious parodizing of the complete *Aeneid*. On the other hand, some of his songs and sonnets have the same colloquial tone, the rhythm and the humou of Saint-Amant – the same delightful way of bringing himself into the poem. The *Chanson à boire* is enough to suggest how suited Scarron was for the pamphlet war of the Fronde. Curiously enough he appears to have been only moved by the Paris blockade when i touched his stomach, and the four hundred coarsely abusive lines o *La Mazarinade* then perpetrated were a *coup de tête* which he seem to have bitterly regretted. The *Cartel de défi* (p. 154), his contributio to the salon *Guerre des Sonnets*, is not only a reminder of how much Scarron can be seen in the context of *la poésie galante*, but of his skil in arranging the *vers mêlés* in which La Fontaine was to find the righ medium for so many of his *Fables*.

The Norman, Sarasin, was exceptionally well-read (Caen, it schools and university had a tremendous reputation), tall, handsom and droll, an excellent mimic. Only tact or prudence prevented th young Sarasin from taking Voiture's place at the Hôtel de Ram-bouillet in his own lifetime. In an important sense he did just tha after his death, as the entertaining *Pompe funèbre de Voiture* show: To this the *ballades* of *Des vieux poètes* and *Du pays de Cocagne* bea witness, whatever degree of mockery the *Pompe* may have. Indeed some nuance of mockery, often self-critical, is a useful ingredient of *la poésie galante* – the term more generally used by contemporaries for the combination of qualities often branded as *précieux* today (see above, p. lxxvii). Sarasin's importance is that of having provided admirable models of this type of light verse.

Perhaps one should claim more for some of his songs, with their undercurrent of mingled irony and sentiment:

> Nommer un ange
> Votre Phyllis . . .
> Je me connais en anges
> Phyllis ne l'est pas . . . (p. 158)

Yet he had an *ange*, the *beauté sans seconde* of his *Villanelle* (pp. 159–60), undoubtedly written for Anne de Bourbon, Condé's sister, the Duchesse de Longueville, *Princesse au teint de satin blanc*, whom he worshipped and served for over fifteen years. Let us recall that his dialogue *S'il faut qu'un jeune homme soit amoureux* ends by the participants agreeing that 'servir une honnête femme' was just what a young man needed in order to learn that art of pleasing which was the very essence of *honnêteté* – a modern version of the old *amour courtois* tradition. Indeed, whether in the *Villanelle* or elsewhere, Sarasin recovers the ageless purity of the perfectly simple love lyric, whether to exclaim:

> Sa trompeuse et charmante bouche
> M'assure que mon feu la touche . . .

to mourn that

> Elle est comme une rose en la saison nouvelle
> Qui tombe dans la main d'un passant malappris . . .

to evoke the *rossignol sauvage*, or still more in the folksong tradition, a Nicolas who mounts his donkey to go courting less successfully than Marion or her miller.[1]

However, if Sarasin knew how to put sophistication from him, the full flavour of many of his best pieces derives from their complete appositeness to the occasion. Thus the sheer *cocasserie* of *Ce sont des*

[1] Quand Marion va-t-au moulin
Filant sa quenouille de lin . . ., etc.

prêtres ou des bœufs (p. 160) has added point when we know that it was written during the siege of Paris in January 1649, when the duchess was about to give birth to an heir to her aged husband, and herds of cattle were being brought into the very middle of Paris. Or that the 'pays de Caux . . . pays de Cocagne' (p. 161) is precisely where the duchess retired a few months later in defiance of Mazarin, leaving her husband and brothers incarcerated in Vincennes.

Apart from all this, apart from the *journée des madrigaux*, a typical salon tournament, Sarasin pointed the way to two poets of the next generation. His one exercise in the burlesque, his *Défaite des bouts-rimés, ou Dulot vaincu*, a justified protest against the craze for another of the *salon* games, served as a model for Boileau's *Lutrin* (and thus for Pope's *Rape of the Lock*). And finally, just to remind us that he had a fine sense of classical taste, even an enthusiasm for the Virgil of the Georgics, there is the fact that the best of his *églogues*, if sometimes too closely derived from Virgil, makes him the real precursor of La Fontaine's *Adonis*. One could say of his *Orphée*, as Valéry did of *Adonis*: 'notre bouche exaspérée trouve quelque étrangeté à l'eau pure.'

The period from which both Scarron and Sarasin stand out in their individuality is the twenty-odd years between 1630 and the mid 1650s, which saw the poetic fashion go over to a series of fun and successive games. In 1635 it was all *énigmes* and *rondeaux*. Six years later Sommerville's collection of *Métamorphoses* was on sale. In 1649 the craze for *bouts-rimés* started. The mixed *vers de salon* which were the basis of the *Recueil Chamhoudry* were first published in 1652. The *Recueil Sercy* had a still longer innings, and a collection of prose including *Les Portraits* was added in due course, though those of Madame de Montpensier, it has been said, had 'rien de galant ni de précieux'. One could range the *salon* poets in serried ranks round Sarasin. There were his friends, Charleval and the acute but pedantic Ménage. Pellisson too and Chevreau, Segrais, Marigny, Montreuil and others. Indeed, when Fontenelle in the last years of the century put together the first historical anthology of French verse (1695), almost two volumes of his five were devoted to these *petits maîtres*. The last name in the collection is that of the recently dead Benserade who, in many ways, may serve to complete our sampling. Not least because he also pursued a highly successful career as a writer of those *récits de ballet* which depended on knowing the gossip about and the 'images' cultivated by those courtly personages who were still the prominent feature of the *ballet de cour* before everything became professionalized in Lully's new merging of opera and ballet.

The kind of cleverness shown in Benserade's *Job* sonnet was always his. It shows to better advantage sometimes precisely where one would least have expected it. His *Métamorphoses d'Ovide en rondeaux* (for the benefit of the Dauphin) was no doubt an ill-conceived project (though we have seen in Cotin's admission one source of this 'craze'), but it includes *L'Homme créé* (p. 156) – one of the best examples of the century in this form, and also provoked the wittiest rondeau attributed to Chapelle with its allusion to La Fontaine. The deflationary exercise of *Les Ci-gît* (p. 156) has also its moments, but one feels that Benserade is only really involved in the celebration of his own *Maison de Gentilly* where he found the happy knack of growing old gracefully amid the waterfalls of the Bièvre, that hard-worked stream which contributed to the prosperity of the royal Gobelins tapestries.

One could claim that Benserade had a weakness for accepting the more or less frivolous challenge – the *cartels de ballets* like the *métamorphoses en rondeaux*. One of these takes us directly on to that elusively great poet, Jean de La Fontaine. For Benserade, like La Fontaine, made of his *Fables* an attempt to save the prosy didacticism of Aesop for poetry; but not by unending variety and resourcefulness but by the simple formula of reducing each and all to a neat quatrain apiece.

This contrast is no bad introduction to the author of *Les Fables*, for it is a reminder that, with his friends Pellisson, Maucroix and Furetière, his career started as a *poète de salon*, but one who had other ambitions. Of course, that Virgilian idyll, *Adonis*, to which reference has already been made, was his first avowed poetic enterprise – an offering to Nicolas Fouquet, on whose patronage La Fontaine like others built his hopes only to see them vanish in the sensational fall of the *surintendant*. Its restraint (see pp. 167–8) – classical in the fullest and in the best sense of the word – is, however, less characteristic of the young La Fontaine than the charming pseudo-dramatic caprice which he entitled *Clymène*. The pastiches of Horace,

Malherbe and Voiture are indications of that intense interest in poetry as a language – *le langage des dieux*, he was to call it – but which can be spoken in many tones of voice. Incidentally, his lifelong friend, Canon Maucroix, was better than he was at the noble Malherbian ode – witness his gloomy and heartfelt *Les Malheurs de la guerre* (p. 164). In La Fontaine's *Clymène*, the *clou* is Acante's final *badinage*: tender, witty, delicately erotic – where the poet's discreet choice of where to kiss the sleeping Clymène brings its simple but unexpected reward. In many ways *Clymène* is the *clue* also to the poet's development. The question of prose or verse – what each is best for – is implicit in the *Songe de Vaux*; it is illustrated in those charming letters to his wife from Limousin in which he bursts into occasional song. The original *Nouvelles et contes* were represented as an experiment in the 'caractère . . . plus propre à rimer des contes'; as *bagatelles* which might 'catch on', as had successively 'rondeaux, Métamorphoses, bouts-rimés'. It runs as an undercurrent throughout *Psyché*; he tries verse for elaborate description (of the *Grotte de Téthys* and what the *Bassin d'Apollon* was going to look like and never did, as well as for what Psyche saw in the nether world); he uses it finally for the wonderful *Invocation* which closes the whole narration and proves how capable he is of the most personal lyrical expression.

Nor, finally, can we afford to forget that one of the paradoxes of the *Fables* is that La Fontaine – to the disapproval of the learned Patru and the narrowly 'classical' Boileau – insisted on putting into verse the prose of Aesop and Babrius.

On the *Fables*, that much-commented masterpiece, it is almost impertinent to offer one's brief comments after generations of critics have had their say – our own generation not least. Yet there are some general considerations which do not always get their due.

Of course, La Fontaine was right to choose verse not prose. Not merely because it helped to save him from being didactic, but far more certainly because the brilliant diversity of the *Fables* is inconceivable without it, and this diversity is the angle of vision from which he saw life itself. The 'pleasure principle' is what *O douce Volupté* (pp. 169–70) begins by recognizing as the 'universal magnet' of all living creatures, but that profound and charming poem ends in the most personal of statements. It is the sheer diversity of pleasures which the poet declares to be for him the spice of life:

> . . . il n'est rien
> Qui ne me soit souverain bien,
> Jusqu'au sombre plaisir d'un cœur mélancolique.

It is a diversity of tastes which his friend, Vergier, saw as the refuge of a man whose 'caprice' had always been a systematic flight from *ennui*. It was under the same sign that he saw human nature, its vagaries and oddities, and thus he felt the fabulist's need for the whole animal world to represent it:

> Les âmes des souris et des belles
> Sont très différentes entre elles;
> Il en faut revenir à son destin,
> C'est à dire à la loi par le Ciel établie.
> Que sert-il qu'on se contrefasse!

One of the privileges of the animal fable is simply that it provides the possibility of satirizing human nature with candour but without rancour – indeed with gaiety and good humour. Given La Fontaine's admittedly anthropomorphic animals, indignation is clearly misplaced. Their animal diversity symbolizes the irreducible reality and diversity of human character.

Behind the whole group of themes just touched upon lies a tradition familiar enough from Montaigne's *Essais* – or more specifically from the *Apologie pour Raymond Sebond*. What better way to combat human presumption and vanity than by pointing to the intelligence of animals – the reasoning of foxes or elephants. Or else to use the faulty arguments of the animal to represent our own human fallibility. As often as not it is added (and La Fontaine is no exception) that reasoning is no great advantage anyhow. This inconsequential addition shows, I think, how much this gambit is only a way of pleading for tolerance, for scepticism, as we find with all those writers who are touched by the influence of the *Essais*.[1] Yet the deeper inconsequence is equally typical and equally revealing:

[1] See the author's *Fortunes of Montaigne* (London, 1935; New York, 1970), pp. 396–404, for a fuller elaboration of this case.

animals are *happier* than humans just because they *don't* reason, since reason corrupts our natural inclinations:

> De tous les animaux, l'homme a le plus de pente
> A se porter dedans l'excès.

And this *excès* is directly due to our *corrupting* intelligence. Animal nature is more constant. Hence the need for a variety of species to represent the diversity of the single species, man. A certain nostalgia for the constancy natural to animals, for their instinctive happiness, is certainly part of the make-up of the man who writes of 'l'inconstance et l'inquiétude qui me sont naturelles'.

It is, nevertheless, too easy to underestimate his complexity. When his old friend, Pellisson, died leaving immense debts, Bossuet, Fénelon, and his own friend, Maucroix, said generous things about him. La Fontaine simply declares: 'Tout cela ne me fait point changer de sentiment: il faut payer ses dettes; et il ne m'a point paru que notre ami s'en soit assez tourmenté.'[1] It is a considered judgement from a man whose own life had been poisoned for years by debt, and it shows an unexpected strain of ethical rigorism which helps us to understand his artistic as well as his moral conscience. *Le language des dieux* is not achieved without effort, but the very achievement makes effort invisible.

The 'mobility' of the *Fables* is extraordinary – like an expressive and ever-changing human face, now grave (or is it?), now gay (but at whose expense?). If there is any single factor which can be judged responsible for this irresistible effect, it is simply the *vers libéré*, in other hands so often a clumsy *passe-partout*, but which La Fontaine uses to the point where even rhyme can become unexpected – his only rival in this vein the Molière of the inimitable *Remerciement au roi* (p. 180). Before (and since) Jean-Jacques Rousseau the unskilful or even the too arch recitation of *Corbeau et Renard*, *Chêne et Roseau* has infuriated many people. It needs a superlative performance (for our generation it was Madeleine Reynaud's) to make one realize that La Fontaine well spoken should create the conviction that a brilliant impromptu is being spun as you listen!

Towards the close of the first *Fables* (1668) he declared:

> . . . Et conter pour conter me semble peu d'affaire.

[1] Letter to Maucroix of 26 October 1693.

This invitation to consider *instruction* as well as *pleasure* invites one to recognize that the earlier collection largely represents popular, traditional hard-headed common sense or proverbial wisdom, though these six books have room in them for a profound protest against astrology (*L'Astrologue qui se laisse tomber dans un puits*, p. 171) and a tribute to La Rochefoucauld's *Maximes*. Ten years later – and right from the opening *Animaux malades de la peste* (p. 172), the satirical reflection of a contemporary world, its intellectual novelties as well as its wars and diplomacy, is to the fore, culminating in the *Discours à Madame de La Sablière* with its discussion of the Cartesian *bête-automate*. It also includes the lyrical 'asides' of *Les Deux Pigeons* (p. 174) and a curious strain of inward-looking passive philosophy which may well be the result of La Fontaine's study of the oriental fables of Bidpai and the Pançatantra. It emerges in the slightly mysterious *Songe d'un habitant du Mogol* (p. 177) and in the final fable of all coincides with the *ménager sa volonté* of Montaigne.

No doubt, the 'classical ideal' involves the exploitation of any medium to the full. Taking pains is certainly part of this kind of genius; whereas the virtuosity admired in the *salons* – or more generally in the sophisticated world of society – prefers the supposedly impromptu, even if this results in a fair proportion of damp squibs. La Fontaine could be claimed as a shining example of both aesthetics, which few could hope to combine as he combined them. One could even claim that some such distinction is a sound principle for aligning a number of his contemporaries, for example, Brébeuf, who began as an out-and-out *poète des salons*, but who became the over-earnest Christian of the *Entretiens solitaires*. *L'Hôtel des ragoûts* (*Recueil Chamhoudry*, 1657) is so full of *gigots fessus* and *montjoies* of *grosses perdrix rouges et grises*, that it is more calculated to spoil the appetite than to make the mouth water. (On the other hand, the charmingly neat verses (p. 166) of Vauvert in another Sercy *recueil* show what can be done in this vein.) It may not be the same sort of thoroughness which results in the dilution of noble and pious sentiments in the Brébeuf *Entretiens*, but it is, as before, heavy-handed excess. Brébeuf's contemporary, Saint-Évremond, continued to turn out copious occasional verse throughout a long career. One has only to look at his views on poetry in the *Pensées sur toutes choses en sa vieillesse*, with their mixture of devastating common sense and condescending intellectualism, to understand why so wise and witty a man never wrote anything memorable in verse: 'Ce n'est pas qu'il n'y ait quelque chose de galant à faire agréablement des vers. . . .', but poetry, we learn, 'toujours hors de la réalité des choses', cannot be expected to satisfy a 'healthy mind'.

It is in this context that we may fittingly turn to the most charming and subtle of all the *petits maîtres*. Antoine Rambouillet de La Sablière whom Conrart nicknamed *le grand madrigalier*. It was his kind and clever wife who became for the ageing La Fontaine a sort of guardian angel. There is, however, apart from their own earlier friendship, another link between the two men. Many of those thimblefuls of poetry which La Sablière called *madrigaux* use, as skilfully as La Fontaine did, the art of writing *vers irréguliers*. This is again the secret of their impromptu effect, here combined with the half-declared admission of *inclination* rather than *passion*. La Sablière's irony (*Elle est coquette, sotte et belle*, p. 186) adds another nuance. He supplies *marivaudage* before Marivaux, and Voltaire used him in the *Dictionnaire philosophique* to define *esprit*, as he understood it. In my own view, he incarnates the quintessence of *l'esprit précieux*.

The *recueil* most often quoted, however, as illustrating *l'esprit précieux*, was produced by that friend of La Fontaine previously mentioned, Paul Pellisson, in collaboration with Coligny's great granddaughter, the Comtesse de la Suze. Successive editions made it a sort of omnium gatherum of occasional pieces, but Pellisson and Madame de la Suze are both worthy of mention outside this immediate context. Henriette de Coligny had made a romantic marriage to the Scot, Thomas Hamilton, Earl of Haddington, a consumptive who died little more than a year after he carried her off to Scotland (1645). It was after her return to France that her passionate *élégies* began to circulate, aided no doubt by her reputation as a *dame galante* (there was some excuse, considering into what an unsuitable second marriage her mother had pushed her). Obviously, the frank avowal of intense passion, when made by a woman, shocked the male taste of the time. Unfortunately, these sentimental effusions ('elle voulait filer l'amour', says an eighteenth-century critic) are so undistinguished in expression that they now read rather like the worst moments of Marceline Desbordes-Valmore. However, this comparison is an indication of their novelty at the time. Much more precocious in the same vein was Madame de Villedieu, a woman some twenty years younger, who is more worthy of attention for her novels. There is, indeed, a third, more talented, woman writer of the age – Madame Deshoulières, who wrote with a natural ease which sometimes hides an unexpected profundity. Antoinette de la Garde, married at fourteen to the colonel of Condé's regiment, and fruitlessly wooed by the prince himself, learned to write verse, it appears, from the slightly mysterious Jean Dehesnault, a friend of La Fontaine. The one questionable mark against this excellent, handsome and clever woman is the hand she had in a cruel sonnet aimed at Racine's *Phèdre*. Certainly some of Dehesnault's freethinking views were assimilated by her, and *not* to have one's children baptized in infancy shows a remarkable independence of mind. Her best-known poems, idylls like *Les Moutons* or *Le Soleil*, are apt to be taken for samples of a rather facile epicureanism, but, if more closely read, should be recognized as close in spirit to La Fontaine's 'theriophily'. Animals are happier just because they lack 'cette fière raison dont on fait tant de bruit'. *Les Fleurs* (p. 200) shows better how an exquisite use of the *vers irréguliers* can give freshness and urgency to the theme of mutability. Like Dehesnault, she steels herself against the prospect of total annihilation. Some of the verse *Réflexions* which she wrote when she was already dying of cancer have a firmness and concision which was to become rarer in that age.

As for Paul Pellisson – a Protestant from Castres like the *précieux* Hercule de Lacger, who was infatuated with Madame de la Suze – he was a man of very different calibre. Fouquet's courageous secretary, whose fidelity remained unshaken by four years' imprisonment, and whose skilful *Requête à Monseigneur de la Postérité* brought him much sympathy, won in the end the King's reluctant admiration. He was still better known at the time for his long friendship with Madeleine de Scudéry. The literary badinage of 'Sapho' and her 'Acante' – *la Fauvette* and *le Roitelet* – is now tedious. What is unexpectedly fresh are the one or two short poems which bespeak Pellisson's piety at the same time as his feeling for nature. La Fontaine included them in his *Recueil de poésies chrétiennes et diverses*. Visible in the brief stanzas in which he laments his second year in prison, this trait is far more fully seen in another poem (p. 184) of which the keynote is given by his:

> . . . Je vous trouve partout, éternelle sagesse,
> Toujours devant mes yeux et jamais dans mon cœur.

What is expressed may lack 'the next world's gladness prepossessed in this', which is the very note of Henry Vaughan, but Pellisson finds, too, in the visible world, in the evergreen foliage which the seasons respect, and in the impression of a self-delighting, self-sufficient nature, the assurance of immortality. It is hardly accidental, perhaps, that he, like Vaughan, was a Protestant – until tempted into conversion by the offer of the post of historiographer royal!

Seen in the context of what was happening to devotional verse in general, even such a minor poem takes on more significance. After 1630, religious poetry is more and more confined to paraphrasing either the Psalms or the Hymns of the Church. Indeed, when Antoine Godeau publishes his collected *Poésies chrétiennes* in 1660, his preface advocates *versions* rather than *paraphrases*, because one is thus *safer* from theological heresy! It is perhaps, then, more than an accident that one of the good religious poets of La Fontaine's generation should be the still somewhat neglected Laurent Drelincourt, one of the younger children of the formidable pasteur of the *temple* at Charenton, whose fame extended to England, thanks to 'Drelincourt on Death'.

The *Sonnets chrétiens* (p. 188) provide a conspectus of the Christian life, supported by a justificatory and elucidating commentary, and thus resemble the *Théorèmes* of La Ceppède, published sixty-four years before. The differences are revealing, since the emotional intensity of late Mannerism is usually absent, and the copious exploration of every figurative association is reduced to a few lines for every sonnet. Yet, the figurative or emblematic approach still nourishes them, as one sees when Drelincourt writes on the death of Abel, whose blood cries to Heaven for vengeance:

> – Mais du Mystique Abel, immolé sur la Croix,
> Le Sang, pur et divin, qui coule en abondance,
> Demande Grâce au Ciel, d'une plus forte voix.

Sometimes an encyclopedic or too analytic note spoils the effect of these studied and concentrated sonnets. Yet, this *modernisme* has its moments, as in the admirable *Sur la découverte du Nouveau Monde*, where under the new skies of the 'double hemisphere' only old superstition is found, thus leading to a prayer for the heathen in the name of the Southern Cross. Although a relative failure of rhythmical resilience, or a sawing of the air like a pump-handle, now and again lowers the afflatus, Drelincourt often rises magnificently to what the theme demands, whether he considers (with St Ignatius, whom he quotes unexpectedly in a note) the personal responsibility of each human being for the Crucifixion, or touchingly affirms his expectation of bodily resurrection, as in *L'Espérance du mourant*. It is, perhaps, at this point that we may allude to that strange figure, Jean de Labadie, renegade Jesuit, who became the pastor of the Walloon Protestant Church at Middelburg. His *Saintes Décades de quatrains de piété chrétienne* constitute a comprehensive and systematic treatise of devotion couched in verse. The inevitable ten *quatrains* always adopted are divided by an *acte* or moment of adoration. Thus the section *Sur la vue et le sentiment que l'homme a ou peut avoir de Dieu sous le symbole de* . . . and all the forces of nature follow. The architecture of Labadie's poetic testament ought to impress more than it often does, but occasionally his nature symbolism does work. His talent was rather that of a preacher but he makes one appreciate better perhaps the discretion and negative virtues of Godeau whose melodies he would allow his readers to use.

Curiously enough, two other religious poets were born within a few months of Laurent Drelincourt, alike only in that the courage of their individuality brought them trouble. One was dubbed *le Titan du baroque* by Théophile Gautier, in that ironically written gallery of caricatures, *Les Grotesques*. *La Madeleine au désert de la Sainte Baume* by *le père* Bartholémy de Saint-Louis is full of quaint and sometimes beautiful flashes, usually followed by the thud of immediate bathos. Dr Sayce has drawn attention to the specifically Carmelite character of his *Éliade*. A more convenient assessment is to compare his *Bouquetière sacrée* with Crashaw's *Steps to the Temple*. The same picturesque, emblematic piety is there, but little of Crashaw's fire.[1] *Le père* de Saint-Louis is not wholly negligible, but certainly not anthologizable, *pace* Jean Rousset.

The other figure is that of François Malaval, the blind quietist

[1] See further my article in *Revue des sciences humaines* (1949), p. 181.

mystic of Marseille who, after his *Simple Method of Raising the Soul to God* had been extended at the behest of a Cardinal, enjoyed immense success even in two Italian translations, yet found himself, ten years later, brought into the quietist controversy, which saw the clash of those theological giants, Bossuet and Fénelon, in the last years of the century. 'Nowhere does Bossuet show up worse than in his treatment of Malaval', writes Ronald Knox in a masterly account, which is only slightly less damning to *l'Aigle de Meaux* than that of Henri Bremond. It is enough here to notice how intolerant the semi-Cartesian Bossuet was of all metaphorical language. It is with a poor grace that he is obliged to admit the efforts of Roesbroeck, Tauler and Suso to express the experience of mystical union. Only official beatification saves St François de Sales, let alone St Teresa and St John of the Cross, from being regarded as 'extravagant'. However, what concerns us here is the poetry of Malaval, which constitutes a remarkable effort to convey some of the subtle and profound features of what was then very specifically a modern spiritual movement.

It has been seen how the 'spiritual guides' of Ignatius, Luis de Granada and St Francis affected the devotion of more than one generation; how they constituted a training of the imagination by the *composition de lieu* which flowered in the poetry of people like La Ceppède and Donne (while it may well also have had a dire influence on the witchcraft mania). But contemplation and the prayer of contemplation, as opposed to meditation, raises more subtle psychological problems. The paradoxes have been set out by Ronald Knox: '. . . When we meditate we arouse our sensitive affections by deliberately providing food for their exercise . . . above all, we arouse . . . sentiments in ourselves by thinking about our Lord's Sacred Humanity and his Passion. When we use the prayer of contemplation we no longer itemize our motives for loving God.' Thus Malaval on the presence of God – in us and in the universe where we find him – exclaims that in order to see God in our hearts:

Ne prends point pour le voir ou d'idée ou d'image

passing on to the paradox that God is not in *us* but *we* are (or can be) in God, and warning us that such a state of contemplation has its sudden cessations and onsets. Indeed, the drama of the spiritual life is such that one must learn to accept the conviction of damnation, as also the need to resist, among other temptations, that of too much joy and emotion in what appear as 'visions' or 'consolations'. This is the background to two of Malaval's poems which may sound, at first sight, not only austere but gloomy. *La Solitude intérieure* (p. 189) attempts to define the spirit of abnegation appropriate to the act of unitive adoration. The name which Malaval gives often to this abnegation is *le néant*. In *L'Amour de son néant*, he explores this notion in different respects:

> Laissez-moi mon néant, jouissez de votre être,
> Seigneur; tout mon repos est de me bien connaître . . .

Such is the role of man – 'Qui sort de son néant, sort de son origine . . .' It was *le néant* that Christ took upon himself in becoming man and as well as *le néant du péché*, impervious to God's action. There is a didactic element in Malaval, as can be seen, but when he expresses his contentment, as in *Le Sommeil de l'Épouse* (p. 189), his poetry is strangely moving.

The other more famous figure of the quietist heresy (as it was to be eventually proclaimed under pressure from Louis XIV on the Pope) was the extraordinary Madame Guyon, Fénelon's protégée.

Both Fénelon and Madame Guyon (she three years his senior) belong, of course, to a younger generation than we have considered, but are best mentioned here. The meeting in 1688 between the austere and fastidious young abbé and the charismatic widow was a turning-point in both lives. He clearly found himself shocked by the untutored exuberance of the lady but overwhelmed by her extraordinary insight in spiritual matters. The results for him were to involve the sacrifice of most of his earthly ambitions and a so-called 'disgrace' which stands today to his honour. For her, the new contacts led to her extraordinary influence on Madame de Maintenon and Saint-Cyr, which, turning to disaster, and through her foolish trust placed in Bossuet, gave her seven years' imprisonment at Vincennes. But more relevant here, their strange correspondence and the poems which they exchanged in an attempt to define their own views bear witness to a new attempt on her part to define more closely the passionate convictions already stated in her *Moyen court et facile* and on his that new-found urge to become more literally 'as a little child' ('J'ai le goût de l'enfance . . . De mon hochet content . . .') which can too easily provoke a smile. Indeed, her reply – called a *parodie* – suggests a critical sense some people have denied her. The seven paradoxes of quietism (Knox's expression) are illustrated in her copious production, but often with a happy gift of phrase.[1]

Thus, for example, in *Foi sans assurance* (one of those pieces written to be sung to a known air of Lully (p. 206)) we have a remarkable statement of her convictions about 'thinking God'. A 'blind' faith forbids anthropomorphism – the mystic is the iconoclast of images – except where Christ's earthly image is concerned (though not as He is in heaven). Madame Guyon's other manner, as in the effusive *Âme amante* (p. 207), involves indeed the theme of persecution, like many of the poems said to have been written at Blois towards the end of her life. Yet, surely this indulgence can be granted to her if to anyone.

The wide interest in mysticism at the end of the century may be finally illustrated by the strange poem of Mazarin's nephew, the Duc de Nevers, who organized the cabale against Racine's *Phèdre* (provoked by Racine's own high-handed action over his *Iphigénie*), yet it shows at the same time how little understanding Nevers had of the scruples and self-questioning of the quietists as regards ecstasies and visions; or of Rancé, abbé of La Trappe, to whom the poem is addressed.[2]

Leaving the rather specialized topic of devotional poetry as it developed and enveloped the quietist controversy, a return must be made to the young men of the 1660s under a young king. The two who naturally spring to mind, of course, are a great dramatist and a satirist – a scurrilous one in his beginnings – Racine and Nicolas Boileau, neither of whom can claim in an anthology of what is essentially lyrical poetry the place due to their historic importance. As is well recognized, the lyrical gift of Racine is something which blossoms in the opening of a whole perspective within a single line; as when Pyrrhus evokes Astyanax as 'Reste de tant de rois sous Troie ensevelis', or when Phèdre expresses her passion in her 'Dieux! que ne suis-je assise à l'ombre des forêts . . .'

The official odes of Racine appear dull and even pompous. On

[1] R. Knox, *Enthusiasm* (1950), pp. 249–59.
[2] pp. 363–8, *Mélanges curieux* III, attribués à Saint-Évremond (1739).

the other hand, the six odes of *Les Promenades de Port-Royal-des-Champs*, written when he was still a pupil there, are full of charming touches. Rather than *L'Étang*, with its play on reflections in the water – a mobile *monde à l'envers* – I prefer *Description des bois* (p. 202), where Racine's response to the mystery of a forest scene suddenly incorporates, in a charming, fanciful *jeu de mots*, the analogy of moving branches and the forest of antlers – another *bois* – in the herd clustering beneath. It is here that the young Racine, as it were, says farewell to the vein of concettist description, and of an overt feeling for nature, which constitutes the appeal of a Théophile. Not that the *concetto* is absent from all the tragedies, but when Pyrrhus claims to be 'brûlé de plus de feux que je n'en allumai', the conscienceless pun is a way of characterizing a barbarian prince whose veneer of Greek finesse wears thin in his frustrated passion. Later in his life, the *poète rangé* was to compose a number of canticles and paraphrases. Among them it is fascinating to note the skill of certain close translations of the hymns of the breviary. Here the rigour suddenly lent to a wholly conventional vocabulary – bringing a sudden glory to the daily phenomenon of morning light (p. 204) – is not unlike the transformation whereby, in the plays, the *feux*, *flammes* and *chaînes* borrowed from fashionable gallantry are restored by a more rigorous use to a positive poetic efficacity – that miracle which makes one suspect that those who talk of *langage galant* in Racine have never fully responded to his sophisticated idiom.

The placing of Boileau-Despréaux is a very different problem in every way. The once pontifical figure of *législateur du Parnasse* which, paradoxically enough, Voltaire helped to create, whom Hugo thought worth attacking and whose reputation Sainte-Beuve thought fit to endorse, has today taken on a strangely shrunken appearance. The *Satires*, sprinkled with the names of mainly long-forgotten enemies or victims quite arbitrarily chosen for the rhyme, used once to be read as if Nicolas was a brave young David tilting at the inflated figures of a previous generation. In fact, it is now generally recognized that most of these names – Saint-Amant and Faret, Colletet and Coras, were either long dead or half forgotten. Of course Chapelain was still enthroned as the most expensive recipient of royal largesse, and in a way the caricatural impromptu spirit of a piece like *Chapelain décoiffé* is more fun to read today than most of the satires, though this may well be because Boileau was, unlike Pope, a better hand with the bludgeon than the rapier – one has only to compare the *Rape of the Lock* with the interminable *Lutrin*. Nevertheless, a satire like the eighth (pp. 193–9) has a real intellectual interest whose full flavour is worth extracting with the now necessary annotations – beginning with the figure of a Sorbonnard arch-argufier, Morel, whose *mâchoire d'âne* was a byword and to whom this satire of 'reason' is addressed.

The later stages of Boileau's career are certainly less founded, as in the *Épîtres*, on a calculated impertinence. But, in its place, the elaborately constructed fictional personality of Nicolas Boileau, addressing his gardener, 'doing the Montaigne', and enlarging on his general benignity, can strike one as tiresomely false. One realizes that it is not everyone's talent to be a Montaigne. The petulant comment of the young Scaliger on the *Essais*, 'Qu'a-t-on besoin de savoir qu'il aimait le vin clairet?', could be applied to Boileau.

As for *L'Art poétique*, once regarded in the French academic world as almost Holy Writ, the dozen pages of spirited and devastating demolition in George Saintsbury's *History of Criticism* (Vol. II) ought to be required reading for the English. Admittedly, Saintsbury wrote from a general and philosophical viewpoint, but a meticulous, historically minded critic like Antoine Adam, while more tolerant of the prejudices and fallacies of Boileau in the light of local circumstance, agrees with Saintsbury's liquidation and, indeed, adds what would once have been the insult of exposing the limitations of Boileau's own versification. More important, he shows how as for Boileau's own part in the French equivalent of 'the Battle of the Books', where the claims of the Ancients and the Moderns were the ostensible bone of contention, it is his personal hostilities which, as much as any single factor, confused and bedevilled the issue. Finally, it is enough to note that the official, Malherbian *Ode sur la prise de Namur* was considered pretentious and empty from the very moment of its appearance.

What is more strange and disappointing is the general decline in poetry of any sort of value at this very moment of general glory. Of course, the spate of neat and sometimes vaguely amusing *vers galants* or *de circonstance* continues unabated with people like Montreuil or Madame de Sévigné's amicable cousin, Nicolas de Coulanges.

But one only has to look at the major 'modernist' enemies of Boileau to recognize the total decline. Philippe Quinault – Boileau's exact contemporary – was indeed a wonderful collaborator for Lully, and his part in the success of a whole series of *tragédies en musique*[1] was, in some ways, as important to the result as the imperious demands of *le Florentin*, who found Quinault more compliant than La Fontaine. It is instructive to look at the quality of the lightweight lyrics which Quinault composed for setting to Lully's music. Mellifluous, full of resourceful variations of stanza form, they are so well adapted to their purpose that they rarely seem readable as poetry. They are, thus, the direct ancestors of those strangely emasculated texts which Paul Valéry wrote for his *Amphion* or Gide for a similarly inspired *Proserpine*. One has only to think of the *poetic* interest of some of Monteverdi's *libretti* (not to mention a Berlioz) to realize that this is not an inevitable feature of music drama.

The youngest of the Perrault brothers – Charles – whose poem on *Le Siècle de Louis le Grand* gave him the role of 'arch-modernist', survives for us today as the author of the *Contes de ma mère l'Oie* (1697), unless indeed – as some have maintained – he merely touched up the juvenile efforts of an otherwise undistinguished son. If this were so, it would be surely not inappropriate for a minor masterpiece, which suddenly reveals how near to the surface of French sophisticated consciousness was still a vast underground wealth of oral story-telling and folksong. It cannot win a place for Perrault's tales here, alas! for, although some are written in verse like *Peau d'âne*, the flavour given by the turn of phrase and the relics of folk-themes, so painstakingly explored by Saint-Yves, are only to be adequately enjoyed in the prose narratives of *La Belle au bois*, *Le Petit Poucet* and the rest of the 'nursery tales', where today's readers may find their earliest recollections have only been of bastardized Bluebeards and pantomime Pusses in Boots.

Nevertheless, it is at this point that it is most convenient to consider the fascinating but complex story of French folksong, and to place a few samples of its most charming products, simply because, as Henry Davenson (Henri Marrou) so brilliantly maintained thirty years ago in his *Introduction à la chanson française* (1941), the process by which oral tradition and learned or sophisticated invention had

[1] See C. M. Girdlestone, *La Tragédie en musique* (Paris, 1973).

already gone on playing their interwoven role for hundreds of years – the *chanson de toile* of the twelfth-century castle being adopted in rural tradition and already being rediscovered by Christine de Pisan and Charles d'Orléans – this age-long process, already complicated by the *faux naïf* vogue of the Renaissance *Noël*,[1] has further strands added to it by the *Chansonniers du Pont-Neuf*, whose collections began in 1605, by the semi-artistic, semi-popular productions of the *voix de ville* (as Davenson spells it), i.e. supplying topical words to a forgotten or revised air. In fact, if we include pastiche, parody, and the later sentimentalization of Moncrif, Collé and Favart in the eighteenth century, the tradition has continued to this day. As Davenson writes: 'Yvette Guilbert a représenté pour nos parents l'équivalent de ce que Gautier-Garguille [du Pont-Neuf] avait été sous Louis XIII, et Darius Milhaud introduisant *Valparaiso* dans sa partition du *Pauvre Matelot* continue Adam de la Halle . . .' (p. 72).

Once the futility of the search for ultimate origin is admitted, what Davenson calls the 'rodage de la tradition orale' in the making of the best of the songs can be invoked. One of the *complaintes* which possesses the tragic economy of the much older *Renaud* (Vol. I, p. 33) or of some of the Scottish ballads like *Lord Randal*, is *La Marquise empoisonnée* (p. 212), a song generally regarded as based on the mysterious death of Gabrielle d'Estrées in 1599. Perhaps it is its melody which lends it an ageless dignity. The *Chanson à grand vent* (also called *Le Pauvre Laboureur* (p. 214)) – neither *complainte* nor *ronde* – involves a link with the highly expressive ploughman's cry to his oxen, the *briolage* or *huchage* of certain provinces such as Bresse. The long-drawn melody, with its decorations, freely improvised, gives only part of its character. (Reynaldo Hahn used to sing it, adopting a wonderful hoarse open-air voice.) What gives the final touch to the words of the last couplet is the pride of simple truth:

> Il n'est ni roi ni prince,
> ni duc ni seigneur,
> Qui ne vive de la peine
> du pauvre laboureur.

[1] Étienne Pasquier, *Les Recherches de la France*, IV, ch. 16 (1560): 'En ma jeunesse . . lorsque le Prêtre reçoit les offrandes'.

There are other instances of the simplest ageless *chanson de métier* in a *spinning-song* whose rudimentary melody only requires a slight elaboration to become the gay *Quand j'étais mon père, petit pasteriau.* However, the most successful of the *chansons de métier* have, for the most part, a marked satirical content which may indicate a more sophisticated renewal of the words. The popular *Tisserands* (p. 215), with its refrain imitative of the flying shuttle, makes fun of the lazy weavers and their short week, and *Les Savetiers* (p. 216) of the pomp but poor fare of the fraternity's dinners (we are not so far from Wagner's *Mastersingers*). A less well-documented song, which sets off the pretentions of the townsfolk as against peasant realities, is the delightful

> Entre vous tous, gens de la ville
> – Et ne vous estimez pas tant . . .

Soldiers' and sailors' songs – apart from *les chants à hisser* (shanties) like *Valparaiso*, mentioned above – provide a particularly rich fund. The examples I have chosen are rather specifically eighteenth-century ones – *Le Retour du marin* (p. 218) and *Au trente et un du mois d'août* (p. 217). A special interest attaches to the song which presents Mandrin, the leader of a successful band of brigands, as a kind of popular hero (*La Complainte de Mandrin* (p. 219)). His enterprise was originally motivated by violent protest against the *gabelle* or salt-tax in Burgundy and the Lyonnais, and the *potence* of the last verse was where he was broken on the wheel at Valence in 1755.

The theme of *la maumariée* was, of course, abundantly – both tragically and cynically – illustrated throughout the Middle Ages. A new note of feminine assertion and defiance distinguishes the eighteenth-century *Corbleu Marion* (p. 221), of which the air was, incidentally, used by Favart in a parody.

Of the many enchanting love songs which have some real note of slightly mysterious poetry about words or air, a number also seem to go back only to the beginning of the eighteenth century, when on a slightly more sophisticated level Christophe Ballard, with his *Brunettes ou petits airs tendres* in 1704, followed by several sequels and some imitators, launched a new fashion. Thus *La Belle est au jardin d'amour* (p. 222) appears to Davenson a rustic imitation of the idyllic *précieuse* poetry of the seventeenth century, but adopted and made an authentic folksong over the whole of northern France. Far more mysterious in its economy and simplicity is *Ma belle, si tu voulais* (p. 225), with its *Liebestod* theme. The addition of a kind of anecdotal introduction was apparently already current in the early eighteenth century.

Two other well-known songs both make their first attested appearance at this time and have had a series of avatars (see Notes). In *En revenant des noces* (p. 224), with its charming *feuille de chêne*, the symbolic *bouton de rose* is, in some versions, *refusé*, in others *trop tôt donné*. In the other, *Les Trois Princesses* (p. 223), the theme goes back, in its original form, to the twelfth century. It has been sung – as often happened – to several melodies, but the one given in my Notes has a subtle change of rhythm and a typical refrain.

Many charming folksongs have ended as *enfantines*, automatically relegated to the nursery. This is the fate of *Les Filles de La Rochelle* (p. 225), a sailor's song of the eighteenth century. Sometimes the process has saved a once topical refrain and given it a more poetical sense, as in *Nous étions dix filles dans un pré* (p. 226), where the Duchesse Du Maine appears as the heroine, though the song may have passed through a series of earlier *remaniements*.

Finally, there is the interesting example of *Cadet Rousselle*, one of the popular successes (a dance air) of the Revolutionary period, later used by the Royalists of *La Terreur Blanche*, which is only a refabrication of the sixteenth-century *Jean de Nivelle* (mentioned in one of the verses of the song), from which one gathers that the same mocking tone has been always maintained.

There is, in fact, little doubt that a general interest for the archaic and the popular runs alongside the refinements of sophisticated taste towards the end of the seventeenth century. Anthony Hamilton's *Rondeau redoublé* (p. 205), betraying a genuine feeling half-hidden in jest, is as typical as Fontenelle's *églogues*. The dedication of the first of these disclaims any sympathy for *les héros du roman*, but more selectively than Boileau had done, for it is essentially Amadis and the malady of the sorrowful Don which are decried the better to make the case for the charming and gentle world of *L'Astrée*. It is curious to find that, when Fontenelle came to assess the pastoral tradition from

Theocritus to his own contemporaries, his critical sense reasserted itself in the recognition that 'les Silvandres et les Hylas' were even more artificial than Theocritus or Virgil, while he still confessed a weakness for 'cette puissante et douce finesse'. One of the lessons which Fontenelle, the Cartesian, is most anxious to impress on the Marquise of his *Pluralité des mondes* is simply that philosophy has become mathematical. The compensating recognition of a language of feeling is only natural. Thus, these juvenile eclogues are significant in that they remind us of the survival of the old pastoral dream. It is no accident that Fontenelle is one of the first, in his little essay on *Le Bonheur*, to consider explicitly and with some subtlety the search for happiness which was almost an obsession of the Enlightenment, linked closely with, and yet distinguished intermittently, even by the frivolous or the cynical, from mere pleasure.

It is not merely a Madame de Lambert (or an epicurean like Chaulieu) who sees *avoir des passions* as the only remedy for *ennui*, it is a Jesuit, Du Bos, who maintains that we suffer more from an absence of passions than by passion's inevitable anxieties, since it is thus alone that we feel the vital pulse of being alive. Jean Starobinski (among others) has shown how a whole aesthetic of pleasure can be seen in the eighteenth century. The idyllic dream receives its most sumptuous expression in Rameau's *Indes galantes* (1735) where the universal order, *jouir*, is shown in forms which range from Persia to Peru – to be supplanted thirty years later by the pseudo-rusticity promoted by Jean-Jacques Rousseau, not to mention the continuing cult of *le badin* by a bevy of lesser poets.

Thus Fontenelle's early verse, and the graceful wit of a sonnet on Apollo and Daphne (p. 211), herald what were to be the humbler kinds of poetry which continued to pour out right through the eighteenth century. Of course, this is in a sense too simple, for the ambition to continue high-flown lyricism was never more imperiously asserted than by the other Rousseau – Jean-Baptiste – once celebrated and now almost totally forgotten. The *Odes* of Rousseau appear so pretentious and empty – with their inevitable *convulsions préliminaires* – that it is difficult to understand how they impressed a whole generation. Paradoxically, his ode on *L'Affectation* (p. 230), with its attack on an inflated style, has a brio which he usually lacks, and his eulogy of Saint-Amant does indeed suggest a penetrating

sense of what was the matter with the poets of his time. The *Cantat*
de Circé (p. 228), one of a whole series written to serve as words fo
the new fashionable compositions of J. B. Morin and other com-
posers, seems to me to enable one to put a finger on what, so often
takes the life out of J.-B. Rousseau and many eighteenth-centur
poets: simply a lack of rhythmical interest. It is present here, an
strikes us from the splendid opening lines; it survives even th
repetitions which Rousseau judged appropriate to the pattern of a
effective musical score.

J.-B. Rousseau's successful rival for a *fauteuil d'Académie* wa
Houdart de La Motte, once celebrated for his *Inès de Castro*, and th
suggestion that prose was a means of expression superior to verse
There seems some doubt whether he wished to apply this doctrin
only to the stage. His own works include a well-argued *Ode en prose*
politely rejecting the lyric Muse. Like Rousseau, he was of humbl
birth but, far from leading him into a despicable disavowal of hi
parentage, as was alleged of Rousseau (who thus brought contemp
and banishment on himself, see Notes), La Motte's nature, on th
other hand, enabled him to accept with courage a premature blindness. His ingenious fables are a little tame, compared to La Fontaine
but such trifles as *Les Souhaits* or *Chanson du temps qui s'enfuit* (pp
223–4) are written with the effortless ease, yet warmth of feeling
which the eighteenth century still knew how to achieve.

However, already by the time La Motte died in 1731, a new sta
had arisen, but one whose connection with poetry we often hav
difficulty in remembering, yet who, nevertheless, owed his firs
celebrity to poetry – Voltaire himself. Indeed, to see the amazing ma
in the round, one needs to make acquaintance with some of the vers
he never ceased to write throughout his long life. It would be plausibl
to argue that, in one way or another, his poetry is always *de circon-*
stance, from the schoolboy verses he wrote to save his snuff-box (
concession to delicate health) from being impounded by a master a
Louis-le-Grand down to the moving *Adieux à la vie* which he penne
a few months before his death. An occasion is at the origin of his epi
La Henriade – the 'inside story' from the Duc de Sully, descendant o
Henry's minister – just as Caumartin's confidences set him off on hi
Le Siècle de Louis XIV . . ., or the Lisbon earthquake on a perhap
over-eloquent protest at the cruelty of Divine Providence. Mor
surely, occasional verse provides the proof that Voltaire possesse

not only that brilliant wit and that inflammable sense of justice which no one has ever denied him, but a heart – shown more surely in his fidelity and generosity to friends than in passionate love. The young Voltaire's youthful infatuation with Pimpette Dunoyer at the Hague is, perhaps, revealing to the biographer, but that is all... More – and more fruitful in verse – the episode which lies behind the witty *Épître des vous et des tu* (p. 240). Like the tribute to his friend, Génonville (p. 239), both charming poems date from ten years after Suzanne de Livry chose to replace Voltaire (*amant de neige*) by Génonville, who was so soon to perish in a smallpox epidemic which only just failed to carry off the poet himself. It would be tedious to relate all Voltaire's efforts to make a stage career for the beautiful but untalented Suzanne, who eventually found a rich and distinguished husband in a Tour du Pin – and refused her door to Voltaire when he called in 1732. All we know of the background of these short pieces serves to indicate how much graceful allusion to fact, as well as perfect *justesse de ton*, distinguishes Voltaire's verse. How accurately and touchingly the permissive reference in the case of Génonville to the only kind of survival one has any right to aspire to! Many of the *Épîtres*, for example from the armed camp of Philipsbourg or to the Duchesse de Guise on her marriage to the volatile Duc de Richelieu, as also many of the pieces written for Madame de Châtelet, have the same effortless charm and ease.

Yet, paradoxically, those numerous tragedies with their ingenious *péripéties*, their *coups de théâtre*, and the well-groomed Racinian verse, by which he set so much store and which for years made a great part of his literary reputation, are today forgotten and dead. It is easy to see how a good deal of Voltaire's middle-period courtly effusions and attempts to curry favour with Pompadour or Frédéric are also part of the *bagage* which he himself judged prejudicial to any lasting literary reputation, still more his enthusiastic praise of Catherine *qui pense et laisse penser*, which can hardly be read today without a wry smile at Russian non-progress. But those dramatic works of his are a different problem, and it is not irrelevant to try to see why, despite the timid innovations, inspired by Shakespeare among others, those tragedies are so unreadable and unplayable today. The answer must direct us to Voltaire's taste. He shed, as a very young man, much of the critical paraphernalia of *règles à la Boileau*. Yet, his taste remained extraordinarily narrow and unadventurous – witness his *Temple du goût*. Think of his total lack of understanding of Corneille and, still more, of Marivaux – the one French dramatist of the century who really appeals to us today! The brilliant combination of the Italian tradition of extravagant *lazzi* and that subtle psychological sparring which we call *marivaudage* simply seemed to him undramatic. But the puppets who people *Zadig*, *Candide* and the best of the *contes* seem to us not so very distant . . . only they are seen wholly from without.

This helps to define, perhaps, the brilliant but detached light shed by Voltaire's more satirical verse. The paradoxical defence of *l'âge de fer* and *le superflu chose si nécessaire* make *Le Mondain* (p. 241) more than a joke – which cannot be said of *La Pucelle*, whose temerities seem now cheap and, when not positively nasty, certainly drawn out to an unwarranted length. *Le Mondain*, with its *apologie du luxe*, can be regarded indeed as the most significant manifesto of a new age. As has been pointed out, the narcissistic tradition of the baroque prince, whose ostentation could be justified as the externalization of power, had already turned from ritual to frivolity under the Regent, if not before, and, if the cult of pleasure carried still for the nobleman some relic of the stigma of decadence and dissoluteness, for Voltaire as for other new men of *la roture*, pleasure can be thought of as a right, increased by the communicative idea that it was always concerned with the happiness of others. But, if Voltaire had certainly assimilated the economics of Mandeville's 'Fable of the Bees' – private vices, public virtues – Fréron's pendant to *Le Mondain* shows him not only in temporary unison with Voltaire, but enlarging on modern refinement in terms which underline the link between rococo décor and the benefits of a whole modern artificial style of life:

> De mon âme idole chérie,
> Art charmant, Dieu de ma patrie . . .
> C'est toi qui formes l'assemblage
> De nos légers ameublements.
> Ces trumeaux chargés de dorure
> Et ces plafonds, où la peinture
> Se flattait de braver les ans,
> D'un coup d'aile, tu les effaces . . .

In fact, not only the painted ceiling but the emblematic *cartouche* of the baroque age is superseded by stucco arabesques, whose curlicues glory in a playful non-significance. And Fréron continues:

> . . . Tels sont les meubles précieux
> Que tu [the Frenchman] fais venir de la Chine . . .
> Qui suis la nature à la piste
> Ne sera jamais qu'un copiste,
> Qu'un malheureux imitateur.
> Le Chinois seul est créateur.[1]

The poetic equivalent to this transformation is surely the change whereby the *concetto*, the *allusion* and, one might almost say, every symbolic subtlety in poetry is dubbed *équivoque*, and condemned (see Voltaire's own *Temple du goût*). A highly conventionalized residue remained as the trimmings of *style noble*, and means that even Voltaire's more serious poems, still more the efforts of a Le Franc de Pompignan to recapture a biblical eloquence, all fall rather flat. On the other hand, the engaging and graceful simplicity of much unassuming eighteenth-century verse has been too often neglected. Even Le Franc de Pompignan's letter from the country shows him in a more favourable light than one would guess from Voltaire's jibes at the translator of Jeremiah; and also, while a fervent country-lover, resolutely anti-alpine. His *Ode*: *En revenant de Barèges* concludes that the Pyrenees are best viewed from his home. And, as always, some underlying symbolism remains, often the more revealing for its almost involuntary expression of meaning, as when in Voltaire's own *Adieux à la vie* (p. 245) – that wonderfully reconciling little *envoi* at the end of so long a life – he presents mankind (as in *Candide*, perhaps) simply as:

> Petits papillons d'un moment,
> Invisibles marionnettes,
> Qui volez si rapidement
> De Polichinelle au néant . . .

Yet, in the last analysis, in order to do justice to Voltaire's wit, the rapier-like arm which so often showed the absurd illogicality of men,

[1] Quoted by Philippe Minguet, *L'Esthétique du rococo* (Paris, 1966), pp. 242–4.

we need to turn to the *Contes* or *Le Dictionnaire philosophique*. There is, of course, a model for a certain poetry, a model whom Voltaire much admired and imitated on at least one occasion, a model once despised by us English readers and now again fully rehabilitated. It is Pope. Yet one has only to compare the *Essay on Man* with Voltaire's very free adaptation to see at once Pope's superiority. It is not really a question of

> Pope a droit de tout dire, et moi je dois me taire.

It is that Pope writes with a professional mastery of the rhetoric of epigrammatic wit, and in particular a genius for the counterpoint of rhyme and reason (as recently analysed by Professor Wimsatt) which leaves Voltaire as, in this respect, almost an amateur.

Something of Voltaire's caustic wit, best seen in epigrammatic form, can be found in Alexis Piron, sometimes indeed at Voltaire's own expense. But Piron, whose *Métromanie* was once a successful comedy, had the rare gift, it seems to me, of knowing how to smile at himself – at least once in his own *Épitaphe* (p. 236).

One has, indeed, the impression that round the turn of the century a whole generation of minor poets, gifted yet insignificant, were born. Neither Grécourt nor, twenty years later, Gresset can interest us today. The latter's humorous narrative poems, *Vert-vert* and the others, lack the verve of La Fontaine's *Contes*, and Grécourt's *Fables* the spontaneity of La Fontaine's – a judgement which applies to most of the fabulists of the eighteenth century.

Other poets of the same generation include Panard, Vadé and Favart, all three best known as prolific writers for the Théâtre de la Foire and the Italians. It was, indeed, under Favart's auspices that the two troupes joined forces in 1762, giving a new encouragement to the long-established popularity of the *comédie en vaudeville* and the *comédie à ariettes* which merged in the *Opéra-comique*. All three, with less literary pretensions, have a really entertaining talent as *chansonniers* – never without ironic salt. Panard's catalogue of stage absurdities may be still appreciated and his candid disavowal of high poetic ambitions. Collé's vaudevilles include his *Mon sentiment sur les sentiments* (p. 246), which has real wit and some wisdom, and his revival of the *coq-à-l'âne*, *amphigouri* or nonsense rhyme can give us such gems as the following (to the air *Du menuet anglais*):

Sifflez le mouphti,
Fi!
Fessez le sophi,
Fi!
Tous deux sans perruque,
Montent à cheval
Mal.
Qu'importe, dit Nabal,
Si, dans l'Escurial
Un official
Rend l'un et l'autre eunuque?
Tandis que, dans Évreux,
Un bombardier hébreux
Guérit un lépreux
Amoureux
De deux yeux
Bleus.

The third member of that trio, Vadé, added to his lightweight plays the creation of *le genre poissard* (i.e. 'Billingsgate'). The racy *Pipe cassée*, which involves the *quartiers populaires*:

Coustille, Porcherons, Villette
Où la Nature
Peint le grossier en miniature

still rambles on far too long, but contains the splendid *Chanson de Manon Giroux*. There is considerable art in the four charming *Bouquets poissards*, where the author describes his *démêlés* with the formidable *marchandes de fleurs* when he tries to buy his essential offering for *anniversaire* or *étrennes*. The funniest is the fourth, where he finds himself bullied into treating two enterprising wenches to a nip of brandy without ever achieving his bouquet.

The impression of real liveliness which these unpretentious effusions give is, perhaps, the more striking when set beside the faded sentimentalism of a Gentil-Bernard – sub-Ovid plus sub-La Fontaine.

The opening towards poetic novelty was to lie – to a disastrous extent, one may well judge – in a new enthusiasm for not merely descriptive poetry but, more specifically, for descriptions of nature.

The most astonishing reputation of the century, in our own British eyes, is the influence of the Scotsman, James Thomson, whose *Seasons* (1730) – damned by a pseudo-Miltonic eloquence – were not only to be translated in the 1740s by a Madame Bontemps but imitated by Saint-Lambert, Delille, Roucher and a number of others. Léonard couples his name with Virgil – the Virgil of the *Georgics*, of course This said, it is worth looking at one who could be regarded as a precursor, yet never in any sense a pre-Romantic.

François-Joachim de Pierres de Bernis was to end his life as Cardinal and Archbishop, as well as having been ambassador and minister 'Babet la bouquetière', as a contemporary called him, with his rosy chubby face, has it to his credit that he refused for at least five years to simulate a priestly vocation he did not feel, and most of his poetry dates from the thirties, when the all-powerful and aged Fleury, once his protector, told him that he would never give him advancement only to get the reply: 'J'attendrai donc.' When Bernis's *Les Heures* and *Les Saisons* appeared then only in 1764, it is fair to assume they were written years before. The tripping octosyllabics which he seems to have preferred acquire some subtlety from their irregular rhyming scheme. In *Les Heures*, the framing of four classical pairs of lovers – from Ariadne and Bacchus to Hero and Leander – provides an erotic interest, and the multiplication of mythological allusions is not misplaced. When, however, this penchant is transferred to *Les Saisons* and offers us such gems as *Io mugit dans le village* for the lowing of an ordinary cow at milking time, one realizes the difficulty of shedding a pseudo-classical taste. In his praise of rustic life Bernis offers nothing new, but *Le Printemps* develops into a remarkable piece of fantasy (pp. 250–2), where a genie of the air – a sylph – comes down to visit a virgin in some feudal castle and carries her off on a voyage through the air. Yet at the very moment when she formulates – like Faust – the wish to stay the instant of bliss, preferring happiness to knowledge, the sunlight blinds her and the sylph 'remonte aux cieux' The supernatural is treated with all the apparent conviction of a Cazotte – but it is white magic, not black. The existence of an unpublished comedy of Bernis, *L'Amour et les Fées*, suggests, indeed that some Freudian complex may well lie behind what is, by far, the most fascinating of his poems, and some of the almost Faustian expressions he uses indicate a mind for whom, at moments:

Le lac, le vernis, la dorure
Ont assez ébloui nos yeux.

. brilliant fragment – *Le Monde poétique* – deplores his own lethargy, is infidelity to the heavenly Muse, and in a few verses he evokes the awn as a cosmic phenomenon:

Dans une assez vaste distance
L'ombre et le jour traçaient deux zones dans les airs;
L'univers au milieu s'élevait en silence,
Comme un vaisseau léger s'avance sur les mers;
L'orient au soleil préparait une voie . . .
Là le ciel en s'ouvrant semblait verser des pleurs
D'applaudissement et de joie . . .

'he fragment suggests what a poet Bernis could have been, capable f the 'scientific' epic which haunted the imagination of many poets ı that century, among them Le Brun and André Chénier. Yet his osthumous *Religion vengée* must place this in some doubt.

It was actually in a combined venture in 1764 that Bernis joined ith Saint-Lambert and Gentil-Bernard (mentioned above) to resent *Les Saisons et les jours*, which really marked the influence of 'homson and the rage for descriptive poetry. If the Cardinal-.mbassador can be thought of as a *génie poétique manqué*, Saint-ambert, good soldier as he proved himself in Lorrain and then in rench service, owed his poetical reputation to Voltaire's advocacy – service ill requited by his stealing Madame de Châtelet's affection om Voltaire and indeed, in Voltaire's eyes, causing her death.[1] aint-Lambert's reputation really rested on his long imitation of '*he Seasons* which, in its completed form, was only published in 769. Madame du Deffand described the work to Horace Walpole as:

> . . . froid, fade et faux; il croit regorger d'idées et c'est la stérilité même. Sans les oiseaux, les ruisseaux, les ormeaux et leurs rameaux, il aurait peu de choses à dire . . .

'he judgement, though made with her usual malice, is not wholly nfair. Yet Saint-Lambert has his moments. A passage in *Printemps*

[1] Madame de Châtelet died a week after producing a daughter, but it seems that was not the *accouchement* but mere folly which killed her.

(one guesses that he began with the prettiest season just as Thomso
began sternly with winter), describing the vividness of sensations i
convalescence, is a remarkable example of a well-known psycholog
cal effect which Proust (among others) has elaborated. In Sain
Lambert's case it is no doubt founded on his recovery from
semi-paralysis contracted during his service in the Seven Years Wa
after which he was invalided from the army and began writing i
earnest.

Before looking at some of the many other poets such as Delill
Roucher and Léonard who indulged in long descriptive poem
during the second half of the century, it is worth glancing at tw
rather older men than any of those who have been mentioned – th
so-called 'Pindare' Le Brun and the very different Dorat. If Delil
has been often thought of as the most pedestrian of poets, Écouchar
Le Brun – to give him his proper name – was too often guilty of th
most absurdly inflated style. Of his many odes, one of the mos
impressive is, no doubt, the characteristic *Ode sur l'enthousiasm*
published in 1792 during the Revolution when he was over sixty
One begins by accepting the dithyrambic *fortissimo*:

> Aigle qui ravis les Pindares
> Jusqu'au trône enflammé des Dieux,
> Enthousiasme! tu m'égares
> A travers l'abîme des Cieux;
> Ce vil Globe à mes yeux s'abaisse,
> Mes Yeux s'épurent, et je laisse
> Cette fange, empire des Rois.
> Déjà sous mon regard immense,
> Les Astres roulent en silence:
> L'Olympe tressaille à ma voix!

At the last line this splendid eloquence surely topples into ridiculou
verbiage, and even if again here, and in the famous ode to Buffor
the spell of sheer technical mastery seems to be re-established, th
impression of non-development over some twenty stanzas stifles th
intense emotional response which Le Brun imagined he coul
command. More unfortunately still, he was guilty of using the sam
style and the same range of metaphors to describe his own suffering
from a feverish headache!

Nevertheless, it would be a mistake to dismiss him too easily. *La Liberté*, the opening of the second part of a long poem on nature (never completed), is a remarkable feat in the successful poetic formulation of the somewhat abstract principles of Deist cosmology, and escapes the sentimentalism of his elegies (p. 253). No doubt, in the last analysis the chief glory of this violently irritable man – too brutal to his wife, but not cruel enough (it has been said) to the victims of his epigrams – was his generous recognition of the genius of André Chénier, when he was still only a boy. Indeed, he was an important influence on a man thirty years his junior, providing the example of a kind of sublimity to which Chénier was able to bring a natural ease that eluded Le Brun himself.

The modern 'Pindar' and Delille – to whom we shall come presently – share one thing: one can safely say that they have little or no sense of humour. There is, on the other hand, a continuing tradition of *la poésie badine* or that *poésie de circonstance* which seems so well illustrated in Voltaire. The way in which the Sage of Ferney continued to be a model for this genial sort of production is certainly provided in the most personal way by a man like the Chevalier de Boufflers whom Voltaire knew as a boy at Nancy, where his mother was the radiant centre of Stanislas's little court – the king whose name, indeed, the Chevalier bore. Boufflers's own tribute to Voltaire (p. 260) has just the same exquisite tone as some of Voltaire's own earlier verse, though he never wrote – as far as I can remember – a sonnet; while Boufflers wrote one of the few quotable ones of the eighteenth century.

It is this same tradition that Claude Dorat continued to represent. It is not for his imitation of Jean Second's *Basia* or in his *Fables* that we need glance at Dorat today, but for the charming *poésies fugitives* of volumes like *Mes Fantaisies* (1764). In an illuminating preface Dorat makes the case for *le persiflage* – the deflation of shams and shibboleths – as Voltaire's great service, and holds that the spirit of the age which has brought 'plus de mordant aux esprits et au goût plus de délicatesse' has created a new field for a poetry less frivolous than it seems, but which is personal and spontaneous, witty by its unexpectedness.

There are many of Dorat's *versiculets* (as he called them) which support his claims for this sort of poetry. What could be neater (and wiser) than a *Billet à Mademoiselle X qui me proposait d'aller dans un désert passer un mois avec elle* (p. 257), or more typical of an eighteenth-century *galanterie* than the half-serious, half-frivolous *Épître à Mlle de Beaumesnil*, one of the great *danseuses* of the day. What does he ask for?

> Il ne me faut qu'une huitaine
> Et, dès la première migraine
> Je te promets de déloger
> Et planter là ma souveraine.

and where the brilliant description of her charms – those eyes:

> . . . d'où partent mille étincelles
> Sur le salpètre de mes sens

or the detached self-portrait:

> Je serai ce soir au balcon,
> L'œil triste, le visage blême,
> Pour mieux jouer la passion . . .

makes one sorry not to have room to reprint. But all is not on so frivolous a level. The skill with which Dorat employs *persiflage* to urge the case for decent burial of actresses in his *Séminariste à un homme du monde sur l'enterrement de Mlle Camouche* compares favourably, perhaps, with the heavy indignation of Voltaire himself on the fate of Adrienne Lecouvreur. His *Épître* to Hume involves a clever comparison of the French and the English and, if *A M. Rousseau sur ses ouvrages* may seem a little cheap, Rousseau is said to have taken it well, and Dorat was one of those privileged to listen to a first reading of *Les Confessions*, which lasted fifteen hours. He wrote too much, and both stage success and the Academy eluded his grasp. Yet his many friendships, not least with those young poets from overseas – Bertin and Parny – as with Colardeau, his own more sentimental contemporary, bespeak the influence of a man whose end was hastened characteristically by the failure of his *Journal des dames*, and who was nursed and died with the combined support and affection of two mistresses.

Dorat suggested that *le persiflage* – then a new word – was a product of the Parisian scene. Certainly, some of the less entertaining poets of the century were 'provincials', and perhaps remained so. Certainly Malfilâtre fills this role – to a painful degree – for if Marmontel and his friends thought they had picked a winner in the young Norman who had been winning prizes at the old-fashioned *Palinods* and encouraged him to come to Paris, they tired quickly of a poet so patriotic and *bien-pensant* as he showed himself. One can still ascribe Malfilâtre's early death more to wretched health than to any sort of prejudice. Apart from the Romantic legend of a kind of Chatterton, what keeps his name alive is the limpid quality of his *Narcisse ou l'Île de Vénus* (pp. 254–6). Of course, Malfilâtre made no bones about using Ovid's *Metamorphoses*, but he has, it can be claimed, rewritten what is more than an eighteenth-century version. The moralism of how by Juno's wiles the sensual but innocent, uncomplicated love appropriate to the isle of Venus herself is corrupted by insidious *amour-propre* is the least satisfactory feature of the long poem. Far better is the narrative, quite unrationalized, of Tiresias's misfortunes, his assault on the giant, copulating snakes who prove to be Juno's own – symbols of the aggressive aspect of sexuality. This could have become a much fuller complement to the fascinated self-idolatry of Narcissus, if Malfilâtre had not made Juno an interfering hostile influence at too many points in his tale. However, the quality of the decasyllabic verse in which the poem is written (Alain claims it as the metre of moralizing, reflective poetry) and some of the monologues of the hero which cannot fail to remind one occasionally of Valéry, do make one bitterly regret Malfilâtre's untimely death. He was an authentic poet.

A revealing contrast is supplied by Colardeau. I am not thinking of his once famous *Lettre d'Héloïse, à Abélard* which set a fashion for such verse epistles (Dorat wrote an *Abélard à Héloïse*). What is much more interesting, in intention at least, is his *Hommes de Prométhée*. It could be considered as a later transformation of the pastoral ideal of innocent and ideal love. Innocent, ideal and happily sensual. In his preface, Colardeau indicates the rival he can hardly hope to equal, namely the Milton of the famous picture of Adam and Eve in Eden. It is his Prometheus who takes the place of the Deity, a wholly benevolent one who approves the rapturous self-discovery of his creatures, *l'homme* and his Pandora. She ingeniously discovers not the delights of apple-eating but of wild honey, a valid symbol of the retold tale. If the verse of *Les Hommes de Prométhée* had anything of the quality of Malfilâtre, it could have been one of the best and wholly typical poems of Enlightenment. Alas! the painter whom Colardeau wanted to remind us of is Albani, a forgotten disciple of the Caracchi. He succeeds too often in merely making us think of Greuze. Yet the final evocation of the human estate has its grandeur:

> Ils montent la colline, ils s'élancent; leur vue
> Du plus vaste horizon mesure l'étendue:
> Et l'un et l'autre, enfin, marchent dans ces déserts
> En souverains du monde, en rois de l'univers.

All the optimism of the age is there in these final lines.

Provincial heaviness certainly applies to another poet of the same generation who had a long innings and more than his share of good luck – Jacques Delille. An illegitimate child, whose mother's predicament seems to have furnished him providentially with a countryside upbringing on which he liked to look back, he showed himself a scholar with a facility, not merely for writing verse, but for reading it to selected audiences. The expulsion of the Jesuits – providentially again – brought him from being a master at a provincial *collège* to a similar position in Paris. This and general admiration for his translation of the *Georgics* were the foundation of his once enormous reputation. In five years, with Voltaire's support, he was an Academician at thirty-six – with his once famous *Jardins* still to appear and largely on the strength of his skill in rendering Virgil. His career then marks the continuing prestige of a certain classical taste and the continuing vogue for descriptive poetry and for the picturesque. The combined influences of *le jardin à l'anglaise* and of Jean-Jacques are fully illustrated in *Les Jardins*, as well as the already copious literature on the subject. The painter Watelet is directly invoked and his *moulin joli* described, as well as the Duc d'Harcourt's views. Although Delille had not, at this time, lived in England, he knows all about Stowe, and appears to agree with the Prince de Ligne who said that William Temple 's'est trop laissé aller à son nom'. A passage on the fascination of water in landscape gardening (p. 258) reveals the painterly eye and a taste for practical analysis which would have delighted his English contemporary, William Gilpin. It also shows up Delille's incorrigible didactic bent. If possible, everything is couched in prescriptive terms. Indeed, the whole plan of four *chants* has a scientific arrangement where one canto is devoted to trees and another to flowers. It would be unkind to insist yet again on the mechanical see-saw of Delille's pedestrian verse. The elegance of an occasional mild zeugma stands out like a silk patch on the homespun: 'cultiver à la fois son esprit et son champ'. Or, of the Roman senators 'Qui buvaient leur Falerne et les larmes du monde'.

Of course, it has to be admitted that Delille was nothing if not industrious. Another major work was *L'Imagination*, where the most unfortunate encyclopedic plan is followed out through eight mortal cantos. Again and again, the inherent interest of much of his matter is drained away in the general terms into which description or narrative falls. When, exceptionally, he takes up Plutarch's story of Marius quelling his would-be murderer with his eye, or Hubert Robert's anecdote of being lost in the Catacombs, one realizes that he might have been capable of something like *The Deserted Village*, or Cowper's *Task* or even one of Crabbe's *Tales*. Instead, *L'Homme des champs*, with its discussion of the various merits of forage crops, is even less readable than the pseudo-science written up from Buffon in *Les Trois Règnes de la Nature*. Even the attempt to move his readers with the horrors of the Revolution in *La Pitié*, though it guaranteed him a national funeral in 1813, is another artistic fiasco.

If one must really write off Delille completely, must one do the same for those poets like Lemierre and Roucher, who followed in the footsteps of Thomson and Saint-Lambert? Feutry added to this the influence of Young's *Night Thoughts*, but his *Tombeaux*, with its churchyard reflections, is a short, organized poem, where the futile inequality of tombstone and vault receives sardonic comment, just as Lemierre finds place in his *Fastes* for some neat mockery of *le jardin à l'anglaise*:

> Un pont sur une ornière, un mont fait à la pelle,
> Des moulins qui, dans l'air, ne battent que d'une aile.

Roucher's *Les Mois* deserves more generous treatment. His search for variety of verse-rhythm by multiplied *enjambement* and experiments in *strophes libres* bear witness to the unceasing efforts to revivify French verse. As in Chénier's case, he was to be accused of 'alliances de mots farcies, intolérables figures, et enjambements vicieux' – a contemporary verdict of which La Harpe might be suspected. But *Les Mois* does contain passages of great interest by what they have to say rather than any happy phraseology. He was certainly a man of forward-looking views on a whole range of topics. The description of sunrise shows a determination to combine Newtonian cosmology with classical mythology, and the picture of a village hay-making, ending with the *feu de la Saint Jean*, shows a real concern for some authentic local colour.

Roucher, of course, as we shall see, was guillotined in Chénier's company, after spending some months with him in Saint-Lazare.

Of these descriptive poets, by far the most gifted was really the singularly unfortunate Nicolas Léonard, the oldest of the three *créole* poets who have attracted some interest for their upbringing in the tropics (this, and not 'of mixed race', was the meaning of the word in the eighteenth century). In Léonard's case, he was sent home from Guadeloupe to be educated 'at a very early age'. As a young man, he published a first collection of *Idylles morales*, in which the influence of Gessner's pseudo-Theocritan pastoral is evident and, a few years later, a couple of novels. It would appear that he had a most unfortunate love affair, where both young people were cruelly treated by the girl's mother. His melancholy and his none-too-robust health certainly suffered. After a period of diplomatic service in Liège, he made more than one voyage to the Antilles, and eventually secured a post where his solicitude for the slaves created a crisis. He was on the point of going out there again when he died at Nantes at the age of thirty-nine.

Unfortunately, the early idylls have been more often reprinted and read than the splendid long poem, *La Journée du printemps* (pp. 261–5), which is only included in the last edition of the poet's own lifetime (1782). It is, for several reasons, the most interesting thing he wrote. Liberated from the task of relating one of those jejune pastoral stories of which he was so fond – with the *faux-naïf* ruses of Daphne and Damon – he indulges in the kind of *rêverie* which already had been celebrated by Rousseau as the matrix of a strange happiness or, better, an experience where the mind passes from the spectacle of the natural scene to a series of metaphysical reflections, interspersed with regrets and longings, the matrix, in fact, of a certain kind of poem, were it only held together by some structural form. This, of course, is also recognizably true of some of Lamartine, even of a great rhapsody like *La Vigne et la maison*. In Léonard's case, one feels less scruple in carving some sequences out of what, in the sense indicated, barely becomes 'a poem' – and this is sometimes true also of Lamartine. The opening is concerned to evoke not simply sunrise but the extraordinary stillness of dawn in the high hills, where the flight of birds of prey – large or small – draws one's imagination to the upper air . . . until the clamour of the forest comes with the sun's rays themselves. From this we pass on to the sun as the dynamic principle of the material world, the measure of time but which, yet, will come to an end one day. But Léonard intercalates much else in his rhapsody, such as a passage (omitted) on colour as the effect of light on the variety of reflecting substances. As the poet reviews the passing hours, it is again the utter stillness of burning noon that he evokes, thus turning to one of the most often quoted passages of this poem, his recollection of the luxuriant scenery of the Antilles – of an unchanging, inexhaustible nature, into which is rather clumsily inserted a description of the tropical hurricane, factual, but hardly aesthetically relevant. As the sun goes down, the poet turns – like Lamartine – to the thought of reunion with dead relatives beyond the grave and direct allusions to his long-lost Églé. This completes, in a half-hearted way, the early suggestion that we are to think of the whole *journée* – so full, so various, yet so brief – as an analogy of Églé herself and his own short-lived imperfect happiness with her. However, in the final lines it is on a note of contentment in solitude that he ends:

> Je jouis d'un Ciel pur, des champs et de moi-même.

This long poem, episodic as it is, has many happy touches quite outside the range of all his contemporaries and justifies the impression that, far more than Chénier, he is a Romantic, linking Rousseau with Lamartine or, indeed, at certain moments, with Hugo's *Olympio*.

Perhaps the most cheerful thing Léonard ever wrote is the charming *Voyage aux Antilles*. There he says of the creole temperament:

On trouve généralement en nous l'énergie par accès: des vertus d
tempérament qui n'ont point de suite; des éclairs d'esprit qu
s'éteignent dans la mort de l'indolence; une médiocrité passive qu
ne nous laisse employer ni de grands talents ni de grands vices e
un sentiment de mollesse, accru par le dégoût des obstacles et pa
l'amour du repos; un défaut de mémoire et d'imagination qu
peuvent venir de la faiblesse de nos organes.

This is not only obviously true of Léonard, but relevant to those tw
other overseas Frenchmen, ten years his juniors, who both came fror
Réunion – Évariste de Forges de Parny and Antoine de Bertir
friends from childhood at school and as fellow officers. Parny com
mitted himself to some shrewd remarks on the evil effects of life in
slave-owning community, and elsewhere on the unchanging tropic
green as compared with the variety of European seasons. The tw
boys had all the advantages of an easy-going, free childhood befor
both were shipped off to France at nine to be educated (as wa
Léonard's fate also). It is too easy to see in the two young epicurea
officers of Feuillancourt near Saint-Germain, friends of Dorat and h
circle, poets destined to bring a new exotic note into French poetry
just when everyone had begun to talk about its *fadeurs*. At first sigh
it may seem as if their colleges had filled their heads with too man
recollections of the Latin erotic poets, and more of Tibullus c
Propertius than of Catullus. However, Parny's *Poésies érotiques* d
indeed, bring a fresh and tender sexuality which was quite new to a
age accustomed to *grivoiseries* or to the obscenities of Mirabeau an
others. The poems which reflect quite directly moments of passic
with his Éléonore, such as *Délire* or *Souvenir*, seem to me among th
finest in this vein. We need, perhaps, to know that Parny's graspin
family refused to countenance a marriage with his Éléonore, althoug
she had a child by him. Back in France, he could write in a moment c
discouragement the wonderfully delicate and half-smiling *Le Rev
nant*. It was not until several years later, returning as a Governor
A.D.C., that he learnt that the poor girl had married another ar
that he must forget her – if he could. The pathetic series of *Élégie*
which express his sorrow and bitterness, seem to me to be too fr
of the *mollesse* which Léonard mentions as the creole temperamen
And yet there is one – the Sixth (p. 269) – which is, in fact, a real

imagined visit to the wild volcanic plateau between the Piton des Neiges and Le Volcan, in the centre of Réunion. The devastated landscape is the implicit symbol of his life, and the appropriate spot for a pathetic inscription.

Yet Parny's resilience must not be underestimated, nor his interest in the exotic. His *chansons madécasses*, allegedly translated from the native language, are probably no more authentic than Macpherson's Ossian, whom he also sought to imitate. The violent anti-Christian *Guerre des dieux* and the anti-English *Goddam* were productions of the revolutionary years when he had lost his fortune. *Les Déguisements de Vénus* is the execution of an amusing idea – the heroine who deplores the *mœurs* of a decadent France discovers, as she tours the world on a kind of magic carpet, that women are treated considerably worse elsewhere.

> Toujours volage, toujours tendre,
> Chantez et trompez tour à tour
> Un sexe qui sait vous le rendre . . .

Such was Bertin's advice to another of the minor officer poets, Bonnard, who replied neatly that he was nine years older, not as talented and brilliant:

> La beauté que mon cœur appelle
> (Pardonnez mon jaloux travers
> Et ma crainte assez naturelle)
> Je ne vous mène point chez elle
> Et ne lui montre pas vos vers.

The verses Bertin wrote with such ease for his Licoris and his Catilie show the temperament which finds a real spice in the dangers of adultery – 'How glad, and mad, and bad it was! But oh! how it was sweet.' Thus in one of the raciest of his so-called *Élégies* (XI), he describes how Eucharis paid him an unexpected call and carried him off in her carriage, refused to let him go at midnight . . .

> A me déshabiller m'enhardit la première
> Laisse tomber sa jupe et souffle la lumière . . .

And the adventure ends with a morning escape by knotted sheets and a leap into an empty street. A far more discreet *Élégie* (p. 267) strikes a more serious note, less characteristic, but far more original. When one looks at the *Voyage de Bourgogne*, with its vivid sketches of a short journey interspersed with improvised scraps of poetry on every page, one realizes still more how difficult it was in the eighteenth century not to fall into conventional verbiage as soon as a poet raised his aim – a lesson which even has its application to the first productions of André Chénier.

Of course, one could react against the whole trend of the age. This was the brief effort of Nicolas Gilbert, the brilliant country boy from Remiremont in Lorraine. His satirical poem, *Le Dix-Huitième Siècle*, has often been quoted, and is merciless towards La Harpe and even Voltaire, but in fact the *Carnaval des auteurs* – in prose – preceded it and begins even more brilliantly:

> Depuis 15 jours mon corps se refusait au sommeil; vainemen j'avais lu le Poème des Saisons, la nouvelle Iliade Franco-Gauloise les Odes du Pindare Gascon, les Mélanges du Littérateur Géo mètre, je bâillais, je bâillais . . . mais je ne pouvais m'assoupi lorsqu'on m'apporta l'Éloge de Racine, ouvrage de M. Anti chaleur; j'ouvre la brochure; à peine mes yeux sont-ils reposés su les premières pages, voilà déjà qu'ils se ferment; je suis endormi

Unfortunately, one is forced to recognize that the perceptiveness o Gilbert was largely the sense of injustice of a young man with a ver considerable chip on his shoulder, as one would say today. Th Academy had failed to crown his ode *Le Poète malheureux*, and on has only to read his *Jugement dernier*, which had no greater success, t realize how a generalized resentment and self-righteousness ca belittle a vision of the 'Last Day', whether informed by faith or no Gilbert, who was unfortunate enough to fall off his horse and die in a trepanning operation at twenty-eight, only left the splendid semi biblical *Ode imitée de plusieurs psaumes* (p. 266) – far and away th finest religious poem of the century, unspoilt by that Jansenist sens of sin which so mars Louis Racine's *Pénitence*.

In more ways than one the unfortunate Gilbert forms an illumin ating contrast with André Chénier who, born ten years later, ha almost as short an adult life. But Chénier was singularly fortunate i many respects. He could have no direct recollection of Greece (hi mother's family came from Mykonos), nor of Constantinople wher he was born. But Madame Chénier spoke modern Greek, sang Cypriot songs and danced for him when he was a small boy. Thus Greek and ancient Greece were realities for him. Though the Consul-General was an absentee in Morocco as André and his brothers were growing up, he received a first-rate education at the Collège de Navarre, where he made firm friends with the then rich aristocrats, the Trudaine brothers and the de Pange brothers, who had the same cultural interests and liberal inclinations as himself. The abortive attempt to make an army career under a cadet recruitment scheme, though it made him conscious that it was only with difficulty that a rather thin case could be made for regarding himself as of noble birth, deepened his convictions of the rottenness of the *ancien régime*; it also strengthened his liberal principles which were, indeed, to remain to the end those of Montesquieu and, as has been said, not unlike those of an English Whig. Though his mother was still attached to the Greek Orthodox Church, André, though far from idealizing a Voltaire (*philosophe parasite*) was imbued with the Encyclopedist enthusiasms and only had a vague interest in natural religion.

In so many respects then, it can fairly be claimed that, in a remarkable degree, the young Chénier was the spiritual heir to all that was best in his century: to the new intellectual and political windows opened by the Enlightenment and in an individual way to the classical heritage – or better a Hellenic heritage which he could claim as his very own.

However, Chénier's enthusiastic nature and perfectionist ambition – essentially as a poet – meant that, at the time of his death, there were only two of his poems which had ever been published. The immense profusion of fragments – prose and verse – were to be given to the world far later: a first instalment only by Henri de Latouche in 1819 and a more varied crop by a nephew who quarrelled with the professional editor, Becq de Fouquières. These details have their significance because, as between the 'classical' elegies like *La Jeune Tarentine* or the fragmentary *Bucoliques*, the fragments of more than one scientific epic and, in the third place, the fragments of the scathing invective of the *Ïambes*, critical judgements have differed. Agreement is only found, one might claim, in the conviction that the most remarkable poetic gifts of a whole century were wasted, as so much else, in that penultimate day of the Terror when Chénier and Roucher went together to their death, reciting from memory the first scene of Racine's *Andromaque* – 'Oui, puisque je retrouve un ami si fidèle' – as the tumbril trundled them with forty others to the guillotine. Francis Scarfe, the last to struggle devotedly with the crop of notes and fragments,[1] has brought out, in particular, the very modern ideas on analogy and metaphor to be found in the *Essai* in which, before Madame de Staël, he set out to explore the relationship of literature and society. Even a comparatively early *Élégie* (*Ah! ne le croyez pas . . .*, p. 272) illustrates the extraordinary economy of suggestion which he could achieve. Similarly, one may be allowed to prefer the condensed lines, *La Mort d'Hercule* (p. 272), to the admired fragments on the blind Homer or the other *Bucoliques*.

The major projects entertained by André up to the end, and worked on simultaneously – *Hermès*, *L'Amérique*, *L'Invention*, *Suzanne* – consist of a mass of notes and short passages which, unfortunately, give little idea as to what plan or line of development they would have followed, but at least one, *Salut, ô belle nuit, étincelante et sombre* (p. 273) from *L'Amérique*, makes one realize that perhaps Chénier could have found, seventy years before Hugo, something like the formula of the *petite épopée*.

The subsequent development of the first wave of Romantic poetry is responsible, perhaps, for the undervaluation of *Les Ïambes* (pp. 278–81) – fragmentary too, but which give us his reactions to some of the events of the Revolution from 1791 to 1794. Scarfe asks us to regard them as showing how the thwarted powers of a great journalist can be thrust back into poetry, but he shows how, from the *Ode sur le serment du Jeu de Paume* right up to the end, it is the pressure of emotion, the outraged feelings, not merely of *un honnête homme* but of a man of political principle, which go on bursting the old norms and creating a poetry to be spoken, to be declaimed. This is, no doubt, what Vigny had in mind when he declared that: 'Chénier allait se gâter . . . On le savait là-haut, et l'on a mis un point à sa phrase quand il l'a fallu.' It is, however, possible to disagree, and even to feel, for example, that the long descent into despair at man's baseness in the final *Iambes*, to be followed by the discovery of a new justifi-

[1] Not only in his masterly *André Chénier* (Oxford, 1965), but with texts themselves in *André Chénier, Poèmes* (Oxford, 1961).

cation for living and dying in the avenging of truth and honesty (echoed in a briefer epitaph), does bring back into French poetry not only a large-scale oratory, but a renewed sense of the spoken word which, if it survived in many odd corners between Malherbe (*mauvais maître*, said Chénier) and Le Brun – in La Fontaine as well as in Dorat, let us say – had vanished as a trumpet voice since the impassioned invective of a d'Aubigné.

The above survey of French poetry over two centuries must suggest the difficulty – or perhaps futility – of any general view. The characteristic tensions and the resultant metaphorical resourcefulness and ambivalence of poets like Étienne Durand, Théophile de Viau or Tristan L'Hermite and many others reinforces and justifies the claim to speak of a French baroque – even to plead that what has been called a poetry of paradox (metaphysical) and a poetry of phantasmagoria (vivid distortion of sense-perception) can be found mixed in their work. More evidently the three figures just named are tragic examples of 'lost leaders', the first two cut off in their prime, the third frustrated in other ways. In face of these casualties the superior achievement of the English metaphysicals from Donne to Marvell requires no restatement. What is equally significant is the 'socialization' of poetry, illustrated indeed from Motin onwards. I have perhaps insisted tiresomely that this often makes for mere triviality. Yet it has to be admitted that, if we may use the term *préciosité* in its widest sense, it is precisely this that did provide on occasion a school for ironic understatement and an unobtrusive sophistication which can be seen even in La Fontaine, where the experience of contradiction is indeed dramatized and 'distanced' by the observer's eye. This has meant that more poetry of a less ambitious sort survived the prescriptive rationalism of a Boileau or the negative code of Voltaire's *Temple du goût*. The poets of *persiflage* and *vers de société* – or of the *opéra-comique* – still have plenty of zest, though it takes a Chénier's ardent personality (and his circumstances) to show how the old rhetoric could be renewed.

Nothing is more revealing of how those who thought ambitiously of poetry were oppressed by a sense of *fadeur* than the critical notes of the editors of *Les Annales poétiques* in the 1780s. Their enthusiasm for Ronsard and Du Bellay, felt as personal discoveries, still more their praise of Pierre Le Moyne, only brought down upon their heads the indignation of La Harpe whose *Cours de littérature* contains a long diatribe against *enjambement*, and scathing sarcasm at the claim that good poetry depends on *alliances de mots* and *métaphores hardies*. At the advice, however, that young poets should look to Ronsard or Le Moyne as possible models, he loses his temper altogether: 'Voilà donc ce qu'on exprime à la fin du 18e siècle! *Voilà les belles leçons qu'on nous donne!*' he exclaims.[1] *Voilà*, alas! one might add, what the *lycéens* of the Empire and the Restoration imbibed from La Harpe whose *Cours* was prescribed reading, a lesson from which most of them never recovered.

[1] See further my 'Tradition and Revaluation in the French Anthology, 1692–1960', in *Essays presented to C. M. Girdlestone*, (Durham, 1960).

François de Malherbe

DESSEIN DE QUITTER UNE DAME

Beauté, mon beau souci, de qui l'âme incertaine
A, comme l'Océan, son flux et son reflux,
Pensez de vous résoudre à soulager ma peine,
Ou je me vais résoudre à ne la souffrir plus.

Vos yeux ont des appas que j'aime et que je prise,
Et qui peuvent beaucoup dessus ma liberté:
Mais pour me retenir, s'ils font cas de ma prise,
Il leur faut de l'amour autant que de beauté.

Quand je pense être au point que cela s'accomplisse,
Quelque excuse toujours en empêche l'effet;
C'est la toile sans fin de la femme d'Ulysse,
Dont l'ouvrage du soir au matin se défait.

Madame, avisez-y, vous perdez votre gloire
De me l'avoir promis et vous rire de moi;
S'il ne vous en souvient, vous manquez de mémoire,
Et s'il vous en souvient, vous n'avez point de foi.

J'avais toujours fait compte, aimant chose si haute,
De ne m'en séparer qu'avecque le trépas;
S'il arrive autrement, ce sera votre faute
De faire des serments et ne les tenir pas.

PRIÈRE POUR LE ROI HENRI LE GRAND

O Dieu, dont les bontés de nos larmes touchées
Ont aux vaines fureurs les armes arrachées,
Et rangé l'insolence aux pieds de la raison,
Puisqu'à rien d'imparfait ta louange n'aspire,
Achève ton ouvrage au bien de cet empire,
Et nous rends l'embonpoint comme la guérison.

Malherbe

Nous sommes sous un roi si vaillant et si sage,
Et qui si dignement a fait l'apprentissage
De toutes les vertus propres à commander,
Qu'il semble que cet heur nous impose silence,
Et qu'assurés par lui de toute violence,
Nous n'avons plus sujet de te rien demander.

Certes quiconque a vu pleuvoir dessus nos têtes
Les funestes éclats des plus grandes tempêtes
Qu'excitèrent jamais deux contraires partis,
Et n'en voit aujourd'hui nulle marque paraître,
En ce miracle seul il peut assez connaître
Quelle force a la main qui nous a garantis.

Mais quoi? de quelque soin qu'incessamment il veille,
Quelque gloire qu'il ait à nulle autre pareille,
Et quelque excès d'amour qu'il porte à notre bien;
Comme échapperons-nous en des nuits si profondes,
Parmi tant de rochers que lui cachent les ondes,
Si ton entendement ne gouverne le sien?

Un malheur inconnu glisse parmi les hommes,
Qui les rend ennemis du repos où nous sommes;
La plupart de leurs vœux tendent au changement;
Et comme s'ils vivaient des misères publiques,
Pour les renouveler ils font tant de pratiques,
Que qui n'a point de peur n'a point de jugement.

En ce fâcheux état ce qui nous réconforte,
C'est que la bonne cause est toujours la plus forte,
Et qu'un bras si puissant t'ayant pour son appui,
Quand la rébellion plus qu'une hydre féconde
Aurait pour le combattre assemblé tout le monde,
Tout le monde assemblé s'enfuirait devant lui.

Conforme donc, Seigneur, ta grâce à nos pensées
Ôte-nous ces objets qui des choses passées
Ramènent à nos yeux le triste souvenir;

Et comme sa valeur, maîtresse de l'orage,
A nous donner la paix a montré son courage,
Fais luire sa prudence à nous l'entretenir.

Il n'a point son espoir au nombre des armées,
Étant bien assuré que ces vaines fumées
N'ajoutent que de l'ombre à nos obscurités;
L'aide qu'il veut avoir, c'est que tu le conseilles;
Si tu le fais, Seigneur, il fera des merveilles,
Et vaincra nos souhaits par nos prospérités.

Les fuites des méchants, tant soient-elles secrètes,
Quand il les poursuivra n'auront point de cachettes,
Aux lieux les plus profonds ils seront éclairés;
Il verra sans effet leur honte se produire,
Et rendra les desseins qu'ils feront pour lui nuire
Aussitôt confondus comme délibérés.

La rigueur de ses lois, après tant de licence,
Redonnera le cœur à la faible innocence,
Que dedans la misère on faisait envieillir.
A ceux qui l'oppressaient il ôtera l'audace,
Et sans distinction de richesse ou de race,
Tous de peur de la peine auront peur de faillir.

La terreur de son nom rendra nos villes fortes,
On n'en gardera plus ni les murs ni les portes,
Les veilles cesseront au sommet de nos tours;
Le fer, mieux employé, cultivera la terre,
Et le peuple qui tremble aux frayeurs de la guerre,
Si ce n'est pour danser, n'orra plus de tambours.

Loin des mœurs de son siècle il bannira les vices,
L'oisive nonchalance, et les milles délices,
Qui nous avaient portés jusqu'aux derniers hasards;
Les vertus reviendront de palmes couronnées,
Et ses justes faveurs, aux mérites données,
Feront ressusciter l'excellence des arts.

n'orra, n'entendra

La foi de ses aïeux, ton amour et ta crainte,
Dont il porte dans l'âme une éternelle empreinte,
D'actes de piété ne pourront l'assouvir;
Il étendra ta gloire autant que sa puissance;
Et n'ayant rien si cher que ton obéissance,
Où tu le fais régner il te fera servir.

Tu nous rendras alors nos douces destinées;
Nous ne reverrons plus ces fâcheuses années
Qui pour le plus heureux n'ont produit que des pleurs.
Toute sorte de biens comblera nos familles,
La moisson de nos champs lassera les faucilles,
Et les fruits passeront la promesse des fleurs.

La fin de tant d'ennuis dont nous fûmes la proie
Nous ravira les sens de merveille et de joie;
Et d'autant que le monde est ainsi composé
Qu'une bonne fortune en craint une mauvaise,
Ton pouvoir absolu, pour conserver notre aise,
Conservera celui qui nous l'aura causé.

Quand un roi fainéant, la vergogne des princes,
Laissant à ses flatteurs le soin de ses provinces,
Entre les voluptés indignement s'endort,
Quoique l'on dissimule, on n'en fait point d'estime;
Et si la vérité se peut dire sans crime,
C'est avecque plaisir qu'on survit à sa mort.

Mais ce roi, des bons rois l'éternel exemplaire,
Qui de notre salut est l'ange tutélaire,
L'infaillible refuge, et l'assuré secours,
Son extrême douceur ayant dompté l'envie,
De quels jours assez longs peut-il borner sa vie.
Que notre affection ne les juge trop courts?

Nous voyons les esprits nés à la tyrannie,
Ennuyés de couver leur cruelle manie,
Tourner tous leurs conseils à notre affliction,

Et lisons clairement dedans leur conscience,
Que s'ils tiennent la bride à leur impatience,
Nous n'en sommes tenus qu'à sa protection.

Qu'il vive donc, Seigneur, et qu'il nous fasse vivre;
Que de toutes ces peurs nos âmes il délivre;
Et rendant l'univers de son heur étonné,
Ajoute chaque jour quelque nouvelle marque
Au nom qu'il s'est acquis du plus rare monarque
Que ta bonté propice ait jamais couronné.

Cependant son Dauphin d'une vitesse prompte
Des ans de sa jeunesse accomplira le compte;
Et, suivant de l'honneur les aimables appas,
De faits si renommés ourdira son histoire,
Que ceux, qui dedans l'ombre éternellement noire
Ignorent le soleil, ne l'ignoreront pas.

Par sa fatale main qui vengera nos pertes,
L'Espagne pleurera ses provinces désertes,
Ses châteaux abattus, et ses camps déconfits.
Et si de nos discords l'infâme vitupère
A pu la dérober aux victoires du père,
Nous la verrons captive aux triomphes du fils.

PARAPHRASE DU PSAUME CXLVI

N'espérons plus, mon âme, aux promesses du monde;
Sa lumière est un verre, et sa faveur une onde
Que toujours quelque vent empêche de calmer.
Quittons ces vanités, lassons-nous de les suivre:
    C'est Dieu qui nous fait vivre,
    C'est Dieu qu'il faut aimer.

En vain, pour satisfaire à nos lâches envies,
Nous passons près des rois tout le temps de nos vies

vitupère, blâme, reproche

A souffrir des mépris et ployer les genoux:
Ce qu'ils peuvent n'est rien; ils sont, comme nous sommes,
    Véritablement hommes,
    Et meurent comme nous.

Ont-ils rendu l'esprit, ce n'est plus que poussière
Que cette majesté si pompeuse et si fière,
Dont l'éclat orgueilleux étonnait l'univers;
Et dans ces grands tombeaux, où leurs âmes hautaines
    Font encore les vaines,
    Ils sont mangés des vers.

Là se perdent ces noms de maîtres de la terre,
D'arbitres de la paix, de foudres de la guerre;
Comme ils n'ont plus de sceptre, ils n'ont plus de flatteurs;
Et tombent avec eux, d'une chute commune,
    Tous ceux que leur fortune
    Faisait leurs serviteurs.

CHANSON

    Sus, debout, la merveille des belles,
    Allons voir sur les herbes nouvelles
Luire un émail, dont la vive peinture
Défend à l'art d'imiter la nature.

    L'air est plein d'une haleine de roses,
    Tous les vents tiennent leurs bouches closes,
Et le soleil semble sortir de l'onde
Pour quelque amour plus que pour luire au monde.

    On dirait, à lui voir sur la tête
    Ses rayons comme un chapeau de fête,
Qu'il s'en va suivre en si belle journée
Encore un coup la fille de Pénée.

Toute chose aux délices conspire,
Mettez-vous en votre humeur de rire;
Les soins profonds d'où les rides nous viennent
A d'autres ans qu'aux vôtres appartiennent.

Il fait chaud; mais un feuillage sombre
Loin du bruit nous fournira quelque ombre,
Où nous ferons parmi les violettes
Mépris de l'ambre et de ses cassolettes.

Près de nous, sur les branches voisines
Des genêts, des houx, et des épines,
Le rossignol, déployant ses merveilles,
Jusqu'aux rochers donnera des oreilles.

Et peut-être à travers des fougères
Verrons-nous de bergers à bergères
Sein contre sein, et bouche contre bouche,
Naître et finir quelque douce escarmouche.

C'est chez eux qu'Amour est à son aise:
Il y saute, il y danse, il y baise,
Et foule aux pieds les contraintes serviles
De tant de lois qui le gênent aux villes.

O qu'un jour mon âme aurait de gloire
D'obtenir cette heureuse victoire,
Si la pitié de mes peines passées
Vous disposait à semblables pensées!

Votre honneur, le plus vain des idoles,
Vous remplit de mensonges frivoles:
Mais quel esprit que la raison conseille,
S'il est aimé, ne rend point la pareille?

RÉCIT D'UN BERGER

Houlette de Louis, houlette de Marie,
Dont le fatal appui met notre bergerie
Hors du pouvoir des loups,
Vous placer dans les cieux en la même contrée
Des balances d'Astrée,
Est-ce un prix de vertu qui soit digne de vous?

Vos pénibles travaux, sans qui nos pâturages,
Battus depuis cinq ans de grêles et d'orages,
S'en allaient désolés,
Sont-ce pas des effets que même en Arcadie,
Quoi que la Grèce die,
Les plus fameux pasteurs n'ont jamais égalés?

Voyez des bords de Loire, et des bords de Garonne,
Jusques à ce rivage où Thétis se couronne
De bouquets d'orangers,
A qui ne donnez-vous une heureuse bonace,
Loin de toute menace
Et de maux intestins, et de maux étrangers?

Où ne voit-on la paix comme un roc affermie,
Faire à nos Géryons détester l'infamie
De leurs actes sanglants?
Et la belle Cérès en javelles féconde
Ôter à tout le monde
La peur de retourner à l'usage des glands?

Aussi dans nos maisons, en nos places publiques,
Ce ne sont que festins, ce ne sont que musiques
De peuples réjouis;
Et que l'astre du jour ou se lève ou se couche,
Nous n'avons en la bouche
Que le nom de Marie, et le nom de Louis.

Certes une douleur quelques âmes afflige,
Qu'un fleuron de nos lis séparé de sa tige
Soit prêt à nous quitter;
Mais quoi qu'on nous augure et qu'on nous fasse craindre,
Élize est-elle à plaindre
D'un bien que tous nos vœux lui doivent souhaiter?

Le jeune demi-dieu qui pour elle soupire
De la fin du couchant termine son empire
En la source du jour.
Elle va dans ses bras prendre part à sa gloire;
Quelle malice noire
Peut sans aveuglement condamner leur amour?

Il est vrai qu'elle est sage, il est vrai qu'elle est belle,
Et notre affection pour autre que pour elle
Ne peut mieux s'employer.
Aussi la nommons-nous la Pallas de cet âge;
Mais que ne dit le Tage
De celle qu'en sa place il nous doit envoyer? . . .

Un siècle renaîtra comblé d'heur et de joie,
Où le nombre des ans sera la seule voie
D'arriver au trépas;
Tous venins y mourront comme au temps de nos pères;
Et même les vipères
Y piqueront sans nuire, ou n'y piqueront pas.

La terre en tous endroits produira toutes choses,
Tous métaux seront or, toutes fleurs seront roses,
Tous arbres oliviers;
L'an n'aura plus d'hiver, le jour n'aura plus d'ombre,
Et les perles sans nombre
Germeront dans la Seine au milieu des graviers. . . .

Charles-Timoléon de Beauxoncles, Seigneur de Sigogne

SONNET POUR UN SOLLICITEUR DE PROCÈS

Petit rat du Brésil, qui vous a bottiné?
Où allez-vous ainsi en robe de guénuche,
Les bras sur les rognons comme une anse de cruche?
Vous froncez le sourcil: êtes-vous mutiné?
Vous ressemblez bien fort au petit Dominé,
Et joûriez bien tous deux au mail dans une huche,
C'est le moine du jeu dessous la coqueluche;
Il se prépare au bal puisqu'il est satiné.
Petit homme de plomb, pour jamais je vous loge
Le marteau dans la main à deux pas de l'horloge.
Mettez la plume au vent, gaillard et rebondi,
Escrimez tous les jours avecque les corneilles,
Haut les bras, Jacquemart, il faut sonner midi;
Si vous craignez le bruit, bouchez-vous les oreilles.

Jean Godard

L'AMBITION

Sorcière des esprits dont le charme ne dompte
Que les cœurs plus ardents à se rendre invaincus,
Le masque de l'honneur, la face de la honte,
Don et présent du moins, et promesse du plus.

Ruse, poison et fard, dont l'artifice trompe
L'esprit, le goût, et l'œil de l'homme le plus fin,
Théâtre où se promène une tragique pompe,
Rose au commencement, mais épine à la fin.

Bandeau, qui finement dérobes la lumière
Aux yeux qui pensent voir plus que les yeux d'Argus:
Maudite Ambition, ta fraude la première,
Même dedans le ciel, les anges a déçus. . . .

Vous, qui flambiez au ciel d'une lumière sainte,
Ne regrettez-vous point avecque passion
Cette lumière-là, laquelle fut éteinte
Alors que la souffla le vent d'Ambition?

. . . . .

De Dieu, de main en main, descend toute puissance.
Dieu la départ aux rois, les rois aux magistrats,
A qui l'Ambition tâche à faire nuisance:
Tout ce qui vient d'en haut, elle veut mettre en bas.

Aux plus belles moissons elle met sa faucille,
Aux charges, aux états, au repos et bonheur,
Et marche à courbe-dos, en infecte chenille
Sur les fleurs et les fruits de l'arbre de l'honneur.

Tout ce qui est marqué d'autorité publique:
Tout ce qui porte au front marque de dignité,
Elle le marque à elle: et pour marque elle applique
Dessus ce qui est saint, signe d'impiété. . . .

Sa faiblesse à tous coups se renforce de ruse:
Son pied ne laisse point de piste en son chemin:
De la langue d'autrui, quand elle parle, elle use,
Et par la main d'autrui fait les coups de sa main.

Des ruines d'autrui son palais s'édifie,
Du trouble d'un chacun elle fait son repos:
Elle fait loyauté de tromper qui se fie,
Toute cruelle en faits, toute douce en propos. . . .

Maudite Ambition, que tu es inégale,
Et contraire à toi-même à te bien balancer:
Sous les vils et méchants ton orgueil se ravale,
Voulant sur les meilleurs et plus grands se hausser. . . .

Si as-tu peu de sens avec toute ta ruse:
Tu aimes la Grandeur, et la vas saccager:
L'autorité te plaît, et tu la rends confuse:
Tu brûles la maison où tu te veux loger.

Surtout je m'ébahis que ta dextre hardie,
Qui ne se prend qu'aux grands me présente l'assaut:
Pour faire dessus moi jouer ta tragédie,
Je suis, Ambition, trop petit échafaud.

LA PENSÉE

Ma pensée, où pensez-vous être?
Pensez-vous toujours me forger
Des pensers, qui me fassent naître
La crainte devant le danger?

Pour rendre ma joie offensée
Et me tenir toujours transi,
Vous vous plaisez, ô ma pensée,
A vous transformer en souci.

Ou si votre métamorphose
Vous change en rose mieux à point:
Je ne connais point cette rose
Que par son épine qui poind. . . .

S'il advient par fois que je cueille
Des fleurs de joie, en me trompant,
Vous faites glisser sous leur feuille
Un triste penser en serpent.

Quand j'ai un penser qui est aigre,
Il chasse tous ceux qui sont doux:
Mais si j'ai un penser allègre,
Les tristes le combattent tous.

Si as-tu, pourtant tu as

Godard

Ils font fourmiller leurs fantômes
Dans mon cœur, où ils se sont mis,
Plus dru qu'au soleil les atomes,
Plus dru qu'en été les fourmis.

. . . . .

Ils voguent à nef de caprice
L'est, l'ouest, le nord et le su,
Cherchant au monde la matrice
Où le monde a été conçu.

Ils ont, à l'heure que leur flotte
Prend terre, et loge toute en gros,
Pour salle et pour tapis la grotte,
Et les grotesques du chaos.

Leur troupe me rend solitaire,
Leur travail me rend ocieux:
Et pour regarder leur mystère,
Il faut que je ferme les yeux.

Par eux je ne fais que merveille,
A l'infini je donne un bout:
Je songe à l'heure que je veille:
Je ne bouge, et je vais partout.

Mais leur fil mon âge dévide,
J'ai leur chagrin pour mon soulas:
Leurs bienfaits m'emplissent de vide,
Et leur rien faire me rend las.

Ces pensers d'une faim étrange
Jamais ne sont saouls ni contents:
Car le temps toutes choses mange,
Et sont eux, qui mangent mon temps.

Pensant à ces pensers je trouve,
Que rien n'en valent les meilleurs:
Depuis trop de temps je les couve,
Qu'ils s'aillent faire éclore ailleurs. . . .

Pierre Motin

SONNET A MADEMOISELLE LA CROIX

Et tu n'es pas venue, après ta foi jurée
Que nous serions tous deux à ce jour désiré,
Dans ce jardin promis, à l'écart séparé!
Que la foi d'une fille est bien mal assurée!
Enfin, la Croix, enfin te voilà parjurée!
Ou le soleil trop chaud et son rayon doré,
Du beau teint d'une fille ennemi conjuré,
T'a retenu seulette au logis retirée!
Non ce n'est pas cela, c'est ton esprit léger,
Bizarre, fantastiqu', volage et mensonger,
Cette mutation aux femmes est commune.
Je pense, en contemplant ton amour refroidi,
Lorsque tu m'as promis, que c'était le lundi:
Le lundi c'est le jour où commande la lune.

STANCES

Est-ce mon erreur ou ma rage
Qui m'a conduit sous votre ombrage,
Moins d'effroi que d'Amour époint?
Séjour des morts, demeures pâles,
Croix, ossements, tombes fatales,
L'espoir de ceux qui n'en ont point,

Je vois dans vos froides ténèbres
Qu'une de ces fureurs célèbres
M'éclaire de son noir flambeau;
Et pour un présage sinistre –
De mes maux le sanglant ministre,
L'Amour – m'apparaît en corbeau.

O que de monstres incroyables,
Que de fantômes effroyables
A mes yeux se viennent offrir,

M'ouvrant leur caverne profonde!
Mais le Ciel me réserve au monde,
Moins pour vivre que pour souffrir.

Ce ne m'est qu'un, souffrir et vivre,
Le ciel pour moi s'est fait de cuivre,
L'eau de sang, la terre de fer,
La clarté toujours éclipsée;
Et portant partout ma pensée,
Partout je porte mon enfer.

Du Désespoir je vois la face,
Je vois son œil armé d'audace,
Tournant son regard inhumain,
Suivi de sa Sœur, la Colère;
Pour échapper de la misère
Il tient le flambeau dans la main.

Voilà qu'il brave toute peine,
Dans les flancs lui grossit l'haleine,
Mille morts marchent devant lui,
Malheureux, me dit-il, essaie
De tirer hors par une plaie
Ton soin, ta vie, et ton ennui.

Vainqueur des fières destinées,
Roi des Âmes infortunées,
O puissant Trépas, reçois-moi;
Mais attends que Ma Dame entende
Que ma douleur était trop grande
Pour vivre sans elle ou sans toi.

CHANSON

Que j'aime ces petits rivages
Semés de mille fleurs sauvages
Beaux yeux à l'amour destinés,
Je le connais, vous en venez!

Motin

A voir votre mine confuse
Votre œil qui ses regards refuse
Et vos pas un peu détournés,
Je le connais, vous en venez!

Votre robe par le derrière
Est toute pleine de poussière;
Vos cheveux sont mal atournés:
Je le connais, vous en venez!

A votre front chaud comme braise,
Aux plis rompus de votre fraise,
A vos yeux si fort étonnés:
Je le connais, vous en venez!

En vain d'une brave assurance,
Pour nous ôter cette croyance,
Froidement vous vous promenez:
Je le connais, vous en venez!

Mais n'en soyez pas plus émue;
Passant, j'ai détourné ma vue
De ce chemin que vous tenez:
Je le connais, vous en venez!

L'heur près de moi vous fit conduire
Non près d'un qui vous voulût nuire
Et qui vous dît à votre nez:
Je le connais, vous en venez!

Allons donc ensemble aux rivages
Semés de mille fleurs sauvages:
Beaux yeux à l'amour destinés,
Je le connais, vous en venez!

Honoré d'Urfé

STANCES DES DÉSIRS TROP ÉLEVÉS

Espoirs, Ixions en audace,
Du Ciel dédaignant la menace,
Vous aspirez plus qu'il ne faut:
Au Ciel comme Icare prétendre,
C'est bien pour tomber d'un grand saut:
Mais ne laissez de l'entreprendre.

Ainsi que jadis Prométhée
En sa poitrine béquetée
Ses tourments immortalisa,
Ayant ravi le feu céleste
Il dit: au moins ce bien me reste,
D'avoir pu ce que nul n'osa.

Mon cœur sur un roc de constance
Tout dévoré par ma souffrance,
Dira: Les plus hautains esprits
N'ont osé dérober sa flamme,
Et j'ai cette gloire en mon âme
D'avoir plus que nul entrepris.

Écho pour l'amour de Narcisse
Contant aux rochers son supplice,
Se consolait en son émoi,
Et leur disait toute enflammée:
Si de lui je ne suis l'aimée,
Nul autre ne l'est plus que moi.

d'Urfé

LES HOMMES SONT SANS AMITIÉ

Quelle erreur insensée a séduit nos esprits,
Quelle faute de cœur nous tient dans le mépris
    Où si longtemps nous sommes?
Quel fut l'aveuglement qui les femmes déçut
En leur faisant chercher l'amour parmi les hommes,
    Où jamais il ne fut?

Quel siècle n'a point vu les dures cruautés,
Les barbares effets et les déloyautés
    De leurs cruelles âmes?
Quels sauvages déserts, quels lieux plus reculés,
Et quels dieux n'ont ouï les cris de tant de femmes,
    Mais en vain appelés?

Thésée, où t'enfuis-tu? Pâris, de quelle loi
Te sers-tu contre Œnone? Et toi, Troyen, pourquoi
    T'enfuis-tu de Carthage?
Une seule raison les défend contre nous:
Tout homme fait ainsi, ce n'est pas un outrage
    De faire comme tous.

Homme, non pas humain, mais farouche animal,
Sexe au monde inventé pour nous faire du mal,
    Honte de la nature
Qui ne faillit jamais sinon te produisant;
Dieux, pourquoi mîtes-vous sous une loi si dure
    La femme en la faisant?

Dure et sévère loi, tu fais que nous vivons
Le serpent dans le sein: dire nous te pouvons
    Non loi, mais tyrannie.
O combien durera notre captivité?
Encor que d'un moment elle eût été finie,
    Trop longue elle eût été!

Honorat Laugier de Porchères

ORPHÉE QUI ATTIRE LES ARBRES PAR SA VOIX

Fugitive Daphné, dis-moi que voulait dire
    La faute que tu fis,
De fuir Apollon pour suivre un jour sa lyre
    Dans les mains de son fils?

D'où vient que ton esprit te rendait inflexible
    Aux charmes de sa voix?
Et n'ayant plus de sens, que tu sois plus sensible
    Aux accords de mes doigts?

Maintenant qu'une écorce endurcit ta poitrine,
    Facile à mes appas,
Tu me suis à la trace, et même ta racine
    Ne t'en empêche pas?

Les Destins envieux ont fait tous ces miracles,
    Prenant plaisir de voir
Qu'Apollon n'eût appris de ses propres oracles
    L'erreur de son espoir.

Voilà qu'il te cultive, et sans que tu l'accueilles
    Favorable à ses vœux,
Il aime mieux orner sa tête de tes feuilles
    Que non pas de ses feux.

Abandonnant son char à ses Heures mobiles
    Pour charmer son ennui
Il te vient visiter et les Muses gentilles
    Y viennent avec lui.

Aux rais d'un si beau jour qui n'ayant rien de sombre
    Éclaire l'univers,
Dirait-on qu'en ces lieux le Soleil fût à l'ombre
    Des rameaux toujours verts?

Reine dont les vertus ont calmé de la guerre
Les vents séditieux:
Et qui tant de beautés fait être sur la terre
Ce qu'il est dans les Cieux.

Les lauriers vous sont dûs autant comme à lui-même:
Il vous les vient offrir
Tels que sans jalousie un royal Diadème
Ne les pourrait souffrir.

Et vous aussi, Grand Roi, dont la riche couronne
Est moindre que le cœur:
Prévoyant l'avenir, Apollon vous ordonne
Celle de grand vainqueur.

Car vous devez un jour faire tant de conquêtes,
Et vous et vos guerriers,
Que les rives d'Eurote à couronner vos têtes
Auront peu de lauriers.

Jean-Oger Gombauld

SONNETS D'AMOUR

Il est beau, vous l'aimez, bien qu'il soit étranger.
Il n'importe s'il vient du Tage, ou de l'Euphrate:
C'est toujours pour me nuire, et pour vous rendre ingrate.
Mais par lui-même, un jour, je me verrai venger.
Tous mes discours sont vains, rien ne nous peut changer.
Votre flamme en vos yeux incessamment éclate,
Et l'aimable ennemi, qui vous blesse, et vous flatte,
Vous empêche de voir un visible danger.
Toute chose l'oblige à vous être infidèle;
Le temps de son retour, où son devoir l'appelle,
Et son propre désir, le pressent désormais.
Enfin ce cher Amant, pauvre Amante abusée,
Vous dira, sans mourir, un adieu pour jamais;
Ou ne vous dira rien, comme un autre Thésée.

Puisqu'elle a pu changer faisons ce qui nous reste;
Après tant de discours qui n'ont plus de couleur:
Quittons-la pour jamais, perdons-la sans douleur;
Quoi que sa résistance aujourd'hui nous conteste.
Elle veut déguiser sa parole, et son geste;
Mais de tous les Amants imitant le malheur,
Elle se voit soudain trahir par sa pâleur;
Et sa flamme en ses yeux est toute manifeste.
Cessons de vous en plaindre, et de l'en accuser.
Pour en venger l'offense, il la faut mépriser.
Que nous reviendrait-il d'en avoir l'âme triste?
L'Amour, et le Palmier, ont les mêmes vertus;
Ils s'opposent toujours à ce qui leur résiste,
Et deviennent plus forts plus ils sont combattus.

Messagers du sommeil, allez à la mal'heure
Annoncer le désastre aux coupables humains,
Et sans nous étonner de vos fantômes vains,
Rendez notre aventure ou douteuse, ou meilleure.
Apollon ne voit point votre sombre demeure
Pour vous communiquer ses Oracles certains.
Quelle part avons-nous à vos antres lointains?
Affligez-vous Iris, afin qu'Alcide meure?
Si quelque Astre vous luit parmi tant de noirceurs
Et si vous consultez les trois fatales sœurs,
Faites que l'on vous croie, et que l'on vous adore.
Truchements du bonheur et de la vérité,
Présentez-vous plus beaux et plus clairs que l'Aurore,
Et nous ôtez la peur avec l'obscurité.

SONNETS SPIRITUELS

La voix qui retentit de l'un à l'autre pôle,
La terreur et l'espoir des vivants et des morts,
Qui du rien sait tirer les esprits et les corps,
Et qui fit l'Univers d'une seule parole,
La voix du Souverain, qui les cèdres désole,
Cependant que l'épine étale ses trésors;

Qui contre la cabane épargne ses efforts,
Et réduit à néant l'orgueil du Capitole;
Ce tonnerre éclatant, cette divine voix,
A qui savent répondre et les monts et les bois,
Et qui fait qu'à leur fin toutes choses se rendent,
Que les Cieux les plus hauts, que les lieux les plus bas,
Que ceux qui ne sont point, et que les morts entendent,
Mon âme, elle t'appelle, et tu ne l'entends pas.

Ils sont mes ennemis, et font gloire de l'être;
Viens les juger, Seigneur, ces profanes humains,
Qui tous blessés à mort font encore les vains,
Et surpassent l'orgueil de leur premier ancêtre.
Ils ont vendu leur frère, ils ont trahi leur Maître.
Rien ne saurait laver leurs sacrilèges mains.
Ils affligent sans cesse ou méprisent les Saints,
Et ne sauraient changer à moins que de renaître.
Ils possèdent les biens avec les dignités:
Des faits de leurs aïeux ils font leurs vanités:
Le mensonge leur plaît, la vérité les blesse.
Race dénaturée, et plus dure que fer,
Vos péchés tous les jours marquent votre noblesse,
Et votre plus vieux titre est tiré de l'Enfer.

J'ai pris congé de vous, bois, montagnes et plaines
Qui vîtes ma naissance et fûtes mon support;
J'ai pris congé de vous comme si j'étais mort,
Encore que je vive en ces rives lointaines.
Tout s'oppose à mes vœux, mes poursuites sont vaines,
Lorsque pour vous revoir je veux faire un effort.
J'en accuse souvent les rigueurs de mon sort,
Et, sans vous, ses douceurs me sont même inhumaines.
C'en est fait, je vous perds, dont je meurs sans mourir;
Ma patrie est ailleurs, et, pour me secourir,
Du Sauveur que je sers la grâce est toujours prête.
Son exemple est ma règle, et je ne puis changer;
Il n'eut jamais de lieu pour reposer sa tête,
Et partout où je suis je me sens étranger.

Mathurin Régnier

LE CRITIQUE OUTRÉ – SATIRE IX

Rapin, le favori d'Apollon et des Muses,
Pendant qu'en leur métier jour et nuit tu t'amuses,
Et que d'un vers nombreux, non encore chanté,
Tu te fais un chemin à l'immortalité,
Moi, qui n'ai ni l'esprit ni l'haleine assez forte
Pour te suivre de près et te servir d'escorte,
Je me contenterai, sans me précipiter,
D'admirer ton labeur, ne pouvant l'imiter;
Et pour me satisfaire au désir qui me reste
De rendre cet hommage à chacun manifeste,
Par ces vers j'en prends acte, afin que l'avenir
De moi par ta vertu se puisse souvenir;
Et que cette mémoire à jamais s'entretienne,
Que ma muse imparfaite eut en honneur la tienne:
Et que si j'eus l'esprit d'ignorance abattu,
Je l'eus au moins si bon, que j'aimai ta vertu:
Contraire à ces rêveurs dont la muse insolente,
Censurant les plus vieux, arrogamment se vante
De réformer les vers, non les tiens seulement,
Mais veulent déterrer les Grecs du monument,
Les Latins, les Hébreux, et toute l'antiquaille,
Et leur dire à leur nez qu'ils n'ont rien fait qui vaille.
Ronsard en son métier n'était qu'un apprentif,
Il avait le cerveau fantastique et rétif:
Desportes n'est pas net; Du Bellay trop facile:
Belleau ne parle pas comme on parle à la ville;
Il a des mots hargneux, bouffis et relevés,
Qui du peuple aujourd'hui ne sont pas approuvés.
Comment! il nous faut donc, pour faire une œuvre grande,
Qui de la calomnie et du temps se défende,
Qui trouve quelque place entre les bons auteurs,
Parler comme à Saint-Jean parlent les crocheteurs!
Encore je le veux, pourvu qu'ils puissent faire

Que ce beau savoir entre en l'esprit du vulgaire,
Et quand les crocheteurs seront poètes fameux,
Alors sans me fâcher je parlerai comme eux.
        Pensent-ils, des plus vieux offensant la mémoire,
Par le mépris d'autrui s'acquérir de la gloire;
Et, pour quelque vieux mot, étrange, ou de travers,
Prouver qu'ils ont raison de censurer leurs vers?
(Alors qu'une œuvre brille et d'art et de science,
La verve quelquefois s'égaye en la licence.)
        Il semble, en leurs discours hautains et généreux,
Que le cheval volant n'ait pissé que pour eux;
Que Phœbus à leur ton accorde sa vielle;
Que la mouche du Grec leurs lèvres emmielle;
Qu'ils ont seuls ici-bas trouvé la pie au nid,
Et que des hauts esprits le leur est le zénith;
Que seuls des grands secrets ils ont la connaissance;
Et disent librement que leur expérience
A raffiné les vers, fantastiques d'humeur,
Ainsi que les Gascons ont fait le point d'honneur:
Qu'eux tous seuls du bien-dire ont trouvé la méthode,
Et que rien n'est parfait s'il n'est fait à leur mode.
        Cependant leur savoir ne s'étend seulement
Qu'à regratter un mot douteux au jugement,
Prendre garde qu'un *qui* ne heurte une diphtongue;
Épier si des vers la rime est brève ou longue;
Ou bien si la voyelle à l'autre s'unissant
Ne rend point à l'oreille un vers trop languissant:
Et laissent sur le vert le noble de l'ouvrage.
Nul aiguillon divin n'élève leur courage;
Ils rampent bassement, faibles d'inventions,
Et n'osent, peu hardis, tenter les fictions,
Froids à l'imaginer: car s'ils font quelque chose
C'est proser de la rime, et rimer de la prose,
Que l'art lime et relime, et polit de façon
Qu'elle rend à l'oreille un agréable son;
Et voyant qu'un beau feu leur cervelle n'embrase,
Ils attifent leurs mots, enjolivent leur phrase,
Affectent des discours qu'ils relèvent par art,

Et peignent leurs défauts de couleur et de fard.
Aussi je les compare à ces femmes jolies
Qui par les affiquets se rendent embellies,
Qui, gentes en habits, et sades en façons,
Parmi leur point coupé tendent leurs hameçons;
Dont l'œil rit mollement avecque afféterie,
Et de qui le parler n'est rien que flatterie;
De rubans piolés s'agencent proprement,
Et toute leur beauté ne gît qu'en l'ornement;
Leur visage reluit de céruse et de peautre,
Propres en leur coiffure, un poil ne passe l'autre.
        Où ces divins esprits, hautains et relevés,
Qui des eaux d'Hélicon ont les sens abreuvés;
De verve et de fureur leur ouvrage étincelle,
De leurs vers tout divins la grâce est naturelle,
Et sont, comme l'on voit, la parfaite beauté,
Qui, contente de soi, laisse la nouveauté
Que l'art trouve au palais, ou dans le blanc d'Espagne.
Rien que le naturel sa grâce n'accompagne;
Son front, lavé d'eau claire, éclate d'un beau teint;
De roses et de lys la nature la peint;
Et, laissant là Mercure et toutes ses malices,
Les nonchalances sont ses plus grands artifices.
        Or, Rapin, quant à moi, je n'ai point tant d'esprit.
Je vais le grand chemin que mon oncle m'apprit,
Laissant là ces docteurs, que les Muses instruisent
En des arts tout nouveaux: et s'ils font, comme ils disent,
De ses fautes un livre aussi gros que le sien,
Telles je les croirai quand ils auront du bien,
Et que leur belle Muse, à mordre si cuisante,
Leur don'ra comme à lui, dix mille écus de rente,
De l'honneur, de l'estime; et quand par l'univers
Sur le luth de David on chantera leurs vers;
Qu'ils auront joint l'utile avec le délectable,
Et qu'ils sauront rimer une aussi bonne table.

. . . . .

sades, jolies   *piolés*, bigarrés   *peautre*, fard

. . . Mais, Rapin, mon ami, c'est la vieille querelle:
L'homme le plus parfait a manqué de cervelle;
Et de ce grand défaut vient l'imbécillité,
Qui rend l'homme hautain, insolent, effronté;
Et, selon le sujet qu'à l'œil il se propose,
Suivant son appétit il juge toute chose.
    Aussi, selon nos yeux, le soleil est luisant.
Moi-même, en ce discours qui fais le suffisant,
Je me connais frappé, sans le pouvoir comprendre,
Et de mon ver-coquin je ne me puis défendre.
    Sans juger nous jugeons, étant notre raison
Là-haut dedans la tête, où, selon la saison
Qui règne en notre humeur, les brouillards nous embrouillent
Et de lièvres cornus le cerveau nous barbouillent.
    Philosophes rêveurs, discourez hautement;
Sans bouger de la Terre, allez au Firmament;
Faites que tout le ciel branle à votre cadence;
Et pesez vos discours même dans sa balance;
Connaissez les humeurs qu'il verse dessus nous,
Ce qui se fait dessus, ce qui se fait dessous;
Portez une lanterne aux cachots de nature;
Sachez qui donne aux fleurs cette aimable peinture
Quelle main sur la terre en broie la couleur,
Leurs secrètes vertus, leurs degrés de chaleur;
Voyez germer à l'œil les semences du monde;
Allez mettre couver les poissons dedans l'onde;
Déchiffrez les secrets de nature et des cieux:
Votre raison vous trompe, aussi bien que vos yeux.
    Or, ignorant de tout, de tout je me veux rire;
Faire de mon humeur moi-même une satire:
N'estimer rien de vrai, qu'au goût il ne soit tel;
Vivre; et, comme chrétien, adorer l'Immortel,
Où gît le seul repos qui chasse l'ignorance:
Ce qu'on voit hors de lui n'est que sotte apparence,
Piperie, artifice: encore, ô cruauté
Des hommes et du temps! notre méchanceté
S'en sert aux passions; et dessous une aumusse
L'ambition, l'amour, l'avarice, se musse;

L'on se couvre d'un froc pour tromper les jaloux;
Les temples aujourd'hui servent aux rendez-vous;
Derrière les piliers on oit mainte sornette;
Et, comme dans un bal, tout le monde y caquette.
On doit rendre, suivant et le temps et le lieu,
Ce qu'on doit à César et ce qu'on doit à Dieu.
Et quant aux appétits de la sottise humaine,
Comme un homme sans goût, je les aime sans peine:
Aussi bien rien n'est bon que par affection;
Nous jugeons, nous voyons, selon la passion.

Le soldat aujourd'hui ne rêve que la guerre;
En paix le laboureur veut cultiver sa terre;
L'avare n'a plaisir qu'en ses doubles ducats.
L'amant juge sa dame un chef-d'œuvre ici-bas:
Encore qu'elle n'ait sur soi rien qui soit d'elle,
Que le rouge et le blanc par art la fasse belle,
Qu'elle ente en son palais ses dents tous les matins,
Qu'elle doive sa taille au bois de ses patins;
Que son poil, dès le soir frisé dans la boutique,
Comme un casque au matin sur sa tête s'applique;
Qu'elle ait, comme un piquier, le corselet au dos;
Qu'à grand'peine sa peau puisse couvrir ses os;
Et tout ce qui de jour la fait voir si doucette,
La nuit, comme en dépot, soit dessous la toilette:
Son esprit ulcéré juge, en sa passion,
Que son teint fait la nique à la perfection.

. . . . .

O débile raison, où est ores ta bride?
Où ce flambeau qui sert aux personnes de guide?
Contre la passion trop faible est ton secours,
Et souvent, courtisane, après elle tu cours;
Et, savourant l'appas qui ton âme ensorcelle,
Tu ne vis qu'à son goût, et ne vois que par elle.
De là vient qu'un chacun, mêmes en son défaut,
Pense avoir de l'esprit autant qu'il lui en faut.
Aussi rien n'est parti si bien par la nature
Que le sens, car chacun en a sa fourniture.

Mais pour nous, moins hardis à croire à nos raisons,
Qui réglons nos esprits par les comparaisons
D'une chose avec l'autre, épluchons de la vie
L'action qui doit être ou blâmée ou suivie;
Qui criblons le discours, au choix se variant,
D'avec la fausseté la vérité triant
(Tant que l'homme le peut); qui formons nos ouvrages
Aux moules si parfaits de ces grands personnages
Qui, depuis deux mille ans, ont acquis le crédit
Qu'en vers rien n'est parfait que ce qu'ils en ont dit;
Devons-nous aujourd'hui, pour une erreur nouvelle
Que ces clercs dévoyés forment en leur cervelle,
Laisser légèrement la vieille opinion,
Et, suivant leur avis, croire à leur passion?
　　Pour moi, les huguenots pourraient faire miracles,
Ressusciter les morts, rendre de vrais oracles,
Que je ne pourrais pas croire à leur vérité.
En toute opinion je fuis la nouveauté:
Aussi doit-on plutôt imiter nos vieux pères
Que suivre des nouveaux les nouvelles chimères.
De même en l'art divin de la Muse, doit-on
Moins croire à leur esprit qu'à l'esprit de Platon.
　　Mais, Rapin, à leur goût si les vieux sont profanes,
Si Virgile, le Tasse et Ronsard sont des ânes,
Sans perdre en ces discours le temps que nous perdons,
Allons comme eux aux champs, et mangeons des chardons.

François Mainard

SONNETS

Je touche de mon pied le bord de l'autre monde:
　　L'âge m'ôte le goût, la force et le sommeil,
　　Et l'on verra bientôt naître du fond de l'onde
　　La première clarté de mon dernier soleil.
Muses, je m'en vais dire au fantôme d'Auguste
　　Que sa rare bonté n'a plus d'imitateurs,

Et que l'esprit des grands fait gloire d'être injuste
Aux belles passions de vos adorateurs.
Voulez-vous bien traiter ces fameux solitaires
A qui vos déités découvrent leurs mystères?
Ne leur permettez plus des biens ni des emplois.
On met votre science au rang des choses vaines:
Et ceux qui veulent plaire aux favoris des rois
Arrachent vos lauriers et troublent vos fontaines.

Mon Âme, il faut partir. Ma vigueur est passée,
Mon dernier jour est dessus l'horizon.
Tu crains ta liberté. Quoi? N'es-tu pas lassée
D'avoir souffert soixante ans de prison?
Tes désordres sont grands. Tes vertus sont petites;
Parmi tes maux on trouve peu de bien.
Mais si le bon Jésus te donne ses mérites,
Espère tout et n'appréhende rien.
Mon Âme, repens-toi d'avoir aimé le monde,
Et de mes yeux fais la source d'une onde
Qui touche de pitié le Monarque des Rois.
Que tu serais courageuse et ravie,
Si j'avais soupiré durant toute ma vie
Dans le Désert sous l'ombre de la Croix!

Rome, qui sous tes pieds as vu toute la terre,
Ces deux fameux héros, ces deux grands conquérants
Qui dans la Thessalie achevèrent leur guerre,
Doivent être noircis du titre de tyrans.
Tu croyais que Pompée armait pour te défendre;
Et qu'il était l'appui de ta félicité.
Un même esprit poussait le beau-père et le gendre;
Tous deux ont combattu contre ta liberté.
Si Jules fut tombé, l'autre, après sa victoire,
Par un nouveau triomphe eût abaissé ta gloire;
Et forcé tes consuls d'accompagner son char.
Je les blâme tous deux d'avoir tiré l'épée,
Bien que le Ciel ait pris le parti de César,
Et que Caton soit mort dans celui de Pompée.

Mainard

ODE

Alcippe, reviens dans nos Bois.
Tu n'as que trop suivi les Rois,
Et l'infidèle espoir dont tu fais ton Idole:
Quelque bonheur qui seconde tes Vœux,
Ils n'arrêteront pas le Temps qui toujours vole,
Et qui d'un triste blanc va peindre tes cheveux.

La Cour méprise ton Encens.
Ton Rival monte, et tu descends,
Et dans le Cabinet le Favori te joue.
Que t'a servi de fléchir le genou
Devant un Dieu fragile et fait d'un peu de boue,
Qui souffre et qui vieillit pour mourir comme nous?

Romps tes Fers, bien qu'ils soient dorés.
Fuis les injustes adorés,
Et descends dans toi-même à l'exemple du Sage.
Tu vois de près ta dernière saison:
Tout le Monde connaît ton nom et ton visage,
Et tu n'es pas connu de ta propre raison.

Ne forme que des saints désirs,
Et te sépare des plaisirs
Dont la molle douceur te fait aimer la vie.
Il faut quitter le séjour des Mortels,
Il faut quitter Philis, Amarante et Silvie,
A qui ta folle Amour élève des Autels.

Il faut quitter l'Ameublement
Qui nous cache pompeusement,
Sous de la toile d'or, le plâtre de ta Chambre.
Il faut quitter ces Jardins toujours verts,
Que l'haleine des Fleurs parfume de son ambre,
Et qui font des Printemps au milieu des Hivers.

C'est en vain que loin des hasards
Où courent les Enfants de Mars,
Nous laissons reposer nos mains et nos courages;
Et c'est en vain que la fureur des eaux,
Et l'insolent Borée, Artisan des naufrages,
Font à l'abri du Port retirer nos Vaisseaux.

Nous avons beau nous ménager,
Et beau prévenir le danger,
La Mort n'est pas un mal que le Prudent évite;
Il n'est raison, adresse, ni conseil
Qui nous puisse exempter d'aller où le Cocyte
Arrose des Pays inconnus au Soleil.

Le cours de nos ans est borné,
Et quand notre heure aura sonné,
Clothon ne voudra plus grossir notre fusée.
C'est une Loi, non pas un châtiment,
Que la nécessité qui nous est imposée
De servir de pâture aux vers du Monument.

Résous-toi d'aller chez les Morts;
Ni la Race, ni les Trésors
Ne sauraient t'empêcher d'en augmenter le nombre.
Le Potentat le plus grand de nos jours
Ne sera rien qu'un nom, ne sera rien qu'une ombre,
Avant qu'un demi-siècle ait achevé son cours.

On n'est guère loin du matin
Qui doit terminer le Destin
Des superbes Tyrans du Danube et du Tage.
Ils font les Dieux dans le Monde Chrétien:
Mais ils n'auront sur toi que le triste avantage
D'infecter un Tombeau plus riche que le tien.

Et comment pourrions-nous durer?
Le Temps, qui doit tout dévorer,
Sur le fer et la pierre exerce son empire;
Il abattra ces fermes Bâtiments
Qui n'offrent à nos yeux que marbre et que porphyre,
Et qui jusqu'aux Enfers portent leurs fondements.

On cherche en vain les belles Tours
Où Pâris cacha ses Amours,
Et d'où ce Fainéant vit tant de funérailles.
Rome n'a rien de son antique orgueil,
Et le vide enfermé de ses vieilles murailles
N'est qu'un affreux objet et qu'un vaste cercueil.

Mais tu dois avecque mépris
Regarder ces petits débris:
Le Temps amènera la fin de toutes choses;
Et ce beau Ciel, ce lambris azuré,
Ce Théâtre, où l'Aurore épanche tant de Roses,
Sera brûlé des feux dont il est éclairé.

Le grand Astre qui l'embellit
Fera sa Tombe de son Lit:
L'Air ne formera plus ni Grêles, ni Tonnerres;
Et l'Univers, qui dans son large tour
Voit courir tant de Mers et fleurir tant de Terres,
Sans savoir où tomber, tombera quelque jour.

RONDEAU

Il est passé, il a plié bagage,
Le Cardinal dont c'est moult grand dommage
Pour sa maison; c'est comme je l'entends.
Car pour autrui maints hommes sont contents
En bonne foi de n'en voir que l'image.

Il fut soigneux d'enrichir son lignage
Par dons, par vols, par fraude et mariage;
Mais aujourd'hui il n'en est plus le temps,
Il est passé.

Or parlons-en sans crainte d'être en cage,
Il est en plomb, l'éminent personnage
Qui de nos maux a ri plus de vingt ans.
Le Roi de Bronze en eut le passe temps,
Quand sur le pont à tout son attelage
Il est passé.

ÉPIGRAMME

Charmant Rossignol, dont la voix
Interrompt le profond silence
De ces Rochers et de ces Bois
Où l'Été perd sa violence,

Si la Bergère que je sers
Revient jamais dans ces Déserts,
Apprends à cette Âme cruelle

Que l'eau qui coule entre ces Fleurs
Est un petit reste des pleurs
Que j'ai versés pour l'amour d'elle.

Étienne Durand

DIALOGUE

– Pourquoi courez-vous tant, inutiles pensées,
Après un bien perdu qui ne peut revenir?
– Nous voulons rechercher tes liesses passées
Pour en faire à ton cœur quelqu'une parvenir.

– Quoi! ne savez-vous pas, chimères insensées,
Que d'un plaisir perdu triste est le souvenir?
– Oui, mais on peut encor d'espoir s'entretenir
Quand un peu les douleurs ont nos âmes lassées.

Durand

– Hé! pourrais-je espérer de jamais convertir
Le crime de ma belle en un doux repentir?
– La constance en amour fait d'étranges miracles.

– Quoi donc, faut-il aimer? – Faut espérer aussi.
Car les refus de femmes ont l'effet des oracles
Qui, jurés bien souvent, n'arrivent pas ainsi.

STANCES A L'INCONSTANCE

Esprit des beaux esprits, vagabonde inconstance,
Qu'Éole, roi des vents, avec l'onde conçut
Pour être de ce monde une seconde essence,
Reçois ces vers sacrés à ta seule puissance,
Aussi bien que mon âme autrefois te reçut.

Déesse qui partout et nulle part demeure,
Qui préside à nos jours et nous porte au tombeau,
Qui fais que le désir d'un instant naisse et meure,
Et qui fait que les cieux se tournent à toute heure
Encore qu'il ne soit rien ni si grand ni si beau.

Si la terre pesante en sa base est contrainte,
C'est par le mouvement des atomes divers,
Sur le dos de Neptun ta puissance est dépeinte,
Et les saisons font voir que ta majesté sainte
Est l'âme qui soutient le corps de l'univers.

Notre esprit n'est que vent, et, comme un vent volage,
Ce qu'il nomme constance est un branle rétif:
Ce qu'il pense aujourd'hui demain n'est qu'un ombrage,
Le passé n'est plus rien, le futur un nuage,
Et ce qu'il tient présent il le sent fugitif.

Je peindrais volontiers mes légères pensées,
Mais déjà, le pensant, mon penser est changé,
Ce que je tiens m'échappe, et les choses passées
Toujours par le présent se tiennent effacées,
Tant à ce changement mon esprit est rangé.

Aussi depuis qu'à moi ta grandeur est unie
Des plus cruels dédains j'ai su me garantir;
J'ai gaussé les esprits dont la folle manie
Esclave leur repos sous une tyrannie,
Et meurent à leur bien pour vivre au repentir.

Entre mille glaçons je sais peindre une flamme,
Entre mille plaisirs je fais le soucieux;
J'en porte une à la bouche, une autre dedans l'âme,
Et tiendrais à péché, si la plus belle dame
Me retenait le cœur plus longtemps que les yeux.

Doncques, fille de l'air, de cent plumes couverte,
Qui de serf que j'étais m'a mis en liberté,
Je te fais un présent des restes de ma perte,
De mon amour changé, de sa flamme déserte,
Et du folâtre objet qui m'avait arrêté.

Je te fais un présent d'un tableau fantastique,
Où l'amour et le jeu par la main se tiendront,
L'oubliance, l'espoir, le désir frénétique,
Les serments parjurés, l'ardeur mélancolique,
Les femmes et les vents ensemble s'y verront.

Les sables de la mer, les orages, les nues,
Les feux qui font en l'air les tonnantes chaleurs,
Les flammes des éclairs plus tôt mortes que vues,
Les peintures du ciel à nos yeux inconnues,
A ce divin tableau serviront de couleurs.

Pour un temple sacré je te donne ma belle,
Je te donne son cœur pour en faire un autel,
Pour faire ton séjour tu prendras sa cervelle,
Et moi, je te serai comme un prêtre fidèle
Qui passera ses jours en un change immortel.

Jean Auvray

DEUX SONNETS SUR LA PASSION DU SAUVEUR

Serait-ce là mon Dieu que ce fantôme affreux!
Tout courbé sous le faix de cette Croix pesante?
Ce Roi qui a pour sceptre un roseau douloureux,
Et pour son diadème une épine poignante?
Serait-ce là mon Dieu qu'une tourbe hurlante
Traite si rudement, ce difforme Lépreux?
Le visage enlaidi de crachats limoneux,
Le corps moulu de coups, la peau toute sanglante?
Serait-ce là mon Dieu! non, non ce n'est-il pas,
C'est quelque criminel que l'on mène au trépas:
Que dis-je, sacrilège: ô blasphème exécrable!
C'est mon Dieu, mon Sauveur, et mon Roi glorieux,
Mais, le monde trompeur, et la chair, et le diable
Sont trois vilains corbeaux qui me crevaient les yeux.

Sacrés ruisseaux de sang qui baignez ce saint bois,
Beaux fleuves de corail, rouges frangeons de flamme,
Non flamme, corail, sang: ains salutaire baume
Qui coulez aujourd'hui de l'arbre de la Croix.
Escarboucles sanguins, trésor du Roi des Rois,
Saints rubis, dont l'éclat d'un beau désir m'enflamme,
Çà que je vous adore et reçoive en mon âme,
Puisqu'il ne m'est permis vous toucher de mes doigts.
Jaillissez donc, beau sang de ces plaies sacrées,
Lavez-moi, purgez-moi dans vos ondes pourprées,
Pour noyer mes péchés faites un large étang:
Non, Seigneur, arrêtez ces précieuses ondes,
C'est trop pour un pécheur prodiguer votre sang,
Il n'en faut qu'une goutte à sauver mille mondes.

ains, mais

Claude Hopil

DU CACHOT DIVIN

Dans ce cachot divin, j'entrevois la lumière
En ce lieu sur tout lieu,
Non, l'ombre j'entrevois de ma cause première
Qui n'est autre que Dieu.

C'est tout voir que le voir, c'est assez voir encore
– A l'ombre d'entrevoir –
Que du Roi glorieux que tout le Ciel adore
L'homme ne peut rien voir.

Il faut être râvi dans le cachot céleste
Pour savoir ce que c'est,
C'est un trésor caché plus il se manifeste
Et moins on le connaît.

Quand sa douce lumière à nos yeux se révèle
En ce terrestre lieu,
L'esprit tombe en extase, et la trouve si belle
Qu'il voit bien que c'est Dieu.

Alors étant sans yeux, sans esprit, sans mémoire
Il l'adore caché;
Confessant que son Dieu n'est que lumière et gloire
Lui qu'ombre et que péché.

Mon Dieu, n'est-ce pas vous qui dès ma faible enfance
Révéliez à mes yeux
Ce cachot lumineux, caché sous l'apparence
D'un brouillard gracieux?

Oui? sans doute c'est vous, Seigneur, c'est vous encore
Qui dans un petit bois
Enflammâtes mon cœur de ce feu qui dévore
Les cœurs mêmes des Rois.

J'étais ravi d'amour, ma pauvre âme pâmée
Dans cette obscurité
Ne voyait en ce lieu qu'une épaisse fumée
Sans aucune clarté.

Mais sans voir la lumière elle sentait la flamme
Du céleste séjour
Qui par le Saint Esprit si bien le cœur enflamme
Qu'il n'est plus rien qu'Amour.

Amour, je ne vous vois, voilà toutes mes peines,
Saint Amour je vous sens,
Je vous sens sans sentir, vos odeurs souveraines
Tous les cœurs ravissants.

Je vous vois sans vous voir, je ne vous vois encore
Comme on vous voit aux Cieux,
Mais au prix des mondains je vous vois et j'adore
D'un œil mystérieux.

Quel est cet œil divin? est-ce point la prunelle
De la céleste foi?
Ou le sommet de l'âme où mon Dieu se révèle
Pour me tirer à soi?

Je ne sais ce que c'est, je ne vois que des ombres
Dans cette vision,
Mais je suis tout ravi dans ces cachettes sombres
En contemplation.

Plus je vois (non pas Dieu) mais de Dieu dans mon âme
Tant moins je vois de moi,
Tant plus Dieu se révèle et tant plus je me pâme
Et moins je l'entrevois.

Cachot dessus cachot, et voile dessus voile
Couvre le Saint des Saints.
Devant ce grand Soleil, comme une obscure Étoile
J'adore, admire et crains.

Je ne suis pas étoile, mais une ombre funèbre
Au regard de ses yeux.
Devant ce pur Soleil, l'Ange n'est que ténèbre.
Dieu seul luit glorieux.

L'Ange luit bien en Dieu, mais Dieu seul en lui-même
En toute éternité.
J'adore en ce cachot le mystère suprême
De la simple unité.

CANTIQUE DE L'INDIFFÉRENCE

Mon âme que veux-tu? Je te vois bien contente,
N'attends-tu point ici quelque don du Très-haut?
Le content ne veut rien, je suis indifférente.
Je ne sais que je veux. Dieu sait ce qu'il me faut.

Je n'aime pas la terre, et le Ciel même et l'Ange
Me sont indifférents en tout temps et tout lieu,
Je ne veux rien du tout, sans Dieu tout m'est étrange,
Et ne veux désirer Dieu même que pour Dieu.

Qui désire il n'a pas, pourquoi faut-il encore
Souhaiter ce qu'on tient (au moins déjà par foi)?
Je renonce à moi-même, et celui que j'adore
Je ne désire pas, car il est tout en moi.

Je désire la grâce en qui l'âme ravie
Demeure indifférente en son éternel sort:
Je ne veux, s'il ne veut, ni la mort ni la vie
Et je veux, comme il veut, ou la vie ou la mort.

Plus grand ni plus petit, je ne voudrais pas être,
Plus sage, plus savant, avoir un autre esprit.
Je voudrais être saint mais non pas le paraître,
N'étant rien en moi-même et tout en Jésus-Christ.

Je ne voudrais changer l'être de ma nature,
Par sa grâce en son temps mon Dieu la changera,
En moi je ne suis rien que vent et pourriture,
En mon Dieu je serai tout ce qu'il me fera.

Demandant, que veux-tu de ce monde muable?
Rien du tout, pour mon âme il n'a point de beauté,
Je veux Dieu simplement. Voici chose admirable:
Car je veux seulement de Dieu la volonté.

Je me perds en parlant de cette indifférence.
Je ne sais que je veux, que je pense et je dis,
Je ne veux seulement du Paradis l'essence
Ou ne veux le vouloir qu'au Dieu du Paradis.

Si son amour régnait dans la chartre infernalle
Comme elle règne au Ciel (beau séjour des bénis)
L'enfer et Paradis me serait chose égale;
La Volonté divine est mon vrai Paradis.

Je ne sais que je veux, que j'attends et j'espère,
Je ne veux rien du tout, j'attends, j'espère tout
Et si je n'attends rien; l'état plus salutaire
Est d'être mort au monde, et n'avoir aucun goût.

Je n'aime plus les Cieux, les Astres, les Archanges,
Les hommes ni les Saints qu'au principe parfait:
Tous objets (hormis Dieu) sont à mon âme étranges,
Je suis entre les mains de celui qui m'a fait.

Je n'aime plus mon Dieu: n'est-ce point un blasphème?
Non, je ne l'aime plus ainsi que je l'aimais
De cet amour sensible où me cherchant moi-même
En feignant de l'aimer, m'aimant je le fuyais.

Je ne veux le servir pour crainte des supplices,
Je ne veux le chérir pour gagner Paradis,
L'aimer d'un pur amour sont toutes mes délices:
Je me plais d'en parler, je ne sais que je dis!

Et si, pourtant

Je veux doncques aimer pour sa bonté suprême,
Pour ce qu'il est mon Dieu, pour ce qu'il m'aime tant
Ou je le veux aimer puisqu'il veut que je l'aime,
Mourant en cet état, que je serais content!

Vivre sur le Thabor, mourir sur le Calvaire
Avoir douleur ou joie en cet instable lieu,
Qu'importe tout cela? Le seul point salutaire
Est d'être indifférent et laisser faire Dieu.

Honoré du Bueil, Marquis de Racan

A TIRCIS SUR LA RETRAITE

Tircis, il faut penser à faire la retraite,
La course de nos jours est plus qu'à demi faite;
L'âge insensiblement nous conduit à la mort.
Nous avons assez vu sur la mer de ce monde
Errer au gré des flots notre nef vagabonde;
Il est temps de jouir des délices du port.

Le bien de la fortune est un bien périssable;
Quand on bâtit sur elle, on bâtit sur le sable;
Plus on est élevé, plus on court de dangers;
Les grands pins sont en butte aux coups de la tempête,
Et la rage des vents brise plutôt le faîte
Des maisons de nos rois que les toits des bergers.

O bienheureux celui qui peut de sa mémoire
Effacer pour jamais ce vain espoir de gloire,
Dont l'inutile soin traverse nos plaisirs,
Et qui, loin, retiré de la foule importune,
Vivant dans sa maison content de sa fortune,
A selon son pouvoir mesuré ses désirs.

sa fortune, son sort

Il laboure le champ que labourait son père,
Il ne s'informe point de ce qu'on délibère
Dans ces graves conseils d'affaires accablés,
Il voit sans intérêt la mer grosse d'orages,
Et n'observe des vents les sinistres présages
Que pour le soin qu'il a du salut de ses blés.

Roi de ses passions, il a ce qu'il désire;
Son fertile domaine est son petit empire,
Sa cabane est son Louvre et son Fontainebleau.
Ses champs et ses jardins sont autant de provinces;
Et, sans porter envie à la pompe des princes,
Se contente chez lui de les voir en tableau.

Il voit de toutes parts combler d'heur sa famille,
La javelle à plein poing tomber sous sa faucille,
Le vendangeur ployer sous le faix des paniers,
Et semble qu'à l'envi les fertiles montagnes,
Les humides vallons et les grasses campagnes
S'efforcent à remplir sa cave et ses greniers.

Il suit aucunesfois un cerf par les foulées
Dans ces vieilles forêts du peuple reculées,
Et qui même du jour ignorent le flambeau;
Aucunesfois des chiens il suit les voix confuses,
Et voit enfin le lièvre, après toutes ses ruses,
Du lieu de sa naissance en faire son tombeau.

Tantôt il se promène au long de ces fontaines
De qui les petits flots font luire dans les plaines
L'argent de leurs ruisseaux parmi l'or des moissons;
Tantôt il se repose avecque les bergères
Sur des lits naturels de mousse et de fougères
Qui n'ont autres rideaux que l'ombre des buissons.

Il soupire en repos l'ennui de sa vieillesse
Dans ce même foyer où sa tendre jeunesse
A vu dans le berceau ses bras emmaillotés;

aucunesfois, quelquefois

Il tient par les moissons registre des années,
Et voit, de temps en temps, leurs courses enchaînées
Vieillir avecque lui les bois qu'il a plantés.

Il ne va point fouiller aux terres inconnues,
A la merci des vents et des ondes chenues,
Ce que nature avare a caché de trésors,
Et ne recherche point pour honorer sa vie
De plus illustre mort ni plus digne d'envie,
Que de mourir au lit où ses pères sont morts.

Il contemple du port les insolentes rages
Des vents de la faveur, auteurs de nos orages,
Allumer des mutins les desseins factieux;
Et voit en un clin d'œil, par un contraire échange,
L'un déchiré du peuple au milieu de la fange,
Et l'autre à même temps élevé dans les cieux.

S'il ne possède point ces maisons magnifiques,
Ces tours, ces chapiteaux, ces superbes portiques
Où la magnificence étale ses attraits,
Il jouit des beautés qu'ont les saisons nouvelles,
Il voit de la verdure et des fleurs naturelles
Qu'en ces riches lambris l'on ne voit qu'en portraits.

Crois-moi, retirons-nous hors de la multitude,
Et vivons désormais loin de la servitude
De ces palais dorés où tout le monde accourt,
Sous un chêne élevé les arbrisseaux s'ennuient,
Et devant le soleil tous les astres s'enfuient,
De peur d'être obligés de lui faire la cour.

Après qu'on a suivi sans aucune assurance
Cette vaine faveur qui nous paît d'espérance,
L'envie en un moment tous nos desseins détruit;
Ce n'est qu'une fumée, il n'est rien de si frêle,
Sa plus belle moisson est sujette à la grêle,
Et souvent elle n'a que fleurs pour du fruit.

Racan – Théophile de Viau

Agréables déserts, séjour de l'innocence,
Où loin des vanités de la magnificence,
Commence mon repos et finit mon tourment,
Vallons, fleuves, rochers, plaisante solitude,
Si vous fûtes témoins de mon inquiétude,
Soyez-le désormais de mon contentement.

Théophile de Viau

LA SOLITUDE – ODE

Dans ce val solitaire et sombre,
Le cerf qui brame au bruit de l'eau
Penchant ses yeux dans un ruisseau,
S'amuse à regarder son ombre.

De cette source une Naïade
Tous les soirs ouvre le portal
De sa demeure de cristal
Et nous chante une sérénade.

Les Nymphes, que la chasse attire
A l'ombrage de ces forêts,
Cherchent les cabinets secrets
Loin de l'embûche du satyre.

Jadis, au pied de ce grand chêne,
Presque aussi vieux que le soleil,
Bacchus, l'Amour et le Sommeil
Firent la fosse de Silène.

Un froid et ténébreux silence
Dort à l'ombre de ces ormeaux,
Et les vents battent les rameaux
D'une amoureuse violence.

L'esprit plus retenu s'engage
Au plaisir de ce doux séjour,
Où Philomèle nuit et jour
Renouvelle un piteux langage.

L'orfraie et le hibou s'y perche;
Ici vivent les loups-garous;
Jamais la justice en courroux
Ici de criminel ne cherche.

Ici l'amour fait ses études;
Vénus y dresse des autels,
Et les visites des mortels
Ne troublent point ces solitudes.

Cette forêt n'est point profane;
Ce ne fut point sans la fâcher
Qu'Amour y vint jadis cacher
Le berger qu'enseignait Diane.

Amour pouvait par innocence,
Comme enfant, tendre ici des rêts,
Et, comme reine des forêts,
Diane avait cette licence.

. . . . .

Sainte forêt, ma confidente,
Je jure par le Dieu du jour
Que je n'aurai jamais d'amour
Qui ne te soit tout évidente.

Mon ange ira par cet ombrage;
Le soleil, le voyant venir,
Ressentira du souvenir
L'accès de sa première rage.

Corinne, je te prie, approche;
Couchons-nous sur ce tapis vert,

Et pour être mieux à couvert,
Entrons au creux de cette roche.

Ouvre tes yeux, je te supplie;
Mille amours logent là-dedans,
Et de leurs petits traits ardents
Ta prunelle est toute remplie.

Amour de tes regards soupire
Et, ton esclave devenu,
Se voit lui-même retenu
Dans les liens de ton empire.

. . . . .

Mon Dieu! que tes cheveux me plaisent!
Ils s'ébattent dessus ton front,
Et, les voyant beaux comme ils sont,
Je suis jaloux quand ils te baisent.

Belle bouche d'ambre et de rose,
Ton entretien est déplaisant,
Si tu ne dis, en me baisant,
Qu'aimer est une belle chose.

D'un air plein d'amoureuse flamme,
Aux accents de ta douce voix,
Je vois les fleuves et les bois
S'embraser comme a fait mon âme.

Si tu mouilles tes doigts d'ivoire
Dans le cristal de ce ruisseau,
Le dieu qui loge dans cette eau
Aimera, s'il en ose boire.

Présente-lui ta face nue,
Tes yeux avecque l'eau riront,
Et dans ce miroir écriront
Que Vénus est ici venue.

Si bien elle y sera dépeinte
Que les faunes s'enflammeront,
Et de tes yeux qu'ils aimeront,
Ne sauront découvrir la feinte.

Entends ce dieu qui te convie
A passer dans son élément:
Ois qu'il soupire bellement
Sa liberté déjà ravie.

Trouble-lui cette fantaisie,
Détourne-toi de ce miroir,
Tu le mettras au désespoir
Et m'ôteras la jalousie.

Vois-tu ce tronc et cette pierre?
Je crois qu'ils prennent garde à nous.
Et mon amour devient jaloux
De ce myrte et de ce lierre.

Sus, ma Corinne! que je cueille
Tes baisers du matin au soir!
Vois, comment pour nous faire asseoir
Ce myrte a laissé choir sa feuille!

Ois le pinson et la linotte,
Sur la branche de ce rosier;
Vois branler leur petit gosier,
Ois comme ils ont changé de note!

Approche, approche, ma Dryade!
Ici murmureront les eaux,
Ici les amoureux oiseaux
Chanteront une sérénade.

Prête-moi ton sein pour y boire
Des odeurs qui m'embaumeront;
Ainsi mes sens se pâmeront
Dans les lacs de tes bras d'ivoire.

Je baignerai mes mains folâtres
Dans les ondes de tes cheveux,
Et ta beauté prendra les vœux
De mes œillades idolâtres.

Ne crains rien, Cupidon nous garde.
Mon petit ange, es-tu pas mien?
Ah! Je vois que tu m'aimes bien:
Tu rougis quand je te regarde.

Dieux! que cette façon timide
Est puissante sur mes esprits!
Renaud ne fut pas mieux épris
Par les charmes de son Armide.

Ma Corinne, que je t'embrasse!
Personne ne nous voit qu'Amour;
Vois que même les yeux du jour
Ne trouvent ici point de place.

Les vents qui ne se peuvent taire,
Ne peuvent écouter aussi,
Et ce que nous ferons ici
Leur est un inconnu mystère.

STANCES

Quand tu me vois baiser tes bras,
Que tu poses nus sur tes draps,
Bien plus blancs que le linge même;
Quand tu sens ma brûlante main
Se promener dessus ton sein,
Tu sens bien, Cloris, que je t'aime.

Comme un dévôt devers les cieux,
Mes yeux tournés devers tes yeux,
A genoux auprès de ta couche,

Pressé de mille ardents désirs,
Je laisse, sans ouvrir ma bouche,
Avec toi dormir mes plaisirs.

Le sommeil, aise de t'avoir,
Empêche tes yeux de me voir,
Et te retient dans son empire
Avec si peu de liberté
Que ton esprit tout arrêté
Ne murmure ni ne respire.

La rose en rendant son odeur,
Le soleil donnant son ardeur,
Diane et le char qui la traîne,
Une Naïade dedans l'eau,
Et les Grâces dans un tableau,
Font plus de bruit que ton haleine.

Là, je soupire auprès de toi,
Et, considérant comme quoi
Ton œil si doucement repose,
Je m'écrie: O Ciel! peux-tu bien
Tirer d'une si belle chose
Un si cruel mal que le mien!

RÉCIT DE BALLET – APOLLON CHAMPION

Moi de qui les rayons font les traits du tonnerre
Et de qui l'univers adore les autels,
Moi dont les plus grands Dieux redouteraient la guerre,
Puis-je sans déshonneur me prendre à des mortels?

J'attaque malgré moi leur orgueilleuse envie,
Leur audace a vaincu ma nature et le sort:
Car ma vertu, qui n'est que pour donner la vie,
Est aujourd'hui forcée à leur donner la mort.

J'affranchis mes autels de ces fâcheux obstacles,
Et foulant ces brigands que mes traits vont punir,
Chacun dorénavant viendra vers mes oracles
Et préviendra le mal qui lui peut advenir.

C'est moi qui, pénétrant la dureté des arbres,
Arrache de leur cœur une savante voix,
Qui fais taire les vents, qui fais parler les marbres,
Et qui trace au destin la conduite des rois.

C'est moi dont la chaleur donne la vie aux roses,
Et fait ressusciter les fruits ensevelis;
Je donne la durée et la couleur aux choses,
Et fais vivre l'éclat de la blancheur des lis.

Si peu que je m'absente, un manteau de ténêbres
Tient d'une froide horreur ciel et terre couverts;
Les vergers les plus beaux sont des objets funèbres,
Et, quand mon œil est clos, tout meurt en l'univers.

ÉLÉGIE

Souverain qui régis l'influence des vers
Aussi bien que tu fais mouvoir tout l'Univers,
Âme de nos esprits qui dans notre naissance
Inspiras un rayon de ta divine essence,
Pourquoi ne m'as-tu fait les sentiments meilleurs?
Pourquoi tes beaux trésors sont-ils coulés ailleurs?
Je vois de toutes parts des écrivains sans nombre
Dont la grandeur a mis mon petit nom à l'ombre.
Je n'ai qu'un pauvre fonds d'un médiocre esprit,
Où je vais cultiver ce que le Ciel m'apprit;
Des tristes sons rimeurs, d'un style qui se traîne,
Épuisent tous les jours ma languissante veine.
Si j'avais la vigueur de ces fameux Latins,
Ou l'Esprit de celui qui força les Destins,
Qui vit à ses chansons les Parques désarmées
Et de tous les damnés les tortures charmées,

Quand pour l'amour de lui le Prince des Enfers
Laissa vivre Euridice et la tira des fers,
Ou si c'est trop d'avoir ces merveilleux génies
Qu'à notre siècle infâme à bon droit tu dénies,
Je me contenterais d'égaler en mon art
La douceur de Malherbe ou l'ardeur de Ronsard,
Et mille autres encore, à qui je fais hommage
Et de qui je ne suis que l'ombre, et que l'image,
Je donnerais ma plume à ces soins violents,
A peindre ces sanglots et ces désirs brûlants
Que depuis peu de jours quelque Démon allume
Dans mon sang où l'Amour se paît et me consume.
Si mes vers retenaient encore la ferveur
Qui les fit autrefois naître pour la Faveur,
Et tant d'écrits perdus que pour chanter leur flamme
Mille de mes amis m'ont arraché de l'âme,
O Cloris qui te sais si bien faire adorer!
Qui l'Âme par les yeux m'as pu si bien tirer,
Beauté que désormais je nommerai mon Ange,
Je les consacrerais sans doute à ta louange.

. . . . .

. . . Ton amour, ô Cloris, a changé ma nature.
L'éclat des diamants ni du plus beau métal,
Bacchus, tout dieu qu'il est, riant dans le cristal,
Au prix de tes regards n'ont point trouvé la voie
Qui conduit dans mon âme une parfaite joie.
Si le sort me donnait la qualité de roi,
Si les plus chers plaisirs s'adressaient tous à moi,
Si j'étais empereur de la terre et de l'onde,
Si de ma propre main j'avais bâti le monde,
Et, comme le soleil, de mes regards produit
Tout ce que l'univers a de fleur et de fruit,
Si cela m'arrivait, je n'aurais pas tant d'aise
Ni tant de vanité que si Cloris me baise.
Mais j'entends d'un baiser où le cœur puisse aller
Avec les mouvements des yeux et du parler,

Que son âme sans peine avec moi s'entretienne,
Et que sa volonté seconde un peu la mienne.
  Amants qui vous piquez vers un objet forcé,
Qui ne savez que c'est d'un baiser bien pressé,
Qui ne trouvez l'amour que dans la tyrannie,
Et n'aimez les faveurs qu'en tant qu'on les vous nie,
Que vous êtes heureux en vos lâches désirs,
Puisque même vos maux font naître vos plaisirs!
Pour moi, chère Cloris, je n'en suis pas de même,
Je ne saurais aimer si je ne vois qu'on m'aime;
Et si peu qu'on refuse à ma sainte amitié,
Je sens que mon ardeur décroît de la moitié.
J'entends que le salaire égale mon service.
Je pense qu'autrement la constance est un vice,
Qu'Amour hait ces esprits qui lui sont trop dévots,
Et que la patience est la vertu des sots.
Ce que je dis, Cloris, avec plus d'assurance
D'autant que je te vois flatter mon espérance,
Et que, pour nous tenir dans cet heureux lien,
Je vois déjà d'accord ton esprit et le mien.
  Aimons-nous, je te prie, et lorsque mon visage
Te voudra rebuter, ou mon poil ou mon âge,
Regarde en mon esprit où j'ai mis ton tableau,
Lors tu verras en moi quelque chose de beau:
Tu te verras logée en un petit empire
Où l'esprit de l'Amour avecque moi soupire.
Il se tient glorieux de recevoir ta loi,
Et semble qu'il poursuit même dessein que moi:
Si je vais dans tes yeux, il y va prendre place;
Je ne vois là-dedans que ses traits et ma face,
Je doute s'il y fait ou mon bien ou mon mal,
Et ne sais plus s'il est mon maître ou mon rival.
Je connais bien l'Amour, je sais qu'il est perfide,
Et si pour le chasser je suis un peu timide:
Je lui ferai toujours un traitement humain
Puisque je l'ai reçu d'une si bonne main,
Puisque c'est toi, Cloris, après l'avoir fait naître,

Et si, pourtant

Qui l'a mis dans mon âme où ton œil est le maître,
Où tu vis absolue en tes commandements,
Où ton vouloir préside à tous mes sentiments.
C'est par toi que ces vers, d'une veine animée,
S'en vont à ma faveur flatter la renommée.
Mais je dirai partout que tes seules beautés
Ont été le Démon qui me les a dictés,
Et tant que tes regards luiront à ma pensée,
Sans ouvrir une veine aucunement forcée
Ma muse se promet de mériter un jour
Que ses vers soient nommés les fruits de ton amour.
Autant que ton humeur aime la poésie,
Je te prie, ô Cloris, aide à ma frénésie:
Et puisque je m'engage à ce divin projet,
Ne te lasse jamais de me servir d'objet.
Aujourd'hui, donne-moi tes beaux cheveux à peindre,
Tu verras une plume au Pactole se teindre,
Et d'une lettre d'or graver selon mes vœux
Mon âme entrelacée avecque tes cheveux.
Je ne veux point laisser ma passion oisive,
Ma veine est pour Cloris et sans fonds et sans rive . . .
Demain je décrirai ses yeux et ce beau front,
Pour elle mon génie est abondant et prompt
Et pour voir que ma veine en ce sujet tarisse,
Il faudra voir plutôt que sa beauté périsse
Que mes yeux dans ses yeux ne trouvent plus d'Amour,
C'est à dire, il faut voir périr l'Astre du jour:
Car je ne pense point que ses attraits succombent
Sous l'injure des ans tant que les Cieux ne tombent.
Ils se renforceront au lieu de défaillir
Comme l'or s'embellit à force de vieillir,
Et comme le Soleil à qui le vieil usage
N'a point ôté l'ardeur ni changé le visage.
Toutefois il n'importe à mon contentement
Que mon Soleil éclaire ou meure promptement,
Puisque déjà ma vie à demi consommée
Ne se peut assurer d'être longtemps aimée,
Que je dois défaillir à ce divin flambeau,

Et perdre avecques moi sa mémoire au tombeau:
Mais tandis que le Ciel me souffrira de vivre
Et que le trait d'Amour me daignera poursuivre,
Je me veux consommer dans ce plaisir charmant,
Et me résous de vivre et mourir en aimant.
. . . Je sais bien que Cloris ne me veut pas contraindre
Au soin perpétuel de servir et de craindre,
Qu'elle a des mouvements sujets à la pitié,
Et qu'au moins sa raison songe à mon amitié.
  Cloris, si je venais aveuglé de tes charmes,
Le cœur tout en soupirs, et les yeux tout en larmes,
Demander instamment un amoureux plaisir,
Je crois que ton amour m'en laisserait choisir.
Maintenant que le ciel dépouille les nuages,
Que le front du printemps menace les orages,
Que les champs comme toi paraissent embellis,
De quantité d'œillets, de roses et de lis:
Que tout ist sur la terre et qu'une humeur féconde
Qu'attire le soleil fait rajeunir le monde,
Comme si j'avais part à la faveur des cieux
Qui redonne l'enfance à ces bocages vieux,
Et que ce renouveau qui rend tout agréable,
Me rendît à tes yeux plus jeune et plus aimable,
Je te veux conjurer avec des vœux discrets,
De passer avec moi quelques moments secrets.
Nous irons dans des bois sous des feuillages sombres
Où jamais le soleil n'a su forcer les ombres,
Personne là-dedans n'entendra nos amours:
Car je veux que les vents respectent nos discours,
Et que chaque ruisseau plus vitement s'enfuie
De devant tes regards, de peur qu'il ne t'ennuie . . .

ist, jaillit

ÉLÉGIE

Cloris, lorsque je songe, en te voyant si belle,
Que ta vie est sujette à la loi naturelle,
Et qu'à la fin les traits d'un visage si beau
Avec tout leur éclat iront dans le tombeau,
Sans espoir que la mort nous laisse en la pensée
Aucun ressentiment de l'amitié passée,
Je suis tout rebuté de l'aise et du souci
Que nous fait le destin qui nous gouverne ici;
Et, tombant tout à coup dans la mélancolie,
Je commence à blâmer un peu notre folie,
Et fais vœu de bon cœur de m'arracher un jour
La chère rêverie où m'occupe l'amour.
Aussi bien faudra-t-il qu'une vieillesse infâme
Nous gêle dans le sang les mouvements de l'âme,
Et que l'âge, en suivant ses révolutions,
Nous ôte la lumière avec les passions.
Ainsi je me résous de songer à la vie
Tandis que la raison m'en fait venir l'envie.
Je veux prendre un objet où mon libre désir
Discerne la douleur d'avecque le plaisir,
Où mes sens tous entiers, sans fraude et sans contrainte,
Ne s'embarrassent plus ni d'espoir ni de crainte;
Et, de sa vaine erreur mon cœur désabusant,
Je goûterai le bien que je verrai présent.
Je prendrai les douceurs à quoi je suis sensible
Le plus abondamment qu'il me sera possible.
Dieu nous a tant donné de divertissements,
Nos sens trouvent en eux tant de ravissements,
Que c'est une fureur de chercher qu'en nous-même,
Quelqu'un que nous aimions et quelqu'un qui nous aime.
Le cœur le mieux donné tient toujours à demi;
Chacun s'aime un peu mieux toujours que son ami:
On le suit rarement dedans la sépulture,
Le droit de l'amitié cède aux lois de nature.
Pour moi, si je voyais, en l'humeur où je suis,
Ton âme s'envoler aux éternelles nuits,

Quoi que puisse envers moi l'usage de tes charmes,
Je m'en consolerais avec un peu de larmes.
N'attends pas que l'amour aveugle aille suivant,
Dans l'horreur de la nuit, des ombres et du vent.
Ceux qui jurent avoir l'âme encore assez forte
Pour vivre dans les yeux d'une maîtresse morte,
N'ont pas pris le loisir de voir tous les efforts
Que fait la mort hideuse à consumer un corps.
Quand les sens pervertis sortent de leur usage,
Qu'une laideur visible efface le visage,
Que l'esprit défaillant et les membres perclus,
En se disant adieu, ne se connaissent plus,
Que dedans un moment, après la vie éteinte,
La face sur son cuir n'est pas seulement peinte,
Et que l'infirmité de la puante chair,
Nous fait ouvrir la terre afin de la cacher:
Il faut être animé d'une fureur bien vive,
Ayant considéré comme la mort arrive,
Et comme tout l'objet de notre amour périt,
Si par un tel remède une âme ne guérit.
  Cloris, tu vois qu'un jour il faudra qu'il advienne
Que le destin ravisse et ta vie et la mienne;
Mais sans te voir l'esprit ni le corps dépéri,
Le Ciel en soit loué! Cloris, je suis guéri.
Mon âme, en me dictant les vers que je t'envoie,
Me vient de plus en plus ressusciter la joie;
Je sens que mon esprit reprend la liberté,
Que mes yeux dévoilés connaissent la clarté,
Que l'objet d'un beau jour, d'un pré, d'une fontaine,
De voir comme Garonne en l'Océan se traîne,
De prendre dans mon île, en ses longs promenoirs,
La paisible fraîcheur de ses ombrages noirs,
Me plaît mieux aujourd'hui que le charme inutile
Des attraits dont Amour te fait voir si fertile.
Languir incessamment après une beauté,
Et ne se rebuter d'aucune cruauté,
Gagner au prix du sang une faible espérance
D'un plaisir passager qui n'est qu'en apparence,

Se rendre l'esprit mol, le courage abattu,
Ne mettre en aucun prix l'honneur ni la vertu,
Pour conserver son mal mettre tout en usage,
Se peindre incessamment et l'âme et le visage:
Cela tient d'un esprit où le Ciel n'a point mis
Ce que son influence inspire à ses amis.
Pour moi que la raison éclaire en quelque sorte,
Je ne saurais porter une fureur si forte;
Et déjà tu peux voir, au train de cet écrit,
Comme la guérison avance en mon esprit.
Car insensiblement ma Muse un peu légère
A passé dessus toi sa plume passagère,
Et détournant mon cœur de son premier objet,
Dès le commencement j'ai changé de sujet,
Emporté du plaisir de voir ma veine aisée
Sûrement aborder ma flamme rapaisée,
Et jouer à son gré sur les propos d'aimer,
Sans avoir aujourd'hui de but que de rimer,
Et sans te demander que ton bel œil éclaire
Ces vers où je n'ai pris aucun soin de te plaire.

LA MAISON DE SILVIE

ODE III

Dans ce parc un vallon secret,
Tout voilé de ramages sombres,
Où le soleil est si discret
Qu'il n'y force jamais les ombres,
Presse d'un cours si diligent
Les flots de deux ruisseaux d'argent,
Et donne une fraîcheur si vive
A tous les objets d'alentour,
Que même les martyrs d'amour
Y trouvent leur douleur captive.

Un étang dort là tout auprès
Où ces fontaines violentes
Courent et font du bruit exprès
Pour éveiller ses vagues lentes.

Lui, d'un maintien majestueux,
Reçoit l'abord impétueux
De ces Naïades vagabondes
Qui dedans ce large vaisseau
Confondent leur petit ruisseau
Et ne discernent plus ses ondes.

Là, Mélicerte, en un gazon,
Frais de l'étang qui l'environne,
Fait aux cygnes une maison
Qui lui sert aussi de couronne.
Si la vague qui bat ses bords
Jamais avecque des trésors
N'arrive à son petit empire,
Au moins les vents et les rochers
N'y font point crier les nochers
Dont ils ont brisé le navire.

Là les oiseaux font leurs petits,
Et n'ont jamais vu leurs couvées
Souler les sanglants appétits
Du serpent qui les a trouvées;
Là n'étend point ses plis mortels
Ce monstre de qui tant d'autels
Ont jadis adoré les charmes,
Et qui, d'un gosier gémissant,
Fait tomber l'âme du passant
Dedans l'embûche de ses larmes.

Zéphyre en chasse les chaleurs.
Rien que les cygnes n'y repaissent;
On n'y trouve rien sous les fleurs
Que la fraîcheur dont elles naissent;
Le gazon garde quelquefois
Le bandeau, l'arc et le carquois
De mille amours qui se dépouillent
A l'ombrage de ses roseaux,
Et dans l'humidité des eaux
Trempent leurs jeunes corps qui bouillent.

L'étang leur prête sa fraîcheur,
La Naïade leur verse à boire;
Toute l'eau prend de leur blancheur
L'éclat d'une couleur d'ivoire.
On voit là ces nageurs ardents,
Dans les ondes qu'ils vont fendants,
Faire la guerre aux Néréides,
Qui, devant leur teint mieux uni,
Cachent leur visage terni
Et leur front tout coupé de rides.

Or ensemble, ores dispersés,
Ils brillent dans ce crêpe sombre
Et sous les flots qu'ils ont percés
Laissent évanouir leur ombre.
Parfois dans une claire nuit,
Qui du feu de leurs yeux reluit
Sans aucun ombrage de nues,
Diane quitte son berger
Et s'en va là-dedans nager
Avecque ses étoiles nues.

Les ondes, qui leur font l'amour,
Se refrisent sur leurs épaules,
Et font danser tout à l'entour
L'ombre des roseaux et des saules.
Le Dieu de l'eau, tout furieux,
Haussé pour regarder leurs yeux
Et leur poil qui flotte sur l'onde,
Du premier qu'il voit approcher
Pense voir ce jeune cocher
Qui fit jadis brûler le monde.

Et ce pauvre amant langoureux,
Dont le feu toujours se rallume,
Et de qui les soins amoureux
Ont fait ainsi blanchir la plume,
Ce beau cygne à qui Phaéton

Laissa ce lamentable ton,
Témoin d'une amitié si sainte,
Sur le dos son aile élevant,
Met ses voiles blanches au vent
Pour chercher l'objet de sa plainte.

Ainsi, pour flatter son ennui,
Il demande au Dieu Mélicerte
Si chacun d'eux n'est pas celui
Dont il soupire tant la perte,
Et, contemplant de tous côtés
La semblance de leurs beautés,
Il sent renouveler sa flamme,
Errant avec des faux plaisirs
Sur les traces des vieux désirs
Que conserve encore son âme.

Toujours ce furieux dessein
Entretient ses blessures fraîches,
Et fait venir contre son sein
L'air brûlant et les ondes sèches.
Ces attraits, empreints là-dedans
Comme avec des flambeaux ardants,
Lui rendent la peau toute noire.
Ainsi, dedans comme dehors,
Il lui tient l'esprit et le corps,
La voix, les yeux et la mémoire.

ODE A MONSIEUR DE L. SUR LA MORT DE SON PÈRE

Ôte-toi, laisse-moi rêver:
Je sens un feu se soulever
Dont mon âme est toute embrasée.
O beaux prés, beaux rivages verts,
O grand flambeau de l'univers,
Que je trouve ma veine aisée!
Belle aurore, douce rosée,
Que vous m'allez donner de vers!

Le vent s'enfuit dans les ormeaux,
Et, pressant les feuillus rameaux,
Abat le reste de la nue;
Iris a perdu ses couleurs;
L'air n'a plus d'ombre ni de pleurs;
La bergère, aux champs revenue,
Mouillant sa jambe toute nue,
Foule les herbes et les fleurs.

Ces longues pluies dont l'hiver
Empêchait Tircis d'arriver
Ne seront plus continuées;
L'orage ne fait plus de bruit;
La clarté dissipe la nuit,
Ses noirceurs sont diminuées;
Le vent emporte les nuées,
Et voilà le soleil qui luit.

Mon Dieu, que le soleil est beau!
Que les froides nuits du tombeau
Font d'outrages à la nature!
La Mort, grosse de déplaisirs,
De ténèbres et de soupirs,
D'os, de vers et de pourriture,
Étouffe dans sa sépulture
Et nos forces et nos désirs.

Chez elle les géants sont nains;
Les Mores et les Africains
Sont aussi glacés que le Scythe;
Les dieux y tirent l'aviron;
César, comme le bûcheron,
Attendant que l'on ressuscite,
Tous les jours aux bords du Cocyte
Se trouve au lever de Charon.

Tircis, vous y viendrez un jour;
Alors les Grâces et l'Amour

Vous quitteront sur le passage,
Effacé du rang des humains,
Sans mouvement et sans visage,
Vous ne trouverez plus l'usage
Ni de vos yeux ni de vos mains.

Votre père est enseveli,
Et, dans les noirs flots de l'oubli
Où la Parque l'a fait descendre,
Il ne sait rien de votre ennui,
Et, ne fût-il mort qu'aujourd'hui,
Puisqu'il n'est plus qu'os et que cendre,
Il est aussi mort qu'Alexandre,
Et vous touche aussi peu que lui.

Saturne n'a plus ses maisons,
Ni ses ailes ni ses saisons:
Les Destins en ont fait une ombre.
Ce grand Mars n'est-il pas détruit?
Ses faits ne sont qu'un peu de bruit.
Jupiter n'est plus qu'un feu sombre
Qui se cache parmi le nombre
Des petits flambeaux de la nuit.

Le cours des ruisselets errants,
La fière chute des torrents,
Les rivières, les eaux salées,
Perdront et bruit et mouvement:
Le soleil, insensiblement
Les ayant toutes avalées,
Dedans les voûtes étoilées
Transportera leur élément.

Le sable, le poisson, les flots,
Le navire, les matelots,
Tritons, et Nymphes, et Neptune,
A la fin se verront perclus:
Sur leur dos ne se fera plus

Rouler le char de la Fortune,
Et l'influence de la lune
Abandonnera le reflus.

Les planètes s'arrêteront,
Les éléments se mêleront
En cette admirable structure
Dont le Ciel nous laisse jouir.
Ce qu'on voit, ce qu'on peut ouïr,
Passera comme une peinture:
L'impuissance de la Nature
Laissera tout évanouir.

Celui qui, formant le soleil,
Arracha d'un profond sommeil
L'air et le feu, la terre et l'onde,
Renversera d'un coup de main
La demeure du genre humain
Et la base où le ciel se fonde;
Et ce grand désordre du monde
Peut-être arrivera demain.

Marc-Antoine Girard, Sieur de Saint-Amant

LA SOLITUDE

O que j'aime la Solitude!
Que ces lieux sacrés à la Nuit,
Éloignés du monde et du bruit,
Plaisent à mon inquiétude!
Mon Dieu! que mes yeux sont contents
De voir ces bois qui se trouvèrent
A la nativité du Temps,
Et que tous les Siècles révèrent,
Être encore aussi beaux et verts,
Qu'aux premiers jours de l'Univers!

Un gai Zéphire les caresse
D'un mouvement doux et flatteur;
Rien que leur extrême hauteur
Ne fait remarquer leur vieillesse:
Jadis Pan et ses Demi-Dieux
Y vinrent chercher du refuge,
Quand Jupiter ouvrit les Cieux
Pour nous envoyer le Déluge,
Et se sauvant sur leurs rameaux,
A peine virent-ils les eaux.

Que sur cette épine fleurie,
Dont le printemps est amoureux,
Philomèle au chant langoureux,
Entretient bien ma rêverie!
Que je prends de plaisir à voir
Ces monts pendants en précipices,
Qui pour les coups du désespoir
Sont aux malheureux si propices,
Quand la cruauté de leur sort
Les force à rechercher la mort!

Que je trouve doux le ravage
De ces fiers torrents vagabonds,
Qui se précipitent par bonds
Dans ce vallon vert et sauvage!
Puis, glissant sous les arbrisseaux
Ainsi que des serpents sur l'herbe,
Se changent en plaisants ruisseaux,
Où quelque naïade superbe
Règne comme en son lit natal,
Dessus un trône de cristal!

Que j'aime ce marais paisible!
Il est tout bordé d'aliziers,
D'aulnes, de saules, et d'osiers,
A qui le fer n'est point nuisible!
Les nymphes y cherchant le frais,

S'y viennent fournir de quenouilles,
De pipeaux, de joncs, et de glais,
Où l'on voit sauter les grenouilles,
Qui de frayeur s'y vont cacher
Sitôt qu'on veut s'en approcher.

Là, cent mille oiseaux aquatiques
Vivent, sans craindre en leur repos,
Le giboyeur fin et dispos
Avec ses mortelles pratiques;
L'un, tout joyeux d'un si beau jour,
S'amuse à becquetter sa plume;
L'autre allentit le feu d'Amour
Qui dans l'eau même le consume,
Et prennent tous innocemment
Leur plaisir en cet élément.

Jamais l'été, ni la froidure
N'ont vu passer dessus cette eau
Nulle charrette, ni bateau
Depuis que l'un et l'autre dure.
Jamais voyageur altéré
N'y fit servir sa main de tasse;
Jamais chevreuil désespéré
N'y finit sa vie à la chasse;
Et jamais le traître hameçon
N'en fit sortir aucun poisson.

Que j'aime à voir la décadence
De ces vieux châteaux ruinés,
Contre qui les ans mutinés
Ont déployé leur insolence!
Les sorciers y font leur sabbat;
Les démons follets s'y retirent,
Qui d'un malicieux ébat
Trompent nos sens, et nous martyrent;
Là se nichent en mille trous
Les couleuvres et les hiboux.

glais, glaieuls

L'orfraie, avec ses cris funèbres,
Mortels augures des destins,
Fait rire et danser les lutins
Dans ces lieux remplis de ténèbres.
Sous un chevron de bois maudit
Y branle le squelette horrible
D'un pauvre amant qui se pendit
Pour une bergère insensible,
Qui d'un seul regard de pitié
Ne daigna voir son amitié.

Aussi le Ciel, juge équitable,
Qui maintient les Lois en vigueur,
Prononça contre sa rigueur
Une sentence épouvantable:
Autour de ces vieux ossements
Son ombre aux peines condamnée
Lamente en longs gémissements
Sa malheureuse destinée,
Ayant, pour croître son effroi,
Toujours son crime devant soi.

Là, se trouvent sur quelques marbres
Des devises du temps passé;
Ici, l'âge a presque effacé
Des chiffres taillés sur les arbres.
Le plancher du lieu le plus haut
Est tombé jusques dans la cave,
Que la limace, et le crapaud
Souillent de venin et de bave;
Le lierre y croît au foyer
A l'ombrage d'un grand noyer.

Là-dessous s'étend une voûte
Si sombre en un certain endroit,
Que quand Phébus y descendrait,
Je pense qu'il n'y verrait goutte.
Le Sommeil aux pesants sourcils,

Enchanté d'un morne silence,
Y dort, bien loin de tous soucis,
Dans les bras de la Nonchalance,
Lâchement couché sur le dos
Dessus des gerbes de pavots.

Au creux de cette grotte fraîche
Où l'Amour se pourrait geler,
Écho ne cesse de brûler
Pour son amant froid et revêche;
Je m'y coule sans faire bruit,
Et par la céleste harmonie
D'un doux luth, aux charmes instruit,
Je flatte sa triste manie,
Faisant répéter mes accords
A la voix qui lui sert de corps.

Tantôt, sortant de ces ruines,
Je monte au haut de ce rocher,
Dont le sommet semble chercher
En quel lieu se font les bruines:
Puis je descends tout à loisir,
Sous une falaise escarpée,
D'où je regarde avec plaisir
L'onde, qui l'a presque sapée
Jusqu'au siège de Palémon,
Fait d'éponges et de limon.

Que c'est une chose agréable
D'être sur le bord de la mer,
Quand elle vient à se calmer
Après quelque orage effroyable!
Et que les chevelus Tritons,
Hauts sur les vagues secouées,
Frappent les airs d'étranges tons
Avec leurs trompes enrouées,
Dont l'éclat rend respectueux
Les vents les plus impétueux.

Tantôt, l'onde brouillant l'arène,
Murmure et frémit de courroux,
Se roulant dessus les cailloux
Qu'elle apporte, et qu'elle r'entraîne.
Tantôt, elle étale en ses bords,
Que l'ire de Neptune outrage,
Des gens noyés, des monstres morts,
Des vaisseaux brisés du naufrage,
Des diamants, de l'ambregris,
Et mille autres choses de prix.

Tantôt, la plus claire du monde,
Elle semble un miroir flottant,
Et nous représente à l'instant
Encore d'autres cieux sous l'onde:
Le soleil s'y fait si bien voir,
Y contemplant son beau visage,
Qu'on est quelque temps à savoir
Si c'est lui-même ou son image,
Et d'abord il semble à nos yeux
Qu'il s'est laissé tomber des cieux.

Alcidon, pour qui je me vante
De ne rien faire que de beau,
Reçois ce fantasque tableau
Fait d'une peinture vivante.
Je ne cherche que les déserts,
Où rêvant tout seul, je m'amuse
A des discours assez diserts
De mon Génie avec la Muse:
Mais mon plus aimable entretien
C'est le ressouvenir du tien.

Tu vois dans cette poésie
Pleine de licence et d'ardeur,
Les beaux rayons de la splendeur
Qui m'éclaire la fantaisie:
Tantôt chagrin, tantôt joyeux,

Selon que la fureur m'enflamme,
Et que l'objet s'offre à mes yeux,
Les propos me naissent en l'âme,
Sans contraindre la liberté
Du démon qui m'a transporté.

O que j'aime la Solitude!
C'est l'élément des bons esprits,
C'est par elle que j'ai compris
L'art d'Apollon sans nulle étude:
Je l'aime pour l'amour de toi,
Connaissant que ton humeur l'aime,
Mais quand je pense bien à moi,
Je la hais pour la raison même;
Car elle pourrait me ravir
L'heur de te voir, et te servir.

LE CONTEMPLATEUR

. . . . .

Loin, dans une île qu'à bon droit
On honora du nom de Belle,
Où s'élève un fort qui tiendrait
Contre l'Anglais et le rebelle,
Je contente à plein mon désir
De voir mon Duc à mon plaisir,
Sans nul objet qui m'importune,
Et tâche à le garder d'ennui,
Sans songer à d'autre fortune
Qu'à l'honneur d'être auprès de lui.

Là, parfois consultant les eaux
Du sommet d'une roche nue,
Où pour voir voler les oiseaux
Il faut que je baisse la vue,

Je m'entretiens avec Thétis
Des poissons et grands et petits
Que de ses vagues elle enserre,
Et ne puis assez admirer,
Voyant les bornes de la terre,
Comme elle les peut endurer . . .

Là-dessus, me représentant
Les tristes effets du déluge,
Quand au premier logis flottant
Le genre humain eût son refuge,
Je feins un portrait à mes yeux
Du bon Noé chéri des cieux,
Pleurant pour les péchés du monde,
Et m'étonne, à voir tout périr,
Qu'enfin, au lieu d'accroître l'onde,
Des larmes la firent tarir.

Puis, voyant passer devant moi
Une colombe à tire-d'aile,
Aussitôt je me ramentoi
L'autre qui lui fut si fidèle;
J'estime que le saint Esprit
Dès lors cette figure prit
Pour rassurer sa foi craintive,
Et qu'entre cent arbres épais
Il choisit le rameau d'olive,
Pour lui-même annoncer la paix.

Tantôt, faisant agir mes sens
Sur des sujets de moindre étoffe,
De marche en autre je descends
Dans les termes du philosophe;
Nature n'a point de secret
Que d'un soin libre, mais discret,
Ma curiosité ne sonde;
Ses cabinets me sont ouverts,
Et, dans ma recherche profonde,
Je loge en moi tout l'univers.

Là, songeant au flux et reflux,
Je m'abîme dans cette idée;
Son mouvement me rend perclus,
Et mon âme en est obsédée.
Celui que l'Euripe engloutit
Jamais en son cœur ne sentit
Un plus ardent désir d'apprendre;
Mais quand je veux bien l'éplucher,
J'entends qu'on n'y peut rien entendre,
Et qu'on se perd à le chercher.

Là, mainte nef au gré du vent
Sillonnant la plaine liquide
Me fait repenser bien souvent
A la boussole qui la guide;
La miraculeuse vertu
Dont ce cadran est revêtu
Foule ma raison subvertie,
Et mes esprits, en ce discord,
S'embrouillent dans la sympathie
Du fer, de l'aimant et du nord.

Là, considérant à loisir
Les amis du temps où nous sommes,
Une fureur me vient saisir
Qui s'irrite contre les hommes.
O mœurs! dis-je, ô monde brutal!
Faut-il que le plus fier métal
Plus que toi se montre sensible!
Faut-il que, sans te réformer,
Une pierre dure au possible
Te fasse honte en l'art d'aimer!

Tantôt comme un petit bateau
Dans la bonace non suspecte,
J'aperçois voguer sur cette eau
Le nid que l'orage respecte:

Pour lui le flot amer est doux,
Aquilon retient son courroux,
Saturne a l'influence heureuse,
Et Phébus, plein de passion,
Aide, en sa chaleur vigoureuse,
A faire éclore l'alcyon.

Tout ce qu'autrefois j'ai chanté
De la mer, en ma Solitude,
En ce lieu m'est représenté,
Où souvent je fais mon étude.
J'y vois ce grand homme marin
Qui d'un véritable burin
Vivait ici dans la mémoire.
Mon cœur en est tout interdit,
Et je me sens forcé d'en croire
Bien plus qu'on ne m'en avait dit.

Il a le corps fait comme nous,
Sa tête à la nôtre est pareille,
Je l'ai vu jusques aux genoux,
Sa voix a frappé mon oreille,
Son bras d'écailles est couvert,
Son teint est blanc, son œil est vert,
Sa chevelure est azurée.
Il m'a regardé fixement,
Et sa contenance assurée
M'a donné de l'étonnement.

Un portrait qui n'est qu'ébauché
Représente bien son visage;
Sous du poil son sein est caché.
Il a des mains le libre usage;
De la droite il empoigne un cor
Fait de nacre aussi rare qu'or,
Dont les chiens de mer il assemble.
Je puis croire un Glauque aujourd'hui;
Bref, à nous si fort il ressemble,
Que j'ai pensé parler à lui.

De mainte branche de coral,
Qui croît sous l'eau comme de l'herbe,
Et dont Neptune est libéral,
Il porte un panache superbe;
Vingt tours de perles d'Orient,
Riches d'un lustre variant,
En guise d'écharpe le ceignent;
D'ambre son chef est parfumé,
Et, quoique les ondes le craignent,
Il en est pourtant bien-aimé. . . .

Quelquefois, bien loin écarté,
Je puise, pour apprendre à vivre
L'histoire ou la moralité
Dans quelque vénérable livre;
Quelquefois, surpris de la nuit
En une plage où pour tout fruit
J'ai ramassé mainte coquille,
Je reviens au château, rêvant,
Sous la faveur d'un ver qui brille
Ou plutôt d'un astre vivant.

O bon Dieu! m'écriai-je alors,
Que ta puissance est nonpareille
D'avoir en un si petit corps
Fait une si grande merveille!
O feu qui, toujours allumé,
Brûles sans être consumé!
Belle escarboucle qui chemines,
Ton éclat me plaît beaucoup mieux
Que celui qu'on tire des mines,
Afin d'ensorceler nos yeux!

Tantôt, saisi de quelque horreur
D'être seul parmi les ténèbres,
Abusé d'une vaine erreur,
Je me feins mille objets funèbres,
Mon esprit en est suspendu,

Mon cœur en demeure éperdu,
Le sein me bat, le poil me dresse,
Mon corps est privé de soutien,
Et dans la frayeur qui m'oppresse
Je crois voir tout pour ne voir rien.

Tantôt, délivré du tourment
De ces illusions nocturnes,
Je considère au firmament
L'aspect des flambeaux taciturnes;
Et, voyant qu'en ces doux déserts
Les orgueilleux tyrans des airs
Ont apaisé leur insolence,
J'écoute, à demi transporté,
Le bruit des ailes du Silence
Qui vole dans l'obscurité. . . .

Tantôt, levé devant le jour,
Contre ma coutume ordinaire,
Pour voir recommencer le tour
Au céleste et grand luminaire,
Je l'observe au sortir des flots,
Sous qui la nuit, étant enclos,
Il semblait être en sépulture;
Et, voyant son premier rayon,
Bénis l'auteur de la nature
Dont il est comme le crayon.

Ainsi, dis-je en le regardant,
Verra-t-on, quoi que l'oubli fasse,
Au point du dernier jour ardant
Ressusciter l'humaine race;
Ainsi, mais plus clair et plus beau,
Verra-t-on, comme ce flambeau,
Monter au ciel le corps du juste,
Après qu'avecque majesté,
Dieu, séant en son trône auguste,
L'aura par sa bouche arrêté.

Lors, d'un souci grave et profond
Me ramassant tout en moi-même,
Comme on tient que nos esprits font
Pour faire quelque effort extrême,
L'immortelle et savante main
De ce fameux peintre romain
N'a rien tracé d'émerveillable
Que ce penser de l'avenir
Plein d'une terreur agréable
Ne ramène en mon souvenir.

Là, rêvant à ce jour préfix
En qui toute âme saine espère;
Jour grand, où l'on verra le fils
Naître aussi tôt comme le père,
Je m'imagine au même instant
Entendre le son éclatant
De la trompette séraphique,
Et pense voir en appareil
Épouvantable et magnifique
Jésus au milieu du soleil.

A ce bruit, que je dois nommer
La voix de la seconde vie,
Qui semble déjà ranimer
Celle que la Parque a ravie;
A ce ton qui de bout en bout
Ici bas réveillera tout,
Et pour le deuil et pour la joie,
Il n'est posture, quant au corps,
En quoi mon œil ému ne croie
Voir sortir du tombeau les morts.

L'un m'apparaît un bras devant;
L'autre ne montre que la tête,
Et, n'étant qu'à moitié vivant,
Force l'obstacle qui l'arrête.
Celui-ci s'éveille en sursaut;

Celui-là joint les mains en haut,
Implorant la faveur divine;
Et l'autre est à peine levé
Que d'un cœur dévot il s'incline
Devers l'agneau qui l'a sauvé . . .

Tel, qui n'eût su quasi marcher
Autrefois, travaillé des gouttes,
Court maintenant et va chercher
Du ciel les glorieuses routes.
Tel, de qui le seul ornement
Fut d'être vêtu richement
Et d'avoir des valets sans nombre,
Ébahi de sa nudité,
N'est plus suivi que de son ombre,
Encore va-t-elle à côté.

L'un de parler est tout ravi,
Vu qu'il manquait jadis de langue,
Et fait à Dieu qu'il a servi
Son humble et première harangue;
L'autre, qui jamais du soleil
N'avait vu l'éclat nonpareil
Pour être aveugle de naissance,
Admire à présent sa couleur
Dont il ignorait la puissance,
Bien qu'il en connût la chaleur.

. . . . .

Les étoiles tombent des cieux,
Les flammes dévorent la terre,
Le mont Gibel est en tous lieux,
Et partout gronde le tonnerre.
La salamandre est sans vertu,
L'asbeste passe pour fétu,
La mer brûle comme eau-de-vie,
L'air n'est plus que soufre allumé,
Et l'astre dont l'aube est suivie
Est par soi-même consumé.

Les métaux, ensemble fondus,
Font des rivières précieuses;
Leurs flots bouillants sont épandus
Par les campagnes spacieuses.
Dans ce feu, le dernier des maux,
Tous les terrestres animaux
Se consolent en quelque sorte,
Du déluge à demi vengés,
En voyant ceux que l'onde porte
Aussi bien comme eux affligés.

L'unique oiseau meurt pour toujours,
La nature est exterminée,
Et le Temps, achevant son cours,
Met fin à toute destinée.
Ce vieillard ne peut plus voler;
Il se sent les ailes brûler
Avec une rigueur extrême;
Rien ne le saurait secourir;
Tout est détruit, et la Mort même
Se voit contrainte de mourir.

. . . . .

LE PASSAGE DE GIBRALTAR – CAPRICE HÉROÏCOMIQUE

Matelots, taillons de l'avant;
Notre navire est bon de voile;
Çà du vin, pour boire à l'étoile
Qui nous va conduire au levant.
A toi, la belle et petite ourse!
A toi, lampe de notre course
Quand le grand falot est gîté!
Il n'est point d'humeur si rebourse
Qui ne se crève à ta santé.

Mais, certes je suis bien oison,
Et je n'acquiers guère de gloire
De défier un astre à boire
Qui ne me peut faire raison;
Son malheureux destin me touche:
Jamais le pauvret ne se couche
Pour aller trinquer chez Thétis,
Et ce n'est rien qu'un corps sans bouche,
Privé des nobles appétits.

A qui dois-je donc m'adresser?
A Mars, dont la fière planète
Brille d'une clarté plus nette
Qu'un verre qu'on vient de rincer.
Aussi bien est-il notre guide;
Aussi bien les piliers d'Alcide
Frissonnent de le voir pour nous,
Et devant ce brave homicide
Atlas se présente à genoux.

Relève-toi, vieux crocheteur!
L'Olympe pourrait choir en l'onde,
Et prendre comme un rat le monde
Sous son énorme pesanteur.
Ce n'est point toi que l'on menace:
Bannis la crainte qui te glace,
Et prends garde à ce que tu fais,
Si tu ne veux perdre la place
De monarque des porte-faix.

Mais n'aperçois-je pas aux cieux
Voguer le pin des Argonautes,
Qui me reproche mille fautes,
En se découvrant à mes yeux?
Oui, c'est lui qu'en mer on adore;
Il me dit (car il jase encore
Comme il faisait au temps passé)
Que je ne suis qu'une pécore
De boire et de l'avoir laissé.

Pardon, ô céleste vaisseau!
Avec soif je te le demande,
Et veux, pour t'en payer l'amende,
Que ma tasse devienne seau.
Tu nous dois être favorable:
Un prince en valeur admirable
Représente ici ton Jason,
Et notre projet honorable,
Comme toi, vise à la toison.

C'est au Castillan qu'on en veut:
Nous cherchons partout à le mordre;
Mais le poltron y met bon ordre,
Il fuit notre choc tant qu'il peut;
A Neptune il fait banqueroute,
Nul défi naval il n'écoute,
La terreur l'échoue en ses ports,
Et dans Madrid même il redoute
Le bruit mortel de nos sabords.

La nuit commence à dénicher;
Enfants, voilà l'aube qui trotte,
Phébus la suit, et notre flotte
Dans le détroit va s'emmancher,
Que la pompe en est fière et belle!
Glauque n'en a point vu de telle
Depuis qu'une herbe qu'il mangea,
Rendant sa nature immortelle,
D'homme en dieu marin le changea.

Au gré de maint doux tourbillon
J'y vois cent *flammes* secouées;
Cent banderolles enjouées
Y font la cour au pavillon;
Ici, l'or brillant sur la soie
En une grande enseigne ondoie
Superbe de couleur et d'art,
Et là richement se déploie
Le grave et royal étendard.

sabords, portholes — *flammes*, scarlet pennants

Le portrait du fameux chapeau
Devant qui le turban suprême
Tremble, et n'est en sa peur extrême
Qu'un béguin crêté d'oripeau,
Ornant d'une auguste manière
Cette martiale bannière,
Nous arme mieux qu'un morion
Pour briser la tête dernière
Du rogue et nouveau Gérion.

Ce digne atour du plus grand chef
Qui du timon ait su l'usage
A l'adversaire ne présage
Qu'un dur et tragique méchef;
Cette lumineuse figure
Est l'astre de mortelle augure
Dont la rougeur le fait pâlir,
Et que l'ombre la plus obscure
Pour lui ne peut ensevelir.

Mais au lieu qu'il s'évanouit
Au feu de sa pourpre éclatante,
Mon œil, sur la face inconstante,
A son aspect se réjouit:
C'est la vive ardeur qui m'allume;
C'est l'objet qui donne à ma plume
Un style clair et triomphant,
Qui les autres styles consume;
Mais il m'altère en m'échauffant.

Buvons au généreux dessein
Qui dans ce passage l'amène;
D'une fureur autre qu'humaine
Je me sens agiter le sein.
Qu'à ce pot le tonneau succède;
Un certain gai démon m'obsède
Qui n'a plaisir qu'à s'enivrer,
Et de sa force, à qui tout cède,
Le vin seul me peut délivrer.

Sus, pour honorer ce canal
D'un brinde qui vive en l'histoire,
Que chacun se prépare à boire
La santé du grand cardinal!
Il tient l'empire de Neptune,
Il préside à notre fortune
Sur l'un et sur l'autre élément,
Et la destinée opportune
File pour lui journellement.

Si j'avais ici le loisir
De chanter ses exploits illustres,
Tous ces noms qui font tant les rustres
En crèveraient de déplaisir;
Je ravirais la terre et l'onde;
La muse altière en sa faconde
Se pendrait (soit dit *inter nos*),
Et je ferais en l'autre monde
Enrager l'ombre d'Albornos.

Ce vain Guzman, ce comte-duc,
Qui perd contre lui son escrime,
Gémirait aux coups de ma rime
Comme l'animal de Saint Luc,
Et s'il venait un jour à lire
Ce que ma verve en pourrait dire
A ses mornes yeux étonnés,
Ses bésicles, qui m'ont fait rire
D'effroi, lui tomberaient du nez.

. . . . .

Ha! je vois ce cœur sans pareil,
Ce vaillant Harcourt, qui s'apprête
A faire un nouveau jour de fête,
Peint de sang et de jus vermeil;
Déjà sur le haut de la poupe,
Pour me pléger il prend sa coupe
Où pétille et rit le nectar,

Gémirait, meuglerait

Et, s'écriant *masse* à la troupe,
Sa voix étonne Gibraltar.

Ici le château de Tanger
Et là le fort du Mont-aux-Singes
Voudraient pouvoir plier leurs linges
En la frayeur de ce danger;
La Tour et l'île de Tarife,
Que l'Océan ronge et débiffe,
Se souhaitent au fond des eaux,
Et rien n'ose attendre la griffe
Du moins hardi de nos oiseaux.

. . . . .

O quel vain orgueil nous voyons!
Ces deux caps qui les cieux éborgnent
Sans se remuer s'entre-lorgnent
Ainsi que deux béliers coyons.
Vraiment, leur lâcheté me pique;
Europe, va choquer l'Afrique,
Ou tire tes guêtres plus loin!
C'est trop s'entre-faire la nique
Sans en venir aux coups de poing.

Mais que nous voici bien déçus!
Les vaisseaux de ces bords paisibles
Se sont de peur faits invisibles
Sitôt qu'ils nous ont aperçus:
L'espoir de cassades nous paie;
Une vive et flottante haie
Nous devait défendre le pas,
Et cependant en cette baie
L'ennemi ne se montre pas.

Je crois qu'aujourd'hui sur les eaux
Les nefs de Castille, alarmées,
Par grâce ont été transformées
En autant de vites oiseaux;

masse, all health! *coyons*, i.e. couillons, lâches

Je crois qu'en leur forêt natale,
Craignant leur ruine totale,
Elles se sont allé cacher,
Et que notre valeur fatale
Les y fera longtemps jucher.

Nous voici tantôt arrivés
Vis-à-vis de Calpe et d'Abile,
Dont la bouche en contes habile
Vante les faîtes élevés.
Voilà l'une et l'autre colonne;
Ici règne une gent félonne
D'Alarbes traîtres et brigands,
Et là vit celle que Bellone
Enfle de complots arrogants.

Il faut, il faut les mettre à sac
Ces deux bicoques adversaires;
Allons, en diables de corsaires,
Réduire leur faste au bissac;
Donnons dessus leur friperie
D'une tonnante batterie,
O braves et hardis nochers!
Et faisons voir avec furie
Des vaisseaux dompter des rochers.

Non, gardons pour un digne effort
Notre ardeur vaillante et fidèle:
Le jeu ne vaut pas la chandelle,
Et rien ne paraît sur le port;
Ce trou, ce poulier maritime
Est une trop basse victime
Pour la mouche qui nous époint,
Et puis je ne fais nulle estime
Des villes qui ne fument point.

Qu'y ferions-nous, mon cher Faret?
Nous n'y trouverions rien à frire;

poulier, poulailler

Et c'est bien là qu'on pourrait dire:
'Et pas un pauvre cabaret!'
Jamais broche n'y connut âtre:
Le monstre étique au front de plâtre
En exclut tous les banqueteurs;
Bref, ce lieu n'est pas un théâtre
Convenable à nos fiers acteurs.

Ici ma verve cessera:
Fendons la Méditerranée;
Je vois bien que cette journée
En débauche se passera.
Nous n'y combattrons que du verre,
O l'agréable et douce guerre!
Qu'elle rend les cœurs éjouis!
Adieu le fort, adieu la terre,
Et vive le grand roi Louis!

LE MELON

Quelle odeur sens-je en cette chambre?
Quel doux parfum de musc et d'ambre
Me vient le cerveau réjouir
Et tout le cœur épanouir?
Ha! Bon Dieu! j'en tombe en extase:
Ces belles fleurs qui dans ce vase
Parent le haut de ce buffet
Feraient-elles bien cet effet?
A-t-on brûlé de la pastille?
N'est-ce point ce vin qui pétille
Dans le cristal que l'art humain
A fait pour couronner la main,
Et d'où sort, quand on en veut boire,
Un air de framboise à la gloire
Du bon terroir qui l'a porté
Pour notre éternelle santé?
Non, ce n'est rien d'entre ces choses,
Mon penser, que tu me proposes.

Qu'est-ce donc? Je l'ai découvert
Dans ce panier rempli de vert:
C'est un MELON, où la nature,
Par une admirable structure,
A voulu graver à l'entour
Mille plaisants chiffres d'amour,
Pour claire marque à tout le monde
Que d'une amitié sans seconde
Elle chérit ce doux manger,
Et que d'un souci ménager,
Travaillant aux biens de la terre,
Dans ce beau fruit seul elle enserre
Toutes les aimables vertus
Dont les autres sont revêtus.
        Baillez-le-moi, je vous en prie,
Que j'en commette idôlatrie:
O! quelle odeur! qu'il est pesant!
Et qu'il me charme en le baisant!
Page, un couteau, que je l'entame;
Mais qu'auparavant on réclame,
Par des soins au devoir instruits,
Pomone, qui préside aux fruits,
Afin qu'au goût il se rencontre
Aussi bon qu'il a belle montre,
Et qu'on ne trouve point en lui
Les défauts des gens d'aujourd'hui.
        Notre prière est exaucée,
Elle a reconnu ma pensée:
C'en est fait, le voilà coupé.
Et mon espoir n'est point trompé.
O dieux; que l'éclat qu'il me lance,
M'en confirme bien l'excellence!
Qui vit jamais un si beau teint!
D'un jaune sanguin il se peint;
Il est massif jusques au centre,
Il a peu de grains dans le ventre,
Et ce peu-là, je pense encor
Que ce soient autant de grains d'or;

Il est sec, son écorce est mince;
Bref, c'est un vrai manger de prince;
Mais, bien que je ne le sois pas,
J'en ferai pourtant un repas.
    Ha! soutenez-moi, je me pâme,
Ce morceau me chatouille l'âme;
Il rend une douce liqueur
Qui me va confire le cœur;
Mon appétit se rassasie
De pure et nouvelle ambroisie,
Et mes sens, par le goût séduits,
Au nombre d'un sont tous réduits. . . .

Denis Sanguin de Saint-Pavin

SONNETS

Quand d'un esprit doux et discret
    Toujours l'un à l'autre on défère,
    Quand on se cherche sans affaire
    Et qu'ensemble on n'est pas distrait;
Quand on n'eut jamais de secret
    Dont on se soit fait un mystère,
    Quand on ne cherche qu'à se plaire,
    Quand on se quitte avec regret;
Quand, prenant plaisir à s'écrire,
    On dit plus qu'on ne pense dire,
    Et souvent moins qu'on ne voudrait,
Qu'appelez-vous cela, la belle?
    Entre nous deux cela s'appelle
    S'aimer bien plus que l'on ne croit.

N'écoutez qu'une passion;
    Deux ensemble, c'est raillerie,
    Souffrez moins la galanterie
    Ou quittez la dévotion.

Par tant de contradiction
Votre conduite se décrie;
Avec moins de bizarrerie
Suivez votre inclination.
Iris, chacun se met en peine
De vous voir toujours incertaine
Sans savoir à quoi vous former;
Vous finirez comme une sotte;
Vous ne serez jamais dévote,
Vous ne saurez jamais aimer.

RONDEAU

Quoi! me voyant le cœur blessé
Des traits que vos yeux m'ont lancé,
Philis, vous n'en faites que rire?
Quand pour vous un Amant soupire
N'est-il pas mieux récompensé?

Je me croyais, pauvre insensé,
Dans un poste plus avancé,
Et j'espérais je n'ose dire
Quoi.

De vous quitter j'ai balancé;
Mais à dire vrai j'ai pensé
Que mon mal en deviendrait pire.
Pour empêcher qu'on se retire
Vous avez trop je ne sais
Quoi.

Jean Desmarets de Saint-Sorlin

LA GUIRLANDE DE JULIE

LA PENSÉE

J'éteins mes flammes insensées,
Je reste au terme du devoir,
Jugeant que vous voulez avoir
De plus hautes pensées;
Je cède votre front à l'orgueil du Jasmin;
Il suffira pour moi de parer le chemin,
Sans pleurs et sans mélancolie,
Que fouleront les pas de la belle Julie.

LA MANSUÉTUDE

Que j'aime la nuit fraîche et ses lumières sombres
Lorsque l'astre des mois en adoucit les ombres!
Que ce palais pompeux me paraît bien plus beau
Quand il n'est éclairé que du second flambeau
Dont la douce clarté d'autres grâces apporte,
Rehaussant les reliefs par une ombre plus forte!
Sous la corniche aiguë, une longue noirceur
Sur le mur qui la porte en marque l'épaisseur,
Et chaque niche creuse a de chaque statue
La figure imprimée obscure et rabattue.
Une brune couleur des balcons avancés
Trace sur un fond blanc les angles renversés,
Et de chaque obélisque à pointes égalées
Tombent sur le pavé les pointes affilées.

Lorsque sur ce château la lune se fait voir,
En éclaire une part et peint l'autre de noir,
Je pense voir deux temps que confond la nature:
Le jour est d'un côté, d'autre la nuit obscure.
Quel miracle qu'ensemble ici règnent sans bruit
Et partagent la place et le jour et la nuit!

Allons voir aux jardins en plus ample étendue
L'ombre de ce grand corps sur la terre épandue.
Déjà du grand Palais si clair, si bien dressé,
J'en vois sortir un autre obscur et renversé
Noircissant le parterre, et ses superbes dômes
Sur la terre couchés comme de longs fantômes.
L'ombre aux corps attachée, inégale en son cours,
Suit l'astre également et s'en cache toujours.

Allons voir ces canaux: quel doux calme en cette onde!
Ici je vois sous terre une Lune seconde.
Ici le Palais même, et si clair et si beau,
A chef précipité se renverse dans l'eau.
O tromperie aimable! ô jeu de la nature!
Est-ce une vérité? n'est-ce qu'une peinture?
Ensemble en trois façons, ce Palais se fait voir:
En soi-même, en son ombre, et dans ce grand miroir
Où tout est à l'envers, où tout change d'office,
Où les combles pointus portent tout l'édifice.
Les astres pétillants y sont encor plus bas,
Et semblent dans un lac prendre leurs doux ébats;
Leurs feux y sont riants, se plongeant sans rien craindre
Et défiant les eaux de les pouvoir éteindre.
Quoi? de la ville encor les pavillons égaux
Se montrent renversés dans ces larges canaux,
Et du double clocher les deux pointes égales
Semblent vouloir percer les prisons infernales.
Que la Nature est belle en ses rares effets!
Qu'elle est diverse, aimable, et douce en tous ses faits!
Avec quelle douceur conduit-elle l'Aurore!
Que le jour doucement tombe au rivage maure!

Avec quel doux progrès les saisons et les fruits
Sont-ils l'un après l'autre avancés et produits!
Par sa même douceur les planètes agiles,
Tournant d'un roide cours, nous semblent immobiles.
Combien sa suite est douce, et doux son appareil,
Amenant aux mortels l'agréable Sommeil!

D'un insensible pas le conduit l'Innocence,
La Paix, la Solitude, et l'Ombre et le Silence.
Ces secrets confidents, muets, aveugles, sourds,
Pour surprendre les yeux l'accompagnent toujours,
Doux suivants dont se sert la plus douce des choses,
Pour se couler sans bruit dans les paupières closes,
Pourquoi viens-tu, sommeil, nos sens appesantir?
Combien serait charmé qui te pourrait sentir?
Que ne peut-on jouir de cet heur souhaitable
De goûter en veillant ton repos délectable?
Dieu nous a réservé ce plaisir dans les cieux,
Où nul dans le repos ne fermera les yeux,
Où veilleront toujours les regards, les oreilles
Pour voir et pour ouïr les divines merveilles.

Qui n'aimerait la nuit et sa tranquillité?
Son ombre avec le jour se dispute la beauté.
Le jour frappe les yeux, son éclat les offense,
L'ombre leur plaît, les charme avec son innocence.
Quelle savante main peignit tout ici bas,
Que dans la noirceur même elle ait mis tant d'appas!
Que loin de vous s'enfuit la triste inquiétude,
Douce ombre, doux silence, et douce solitude.
Ici déjà tout dort, les arbres, les oiseaux,
Les fleurs, et du canal les taciturnes eaux;
Et j'entends seulement maint jet d'eau qui murmure
De ce qu'il est forcé d'aller contre Nature.
  Fille du Tout-puissant qui t'emplit de douceur,
Nature, des humains et la mère et la sœur,
Qui bénigne produis tout ce qu'un cœur souhaite,
Ah! que l'Auteur est doux, qui si douce t'a faite!
Aussi le doux Jésus, fils d'un Père si doux,
Ne prêcha que douceur en vivant parmi nous.
Il ne demande pas l'orgueil des hécatombes:
Mais un cœur simple et doux ainsi que les colombes.
O! vous qui me suivez, leur disait le Seigneur,
Apprenez que je suis et doux et d'humble cœur.

Il ne se vantait pas de ses œuvres insignes,
Ni de sa Déité, mais de ses mœurs bénignes.
O! sincère Douceur, pleine d'humilité,
Dont il s'est justement vanté sans vanité!
O! charmante Douceur, marque de l'innocence,
Tu bannis le courroux, l'orgueil, l'impatience,
Le dépit, le chagrin, les soins ambitieux,
De nos aveugles sens les vœux séditieux,
Les ennuyeux regards, l'avarice inhumaine,
Tous les désirs qu'émeut la vanité mondaine,
Ce qui porte au prochain ou dommage ou mépris,
Et tout ce qui détruit le calme des esprits.

. . . . .

Agneau, dont la blancheur marque la pureté,
Agneau, qui des mortels portes l'iniquité,
Par ta sainte douceur fléchis nos âmes dures
Verse ta pureté dans nos flammes impures;
Et nous faisant haïr tout plaisir criminel,
Comble-nous de douceur au séjour éternel.
Et toi, Vierge sans prix, que l'Église révère,
De qui l'humble douceur d'un Dieu la fit la mère;
Qui d'astres couronnée éclates dans les cieux,
Comme l'astre des nuits brille ici à nos yeux;
Sois aux faibles humains sans cesse pitoyable,
Désarme ton cher Fils de sa foudre effroyable;
Et déployant pour nous tes soins intérieurs,
Douce fais nous monter aux célestes douceurs.
Mais dans le doux penser des heureuses lumières,
Je sens le doux sommeil assoupir mes paupières,
Que ne viens-tu plutôt, sommeil délicieux
Qui de l'âme à jamais nous ouvrira les yeux,
Paisible mort des Saints, qui dois être suivie
Des divines douceurs de l'immortelle vie.

Pierre de Marbœuf

TABLEAU DE LA BEAUTÉ DE LA MORT

La mort n'est qu'une femme, ainsi qu'Hylas la nomme,
Hylas c'est donc à tort
Que ton jeune courage, étant au cœur d'un homme,
Craint la main de la mort.

La mort n'a rien d'affreux, elle est toute paisible,
Ceux que sa flèche atteint
N'ont jamais rapporté qu'elle fût si terrible
Que la peur la dépeint.

Regarde ce dormeur, c'est sa vivante image,
Remarque chaque trait,
Et vois que la beauté qu'on voit dans son visage
Est dedans ce portrait.

Le sommeil et la mort également aimables
Ne sont point différents,
La nature aurait tort d'avoir fait dissemblables
Deux si proches parents.

Au repos du sommeil la mort n'est point contraire,
C'est la même douceur;
Et lassé, te plains-tu si recherchant le frère
Tu rencontres la sœur?

Que l'homme donc s'assure, ayant en sa pensée,
Chaque fois qu'il s'endort,
Que pour revivre encore il fit la nuit passée
Un essai de la mort.

Quiconque des mortels injustement murmure
De la loi du trépas,
Il devrait, recevant l'être de la nature,
Prier de n'être pas.

Si l'âme dans le corps est dans un esclavage,
Avec quelle raison
Te plains-tu qu'on a fait, pour l'ôter de servage,
Des clefs à sa prison?

Tu te laisses à tort abuser à l'envie
De l'immortalité;
Penses-tu préserver le verre de ta vie
De la fragilité?

Si l'air par le défaut, si l'eau par l'abondance
T'étouffe en un moment,
Vois-tu pas que tu vis dessous la dépendance
Du plus simple élément?

L'un dessus l'échafaud fait une tragédie
De la fin de ses jours,
L'autre dedans le lit voit qu'une maladie
Finit le même cours. . . .

Quand le Ciel dessus toi promènera son foudre,
Tu ne peux échapper;
Étant un coup du Ciel, dois-tu pas te résoudre,
Si Dieu te veut frapper?

Réjouis-toi plutôt, quand le tonnerre gronde,
Sans t'étonner si fort,
Le Ciel fait ce grand bruit pour avertir le monde
Qu'il prépare la mort.

Si du sang des soldats une lame trempée
T'atteint mortellement,
Pense que de mourir avec un coup d'épée,
C'est mourir noblement.

Mourons joyeusement avec le bruit des armes,
Et le son des tambours,
Baignons-nous dans le sang, sans nous baigner de larmes,
A la fin de nos jours.

Suivons ces voix d'airain qui sonnent les approches
De nos derniers moments,
Laissons pleurer après les femmes et les cloches
Dessus nos monuments.

N'attendons pas au lit que l'âge nous assomme
Par sanglots étouffants,
Ce n'est pas en ce lieu que doit mourir un homme,
Où naissent les enfants.

Tout le bronze et le marbre, et ce qu'on peut dépendre
Pour armer les tombeaux,
Sert aux morts seulement afin de les défendre
De la faim des corbeaux.

Lorsque tu vois la mer, ton courage succombe
Au lieu de t'animer,
Aurais-tu sur la terre une plus grande tombe,
Qu'au milieu de la mer?

Peut-être que la peur d'être sans sépulture
Te donne ses frissons,
Dis-moi de qui vaut mieux être la nourriture
Des vers ou des poissons.

Il faut allégrement à la mort se résoudre,
Et ne la craindre pas,
Si vifs nous sommes terre, et morts nous sommes poudre,
C'est peu que le trépas.

Si l'on pleure en naissant, en mourant l'on doit rire,
Car les pleurs du berceau
Enseignent que le mal de la naissance est pire
Que celui du tombeau.

La mort s'enfuit de ceux qui la veulent poursuivre,
Et l'on la voit courir
Seulement après ceux qui veulent toujours vivre,
Et jamais ne mourir.

dépendre, dépenser

Tant plus on me dira que sa flèche est cruelle,
Et son arc outrageux,
Moins je serai timide, et plus en dépit d'elle
Je serai courageux.

Car alors qu'on l'empêche avecque tant de peine
D'entrer en la maison,
Elle en ouvre la porte avec des mains de laine,
Et prend en trahison.

. . . . .

Quoi qui puisse arriver, ferme, je me propose
De le voir sans ennui:
L'homme est bien inconstant si son cœur ne repose,
Quand Dieu veille pour lui.

Si de te faire mal tout le monde s'efforce,
Faut-il désespérer:
Dieu mesure le mal, et puis selon ta force
Il te faut endurer.

Alors que de tes biens la fortune se joue,
Le ciel veut t'éprouver:
Il ne faudra demain qu'un autre tour de roue
Afin de t'élever.

Tu prendras pour objet la volonté divine
En tes plus grands travaux:
Soit pour vivre ou mourir, elle est la médecine
Qui guérit de tous maux.

Hylas, ce dernier trait, de toute ma peinture
Est le trait le plus beau:
Et de peur de gâter une chose si pure,
Je lève le pinceau.

Claude de Malleville

SONNET

Fontaine dont les eaux plus claires que profondes
Attirent par leur bruit les Nymphes et les Dieux,
Seul miroir, que Philis consulte dans ces lieux
Quand elle veut peigner l'or de ses tresses blondes;
Si durant les chaleurs fatales à tes ondes,
J'ai maintenu ton cours des larmes de mes yeux;
De grâce montre-moi ce chef-d'œuvre des cieux
Dans le riche cristal de tes eaux vagabondes.
Mais j'ai beau te prier, tu ne m'exauces pas;
L'orgueilleuse Philis qui cause mon trépas
T'imprime en se mirant sa rigueur naturelle.
Ainsi je ne puis voir avec tous mes efforts
Ni de portrait en toi, ni de l'amour en elle,
Et ne jouis non plus de l'ombre que du corps.

Vincent Voiture

RÉPONSE A LA PLAINTE DES CONSONNES QUI N'ONT PAS L'HONNEUR D'ENTRER DANS LE NOM DE NEUF-GERMAIN

C'est Jupiter qui parle:

Vous savez bien, Troupe immortelle,
Race généreuse et fidèle,
Qui m'avez mis le sceptre en main,
Combien de jours nous consultâmes,
Quand nous fîmes pour NEUF-GERMAIN
Ce beau nom que nous inventâmes.

Par une divine prudence,
Dans ce grand mot, dont la cadence

Frappe si doucement les sens,
Nous mîmes toutes les voyelles;
Mais aujourd'hui, comme j'entends,
Les consonnes font les rebelles.

B C S armés avec L,
Et D P joints à leur querelle,
Espérant se mettre en crédit,
Dans ce beau nom veulent paraître.
Il n'est pas même, à ce qu'on dit,
Jusques au Q qui n'en veuille être.

B qui fait tous les biens du monde,
Sans qui sur la Terre et sur l'Onde
Rien ne serait ni bon ni beau;
Et C qui le Ciel sut produire,
Se veut cacher dans le tombeau,
Si nous voulons les éconduire.

L par qui Vénus est belle,
Qui rend notre essence immortelle,
Glorieuse veut éclater
Dans le nom de cet homme habile,
Et ne veut pas se contenter
D'être dans celui de Virgile.

Même en ce moment j'entends S
Qui fait là bas de la diablesse,
Et dans un dépit sans pareil,
Menace, pleine de colère,
De mettre en pièces le Soleil,
Et les essieux de notre Sphère.

Mais le P qui marche en Satrape,
Et qui fait la moitié d'un Pape,
Se veut tirer de piété,
Et s'est mis dans la phantaisie
De n'être plus qu'en pauvreté,
En paresse et paralysie.

Lui qui fait les pauvres en Terre,
Et T qui forme mon tonnerre,
Parlent tous deux de me quitter;
Et quoique les Destins ordonnent,
Je ne puis être Jupiter,
Si ces deux lettres m'abandonnent.

Mais vous en avez tous affaire;
B pour Bacchus est nécessaire,
Et sans C Cérès est à bas:
Si L S et P se rebellent,
Que fera la pauvre Pallas,
Qui n'aura plus qu'AA pour elle?

Il faut donc les rendre contentes:
Mais je ne vois à leurs attentes
Aucun remède assez puissant,
Si ce n'est que cet homme rare
Ait nom Bdelneufgermicopsant;
Mais ce mot est un peu bizarre.

Pourtant, pour le mieux, il me semble
Qu'ainsi nous les mettions ensemble,
Jointes d'un éternel amour;
Et renvoyions à Palamède,
Qui le premier les mit au jour,
Le Q avec X Y Z.

CHANSON SUR L'AIR DE LANTURLU

Le Roi notre Sire,
Pour bonnes raisons
Que l'on n'ose dire,
Et que nous taisons:
Nous a fait défense
De plus chanter lanturlu,
Lanturlu, lanturlu, lanturlu, lanture.

La Reine sa Mère
Reviendra bientôt,
Et Monsieur son Frère
Ne dira plus mot;
Tout sera paisible,
Pourvu qu'on ne chante plus
Lanturlu, etc.

De la Grand' Bretagne
Les Ambassadeurs,
Ceux du Roi d'Espagne,
Et des Électeurs,
Se sont venus plaindre
D'avoir partout entendu
Lanturlu, etc.

Ils ont fait leur plainte
Fort éloquemment
Et parlé sans crainte
Du Gouvernement.
Pour les satisfaire,
Le Roi leur a répondu
Lanturlu, etc.

Dans cette querelle
Le bon Cardinal,
Dont l'âme fidèle
Ne pense en nul mal,
A promis merveilles,
Et puis a dit à Bautru
Lanturlu, etc.

Dessus cette affaire
Le Nonce parla:
Et notre Saint Père,
Entendant cela,
Au milieu de Rome
S'écria comme un perdu
Lanturlu, etc.

Pour bannir de France
Ces troubles nouveaux,
Avec grand prudence,
Le Garde des Sceaux
A scellé des lettres,
Dont voici le contenu,
Lanturlu, lanturlu, lanturlu, lanture.

Guillaume Colletet

LES AMOURS DE CLAUDINE

J'ai plus d'amour pour toi que pour son Angélique
N'en témoigna jamais le Paladin Renaud;
Pour toi je forcerais un grand Pas, un grand Ost,
Et rendrais véritable un Roman chimérique.
Mais si pour ta Beauté mon courage se pique,
Mon esprit sans orgueil, ma bonté sans défaut,
T'allument d'un brasier si constant et si chaud
Que d'Amant et d'aimé j'ai le nom magnifique.
Nous n'avons jamais bu de ces noires liqueurs
Que pour troubler les sens et diviser les cœurs,
Un Démon répandit dans les forêts d'Ardenne.
Mais, ô Beauté que j'aime, et qui m'aime à son tour,
Nous avons bu tous deux dans la claire fontaine,
Que l'on nomme en Forez la fontaine d'Amour.

AU CHEVAL PÉGASE

Viens, Pégase, descends des sommets du Parnasse;
Dans les sentiers communs je suis las de marcher,
Coursier des beaux Esprits, si le mien t'est si cher;
Porte-moi dans la route où galopait le Tasse.
Seconde de ton vol le vol de mon audace,
Enlève-moi de terre au céleste plancher,
Et me faisant du front les étoiles toucher
Fais que pas un mortel ne me suive à la trace.

Dieux! j'ai déjà franchi la carrière des Airs;
Mais pour trop m'élever on croit que je me perds,
Et l'on me met au rang des choses inconnues;
Que le sort d'un Poète est cruel en ce point!
On ne le connaît pas s'il vole dans les nues;
Et s'il rampe sur terre on ne l'estime point.

PLAINTE POÉTIQUE

Ferais-je encore des vers? ami, j'en ai tant fait!
Plus j'enrichis ma langue, et moins je deviens riche:
Mon esprit abondant laisse ma terre en friche,
Et le vent et l'honneur n'emplit pas mon buffet.
Un poète accompli n'est plus qu'un fou parfait;
Dès qu'il prodigue un bien dont il doit être chiche,
Ce n'est plus qu'une idole et sans base et sans niche,
Qu'on flatte en apparence et qu'on berne en effet.
Je rougis de pâlir si longtemps sur un livre;
De me tuer toujours pour vouloir toujours vivre;
D'affliger mon esprit pour divertir autrui;
De posséder un nom dont le bruit m'importune;
De m'élever si haut, et n'avoir point d'appui,
D'être bien chez la Muse, et mal chez la Fortune.

Gabriel Du Bois-Hus

LA NUIT DES NUITS

Le jour, ce beau fils du soleil
Dont le visage nonpareil
Donne le teint aux belles choses,
Prêt d'entrer en la mer, enlumine son bord
De ses dernières roses
Et ses premiers rayons vont lui marquer le port.

Ce doux créateur des beautés,
Roi des glorieuses clartés,
Qui dessus nous sont répandues,

Nous donnant le bon soir se cache dans les eaux,
Et les ombres tendues
Avertissent le ciel d'allumer ses flambeaux.

Les bois ne paraissent plus verts,
La nuit entrant dans l'univers
Couvre le sommet des montagnes,
Déjà l'air orphelin arrose de ses pleurs
La face des campagnes
Et les larmes du soir tombent dessus les fleurs.

Le monde change de couleur,
Une générale pâleur
Efface la beauté des plaines
Et les oiseaux surpris sur les bords des marais,
Courtisant les fontaines,
Se vont mettre à couvert dans le sein des forêts.

Quelques brins d'écarlate et d'or
Paraissent attachés encor
A quelque pièce de nuage:
Des restes de rayons peignant tout à l'entour
Le fond du paysage,
Font un troisième temps qui n'est ni nuit ni jour.

Les rougeurs qu'on voit dans les airs
Jeter ces languissants éclairs
Qui meurent dans les plis de l'onde,
Sont les hontes du jour fuyant le successeur
Qui le chasse du monde,
L'astre des belles nuits que gouverne sa sœur.

Le silence vêtu de noir,
Retournant faire son devoir
Vole sur la mer et la terre,
Et l'océan joyeux de sa tranquillité
Est un liquide verre
Où la face du ciel imprime sa beauté.

Le visage du firmament
Descendu dans cet élément
Y fait voir sa figure peinte,
Les feux du ciel sans peur nagent dedans la mer
Et les poissons sans crainte
Glissent parmi ces feux qui semblent les aimer.

Dans le fond de ce grand miroir
La nature se plaît à voir
L'onde et la flamme si voisines
Et les astres tombés en ces pays nouveaux,
Salamandres marines,
Se baignent à plaisir dans le giron des eaux.

L'illustre Déesse des mois
Quittant son arc et son carquois
Descend avec eux dedans l'onde.
Son croissant est sa barque, où l'hameçon en main,
Fait de sa tresse blonde,
Elle pêche à loisir les perles du Jourdain.

Le ciel en ce soir bienheureux
S'habillant de ses plus beaux feux
Éclate plus que d'ordinaire,
Et la nuit infidèle à son obscurité
A sur notre hémisphère
Beaucoup moins de noirceur qu'elle n'a de clarté.

Soleil, quitte lui ta maison,
Celle qui vient sur l'horizon
Est grosse du Dieu que j'adore.
Les torches qu'elle allume en la place du jour
Plus belles que l'aurore,
Lui couronnent le front de lumières d'amour.

Au milieu des airs réjouis
Tes derniers feux sont éblouis
Par mille nouvelles étoiles,

Une éclatante nuit déployant dans les cieux
Ses rayonnantes voiles
Pour mieux voir son amant a pris de nouveaux yeux.

Quoique tes fertiles regards
Jettent les biens de toutes parts,
Et rendent la terre féconde,
Cette belle ennemie est plus riche que toi,
Tu ne produis au monde
Que les sujets du prince, elle produit le roi.

Cache en ton humide tombeau
Les restes de ce grand flambeau
A qui notre brune fait honte.
Cette belle adversaire apporte dans ses mains
La beauté qui surmonte
Et les grâces du ciel et l'amour des humains.

Riche et miraculeuse nuit,
Qui sans bouche et sans aucun bruit
Enfantes pourtant la PAROLE,
Sois toujours révérée en ce vaste univers,
Et que ta gloire vole
De l'un à l'autre bout sur l'aile de mes vers.

. . . . .

Le Dieu des feux et des amours
Qui donne la chaleur aux jours,
Est couché tout nu sur la paille.
Craignez, craignez mortels qui l'honorez si peu,
Qu'enfin il ne s'en aille
N'ayant point de matière à nourrir ce beau feu. . . .

Voici le temps de nos désirs,
La saison des parfaits plaisirs,
La nuit des visions célèbres;
Ah, voici le printemps au milieu des hivers,
Le jour dans les ténèbres,
Le Soleil aux rayons des nuages couverts. . . .

Palestine, pays heureux,
Nourrice du fruit amoureux
Qui doit rendre nos siècles calmes,
Que tarde ta paresse en un sujet si beau
A lui cueillir des palmes
Pour faire à son enfance un illustre berceau.

Bethléem, glorieux rocher,
Gardien du dépôt le plus cher
Que Dieu confie à la nature,
Ce bel hôte te rend ce que tu fus jadis.
Et, Dieu, ta créature,
A fait de ta demeure un autre Paradis.

Coteaux, prenez vos habits verts,
Couronnez de festons divers
Le front de cette belle roche,
Rajeunissez forêts, ruisseaux, plaines, étangs,
Le Soleil est trop proche
Pour ne pas ramener la beauté du printemps. . . .

Cloris, envoyez vos valets
Couvrir tout de lys et d'œillets
Faire partout des jours de soie,
Qu'ils peignent sur le front de la terre et de l'eau
Le ris, fils de la joie,
Les ailes d'un zéphir serviront de pinceau.

Et vous oiseaux, luths animés,
Vivants concerts qui me charmez,
Chantres naturels des villages,
Aimables fugitifs, âmes de nos buissons,
Âmes de nos rivages
Venez l'entretenir de vos belles chansons.

Charmez ces justes déplaisirs
Par vos mélodieux soupirs
Volantes voix, troupes ailées,

Du Bois-Hus

Artisans des fredons, délices de nos champs,
Hôtes de nos vallées,
Venez bénir le Dieu qui façonne vos chants.

Philomèle, reine des airs,
Musicienne de nos déserts,
Muse champêtre des bocages,
Amante des forests, sirène de nos bois,
De vos plus doux ramages
Réjouissez le Dieu qui vous donne la voix.

Résonnante fille de l'air,
Nymphe qui te plais à voler
Dans le creux de cette colline,
Écho, prête l'oreille aux concerts ravissants
De sa bouche divine,
Et tu ne diras plus que des mots innocents

Magicienne divinité
Qui loges dans l'obscurité
D'une masure solitaire,
Loin de ces lieux d'Amour, lieux pleins d'enchantements
Viens être secrétaire
Du roi des beaux esprits, et du Dieu des amants . . .

Mais vous qui d'un œil languissant
Voyez votre Fils gémissant
Parmi les hôtes d'une étable,
Vierge, n'ai-je pas droit d'accuser votre Amour!
Et n'est-il pas coupable
De l'avoir mis au monde en un si mauvais jour?

Hélas, il plaint le triste sort
De ce jeune Dieu demi-mort
Par la rigueur de la froidure,
Lui seul est toutefois l'Auteur de son tourment,
Et le mal qu'il endure
Vient du temps qu'il a pris pour votre accouchement.

L'avez-vous donc gardé neuf mois
Pour accoucher du Dieu des Rois
Dans les tristes bras de cet antre?
Ah, ne l'exposez pas au froid de la saison,
Gardez-le en votre ventre,
Il ne peut être mieux qu'en sa propre maison.

Quand il demeure dedans vous
Il est au logis le plus doux
Qui soit dans la terre et dans l'onde,
La Nature n'a point de plus illustre lieu
Dans l'enceinte du monde
Que l'adorable sein de la Mère de Dieu.

Au moins si ces peuples heureux
Qui l'ont vu descendre chez eux
Lui venaient rendre leurs hommages,
Mais de tous ces pays féconds en rois puissants
Je ne vois que trois Mages
Qui lui viennent donner les honneurs de l'encens.

Encore avant ces étrangers
Le ciel avertit les bergers
De lui faire la révérence,
Allez, mondains, allez, vous êtes ruinés
Ce coup de préséance
Est le grand coup d'état qui vous a condamnés.

Adieu monde, adieu courtisans,
Ce n'est pas de vos partisans
Qu'il fait les grands de son royaume,
Ses plus grands favoris sont les cœurs villageois,
Et les logis de chaume
Lui plaisent beaucoup plus que les palais des rois.

Idolâtres des biens du corps,
N'estimez plus tant vos trésors,
Vos amours, vos lieux de plaisance,

Le peu de cas qu'en fait cette Divinité
Par son humble naissance
Fait ici le procès à votre vanité.

Tyran, tu crains mal à propos,
Qu'il vienne troubler ton repos,
Et qu'il usurpe ton empire,
Un Dieu ne peut avoir un si lâche projet,
Le trône qu'il désire
Est le cœur amoureux d'un fidèle sujet.

Prends les armes, lâche Sion,
Et dissipe la faction
De sa puissance déloyale,
Au lieu de révérer ce Monarque qui sort
De ta race royale,
Sa cour cherche un moyen de lui donner la mort. . . .

Les glaives partout triomphants
Dans les corps de dix mille enfants,
Cherchent une divine vie,
Le meurtre n'est plus crime, et ce malheureux roi
Pour soûler son envie
D'une action brutale en a fait une loi.

Jésus est descendu des cieux
Pour rendre les hommes des Dieux
Par une adorable alliance,
Et les hommes armés contre un si beau dessein
Ont bien eu l'impudence
De lui vouloir planter un poignard dans le sein.

Quittez, Roi de mon cœur, quittez
Ces abominables cités
Dont l'impiété s'est saisie,
L'Europe vous attend, la France ouvre ses bras,
Rompez avec l'Asie
Ce pays criminel ne vous mérite pas. . . .

LE JOUR DES JOURS

Un Dauphin est né de nos temps!
Que ces mots font d'hommes contents,
Allez, Nymphes de nos prairies,
Pillez tous les jardins, cueillez tous les trésors
Des campagnes fleuries,
Et faites de vos fleurs un lit à ce beau corps.

Belle hôtesse de Saint Germain,
Flore, apportez à pleine main
Les moissons de ces belles choses;
Dépouillez les vallons, n'épargnez point les lys,
N'épargnez point les roses,
Il en revient assez sous les pieds de Louis.

Bois de Meudon et de Limours,
Douces retraites des amours,
Chargez de présents vos Dryades,
Et vous, charmant Ruel, séjour d'un Demi-Dieu,
Envoyez vos Naïades
Porter des fruits mûris aux yeux de Richelieu. . . .

Été qui fuis chez nos voisins,
Automne habillé de raisins,
Rois des fruits et de la vendange,
Servez à mon Dauphin de premiers courtisans,
Et donnez à mon ange
Les premières douceurs de vos plus beaux présents.

Mais toi, Seine majestueux,
Vaste fleuve au cours tortueux,
Liquide et pompeuse couleuvre,
Roule-toi sur tes flots en cet heureux séjour,
Où ce rare chef-d'œuvre
Blesse tous les mortels des traits de son amour.

Ruel, Rueil

Beau fleuve ne t'arrête plus,
Va sur les ailes de ton flux
Paraître à cette belle fête,
Sers-toi fidèlement toi-même de chemin,
Et couronne ta tête
De roseaux et de lys, de myrte et de jasmin. . . .

A voir le branle des rameaux,
Des vents, des herbes, des roseaux,
En ce temps de réjouissance,
Comme si les bergers au son du flageolet
Leur donnaient la cadence,
On dirait que les fleurs danseraient un ballet.

Les échos que les belles voix
Réveillent au milieu des bois
Se joignent à la compagnie,
Et les oiseaux servant de vivants violons
Par leur douce harmonie,
Le ris donne le bal aux Nymphes des vallons . . .

Le plaisir aux yeux amoureux
Pour rendre nos pays heureux
A quitté les îles des songes,
Et les prés enchantés du pays des romans
N'ont point vu de mensonges
Qu'il n'ait ici changés en vrais contentements . . .

L'automne sombre et pluvieux
Menaçait déjà ces beaux lieux
De ses ordinaires ravages,
Mais cet astre nouveau naissant sur l'horizon
A sauvé nos bocages
Et ramené les biens de la belle saison.

Déjà les feuilles pourrissaient,
Nos riches vergers jaunissaient
Nos parterres étaient malades,

Mais ses yeux tout-puissants nous viennent secourir,
Et ses douces œillades
Guérissent les beaux jours qui s'en allaient mourir . . .

Les tristes fourriers des hivers
N'osant marquer dans l'univers
Les logis au Roi de la glace,
Se sont évanouis voyant la majesté
De cette belle face
Dont l'éclat nous promet un éternel été . . .

Les Nymphes gardiennes des eaux
Rendent par mille jeux nouveaux
Nos grottes plus délicieuses,
Et l'on voit rejaillir des canaux réjouis
Leurs eaux ambitieuses
De rendre leurs devoirs à ce jeune Louis.

Au départ de leur lit natal
Leurs longues chutes de cristal
Forment les chiffres de leurs maîtres,
Les Naïades du lieu conduisant leur emploi
Les façonnent en lettres
Qui font voir les beaux noms du Dauphin et du Roi. . . .

Merveille de voir un nom d'eau
Peint sur un liquide tableau
D'un caractère inépuisable,
Dont l'humide portrait se formant de son cours
Par un trait agréable
Se ruine à toute heure en se faisant toujours.

Voir un lys que cet élément
Fait et défait chaque moment
Sans le ravir à l'œil qui l'aime,
Un miracle de l'art que sa matière fuit
Sans sortir de lui-même,
Et le fuyant sans cesse incessamment le suit!

Pour honorer ce jour heureux
Épuisez vos jeux amoureux
Belles et divines Naïades,
Vous ne sauriez avoir trop de ressentiment,
Et le bruit des cascades
Est une voix trop faible à louer votre amant. . . .

J'entends d'harmonieux soupirs
Sortir sur l'aile des zéphirs
Du fond de la grotte voisine,
Orphée assurément a senti son bonheur,
Et d'une voix divine
Veut rendre à mon Dauphin ses compliments d'honneur.

Ce Dieu des ravissants concerts
Charme les Muses que je sers
Par les accents de sa musique,
Ses doigts avec plaisir redoublant les fredons,
De sa lyre magique
Gouvernent un ballet de jeunes Cupidons.

Il donne aux bois du sentiment,
Les rochers ont du mouvement,
Les arbres vont à la cadence,
Des rossignols moulés volent sur les rameaux,
Et c'est par sa puissance
Que des cygnes d'argent chantent dessus les eaux.

L'illustre harpe d'Apollon
N'aura jamais un plus beau nom
Que la lyre de cet Orphée,
Le plus lourd élément est sensible à ses airs,
Et c'est l'unique Fée
Dont la sorcière voix fait vivre nos déserts.

Là des Satyres de plomb peint,
Ravis de la beauté du teint
De quelques semblables Dryades,

En cet état fâcheux leur font si bien la cour,
Qu'à juger des œillades
Deux métaux sembleraient s'entrefaire l'amour.

Les Nymphes d'un pas généreux
Fuyant toutefois devant eux
Semblent craindre d'être attrapées,
L'eau seule fait mouvoir ces beaux corps de métal,
Et les jeunes Napées
A l'aide des ressorts s'entredonnent le bal.

Sans doute dans l'antre prochain
J'ois le bruit du superbe train
Qui conduit le char de Neptune,
Après tant de souhaits ses Tritons à la fin
D'une voix non commune
Font par tout résonner le beau nom de Dauphin.

Thétis sentant son jeune Roi
Lui fait hommage de sa foi
Par le doux murmure de l'onde,
Et tous les Dieux marins que l'eau rend bien disants,
D'une ardeur sans seconde
Se disputent l'honneur d'être ses courtisans . . .

La Nuit pour venir à son tour
Faire agréablement sa cour
Sans couvrir le ciel de ses voiles,
Congédiant le train de son obscurité
N'a pris que ses étoiles
Pour venir honorer votre nativité . . .

Adieu soucis, tristesses, pleurs,
Adieu craintes, ennuis, malheurs,
A qui nos cœurs servaient de proie,
Allez, pauvres vaincus, allez brûler enfin
Dedans les feux de joie
Dont la France partout honore mon Dauphin . . .

Ces feux, fils du contentement,
Font honte aux yeux du firmament
Par leurs embrasements célèbres,
Un si bel incendie a fait mourir la nuit
Dont les ailes funèbres
Tombent de toutes parts dans la flamme qui luit.

Le visage de l'horizon
Durant sa plus belle saison
N'eut jamais la mine si leste,
Vous diriez à le voir qu'il se pare à dessein,
Et la voûte céleste
N'a jamais découvert un plus aimable sein.

La nature veut l'emporter,
Quoi que l'art tâche d'inventer
Par ses affections rusées,
Et lui la combattant par ses subtilités
A force de fusées
Produit un firmament de nouvelles clartés.

Un escadron d'astres nouveaux
Faits d'artificieux flambeaux
Consomme les nuages sombres,
Tous les jours et les nuits sont égalements clairs,
Et pour brûler les ombres
Les étoiles de l'art allument tous les airs.

. . . . .

Charles de Vion, Sieur de Dalibray

SUR UNE CÉRÉMONIE FUNÈBRE

Quel embarras à cette porte!
Que de Suisses à traverser!
Il faudrait pour les enfoncer
Une prodigieuse escorte.
Dieu merci, me voilà passé,
Plus par faveur que par mérite,
Nef et chœur, tout est tapissé
Des bandes d'un velours d'élite!
Que de flambeaux brûlent en vain!
Que de l'une et de l'autre main
D'Officiers de Cours souveraines!
L'ambitieux amusement!
Mourez-vous moins, âmes hautaines,
Pour mourir si pompeusement?

VERS D'AMOUR – SONNET X

Bienheureux les soupirs qui passent par ta bouche,
(Si quelque chose au moins t'oblige à soupirer).
Bienheureux le doux air que tu viens respirer
Et bienheureux le vent que ton haleine touche.
Bienheureux le souris qui sort tout couronné
De perles d'Orient au point de sa naissance,
Et bienheureux encor, bienheureux le silence
Qui dessous ces rubis se tient emprisonné.
Bienheureux qui vous voit, belles lèvres de roses,
Bienheureux qui vous oit quand vous êtes décloses,
Plus heureux qui sur vous peut sa flamme apaiser.
L'une de vous paraît un peu plus avancée,
Mais je l'en aime mieux d'être ainsi rehaussée,
Car elle en est ainsi plus proche du baiser.

François Tristan L'Hermite

LE PROMENOIR DES DEUX AMANTS

Auprès de cette grotte sombre,
Où l'on respire un air si doux,
L'onde lutte avec les cailloux
Et la lumière avecque l'ombre.

Ces flots, lassés de l'exercice
Qu'ils ont fait dessus ce gravier,
Se reposent dans ce vivier
Où mourut autrefois Narcisse.

C'est un des miroirs où le faune
Vient voir si son teint cramoisi,
Depuis que l'amour l'a saisi,
Ne serait point devenu jaune.

L'ombre de cette fleur vermeille
Et celle de ces joncs pendants
Paraissent être là-dedans
Les songes de l'eau qui sommeille.

Les plus aimables influences
Qui rajeunissent l'univers
Ont relevé ces tapis verts
De fleurs de toutes les nuances.

Dans ce bois ni dans ces montagnes
Jamais chasseur ne vint encor;
Si quelqu'un y sonne du cor,
C'est Diane avec ses compagnes.

Ce vieux chêne a des marques saintes;
Sans doute qui le couperait,
Le sang chaud en découlerait
Et l'arbre pousserait des plaintes.

Ce rossignol, mélancolique
Du souvenir de son malheur,
Tâche de charmer sa douleur,
Mettant son histoire en musique.

Il reprend sa note première
Pour chanter d'un art sans pareil
Sous ce rameau que le soleil
A doré d'un trait de lumière.

Sur ce frêne deux tourterelles
S'entretiennent de leurs tourments,
Et font les doux appointements
De leurs amoureuses querelles.

Un jour Vénus avec Anchise
Parmi ces forts s'allait perdant,
Et deux Amours, en l'attendant,
Disputaient pour une cerise.

Dans toutes ces routes divines
Les nymphes dansent aux chansons,
Et donnent la grâce aux buissons
De porter des fleurs sans épines.

Jamais les vents ni le tonnerre
N'ont troublé la paix de ces lieux;
Et la complaisance des cieux
Y sourit toujours à la terre.

Crois mon conseil, chère Climène,
Pour laisser arriver le soir,
Je te prie, allons nous asseoir
Sur le bord de cette fontaine.

N'ois-tu pas soupirer Zéphire,
De merveille et d'amour atteint,
Voyant des roses sur son teint
Qui ne sont pas de son empire?

appointements, settlements *forts*, taillis

Sa bouche, d'odeurs toute pleine,
A soufflé sur notre chemin,
Mêlant un esprit de jasmin
A l'ambre de ta douce haleine.

Penche la tête sur cette onde
Dont le cristal paraît si noir;
Je t'y veux faire apercevoir
L'objet le plus charmant du monde.

Tu ne dois pas être étonnée
Si, vivant sous tes douces lois,
J'appelle ces beaux yeux mes rois,
Mes astres et ma destinée.

Bien que ta froideur soit extrême,
Si dessous l'habit d'un garçon
Tu te voyais de la façon,
Tu mourrais d'amour pour toi-même.

Vois mille Amours qui se vont prendre
Dans les filets de tes cheveux,
Et d'autres qui cachent leurs feux
Dessous une si belle cendre.

Cette troupe jeune et folâtre,
Si tu pensais la dépiter,
S'irait soudain précipiter
Du haut de ces deux monts d'albâtre.

Je tremble en voyant ton visage
Flotter avecque mes désirs,
Tant j'ai de peur que mes soupirs
Ne lui fassent faire naufrage.

De crainte de cette aventure,
Ne commets pas si librement
A cet infidèle élément
Tous les trésors de la nature.

Veux-tu par un doux privilège
Me mettre au-dessus des humains?
Fais-moi boire au creux de tes mains,
Si l'eau n'en dissout point la neige.

Ah! je n'en puis plus, je me pâme,
Mon âme est prête à s'envoler;
Tu viens de me faire avaler
La moitié moins d'eau que de flamme.

Ta bouche d'un baiser humide
Pourrait amortir ce grand feu;
De crainte de pécher un peu
N'achève pas un homicide.

J'aurais plus de bonne fortune,
Caressé d'un jeune soleil,
Que celui qui dans le sommeil
Reçut des faveurs de la lune.

Climène, ce baiser m'enivre,
Cet autre me rend tout transi.
Si je ne meurs de celui-ci,
Je ne suis pas digne de vivre.

LE MIROIR ENCHANTÉ

Amarille, en se regardant
Pour se conseiller de sa grâce,
Met aujourd'hui des feux dans cette glace,
Et d'un cristal commun fait un miroir ardent.

Ainsi touché d'un soin pareil
Tous les matins l'astre du monde,
Lorsqu'il se lève en se mirant dans l'onde,
Pense tout étonné voir un autre soleil.

Ainsi l'ingrat Chasseur, dompté
Par les seuls traits de son image,
Penché sur l'eau, fit le premier hommage
De ses nouveaux désirs à sa propre beauté.

En ce lieu deux hôtes des cieux
Se content un secret mystère,
Si, revêtus des robes de Cythère,
Ce ne sont deux Amours qui se font les doux yeux.

Ces doigts, agençant ces cheveux,
Doux flots où ma raison se noie,
Ne touchent pas un seul filet de soie
Qui ne soit le sujet de plus de mille vœux.

O dieux! que de charmants appas,
Que d'œillets, de lis et de roses,
Que de clartés et que d'aimables choses
Amarille détruit en s'écartant d'un pas.

Si par un magique savoir
On les retenait dans ce verre,
Le plus grand roi qui soit dessus la terre
Voudrait changer son sceptre avecque ce miroir.

LA SERVITUDE

Nuit fraîche, sombre et solitaire,
Sainte dépositaire
De tous les grands secrets, ou de guerre ou d'amour,
Nuit, mère du repos, et nourrice des veilles
Qui produisent tant de merveilles,
Donne-moi des conseils qui soient dignes du jour.

Mais quel conseil pourrais-je prendre,
Hors celui de me rendre
Où je vois le fléau sur ma tête pendant,

Où s'imposent les lois d'une haute puissance,
Qui fait voir avec insolence
A mes faibles destins son superbe ascendant?

Je vois que Gaston m'abandonne,
Cette digne personne
Dont j'espérais tirer ma gloire et mon support,
Cette divinité que j'ai toujours suivie,
Pour qui j'ai hasardé ma vie,
Et pour qui, même encor, je voudrais être mort.

Irais-je voir en barbe grise
Tous ceux qu'il favorise,
Épier leur réveil et troubler leur repas?
Irais-je m'abaisser en mille et mille sortes,
Et mettre le siège à vingt portes,
Pour arracher du pain qu'on ne me tendrait pas?

Si le Ciel ne m'a point fait naître
Pour le plus digne maître
Sur qui jamais mortel puisse porter les yeux,
Il faut dans ce malheur que mon espoir s'adresse
A la plus charmante maîtresse
Qui se puisse vanter de la faveur des Cieux.

En ce lieu mon zèle possible
Se rendra plus visible;
On y connaîtra mieux ma franchise et ma foi.
Ce n'est pas une cour où la foule importune
Des prétendants à la Fortune
Produise une ombre épaisse entre le jour et moi.

Possible l'étoile inhumaine
Dont j'éprouve la haine
S'opposera toujours au bonheur que j'attends;
Et quelques dignes soins que mon esprit se donne,
Tous les labeurs de mon automne
Auront même succès que ceux de mon printemps.

O triste et timide pensée,
Dont j'ai l'âme glacée,
Et que je ne conçois qu'avec un tremblement,
Fantôme déplaisant et de mauvais présage,
Faut-il que ta funeste image
Me rende malheureux avant l'événement?

Donc les cruelles Destinées
Veulent que mes années
En pénibles travaux se consument sans fruit!
Et c'est, ô mon esprit, en vain que tu murmures
Contre ces tristes aventures;
Il faut que nous allions où le Sort nous conduit.

Il s'en va nous mettre à la chaîne;
Le voilà qui nous traîne
Dans les sentiers confus d'un Dédale nouveau.
Mon jugement surpris cède à sa violence,
Et je perds enfin l'espérance
D'avoir d'autre repos que celui du tombeau.

L'image de la Servitude,
Errant dans mon étude,
Y promène l'horreur qui réside aux enfers;
J'ois déjà qu'on m'enrôle au nombre des esclaves;
Je ne vois plus que des entraves,
Des jougs et des colliers, des chaînes et des fers.

Les Muses pâles et timides,
Avec des yeux humides,
Soupirent hautement de mon secret dessein,
Et consultent déjà s'il sera légitime
Que leur grâce encore m'anime
De la divine ardeur qui m'échauffait le sein.

O ma raison! dans ces alarmes,
Que ne prends-tu les armes
Pour t'opposer aux lois de la captivité?

Rejetons les liens d'un cœur opiniâtre,
Et ne feignons point de combattre
Jusqu'au dernier soupir pour notre liberté.

Il faut avoir part à la gloire
Qu'ont acquise en l'histoire
Tant d'illustres héros qui bravèrent le Sort,
Qui payèrent toujours d'une si belle audace,
Et qui, pressés de la disgrâce,
Sauvèrent leur franchise en courant à la mort.

Mais, ô discours déraisonnable!
O penser condamnable
Que m'a fait concevoir un insolent orgueil!
Je suis bien aveuglé par la mélancolie
Qui tient mon âme ensevelie,
De prendre de la sorte un port pour un écueil. . . .

LE CABALISTE

Esprit qu'on voit briller de clartés éminentes,
Toi qui de l'univers connais chaque ressort,
Et qui sais la vertu, la force et le rapport
Des cieux, des éléments, des pierres et des plantes,
Observant la nature aux formes inconstantes,
Tu lis tous les décrets que minute le Sort,
Et peux hâter le cours ou reculer la mort
De tout ce que le monde a de choses vivantes.
Mais quoi, ne m'apprends rien qui me fasse enrichir,
Qui me conserve jeune, ou me puisse affranchir
De la flamme, de l'eau, de la peste, ou des armes.
S'il faut que mon humeur ait pour toi des appas,
Seulement, cher Timante, enseigne-moi des charmes
Qui m'empêchent d'aimer ce qui ne m'aime pas.

LA BELLE ESCLAVE MAURE

Beau Monstre de Nature, il est vrai, ton visage
Est noir au dernier point, mais beau parfaitement;
Et l'Ébène poli qui te sert d'ornement
Sur le plus blanc ivoire emporte l'avantage.
O merveille divine inconnue à notre âge!
Qu'un objet ténébreux luise si clairement;
Et qu'un charbon éteint brûle plus vivement
Que ceux qui de la flamme entretiennent l'usage!
Entre ces noires mains je mets ma liberté;
Moi qui fus invincible à toute autre Beauté,
Une Maure m'embrase, une Esclave me dompte.
Mais cache-toi, Soleil, toi qui viens de ces lieux
D'où cet Astre est venu, qui porte pour ta honte
La nuit sur son visage et le jour dans ses yeux.

LA BELLE GUEUSE – MADRIGAL

O que d'appas en ce visage
Plein de jeunesse et de beauté,
Qui semble trahir son langage
Et démentir sa pauvreté.

Ce rare honneur des Orphelines,
Couvert de ces mauvais habits,
Nous découvre des perles fines
Dans une boîte de rubis.

Ses yeux sont des saphirs qui brillent,
Et ses cheveux, qui s'éparpillent,
Font montre d'un riche trésor.

A quoi bon sa triste requête,
Si pour faire pleuvoir de l'or
Elle n'a qu'à baisser la tête.

AIR

Esprit errant qui de ces Bois
Es l'Oracle le plus fidèle;
Nymphe, qui n'es plus qu'une voix,
Et qui fus autrefois si belle;
Hélas! console-moi,
J'aime, et suis triste comme toi.

Comme toi j'ai des passions
Qui sont au delà des communes;
Comme toi des affections
Qui causeront mes infortunes:
Hélas! console-moi,
J'aime, et suis triste comme toi.

Le père Martial de Brives

PARAPHRASE SUR LE CANTIQUE

Benedicite omnia opera Domini Domino

Êtres qui n'avez rien que l'Être,
Êtres prenant accroissement,
Êtres bornés de sentiment,
Êtres capables de connaître;
Venez par des transports sacrés
Franchir les différents degrés
Soit du genre, soit de l'espèce;
Et prenez soin de vous unir
Et bénir le Seigneur sans cesse;
Puisque sans cesse il prend le soin de vous bénir.

Martial de Brives

Benedicite angeli

Substances immatérielles,
Dépendantes divinités,
Du flambeau des Éternités
Intelligibles étincelles;
Ministres du courroux de Dieu,
Anges qui portez en tout lieu
La foudre du Dieu des vengeances;
Bénissez l'auguste beauté
Qui passe vos Intelligences,
Et remplissez d'ardeur le défaut de clarté.

Benedicite coeli Domino

Beaux cieux, admirables machines
D'azur en voûte suspendu,
Dont un jour le monde éperdu
Verra les affreuses ruines;
Tabernacles étincelants,
Trônes assurés et roulants,
Cercles de la terre et de l'onde,
Corps d'airain massifs et dispos,
Bénissez l'arbitre du monde
Qui dans le mouvement a mis votre repos.

Benedicite aquae omnes

Clair amas de mers précieuses
Qui pendez sur ce firmament
Et faites sans écoulement
Couler vos ondes lumineuses;
Eaux assises dessus ces feux
Qui d'un éclat triste et pompeux
Brillent dans la nuit la plus sombre,
Bénissez le Dieu qui remplit
D'un appareil d'astres sans nombre,
Comme d'un sablon d'or, votre superbe lit. . . .

Martial de Brives

Benedicite sol

Corps sans chaleur dont la Nature
Reçoit sa plus vive chaleur,
Soleil qui faites sans couleur
Ce que le monde a de peinture;
Œil et cœur de cet univers,
Cause de mille effets divers,
Portrait de la Cause première;
Bénissez, astre nonpareil,
De votre éloquente lumière
Le Soleil devant qui vous n'êtes pas soleil.

Benedicite luna Domino

Lampe d'argent au ciel pendue,
De qui le pâle feu nous luit
Pendant que l'horreur de la nuit
Dessus la terre est épandue;
Lune de qui les faibles rais,
Ensemble lumineux et frais,
Possèdent des clartés sans flammes;
Bénissez Dieu dont les bontés
Souffrent les défauts de nos âmes,
Qui pour ce grand Objet ont de froides clartés.

Benedicite stellae coeli

Paillettes d'or, claires étoiles
Dont la nuit fait ses ornements,
Et que comme des diamants
Elle sème dessus ses voiles;
Fleurs des parterres azurés,
Points de lumière, clous dorés
Que le ciel porte sur sa roue;
De vous soit à jamais béni
L'Esprit souverain qui se joue
A compter sans erreur votre nombre infini.

Martial de Brives

Benedicite omnis imber

Exhalaisons alambiquées
Qui noyez la terre à dessein
De faire un tableau de son sein
Gros de semences suffoquées;
Source des orgueilleux torrents
Qui sur nos campagnes errant
Volent le trésor de l'année,
Bénissez, salutaires fléaux,
La Justice bien ordonnée
Qui nous ôte des biens dont nous faisons des maux.

Benedicite ros Domino

Grains de crystal, pures rosées
Dont la marjolaine et le thym
Pendant leur fête du matin
Ont leurs couronnes composées;
Liquides perles d'Orient,
Pleurs du ciel qui rendez riant
L'émail mourant de nos prairies;
Bénissez Dieu qui par les pleurs
Redonne à nos âmes flétries
De leur éclat perdu les premières couleurs . . .

Benedicite rores et pruina

Bruine, rosée épaissie
Dont les grains clairs et détachés
Au matin sur l'herbe épanchés
La rendent chenue et transie;
Cristal en poussière brisé,
Dont l'émail des prés est frisé
Au point que le ciel se colore;
Subtil crêpe de verre trait
Échappé des mains de l'Aurore,
Bénissez à jamais la Main qui vous a fait.

verre trait, spun glass

Martial de Brives

Benedicite glacies

Glace, muraille toujours fraîche,
Luisant asile des poissons
Interdisant aux hameçons
D'y venir que par une brêche;
Claire croûte des moites eaux,
Glissante écorce des ruisseaux,
Solide pavé des rivières;
Bénissez le maître des flots
Qui sait dompter leurs bosses fières,
Les durcissant en plaine ouverte aux chariots.

Benedicite nives

Belle soie au ciel raffinée,
Neige dont l'air se déchargeant
Comme d'une toison d'argent
Rend la campagne couronnée;
Blanc du ciel par qui sont couverts
Les lieux qui soulaient être verts,
Tremblant albâtre de nos plaines;
Bénissez l'auguste grandeur
Du Juge des grandeurs humaines,
Qui veut qu'on le bénisse en esprit de candeur.

Benedicite dies

Veritable enfant de lumière,
Jour, universelle Beauté,
Jour qui donnez la liberté
A la nature prisonnière;
Or, dont tous les corps sont dorés,
Habit de clarté qui parez
Le Thym aussi bien que la Rose;
Bénissez d'un Esprit soumis
Le Dieu d'Amour qui vous dispose
Et pour ses serviteurs et pour ses ennemis.

Martial de Brives

Benedicite noctes

Triste nuit de qui les mains sombres
Passant partout un noir pinceau,
Du monde, admirable tableau,
Ne laissent que les seules ombres;
Vous qui confondez sur les fleurs
La diversité des couleurs
Dont le jour les rend émaillées;
Bénissez Dieu qui de sa main
Au matin les leur a baillées,
Et les leur ôte au soir pour les rendre demain.

Benedicite nubes

Ondes subtilement tracées
D'un azur si sombre et si clair,
Qu'on prend dans les plaines de l'air
Pour les collines entassées,
Longs ordres de riches bouillons,
Plis de l'air, célestes sillons,
Belles rides, pompeux nuages,
Bénissez le Maître des Cieux
Et que vos couleurs soient langages
Pour parler hautement de sa gloire à nos yeux.

Benedicite universa germinantia

Simples précieux et vulgaires,
Herbes de toutes les saisons,
D'où coulent les mortels poisons
Ou les remèdes salutaires,
Lignes peintes, filets mouvants
Qu'on voit flotter au gré des vents
Comme une verte chevelure,
Vif émail qui vivez si peu,
Froides languettes de verdure,
A bénir le Seigneur soyez langues de feu.

Martial de Brives

Benedicite fontes Domino

Fontaines où le soleil nage,
Clairs miroirs de cristal coulant,
Où par l'éclat d'un or tremblant
Cet astre fait voir son image;
Chastes mères de nos ruisseaux,
Qui naissent du sein de vos eaux
Au point qu'ils commencent leur course,
Sources qui tarissez souvent,
Bénissez l'adorable Source
Qui coule pour jamais du sein du Dieu vivant.

Benedicite maria

Vaste océan, monde liquide,
Lice des carrosses ailés
Que les quatre vents attelés
Traînent où la fureur les guide;
Monstre qu'on voit toujours caché
Et dans votre lit attaché
Comme un frénétique incurable,
Baisez d'un flot humilié
Vos augustes chaînes de sable,
Et bénissez la main qui vous en a lié.

Benedicite flumina Domino

Ondes sagement égarées
Dans ces audacieux détours,
Par qui le commerce prend cours
Entre les villes séparées;
Veines des champs, longs serpents d'eau,
Qui traînez votre humide peau
Sous vos bords couverts de verdure;
Fleuves qui courez sans ennui
Quoiqu'avec un peu de murmure,
Bénissez le Seigneur en murmurant de lui.

Martial de Brives

Benedicite cete et omnia

Vous dont les nochers se retirent
S'ils veulent sauver leurs vaisseaux,
Baleines qu'on voit sur les eaux
Comme des îles qui respirent,
Et vous, tout petits habitants
De ces palais creux et flottants
Que forme le marbre de l'onde,
Bénissez Dieu, muets poissons,
Puisque sa conduite profonde
A mis votre silence au rang de nos chansons.

Benedicite volucres

Oiseaux, qui par vos beaux plumages
Tenez l'œil de l'homme ravi,
Et qui ravissez à l'envi
Son oreille par vos ramages;
Voix visibles, sons emplumés,
Luths vivants, orgues animés,
Doux chantres qui sans tablature
Sans étude et sans précepteur
Chantez avec art par nature,
Assistez la nature à bénir son Auteur.

Benedicite filii hominum Domino

Homme, en qui ces diverses choses
Dont ce vaste monde est rempli,
Comme en un monde recueilli
Sont délicatement encloses,
Pierre et plante conjointement
Par l'être, et par l'accroissement,
Bête en la chair, en l'esprit ange,
Puisque tous êtres sont en vous,
Honorez Dieu d'une louange
Qui seule ait la vertu de le bénir pour tous . . .

Georges de Scudéry

LA BELLE ÉGYPTIENNE

Sombre Divinité de qui la splendeur noire
Brille de feux obscurs qui peuvent tout brûler:
La Neige n'a plus rien qui te puisse égaler
Et l'Ébène aujourd'hui l'emporte sur l'Ivoire.
De ton obscurité vient l'éclat de ta gloire;
Et je vois dans tes yeux dont je n'ose parler
Un Amour Africain qui s'apprête à voler
Et qui d'un Arc d'Ébène aspire à la victoire.
Sorcière sans Démons qui prédis l'avenir;
Qui regardant la main nous vient entretenir;
Et qui charmes les sens d'une aimable imposture,
Tu parais peu savante en l'art de deviner;
Mais sans t'amuser plus à la bonne aventure
Sombre Divinité, tu nous la peux donner.

LA FONTAINE DE VAUCLUSE

Mille et mille bouillons, l'un sur l'autre poussés,
Tombent en tournoyant, au fond de la vallée;
Et l'on ne peut trop voir la beauté signalée
Des torrents éternels par les nymphes versés.
Mille et mille surgeons, et fiers, et courroucés,
Font voir de la colère à leur beauté mêlée;
Ils s'élancent en l'air, de leur source gelée,
Et retombent après, l'un sur l'autre entassés.
Ici l'eau paraît verte, ici grosse d'écume,
Elle imite la neige ou le cygne en sa plume;
Ici comme le ciel, elle est toute d'azur;
Ici le vert, le blanc, et le bleu se confondent;
Ici les bois sont peints dans un cristal si pur;
Ici l'onde murmure, et les rochers répondent.

POUR UNE INCONSTANTE

Elle aime, et n'aime plus, et puis elle aime encore,
  La volage beauté que je sers constamment;
  L'on voit ma fermeté; l'on voit son changement;
  Et nous aurions besoin, elle et moi, d'ellébore.
Cent fois elle brûla du feu qui me dévore;
  Cent fois elle éteignit ce faible embrasement;
  Et semblable à l'Égypte, en mon aveuglement,
  C'est un caméléon que mon esprit adore.
Puissant maître des sens, écoute un malheureux;
  Amour, sois alchimiste, et sers-toi de tes feux
  A faire que son cœur prenne une autre nature;
Comme ce cœur constant me serait un trésor,
  Je ne demande point que tu fasses de l'or,
  Travaille seulement, à fixer ce mercure.

Pierre Le Moyne

L'AMOUR DIVIN

HYMNE PREMIER

  Feu sans matière et sans fumée;
Sainte flamme des saints amants;
Source des doux embrasements
Dont la Nature est allumée;
Vive ardeur d'un double flambeau;
Entre-deux du bon et du beau;
Beau souffle de deux belles bouches,
Nœud du Père et du Fils, Esprit, inspire-moi:
Mon cœur obscur et froid attend que tu le touches,
Et que pour te louer tu l'emplisses de toi.

  Esprit Saint, jette sur ma tête
Un rayon de ces sacrés feux
Qu'autrefois les peuples hébreux
Virent au front de leur prophète.

Loin de moi ces trompeurs flambeaux,
Qui sont allumés dans les eaux
Qu'épand le fabuleux Parnasse.
Loin de moi les lauriers de ce profane Mont:
Ardent buisson d'Oreb, mettez-vous en leur place,
Et venez aujourd'hui me couronner le front.

Puis-je comprendre tes merveilles,
Beau Principe des beaux amours,
Ardeur moyenne entre deux jours,
Éclair de deux flammes pareilles?
Feu qui n'es jamais consumé,
Cœur de l'Amant et de l'Aimé,
Baiser du Fils, baiser du Père;
Beau terme où se conclut leur commerce divin;
Et qui procèdes d'eux par un divin mystère,
Comme un angle infini de deux lignes sans fin. . . .

Ainsi le feu dans un nuage
Se prend aux rayons du soleil,
Lorsque pour se faire un pareil
Lui-même il y peint son image;
Le portrait à peine est formé,
Qu'il en est l'amant et l'aimé,
Comme l'ouvrier et le modèle:
D'une part et de l'autre, un même jour reluit;
Et l'ardeur d'entredeux est l'amour mutuelle,
Du soleil produisant, et du soleil produit. . . .

Avant qu'elle fût épanchée,
Tous les astres étaient encor
Comme une obscure graine d'or
Que la minière tient cachée:
Elle en fit des corps glorieux;
De féconds et mobiles yeux;
Et des âmes universelles:
Et sitôt qu'à leur masse un beau feu se fut pris,
Une cendre en tomba, qui fit par étincelles,
Le jour du diamant, et l'éclat du rubis.

minière, lode

Après une vive influence,
Glissant jusqu'au bas élément,
La terre en fut en un moment
Mère sans peine et sans semence.
Les arbres, ses peuples géants,
Naquirent tout faits et tout grands,
Et revêtus jusques au faîte:
Et se voyant si beaux, et si chargés de fruits,
Ils joignirent les bras, et baissèrent la tête,
Pour adorer l'auteur qui les avait produits . . .

Le lion pour te faire hommage,
En naissant éleva les yeux,
Où se voit du lion des cieux
L'illustre et glorieuse image:
De là par le vide de l'air,
Un prompt et pénétrant éclair,
Apporta le feu dans son âme:
L'audace avec le feu s'alluma dans son cœur;
Et le cristal des yeux, où passa cette flamme,
Prit d'un ardent rubis l'éclat et la rougeur.

La baleine vaste et pesante,
Faite pour l'effroi des vaisseaux,
Parut sur la face des eaux,
Comme une galère vivante.
Avant qu'il se formât de vent,
Elle émut en se soulevant,
Un commencement de tempête:
Et sentant sa chaleur dans l'élément du froid,
Fit d'un double jet d'eau, qui sortit de sa tête,
Une soudaine offrande au feu qui l'échauffait.

L'aigle impérieuse et hautaine,
Sortant avecque les oiseaux
Du nid que leur firent les eaux,
S'éleva dans la haute plaine.

Fière de sa noble vigueur,
Du feu qu'elle avait dans le cœur,
Elle allait rechercher la source:
Mais pour voler à toi, manquant d'ailes et d'yeux,
Elle arrêta plus bas ses regards et sa course,
A ta cendre qui luit dans le flambeau des cieux.

Après toutes choses bâties,
Tu mis un feu dans l'univers,
Qui fit de ces membres divers
L'alliance et les sympathies.
A ce beau feu de ton Esprit
Soudain la Nature s'éprit
De flammes douces et nouvelles:
Sa chaleur s'épandit dedans comme dehors;
Et l'on en vit sortir en forme d'étincelles
Des cœurs par qui l'Amour entra dans tous les corps. . . .

Un cœur entra dedans la Lune,
Et lui fit aimer le soleil:
Ce grand astre en eut un pareil,
Qui lui fit une amour commune:
Depuis, cet illustre amoureux
Chargé de traits, et plein de feux
Donne ses soins à tout le monde:
Et d'une même ardeur, sa belle flamme luit
A la perle qui craint et se cache dans l'onde
Aussi bien qu'au souci, qui l'aime et qui le suit.

De mille autres cœurs qui tombèrent,
Dans le bas monde, et dans ses corps,
Les mouvements et les accords
De la Nature se formèrent:
Le fer, ce lourd et froid amant,
Eut un cœur pour suivre l'aimant,
Et l'aimant un pour suivre l'ourse:
Pour aller à la mer, chaque fleuve eut le sien;
Et rien n'a pu depuis en détourner leur course,
Quoiqu'elle soit ingrate, et qu'elle n'aime rien,

Mais tu ne pouvais mieux paraître
Que par ce beau feu qui s'est pris
A des sujets doués d'esprits
Faits pour t'aimer, et te connaître.
L'Ange et l'Homme en furent formés,
Comme des miroirs animés
Des pures clartés de ta face:
Tu leur donnas ta flamme afin d'avoir la leur:
Et ton souffle, bien loin d'en dissoudre la glace,
Y traça ton image avecque sa chaleur.

ANNIBAL

(*La Haine, la Colère, et la Cruauté sont représentées en ce Tableau*)

Ces feux ne brûlent point, leur flamme est désarmée:
La Terre en est toujours sans chaleur allumée:
Ils n'ont rien de fâcheux, on peut les approcher:
Ils sont feux à la vue, et non pas au toucher.
Et par un bel effet honorant leur matière,
Ils la brûlent toujours, et la laissent entière.
Ces Morts vous doivent faire encore moins de peur:
Ils ont été tués sans crime et sans douleur.
La main qui les a faits, n'a point fait d'homicide:
Le sang qu'ils ont versé, n'est pas un sang liquide:
Leurs blessures sont moins en leurs corps qu'en nos sens:
Aussi n'ont-ils reçu, que des coups innocents.
Sans leur donner d'esprit, l'esprit les a fait naître:
L'art les a fait mourir, et leur a donné l'être:
Ils sont nés tout blessés, et par un nouveau sort,
Ils ont tous commencé de vivre par leur mort. . . .
Oserez-vous passer à l'ombre de ces bois?
C'est le triste séjour dont la Haine a fait choix.
En ce bois il ne vient que des têtes sanglantes,
Tragiques ornements de ces cruelles plantes,
Qu'un Démon curieux de ce fruit inhumain,
Cultive jour et nuit d'une barbare main. . . .

Là se gardent aussi ces machines tragiques,
Ces cruels instruments de misères publiques,
Ces cercles hérissés de pointes et de dents,
Ces lits armés de fer, et ces taureaux ardents;
Où dans un corps de bête, un esprit raisonnable,
Cherche en vain pour se plaindre une voix véritable;
Étonné que ces cris, changés par son tourment,
Deviennent en sa bouche un faux mugissement.
Là des corps empallés et revêtus de cire,
Éclairent leurs bourreaux avecque leur martyre.
Quel spectacle de voir un flambeau qui se plaint;
Une torche qui crie; un homme qui s'éteint;
Une clarté meurtrière; une flamme sanglante;
Un mort qui fait du jour; un feu qui se lamente,
Et ne rougit pas tant de sa propre couleur
Que d'un sang étranger qui nourrit sa chaleur!
Là se trouvent encor ces mortiers à torture,
Où les tourments se font par art et par mesure:
Où l'on meurt pièce à pièce: et les corps poudroyés,
Avecque leurs esprits sont lentement broyés.
Les Vertus ne sont point dans ce Temple connues:
La Pitié, ni la Paix n'y sont jamais venues:
L'Amour même qui fait l'âme des éléments,
Qui commence et finit leurs divers mouvements,
Qui règne dans l'orage, et règne dans le calme,
Qui cultive l'épine aussi bien que la palme,
Qui fait le nid de l'Aigle, et ceux des Alcyons,
Qui met la bride aux Ours, et la chaîne aux Lions,
N'a jamais eu d'autel en ce lieu de supplice:
Il n'y reçut jamais encens ni sacrifice.
Aussi qu'a-t-on besoin des liens de l'Amour,
Aux couples qui se font en ce cruel séjour;
Où la vie et la mort par un accord farouche
Sont jointes corps à corps, et bouche contre bouche?
Triste noce où pour lit on n'a qu'un noir tombeau:
Où Mégère préside avecque son flambeau!
Et par un artifice horrible à la Nature
Un vivant sur un mort est mis à la torture;

Est contraint d'attirer avec l'air son tourment;
D'apprendre avant le temps à pourrir lentement;
D'embrasser son supplice et d'une étrange sorte
De respirer la mort par une bouche morte.
Dans la plaine où se voit un grand peuple abattu,
Le sort a surmonté l'adresse et la vertu.
Là le Démon de Rome, et celui de Carthage,
L'un sur l'autre ont produit leur haine et leur courage:
Ils ont armé les bras de cent Peuples divers:
Et pour se renverser ébranlé l'Univers,
Jusqu'à faire trembler d'une crainte commune
Et l'Europe et l'Afrique, avecque leur fortune.
  Ici la Mort paraît en sa juste grandeur;
Elle est de tous ces corps la nuit et la froideur.
Et comme dans un bois brûlé de la tempête,
Un tilleul est sans bras, un cyprès est sans tête,
Un chêne d'un côté du faix de ses rameaux
Achève d'étouffer une race d'ormeaux . . .
De même ici la Mort a toutes ses figures:
Aux uns elle paraît entière et sans blessure:
Et n'a rien de la Mort que la seule pâleur,
Qui s'étend sur les corps qui n'ont plus de chaleur.
Aux autres elle n'est qu'une sanglante masse,
Où les membres n'ont plus leur forme ni leur place;
Où la Nature même aurait peur de son art;
Où la tête sans corps fait une mort à part;
Et la main hors du bras tenant encor l'épée,
Menace vainement celui qui l'a coupée.
  L'Africain, qui du feu de Sagunte alluma
Les flambeaux dont le Pô longtemps après fuma,
Est celui qui se montre au milieu de la plaine,
Glorieux du débris de la Grandeur Romaine.
C'est bien à son courage un doux contentement,
Qu'il ait vengé Didon de son perfide Amant:
Qu'avecque son Génie il ait formé l'orage,
Où la seconde Troye a presque fait naufrage:
Et qu'il ait élevé ces montagnes de morts,
Où cette mer de sang a sa source et ses bords:

Chaque main, chaque bras, et chaque tête d'homme,
A sa vue inhumaine, est un membre de Rome.
Par un nouvel orgueil mesurant ces anneaux
Il mesure les morts avecque deux tonneaux:
Il suppute combien la Fortune d'Afrique,
A fait perdre en un jour d'yeux à la République;
Combien Carthage a fait par sa fatale main
Des places à remplir dans le Sénat Romain:
Combien il est tombé d'Aigles en cette plaine:
Combien en a noyé la rivière prochaine:
Et combien ce grand Corps, auguste en Magistrats,
A laissé sur le champ de têtes et de bras.
　Regardez cette mine orgueilleuse et sauvage:
Le feu de la Colère éclate en son visage.
Son Esprit en désir détaché de son corps,
Donne un second combat aux Esprits de ces morts:
Il sent avec plaisir leur meurtre et sa victoire:
Il les égorge encore avecque la mémoire:
Et cherche dans leur sang, qui commence à pourrir,
S'il n'est rien demeuré qui puisse encor mourir.
Sa haine cependant accompagnant leurs Ombres,
Jusqu'à ce bas pays de feux tristes et sombres,
Prépare à leurs tourments, des vautours, des rochers,
Des hydres, des griffons, des cordeaux, des bûchers:
Et compose un souhait contre ces malheureuses
De tout ce que l'Enfer a de fables affreuses.
　Il faut ici donner du courage à nos yeux,
Pour leur faire passer ce Pont prodigieux,
Où des morts élevés de l'une à l'autre rive,
Font une digue à l'onde, et la tiennent captive.
Effroyable travail, barbare invention,
Où toute la Nature est en confusion:
Pont, Cimetière, Écueil, Théâtre de la guerre;
Pont sans pierre et sans bois; Cimetière sans terre;
Écueil mol et cruel, qui fait du sang dans l'eau;
Théâtre où mille corps n'ont qu'un flottant tombeau:
Au pays de la Mort ces funestes rivières
Où l'on ne voit flotter pour bateaux que des bières;

Ni ce Lac éternel où réside l'effroi
Pourraient-ils rien porter d'aussi cruel que toi?
Pourraient-ils sur leurs eaux souffrir de tels ouvrages,
A moins que de détruire eux-mêmes leurs rivages?
Ce Fleuve s'en effraye, il n'ose l'approcher,
Et cherche sous la terre un lieu pour se cacher.
Son onde épouvantée en retarde sa course,
Et remonte en tremblant vers le lieu de sa source.
A voir de loin fumer le sang qui le remplit,
On croirait que le feu se soit pris à son lit.
Ses poissons qui ne sont ni dans l'eau ni sur terre,
Flottent sur l'Élément qui leur a fait la guerre.
Ces corps avec leur sang leur font prendre leur mort:
En vain pour l'éviter, ils se pressent au bord:
En vain en la prenant, ils tâchent de la rendre,
Il leur faut ou pâmer ou bientôt la reprendre;
Ils se meuvent à peine, ils étouffent de chaud,
Et cherchent en vain l'air où l'onde leur défaut.
  Au lieu qu'auparavant les plus belles Étoiles,
Laissant à ces peupliers leur carquois et leurs voiles,
Nettoyaient dans ce fleuve après le jour éteint,
Les vapeurs dont la terre avait terni leur teint:
Que la Lune y venait laver ces taches sombres
Que les monts et les bois lui causent de leurs ombres:
Que l'Astre des Étés au milieu de son cours
Y trempait les rayons dont il fait les grands jours:
Et qu'avec les Zéphirs, les Nymphes des fontaines,
Tenaient toujours le Bal ou le Cercle en ces plaines:
On n'y voit maintenant qu'un Théâtre d'horreur,
Où la Haine a lassé les bras à la fureur:
Qu'un fleuve à qui le sang a fait changer de face,
Et qui même en son lit à peine trouve place:
Que des membres sanglants, séparés de leurs corps,
Que des dards, des chevaux, et des peuples de morts,
A qui leurs armes sont de nobles sépultures,
Et qui pleurent encor leur sort par leurs blessures. . . .

Charles Cotin

SONNET SUR L'ECCLÉSIASTE

Du mobile palais où ton esprit habite
    Une invisible main sape le fondement,
    Et d'un torrent de maux le noir débordement
    T'entraîne vers l'abîme où tout se précipite.
Coup que chacun redoute et que pas un n'évite,
    Tu vois devant tes yeux s'ouvrir le monument.
    Ta beauté va buter à son dernier moment:
    Les grâces et l'amour ont déjà pris la fuite.
Avant qu'un si beau corps devienne ta prison
    Et que cette clarté qui pourpre l'horizon
    Éclaire en vain tes yeux tout couverts de ténèbres,
Souviens-toi de celui qui le peut rebâtir
    Et joindre ton triomphe à nos devoirs funèbres
    Par sa miséricorde et par ton repentir.

ÉNIGME

Je puis donner aux eaux un frein de diamant,
    J'échauffe les tritons et les couvre d'écume;
    Comme un esprit de feu ma colère s'allume
    Et remplit de frayeur l'un et l'autre élément.
J'ébranle des mortels l'éternel fondement
    Lorsque je prends un corps de souffre et de bitume.
    Mon souffle est un venin dont l'ardeur vous consume
    Et qui ternit l'éclat des feux du firmament.
Souvent à mon abord tout le ciel fond en larmes,
    Et les traits d'Apollon sont moins forts que mes armes
    Quand la fureur de l'Ourse à la mienne se joint.
Je suis un grand tyran aussi vieux que le monde,
    Et je règne inconstant où mon trône se fonde.
    On me connaît partout et l'on ne me voit point.

Pierre Corneille

QUE LA VÉRITÉ PARLE AU DEDANS DU CŒUR

Parle, parle, Seigneur, ton serviteur écoute:
Je dis ton serviteur, car enfin je le suis;
Je le suis, je veux l'être, et marcher dans ta route
Et les jours et les nuits.

Remplis-moi d'un esprit qui me fasse comprendre
Ce qu'ordonnent de moi tes saintes volontés,
Et réduis mes désirs au seul désir d'entendre
Tes hautes vérités.

Mais désarme d'éclairs ta divine éloquence;
Fais-la couler sans bruit au milieu de mon cœur:
Qu'elle ait de la rosée et la vive abondance
Et l'aimable douceur.

Vous la craigniez, Hébreux, vous croyiez que la foudre,
Que la mort la suivît et dût tout désoler,
Vous qui dans le désert ne pouviez vous résoudre
A l'entendre parler.

'Parle-nous, parle-nous,' disiez-vous à Moïse,
Mais obtiens du Seigneur qu'il ne nous parle pas;
Des éclats de sa voix la tonnante surprise
Serait notre trépas.'

Je n'ai point ces frayeurs alors que je te prie;
Je te fais d'autres vœux que ces fils d'Israël,
Et plein de confiance, humblement je m'écrie
Avec ton Samuel:

'Quoique tu sois le seul qu'ici-bas je redoute,
C'est toi seul qu'ici-bas je souhaite d'ouïr:
Parle donc, ô mon Dieu! ton serviteur écoute,
Et te veut obéir.'

Je ne veux ni Moïse à m'enseigner tes voies,
Ni quelque autre prophète à m'expliquer tes lois;
C'est toi qui les instruis, c'est toi qui les envoies,
Dont je cherche la voix.

Comme c'est de toi seul qu'ils ont tous ces lumières
Dont la grâce par eux éclaire notre foi,
Tu peux bien sans eux tous me les donner entières,
Mais eux tous rien sans toi.

Ils peuvent répéter le son de tes paroles,
Mais il n'est pas en eux d'en conférer l'esprit,
Et leurs discours sans toi passent pour si frivoles
Que souvent on en rit.

Qu'ils parlent hautement, qu'ils disent des merveilles,
Qu'ils déclarent ton ordre avec pleine vigueur:
Si tu ne parles point, il frappent les oreilles
Sans émouvoir le cœur.

Ils sèment la parole obscure, simple et nue;
Mais dans l'obscurité tu rends l'œil clairvoyant,
Et joins du haut du ciel à la lettre qui tue
L'esprit vivifiant.

Leur bouche sous l'énigme annonce le mystère,
Mais tu nous en fais voir le sens le plus caché;
Ils nous prêchent tes lois, mais ton secours fait faire
Tout ce qu'ils ont prêché.

Ils montrent le chemin, mais tu donnes la force
D'y porter tous nos pas, d'y marcher jusqu'au bout;
Et tout ce qui vient d'eux ne passe point l'écorce,
Mais tu pénètres tout.

Ils n'arrosent sans toi que les dehors de l'âme,
Mais sa fécondité veut ton bras souverain;
Et tout ce qui l'éclaire, et tout ce qui l'enflamme
Ne part que de ta main.

Ces prophètes enfin ont beau crier et dire,
Ce ne sont que des voix, ce ne sont que des cris,
Si pour en profiter l'esprit qui les inspire
Ne touche nos esprits.

Silence donc, Moïse! et toi, parle en sa place,
Éternelle, immuable, immense vérité:
Parle, que je ne meure enfoncé dans la glace
De ma stérilité.

C'est mourir en effet qu'à ta faveur céleste
Ne rendre point pour fruit des désirs plus ardents,
Et l'avis du dehors n'a rien que de funeste
S'il n'échauffe au dedans.

Cet avis écouté seulement par caprice,
Connu sans être aimé, cru sans être observé,
C'est ce qui vraiment tue, et sur quoi ta justice
Condamne un réprouvé.

Parle donc, ô mon Dieu! ton serviteur fidèle
Pour écouter ta voix réunit tous ses sens,
Et trouve les douceurs de la vie éternelle
En ses divins accents.

Parle pour consoler mon âme inquiétée;
Parle pour la conduire à quelque amendement;
Parle, afin que ta gloire ainsi plus exaltée
Croisse éternellement.

Jean de Bussières

LA NEIGE – AIMER LA CHASTETÊ

Douce laine du Ciel, belle fleur des nuées,
Beau lis, qui de l'hiver méprises les gelées,
Neige qui te nourris au milieu des deux airs,
Épanche tes trésors sur ces tristes déserts;
Donne-nous largement ces feuilles argentées,
Qui te sont chaque jour par l'aquilon portées;
Ouvre tes beaux palais, et donne un vêtement
A nos champs dépouillés de tout autre ornement.

On dit que cet argent que tu jettes en lames
Renferme dans son sein quelques esprits de flammes;
Que tu n'as de froideur que pour l'attouchement,
Et que la Terre en toi trouve son aliment;
Que lui pressant le flanc de tes eaux tempérées,
Tu remplis de pur sang ses veines altérées;
Viens donc, riche toison, rare essence de l'eau,
Inonde nos guérets d'un fertile ruisseau.

Ah, Nymphe, je te vois, qui d'une main d'ivoire
Ouvres à nos désirs les pompes de ta gloire;
Je vois qu'en te jouant tu fais des pelotons,
Que de ton beau métal tu forges des jetons,
Que, prodigue, sur nous à l'instant tu les sèmes,
Faisant voir par tes dons à quel point tu nous aimes.
Ah, tout l'air est rempli de papillons perlés;
Partout on voit blanchir ces fantômes ailés.

Comme leur danse est belle! Et comme leur albâtre
Virevolte par l'air roulant d'un pas folâtre!
Comme ils vont se heurtant, sans se faire nul mal!
Comme en frères parfaits ils se traitent d'égal!
Comme sur le terrain l'un à l'autre s'abouche!
Comme ils font étendus une agréable couche!

C'est assez, belle Nymphe; et tout notre gazon
Ne paraît plus qu'orné de ta belle toison;

Ah, qu'il est beau, ce blanc! et quoiqu'il éblouisse,
Qu'il a je ne sais quoi de doux et de propice!
Il plaît en dissipant, et mon œil qui s'y perd
Ne s'y nourrit pas moins que sur un tapis vert.
Quoique tant de brillants offusquent sa paupière,
Il ne peut s'empêcher d'aimer cette lumière.
Mais nymphe, ce qui fait que j'aime tes présents,
Que nonobstant ton froid ils me touchent les sens;

C'est que d'une vertu, qui n'a rien qui n'excelle,
Que de la Chasteté tu traces le modèle.
Tu péris toutefois, et du soir au matin
Des autans échauffés tu n'es que le butin;
Ce souffle pestilent, puissant à te résoudre,
Dissipe tes beautés, et les mêle à la poudre;
Le soleil enflammé d'une jalouse ardeur,
Détruit ce qu'a de beau ton agréable candeur. . . .

Hippolyte-Jules Pilet de La Ménardière

LE SOLEIL COUCHANT – ODE

Le grand astre va lentement
Vers les saphirs de l'onde amère,
Et Vénus, dans l'autre hémisphère,
Donne ordre à leur appartement.

De celui dont il va sortir
L'air est pompeux et magnifique.
Je doute que sous l'Amérique
On puisse aussi bien l'assortir.

Ces grands rideaux à fond vermeil,
Dont l'or pétille dans la nue,
Sont d'une étoffe peu connue
Aux pays où va le soleil.

Étant sans doute moins polis,
Il s'y néglige davantage,
Et ne sort en grand équipage
Que pour charmer la fleur de lis.

. . . . .

La pourpre qui luit sous ses pas
En l'air s'écarte en mille pointes
Où, parfois, deux couleurs sont jointes,
Et parfois ne se joignent pas.

Dieux! la merveilleuse clarté!
Alceste, admirez la nuance
De ce jaune clair qui s'avance
Sous cet incarnat velouté.

L'œillet d'Inde serait ainsi
Dans sa douce et sombre dorure,
Si sur les pans de sa bordure
La rose tranchait le souci.

Mais voilà cet éclat changé
En un mélange plus modeste.
Voyez ce rocher bleu céleste
Où déborde un pâle orangé.

Voyez ces rayons gracieux
Qui, là-bas, forçant le passage,
De fils d'or percent le nuage,
Aussi loin que portent nos yeux.

Que ces flocons blancs ont d'appâts!
Vous diriez que c'est de la neige
Qu'un doux soleil, qui la protège,
Perce, illumine et ne fond pas.

Alceste l'égale en ce point.
Pour nous ses feux elle tempère
Et sa lueur brillante et claire
Enflamme et ne consume point.

Des plus bizarres papillons
Aimez-vous bien la bigarrure?
Et les différentes parures
Des mieux émaillés oisillons?

Voyez ce lustre variant
De mille couleurs entassées
Qu'un trait de lumière a tracées
Sur ce fond brun, vers l'orient.

Voyez ces tirades de feu
Dont le ciel vers le nord éclate;
Et, dans ces plaines d'écarlate,
Ce bois d'amarante et de bleu.

Que les flots crêtés d'un zéphyr
Sont bien peints dans ces pommelures,
De qui l'ordre et les mouchetures
Semblent figurés à plaisir!

Quoique l'on vante son berceau,
L'auteur fécond de la lumière,
Dessus le seuil de la carrière,
N'est point si pompeux ni si beau.

Les opales du point du jour
Et ses jacinthes sombres-claires

Sont bien des objets plus vulgaires
Que les rubis de son retour.

Jamais eut-il rien d'approchant
Sur le bord des climats du Gange?
Java perdrait-il pas au change
De cette Inde avec son couchant?

Ces grands feux dont si largement
Tout l'horizon paraît s'éprendre,
Aux plus grossiers feraient comprendre
Qu'un Dieu fait cet épanchement.

Sa pompe, éclatant sur les eaux,
Met les hôtes de l'onde en peine,
Craignant qu'un enfant de Clymène
Y lance des brasiers nouveaux.

Sa rondeur croît en descendant.
Telle est la sphère de notre âme:
Le cercle infini de sa flamme
S'augmente par notre occident.

Mille éclairs aigus et perçants
Couronnent la fin de sa lice,
Et, quand il semble qu'il finisse,
Il enchante encore nos sens.

Quoiqu'il ait adouci ses traits,
Autour on ne voit nul ombrage.
Demain, comme votre visage,
Il aura cent nouveaux attraits.

Après nous avoir divertis
De mille admirables figures,
Le peintre et ses rares peintures
Dans les eaux vont être engloutis.

Dans l'air il laisse les couleurs
Qui font les jasmins et les roses,
Et toutes ses métamorphoses
Sont les germes d'autant de fleurs.

Ah, que Thétis à ce moment
En son cœur se tient fortunée!
Et qu'elle aime sa destinée
De ravoir son illustre amant!

. . . . .

Tous les objets qui l'ont vu choir,
Par son départ devenus sombres,
Ne seront bientôt que leurs ombres,
Et se couvrent d'un crêpe noir.

La terre, opposée à la mer,
En deuil va garder le silence,
Et, pour ne point voir son absence,
Les fleurs mêmes se vont fermer.

Demain l'Aurore à son réveil
N'y verra que perles liquides,
Et tous leurs yeux seront humides
Pour avoir perdu le soleil.

Déjà l'air par ce changement
Est pesant, plutôt que tranquille,
Et l'humeur froide qu'il distille
Cause un morne assoupissement.

Belle Alceste, retirons-nous:
La nuit étend ses larges voiles.
Il prendrait fort mal aux étoiles
De voir des astres comme vous. . . .

Paul Scarron

SONNET

Assurément, Cloris, vous me voulez séduire,
Je vous vois depuis peu me faire les yeux doux,
Vous m'avez pris la main entre vos deux genoux,
Si vous continuez, vous m'achevez de cuire.
Que vous feriez de mal si vous aimiez à nuire,
Plus de dix mille cœurs sont percés de vos coups,
Dont les uns sont ravis et les autres jaloux,
De l'éclat que l'on voit dans vos beaux yeux reluire.
Vous avez lu des vers, vous en savez par cœur,
Vous chantez, ce dit-on, comme un enfant de chœur;
Et lorsque vous parlez vous charmez les oreilles.
Dieu! que ne suis-je né pour être votre époux!
Vous riez, ô Cloris, d'entendre ces merveilles,
Pleurez, sotte, pleurez, je me moque de vous.

SONNET SUR PARIS

Un amas confus de maisons,
Des crottes dans toutes les rues,
Ponts, églises, palais, prisons,
Boutiques bien ou mal pourvues;
Force gens noirs, blancs, roux, grisons,
Des prudes, des filles perdues,
Des meurtres et des trahisons,
Des gens de plume aux mains crochues;
Maint poudré qui n'a point d'argent,
Maint homme qui craint le sergent,
Maint fanfaron qui toujours tremble,
Pages, laquais, voleurs de nuit,
Carrosses, chevaux, et grand bruit,
C'est là Paris. Que vous en semble?

CHANSON A BOIRE

Si l'on me voit devant Mardic
Me puisse venir la teigne ou le tic!
Bon à faire à Gassion d'être friand de batailles;
Un coup de canon
N'est, ma foi, ni beau ni bon:
Il vaut mieux dans Paris manger perdreaux et cailles,
Que d'aller aux Pays-Bas
Et de n'en revenir pas.

Alors, qu'on a le bras cassé
On ne vaut guère mieux qu'un trépassé.
Devant Mardic, ce dit-on, bien souvent des bras on casse,
Des cuisses aussi;
Il fait bien meilleur ici;
Il fait meilleur à Paris, où l'on boit avec glace,
Que d'aller aux Pays-Bas
Et d'en revenir sans bras.

Que d'Enghien comme un lion,
Du soldat flamand fasse occision;
J'aime mieux, comme un pourceau, me remplir jusqu'à la gorge
De friands morceaux.
Ces exploits sont bien plus beaux
Que d'aller aux Pays-Bas à cheval comme un Saint George,
Où lorsqu'on n'y pense pas
Un Flamand vous met à bas.

CARTEL DE DÉFI

En qualité de Jobelin
Et de serviteur très-fidèle
De feu Job, dont je suis très-indigne modèle,
Je soutiens que l'esprit malin,
En matière de Job, qui ne fit rien qui vaille
(A bien considérer que c'est un saint qu'on raille),

N'est pas tant à blâmer, la diablerie à part,
Que quiconque sur Job exerce son brocard.
JE SOUTIENS qu'on devrait laisser en patience
Ce Job, qui de souffrir nous apprit la science,
Et bien considérer que Job
Était proche parent d'Isaac et de Jacob,
PASSE sur un Voiture et sur un Benserade
D'exercer la Turlupinade;
Mais de mettre avec eux Job en capilotade,
C'est envers Job trop manquer de respec
Et grandement faillir, aux sonneurs de rebec,
Tant en leur plume qu'en leur bec;
C'est prendre mal une chose bien dite
Par cette Princesse d'élite
En qui le sang égale le mérite.
N'allez donc plus mêler ce grand Prince Hussite
Dans le conflit de vos Sonnets,
Messieurs les sansonnets!
Si de ceci quelqu'un s'offense,
En prose, en vers, ou bien de vive voix
Je lui donne le choix
Et m'offre à le combattre à toute outrance
Sur le sujet de Job, mon bon Patron.
Je m'appelle Scarron;
Je loge en la seconde chambre
Tout vis-à-vis l'Hôpital Saint-Gervais.
Quoique perclus de plus d'un membre,
Si quelqu'un en fait le mauvais,
Qu'il se montre ou se nomme:
Il a trouvé son homme.

Isaac de Benserade

LES CI-GÎT

ÉPITAPHE DES PLUS GRANDS HÉROS

Ci-gît un conquérant qui mit le feu par tout
Et qui fut annoncé même par les comètes:
Que sait-on si là-bas, tête nue et debout,
Il n'est point au-dessous d'un crieur d'allumettes?
  Ci-gît Pompée, Alexandre, César:
  Ils eurent beau triompher sur un char
  Ce fin *ci-gît* les en fit bien descendre;
  Et quelque noble enfin que soit leur cendre,
  Malaisément ils la démêleront;
  Il en viendra qui les égaleront,
  S'il n'en est pas qui déjà les effacent;
  Mais, après tout, quoi que les héros fassent
  Qu'en reste-t-il qu'un son léger et vain
  Dont tôt ou tard *ci-gît* est le refrain?

ÉPITAPHE D'UN HOMME DE NÉANT ORGUEILLEUX

Ci-gît un homme de néant,
Vrai nain qui faisait le géant,
Franc roturier sous l'or et sous la soie,
Qui se piquait de qualité,
Égal aux nobles morts: mais il n'a pas la joie
De sentir cette égalité.

L'HOMME CRÉÉ – RONDEAU

Un peu de boue être de tant de poids!
L'Auteur du Monde observant autrefois
La Terre encor neuve, inculte et sauvage:
Ce n'est pas tout, dit cet Esprit si sage,
Il faut un maître à tout ce que je vois;

Un animal doit imposer des lois,
Et là-dessus il pétrit dans ses doigts
Je ne sais quoi qu'il trouve en son passage,
Un peu de boue.

Il confondit l'orgueil des plus adroits,
Il forma l'Homme avecque tous ses droits,
Il y grava des Dieux la vive image.
Mais dans le fond, qu'est-ce que cet ouvrage
Dont sont venus les peuples et les rois?
Un peu de boue.

AIR

Il n'est livre ni raison
Qui soit toujours de saison:
Mais quand Bacchus nous enivre,
Il passe raison et livre.

Revenu de tout, je pense
A jouir d'un lieu parfait,
Où nature a déjà fait
Les trois parts de la dépense.

J'ai brûlé sous les lois tendres
De l'amour et de Vénus,
Chaudes sont encore les cendres;
Plaisirs, qu'êtes-vous devenus?

Qui peut payer ces retraites,
Sûres, douces et secrètes,
Qui peut payer ce tableau,
Et le tumulte de l'eau?

Amer au cœur, doux aux yeux,
Beau sexe, vous êtes volage;
Et moi précisément dans l'âge
Où l'on s'en aperçoit le mieux.

Ce n'est rien moins qu'un partisan
Qui fit ces cascades, et vive
La nature naïve,
L'art est trop courtisan.

J'aime à voir dans les beaux jours
Tout ce qui vient à s'éclore
Des innocentes amours
Du Zéphyre avecque Flore.

Cet empereur ridicule
Sous la fausse peau d'Hercule,
Fut plus faible que l'enfant
Qu'il tient d'un air triomphant.

Je ne me plains ni ne me loue
De toi, Fortune, et je t'absous:
N'ayant éprouvé de ta roue
Ni le dessus, ni le dessous.

Jean-François Sarasin

CHANSON

Nommer un ange
Votre Phyllis,
C'est chose étrange,
Je vous le dis;
Gardez ces louanges
Pour d'autres appas,
Je me connais en anges,
Phyllis ne l'est pas.

Pour bonne mine,
Je le veux bien,
Mais pour divine,
Il n'en est rien;

Sarasin

Gardez ces louanges
Pour une autre fois,
Je me connais en anges,
J'en ai servi trois.

ÉPIGRAMME – A UNE DAME SUR SA PÂLEUR

Rose d'été qui la pourrait trouver
Sur votre teint, ce serait bonne affaire;
Mais le pis est que sommes en hiver,
Et c'est un temps aux roses fort contraire.
Si le vermeil pourtant est nécessaire
Pour embellir votre teint blanchissant,
Dites toujours: J'aime; c'est chose claire
Que le direz toujours en rougissant.

VILLANELLE

O beauté sans seconde,
Seule semblable à toi,
Soleil pour tout le monde
Mais comète pour moi.

De ces lèvres écloses
On découvre en riant
Sous des feuilles de roses
Des perles d'Orient.

Ces beaux sourcils d'ébène
Semblent porter le deuil
De ceux que l'inhumaine
A mis dans le cercueil.

Pour soulager ma flamme,
Amour ferait bien mieux
S'il était dans ton âme
Comme il est dans tes yeux.

Dieux! que la terre est belle,
Depuis que le soleil
A pris pour l'amour d'elle
Son visage vermeil.

Là-haut, dans ce bocage,
On entend chaque jour,
Le rossignol sauvage
Se plaindre de l'amour.

Quittez la fleur d'orange,
Agréables zéphyrs,
Et portez à mon ange
Quelqu'un de mes soupirs.

Quand je chante à ma dame
Quelque air de ma façon,
Elle oublie ma flamme,
Et retient ma chanson.

AIR DE COUR

SUR LE CHANT DE M. D'ELBŒUF

Ce sont des prêtres ou des bœufs
Qui font tant de bruit dans les rues;
A juger d'un cri si hideux,
Ce sont des prêtres ou des bœufs.
Il faut qu'il passe l'un des deux;
Ce sont des prêtres ou des bœufs
Dedans ces rues.

Si ce sont des bœufs de Poissy,
Ou si ce sont de pauvres prêtres,
Il y a du non et du si,
Si ce sont des bœufs de Poissy.
Louise, ôtez-moi ce souci,
Et regardez par les fenêtres
Si ce sont des bœufs de Poissy,
Ou bien des prêtres.

Quoi qu'il en soit, prêtres ou bœufs,
Que leur musique fait de peine!
Qu'on les fasse taire tous deux,
Quoi qu'il en soit, prêtres ou bœufs;
Il n'est rien de si dangereux
Pour gens sujets à la migraine.
Quoi qu'il en soit, prêtres ou bœufs,
Qu'ils font de peine!

DU PAYS DE COCAGNE

Ne louons l'île où Fortune jadis
Mit ses trésors, ni la plaine élysée,
Ni de Mahom le noble paradis;
Car chacun sait que c'est billevesée.
Par nous plutôt Cocagne soit prisée.
C'est bon pays: l'almanach point ne ment,
Où l'on le voit dépeint fort dignement.
Or, pour savoir où gît cette campagne,
Je le dirai, disant *pays* en Normand:
Le pays de Caux est le pays de Cocagne.

Tous les mardis y sont de gras mardis,
De ces mardis l'année est composée.
Cailles y vont dans le plat dix à dix,
Et perdreaux tendres comme rosée.
Le fruit y pleut, si que c'est chose aisée
De le cueillir, se baissant seulement;
Poissons en beurre y nagent largement,
Fleuves y sont du meilleur vin d'Espagne,
Et tout cela fait dire hardiment:
Le pays de Caux est le pays de Cocagne.

Pour les beautés de ces lieux Amadis
Eût Oriane en son temps méprisée,
Bien donnerais quatre maravadis
Si j'en avais une seule baisée.

Sarasin

Plus cointes sont que n'est une épousée,
Et dans palais s'ébattent noblement.
Près leur déduit et leur ébattement
Rien n'eût paru la cour de Charlemagne,
Quoique Turpin en écrive autrement:
Le pays de Caux est le pays de Cocagne.

Envoi

Prince, je jure ici, foi de Normand,
Que mieux vaudrait être en Caux un moment
Roi d'Yvetot, qu'empereur d'Allemagne:
Et la raison, c'est que certainement
Le pays de Caux est le pays de Cocagne.

CHANSON

Thyrsis, la plupart des amants
Sont des Allemands
De tant pleurer,
Plaindre, soupirer
Et se désespérer;
Ce n'est pas là pour brûler de leurs flammes
Le cœur des dames,
Car les Amours,
Qui sont enfants, veulent rire toujours.

Il faut, pour être vrai galant,
Être complaisant,
De belle humeur,
Quelquefois railleur,
Et quelque peu rimeur;
Les doux propos et les chansons gentilles
Gagnent les filles,
Et les Amours,
Qui sont enfants, veulent chanter toujours.

Il faut s'entendre à s'habiller,
Toujours babiller,
Danser, baller,
Donner Jodelet
Et faire le poulet;
Bisques, dindons, pois et fèves nouvelles
Charment les belles,
Et les Amours,
Qui sont enfants, veulent manger toujours.

SUR L'AIR:

Et oui, par la morguienne, vertuguienne, oui

Ces gens que monsieur de Turenne . . . mène
Sont grands capitaines
Et fort vigoureux.
Le château de Vincennes
Est faible pour eux.
Porte cochère
Ne dure guère
Devant gens de cette manière . . . fière,
Qui taillent croupières
Au faquin de Mazarini,
Et oui, par la morguienne, vertuguienne, oui.

J'ai vu Beaufort dedans son ire . . . dire
Et souvent redire:
J'aime Mazarin,
Puisqu'à mon père et frère
Il donne du pain.
Vieille Chevreuse,
Grande coureuse,
Et vous, Montbazon la frondeuse . . . gueuse,
Soyez vigoureuse,
Tenez conseil au pilori,
Et oui, par la morguienne, vertuguienne, oui.

A notre abord la grand'ville émue . . . hue
Beaufort dans la rue,
Et sur le blondin
S'écrie tue, tue,
C'est un Mazarin!
Le roi des Halles
Trousse ses malles,
Au premier bruit de nos cymbales . . . pâle,
Dit à la cabale:
Les trois prisonniers sont sortis,
Et oui, par la morguienne, vertuguienne, oui.

François Maucroix

ODE – LES MALHEURS DE LA GUERRE

Conrart, quand finiront ces guerres obstinées
Qui depuis deux fois dix années
Coûtent tant de pleurs à nos yeux?
Entendrons-nous toujours l'aigre son des trompettes?
Et les douces musettes
Sont-elles pour jamais absentes de ces lieux?

Les obscures forêts et les antres humides,
Pour cacher nos Bergers timides,
Ont à peine assez de buissons;
De chardons hérissés nos plaines sont couvertes,
Et nos granges désertes
Attendent vainement le retour des moissons.

De combien de châteaux et de cités superbes
A-t-on mis à l'égal des herbes,
Les murs jusqu'aux astres montés!
Que le glaive en nos champs a fait de cimetières!
Et combien nos rivières
Ont vu mêler de sang à leurs flots argentés!

Vain fantôme d'honneur, c'est pour toi que l'épée,
    Sans cesse au massacre occupée,
    A mis tant de guerriers à bas;
C'est pour toi qu'au mépris des plus mortelles armes,
        Ils volent aux alarmes,
Et semblent n'avoir peur que de ne mourir pas.

Étrange aveuglement à la race des hommes!
    Pourquoi, malheureux que nous sommes,
    Avancer la fin de nos jours?
D'où se forme en nos cœurs cette brutale envie,
        D'abréger une vie
Dont le plus long espace a des termes si courts?

La mort de ses rigueurs ne dispense personne;
    L'auguste éclat d'une couronne,
    Ne peut en exempter les Rois:
N'espère pas, Conrart, que ton mérite extrême,
        Ni la Muse qui t'aime,
Te mettent à couvert de ses fatales lois.

Ta sagesse, il est vrai, fait honneur à ton âge;
    Mais de quelque rare avantage
    Dont un mortel soit revêtu,
Son terme est limité; le Nocher de la Parque,
        Dans une même barque,
Passe indifféremment le vice et la vertu.

Pierre d'Auteille, Baron de Vauvert

STANCES SUR UNE DÉBAUCHE

LE SEL

Divin baume de la Nature,
Riche semence des métaux,
Effroi des esprits infernaux,
Ennemi de la pourriture,
Symbole de l'Éternité,
Père de toute humidité,
Qui dans nos seins versez des flammes,
Âme immortelle du ragoût,
Belle neige qui nous enflamme,
Sel, produis les plaisirs de l'amour et du goût.

L'ORANGE

Orange, qu'on coupe ton flanc;
Que l'or potable de ton sang
Te fasse une immortelle guerre;
Qu'on déchire tous tes habits
Dont les lambeaux mis dans le verre,
Font des étoiles d'or dans un ciel de rubis.

L'AIL

Plante, l'honneur de la Garonne,
Œillet du parterre gascon,
Par qui le verre et le flacon
Sont élevés dessus le trône;
Pistache du pauvre artisan,
Anis du mauvais courtisan,
Doux venin qui tue la fièvre,
Bel ail, plus charmant que l'Iris,
Chante dans un pâté de Lièvre,
Et respecte de loin la bouche de Cloris.

Jean de La Fontaine

ADIEUX DE VÉNUS A ADONIS MORT

Prêtez-moi des soupirs, ô Vents, qui sur vos ailes
Portâtes à Vénus de si tristes nouvelles.
Elle accourt aussitôt, et, voyant son amant,
Remplit les environs d'un vain gémissement.
Après mille sanglots enfin elle s'écrie:
'Mon amour n'a donc pu te faire aimer la vie!
Tu me quittes, cruel! Au moins ouvre les yeux,
Montre-toi plus sensible à mes tristes adieux;
Vois de quelles douleurs ton amante est atteinte!
Hélas! j'ai beau crier: il est sourd à ma plainte.
Une éternelle nuit l'oblige à me quitter;
Mes pleurs ni mes soupirs ne peuvent l'arrêter.
Encor si je pouvais le suivre en ces lieux sombres!
Que ne m'est-il permis d'errer parmi les ombres!
Destins, si vous vouliez le voir si tôt périr,
Fallait-il m'obliger à ne jamais mourir?
Malheureuse Vénus, que te servent ces larmes?
Vante-toi maintenant du pouvoir de tes charmes:
Ils n'ont pu du trépas exempter tes amours;
Tu vois qu'ils n'ont pu même en prolonger les jours.
Je ne demandais pas que la Parque cruelle
Prît à filer leur trame une peine éternelle;
Bien loin que mon pouvoir l'empêchât de finir,
Je demande un moment, et ne puis l'obtenir.
Noires divinités du ténébreux empire,
Dont le pouvoir s'étend sur tout ce qui respire,
Rois des peuples légers, souffrez que mon amant
De son triste départ me console un moment.
Vous ne le perdrez point: le trésor que je pleure
Ornera tôt ou tard votre sombre demeure.
Quoi! vous me refusez un présent si léger!
Cruels, souvenez-vous qu'Amour m'en peut venger:
Et vous, antres cachés, favorables retraites,
Où nos cœurs ont goûté des douceurs si secrètes,

Grottes, qui tant de fois avez vu mon amant
Me raconter des yeux son fidèle tourment,
Lieux amis du repos, demeures solitaires,
Qui d'un trésor si rare étiez dépositaires.
Déserts, rendez-le moi: deviez-vous avec lui
Nourrir chez vous le monstre auteur de mon ennui?
Vous ne répondez point. Adieu donc, ô belle âme;
Emporte chez les morts ce baiser tout de flamme:
Je ne te verrai plus; adieu, cher Adonis!'

Ainsi Vénus cessa. Les rochers, à ses cris,
Quittant leur dureté répandirent des larmes:
Zéphyre en soupira: le jour voila ses charmes;
D'un pas précipité sous les eaux il s'enfuit,
Et laissa dans ces lieux une profonde nuit.

ÉLÉGIE VI

Vous demandez, Iris, ce que je fais:
Je pense à vous, je m'épuise en souhaits.
Être privé de les dire moi-même,
Aimer beaucoup, ne point voir ce que j'aime,
Craindre toujours quelque nouveau rival,
Voilà mon sort. Est-il tourment égal?
Un amant libre a le Ciel moins contraire:
Il peut vous rendre un soin qui vous peut plaire;
Ou, s'il ne peut vous plaire par des soins,
Il peut mourir à vos pieds tout au moins.
Car je crains tout; un absent doit tout craindre;
Je prends l'alarme aux bruits que j'entends feindre:
On dit tantôt que votre amour languit;
Tantôt qu'un autre a gagné votre esprit.
Tout m'est suspect; et cependant votre âme
Ne peut si tôt brûler d'une autre flamme:
Je la connais; une nouvelle amour
Est chez Iris l'œuvre de plus d'un jour.
Si l'on m'aimait, je suis sûr que l'on m'aime;

Mais m'aimait-on? Voilà ma peine extrême.
Dites-le-moi, puis le recommencez.
Combien? cent fois? Non, ce n'est pas assez:
Cent mille fois? Hélas! c'est peu de chose.
Je vous dirai, chère Iris, si je l'ose,
Qu'on ne le croit qu'au milieu des plaisirs
Que l'hyménée accorde à nos désirs.
Même un tel soin là-dessus nous dévore,
Qu'en le croyant on le demande encore.

Mais c'est assez douter de votre amour:
Doutez-vous point du mien à votre tour?
Je vous dirai que toujours même zèle,
Toujours ardent, toujours pur et fidèle,
Règne pour vous dans le fond de mon cœur.
Je ne crains point la cruelle longueur
D'une prison où le sort vous oublie,
Ni les vautours de la mélancolie;
Je ne crains point les languissants ennuis,
Les sombres jours, les inquiètes nuits,
Les noirs moments, l'oisiveté forcée,
Ni tout le mal qui s'offre à la pensée
Quand on est seul, et qu'on ferme sur vous
Porte sur porte, et verrous sur verrous.
Tout est léger. Mais je crains que votre âme
Ne s'attiédisse et s'endorme en sa flamme,
Ou ne préfère, après m'avoir aimé,
Quelque amant libre à l'amant enfermé.

L'HYMNE A LA VOLUPTÉ

O douce Volupté, sans qui dès notre enfance,
Le vivre et le mourir nous deviendraient égaux;
Aimant universel de tous les animaux,
Que tu sais attirer avecque violence!
    Par toi tout se meut ici-bas.
    C'est pour toi, c'est pour tes appas

Que nous courons après la peine.
Il n'est soldat, ni capitaine,
Ni ministre d'État, ni prince, ni sujet,
Qui ne t'ait pour unique objet.
Nous autres nourrissons, si, pour fruit de nos veilles,
Un bruit délicieux ne charmait nos oreilles,
Si nous ne nous sentions chatouillés de ce son,
Ferions-nous un mot de chanson?
Ce qu'on appelle gloire en termes magnifiques,
Ce qui servait de prix dans les jeux olympiques,
N'est que toi proprement, divine Volupté.
Et le plaisir des sens n'est-il de rien compté?
Pour quoi sont faits les dons de Flore,
Le soleil couchant et l'Aurore,
Pomone et ses mets délicats,
Bacchus, l'âme des bons repas,
Les forêts, les eaux, les prairies,
Mères des douces rêveries?
Pour quoi tant de beaux arts, qui tous sont tes enfants?
Mais pour quoi les Chloris aux appas triomphants,
Que pour maintenir ton commerce?
J'entends innocemment: sur son propre désir
Quelque rigueur que l'on exerce,
Encore y prend-on du plaisir.

Volupté, Volupté, qui fus jadis maîtresse
Du plus bel esprit de la Grèce,
Ne me dédaigne pas, viens-t'en loger chez moi;
Tu n'y seras pas sans emploi:
J'aime le jeu, l'amour, les livres, la musique,
La ville et la campagne, enfin tout; il n'est rien
Qui ne me soit souverain bien,
Jusqu'au sombre plaisir d'un cœur mélancolique.
Viens donc; et de ce bien, ô douce Volupté,
Veux-tu savoir au vrai la mesure certaine?
Il m'en faut tout au moins un siècle bien compté;
Car trente ans, ce n'est pas la peine.

FABLES

L'ASTROLOGUE QUI SE LAISSE TOMBER DANS UN PUITS

Un Astrologue un jour se laissa choir
Au fond d'un puits. On lui dit: Pauvre bête,
Tandis qu'à peine à tes pieds tu peux voir,
Penses-tu lire au-dessus de ta tête?

Cette aventure en soi, sans aller plus avant,
Peut servir de leçon à la plupart des hommes.
Parmi ce que de gens sur la terre nous sommes,
Il en est peu qui fort souvent
Ne se plaisent d'entendre dire
Qu'au Livre du Destin les mortels peuvent lire.
Mais ce Livre qu'Homère et les siens ont chanté,
Qu'est-ce que le hasard parmi l'Antiquité,
Et parmi nous la Providence?
Or du hasard il n'est point de science:
S'il en était, on aurait tort
De l'appeler hasard, ni fortune, ni sort,
Toutes choses très incertaines.
Quant aux volontés souveraines
De celui qui fait tout, et rien qu'avec dessein,
Qui les sait, que lui seul? Comment lire en son sein?
Aurait-il imprimé sur le front des étoiles
Ce que la nuit des temps enferme dans ses voiles?
A quelle utilité? Pour exercer l'esprit
De ceux qui de la Sphère et du Globe ont écrit?
Pour nous faire éviter des maux inévitables?
Nous rendre dans les biens de plaisir incapables?
Et causant du dégoût pour ces biens prévenus,
Les convertir en maux devant qu'ils soient venus?
C'est erreur, ou plutôt c'est crime de le croire.
Le firmament se meut; les astres font leur cours,
Le soleil nous luit tous les jours,
Tous les jours sa clarté succède à l'ombre noire,
Sans que nous en puissions autre chose inférer

Que la nécessité de luire et d'éclairer,
D'amener les saisons, de mûrir les semences,
De verser sur les corps certaines influences.
Du reste, en quoi répond au sort toujours divers
Ce train toujours égal dont marche l'Univers?
Charlatans, faiseurs d'horoscope,
Quittez les Cours des Princes de l'Europe;
Emmenez avec vous les souffleurs tout d'un temps.
Vous ne méritez pas plus de foi que ces gens.
Je m'emporte un peu trop: revenons à l'histoire
De ce Spéculateur qui fut contraint de boire.
Outre la vanité de son art mensonger,
C'est l'image de ceux qui bâillent aux chimères,
Cependant qu'ils sont en danger,
Soit pour eux, soit pour leurs affaires.

LES ANIMAUX MALADES DE LA PESTE

Un mal qui répand la terreur,
Mal que le Ciel en sa fureur
Inventa pour punir les crimes de la terre,
La Peste (puisqu'il faut l'appeler par son nom),
Capable d'enrichir en un jour l'Achéron,
Faisait aux animaux la guerre.
Ils ne mouraient pas tous, mais tous étaient frappés:
On n'en voyait point d'occupés
A chercher le soutien d'une mourante vie;
Nul mets n'excitait leur envie;
Ni Loups ni Renards n'épiaient
La douce et l'innocente proie.
Les Tourterelles se fuyaient:
Plus d'amour, partant plus de joie.
Le Lion tint conseil, et dit: Mes chers amis,
Je crois que le Ciel a permis
Pour nos péchés cette infortune;
Que le plus coupable de nous
Se sacrifie aux traits du céleste courroux,
Peut-être il obtiendra la guérison commune.

L'histoire nous apprend qu'en de tels accidents
On fait de pareils dévouements:
Ne nous flattons donc point; voyons sans indulgence
L'état de notre conscience.
Pour moi, satisfaisant mes appétits gloutons
J'ai dévoré force moutons.
Que m'avaient-ils fait? Nulle offense:
Même il m'est arrivé quelquefois de manger
Le Berger.
Je me dévouerai donc, s'il le faut; mais je pense
Qu'il est bon que chacun s'accuse ainsi que moi:
Car on doit souhaiter selon toute justice
Que le plus coupable périsse.
– Sire, dit le Renard, vous êtes trop bon Roi;
Vos scrupules font voir trop de délicatesse;
Eh bien, manger moutons, canaille, sotte espèce,
Est-ce un péché? Non, non. Vous leur fîtes Seigneur
En les croquant beaucoup d'honneur.
Et quant au Berger l'on peut dire
Qu'il était digne de tous maux,
Étant de ces gens-là qui sur les animaux
Se font un chimérique empire.
Ainsi dit le Renard, et flatteurs d'applaudir.
On n'osa trop approfondir
Du Tigre, ni de l'Ours, ni des autres puissances,
Les moins pardonnables offenses.
Tous les gens querelleurs, jusqu'aux simples mâtins,
Au dire de chacun, étaient de petits saints.
L'Âne vint à son tour et dit: J'ai souvenance
Qu'en un pré de Moines passant,
La faim, l'occasion, l'herbe tendre, et je pense
Quelque diable aussi me poussant,
Je tondis de ce pré la largeur de ma langue.
Je n'en avais nul droit, puisqu'il faut parler net.
A ces mots on cria haro sur le baudet.
Un Loup quelque peu clerc prouva par sa harangue
Qu'il fallait dévouer ce maudit animal,
Ce pelé, ce galeux, d'où venait tout leur mal.

Sa peccadille fut jugée un cas pendable.
Manger l'herbe d'autrui! quel crime abominable!
Rien que la mort n'était capable
D'expier son forfait: on le lui fit bien voir.
Selon que vous serez puissant ou misérable,
Les jugements de cour vous rendront blanc ou noir.

LES DEUX PIGEONS

Deux pigeons s'aimaient d'amour tendre,
L'un d'eux, s'ennuyant au logis,
Fut assez fou pour entreprendre
Un voyage en lointain pays.
L'autre lui dit: Qu'allez-vous faire?
Voulez-vous quitter votre frère?
L'absence est le plus grand des maux:
Non pas pour vous, cruel! Au moins, que les travaux,
Les dangers, les soins du voyage,
Changent un peu votre courage.
Encor si la saison s'avançait davantage!
Attendez les zéphyrs: qui vous presse? un corbeau
Tout à l'heure annonçait malheur à quelque oiseau.
Je ne songerai plus que rencontre funeste,
Que faucons, que réseaux. Hélas! dirai-je, il pleut:
Mon frère a-t-il tout ce qu'il veut,
Bon souper, bon gîte, et le reste?
Ce discours ébranla le cœur
De notre imprudent voyageur:
Mais le désir de voir et l'humeur inquiète
L'emportèrent enfin. Il dit: Ne pleurez point:
Trois jours au plus rendront mon âme satisfaite,
Je reviendrai dans peu conter de point en point
Mes aventures à mon frère;
Je le désennuierai. Quiconque ne voit guère
N'a guère à dire aussi. Mon voyage dépeint
Vous sera d'un plaisir extrême.
Je dirai: J'étais là; telle chose m'advint:
Vous y croirez être vous-même.

A ces mots, en pleurant, ils se dirent adieu.
Le voyageur s'éloigne: et voilà qu'un nuage
L'oblige de chercher retraite en quelque lieu.
Un seul arbre s'offrit, tel encor que l'orage
Maltraita le pigeon en dépit du feuillage.
L'air devenu serein, il part tout morfondu,
Sèche du mieux qu'il peut son corps chargé de pluie,
Dans un champ à l'écart voit du blé répandu,
Voit un pigeon auprès: cela lui donne envie;
Il y vole, il est pris: ce blé couvrait d'un lacs
        Les menteurs et traîtres appas.
Le lacs était usé; si bien que, de son aile,
De ses pieds, de son bec, l'oiseau le rompt enfin:
Quelque plume y périt; et le pis du destin
Fut qu'un certain vautour à la serre cruelle
Vit notre malheureux, qui, traînant la ficelle
Et les morceaux du lacs qui l'avait attrapé,
        Semblait un forçat échappé.
Le vautour s'en allait le lier, quand des nues
Fond à son tour un aigle aux ailes étendues.
Le pigeon profita du conflit des voleurs,
S'envola, s'abattit auprès d'une masure,
        Crut pour ce coup que ses malheurs
        Finiraient par cette aventure:
Mais un fripon d'enfant (cet âge est sans pitié)
Prit sa fronde, et du coup tua plus d'à moitié
        La volatile malheureuse,
        Qui, maudissant sa curiosité,
        Traînant l'aile, et tirant le pied,
        Demi-morte, et demi-boiteuse,
        Droit au logis s'en retourna:
        Que bien, que mal, elle arriva
        Sans autre aventure fâcheuse.
Voilà nos gens rejoints: et je laisse à juger
De combien de plaisirs ils payèrent leurs peines.

Amants, heureux amants, voulez-vous voyager?
        Que ce soit aux rives prochaines.

Soyez-vous l'un à l'autre un monde toujours beau,
    Toujours divers, toujours nouveau;
Tenez-vous lieu de tout, comptez pour rien le reste.
J'ai quelquefois aimé: je n'aurais pas alors,
    Contre le Louvre et ses trésors,
Contre le firmament et sa voûte céleste,
    Changé les bois, changé les lieux
Honorés par les pas, éclairés par les yeux
    De l'aimable et jeune bergère
    Pour qui, sous le fils de Cythère,
Je servis, engagé par mes premiers serments.
Hélas! quand reviendront de semblables moments?
Faut-il que tant d'objets si doux et si charmants
Me laissent vivre au gré de mon âme inquiète?
Ah! si mon cœur osait encor se renflammer!
Ne sentirai-je plus de charme qui m'arrête?
    Ai-je passé le temps d'aimer?

LE BERGER ET SON TROUPEAU

    Quoi? toujours il me manquera
    Quelqu'un de ce peuple imbécile!
    Toujours le Loup m'en gobera!
J'aurai beau les compter: ils étaient plus de mille,
Et m'ont laissé ravir notre pauvre Robin;
    Robin mouton qui par la ville
    Me suivait pour un peu de pain,
Et qui m'aurait suivi jusques au bout du monde.
Hélas! de ma musette il entendait le son!
Il me sentait venir de cent pas à la ronde.
    Ah le pauvre Robin mouton!
Quand Guillot eut fini cette oraison funèbre
Et rendu de Robin la mémoire célèbre,
    Il harangua tout le troupeau,
Les chefs, la multitude, et jusqu'au moindre agneau,
    Les conjurant de tenir ferme:
Cela seul suffirait pour écarter les Loups.
Foi de peuple d'honneur, ils lui promirent tous
    De ne bouger non plus qu'un terme.

Nous voulons, dirent-ils, étouffer le glouton
Qui nous a pris Robin mouton.
Chacun en répond sur sa tête.
Guillot les crut, et leur fit fête.
Cependant, devant qu'il fût nuit,
Il arriva nouvel encombre.
Un Loup parut; tout le troupeau s'enfuit:
Ce n'était pas un Loup, ce n'en était que l'ombre.
Haranguez de méchants soldats,
Ils promettront de faire rage;
Mais au moindre danger adieu tout leur courage:
Votre exemple et vos cris ne les retiendront pas.

LE SONGE D'UN HABITANT DU MOGOL

Jadis certain Mogol vit en songe un Vizir
Aux champs Élysiens possesseur d'un plaisir
Aussi pur qu'infini, tant en prix qu'en durée;
Le même songeur vit en une autre contrée
Un Ermite entouré de feux,
Qui touchait de pitié même les malheureux.
Le cas parut étrange, et contre l'ordinaire:
Minos en ces deux morts semblait s'être mépris.
Le dormeur s'éveilla, tant il en fut surpris.
Dans ce songe pourtant soupçonnant du mystère,
Il se fit expliquer l'affaire.
L'interprète lui dit: Ne vous étonnez point;
Votre songe a du sens; et, si j'ai sur ce point
Acquis tant soit peu d'habitude,
C'est un avis des Dieux. Pendant l'humain séjour,
Ce Vizir quelquefois cherchait la solitude;
Cet Ermite aux Vizirs allait faire sa cour.

Si j'osais ajouter au mot de l'interprète,
J'inspirerais ici l'amour de la retraite:
Elle offre à ses amants des biens sans embarras,
Biens purs, présents du Ciel, qui naissent sous les pas.
Solitude où je trouve une douceur secrète,

Lieux que j'aimai toujours, ne pourrai-je jamais,
Loin du monde et du bruit, goûter l'ombre et le frais?
Oh! qui m'arrêtera sous vos sombres asiles!
Quand pourront les neuf Sœurs, loin des cours et des villes,
M'occuper tout entier, et m'apprendre des Cieux
Les divers mouvements inconnus à nos yeux,
Les noms et les vertus de ces clartés errantes
Par qui sont nos destins et nos mœurs différentes!
Que si je ne suis né pour de si grands projets,
Du moins que les ruisseaux m'offrent de doux objets!
Que je peigne en mes Vers quelque rive fleurie!
La Parque à filets d'or n'ourdira point ma vie;
Je ne dormirai point sous de riches lambris;
Mais voit-on que le somme en perde de son prix?
En est-il moins profond, et moins plein de délices?
Je lui voue au désert de nouveaux sacrifices.
Quand le moment viendra d'aller trouver les morts,
J'aurai vécu sans soins, et mourrai sans remords.

LE JUGE ARBITRE, L'HOSPITALIER ET LE SOLITAIRE

Trois Saints, également jaloux de leur salut,
Portés d'un même esprit, tendaient à même but.
Ils s'y prirent tous trois par des routes diverses:
Tous chemins vont à Rome: ainsi nos Concurrents
Crurent pouvoir choisir des sentiers différents.
L'un, touché des soucis, des longueurs, des traverses,
Qu'en apanage on voit aux Procès attachés
S'offrit de les juger sans récompense aucune,
Peu soigneux d'établir ici-bas sa fortune.
Depuis qu'il est des Lois, l'Homme, pour ses péchés,
Se condamne à plaider la moitié de sa vie.
La moitié? les trois quarts, et bien souvent le tout.
Le Conciliateur crut qu'il viendrait à bout
De guérir cette folle et détestable envie.
Le second de nos Saints choisit les Hôpitaux.
Je le loue; et le soin de soulager ces maux
Est une charité que je préfère aux autres.

Les Malades d'alors, étant tels que les nôtres,
Donnaient de l'exercice au pauvre Hospitalier;
Chagrins, impatients, et se plaignant sans cesse:
– Il a pour tels et tels un soin particulier;
        Ce sont ses amis; il nous laisse.
Ces plaintes n'étaient rien au prix de l'embarras
Où se trouva réduit l'appointeur de débats:
Aucun n'était content; la sentence arbitrale
        A nul des deux ne convenait:
        Jamais le Juge ne tenait
        A leur gré la balance égale.
De semblables discours rebutaient l'Appointeur:
Il court aux Hôpitaux, va voir leur Directeur:
Tous deux ne recueillant que plainte et que murmure,
Affligés, et contraints de quitter ces emplois,
Vont confier leur peine au silence des bois.
Là, sous d'âpres rochers, près d'une source pure,
Lieu respecté des vents, ignoré du Soleil,
Ils trouvent l'autre Saint, lui demandent conseil.
– Il faut, dit leur ami, le prendre de soi-même.
        Qui mieux que vous sait vos besoins?
Apprendre à se connaître est le premier des soins
Qu'impose à tous mortels la Majesté suprême.
Vous êtes-vous connus dans le monde habité?
L'on ne le peut qu'aux lieux pleins de tranquillité:
Chercher ailleurs ce bien est une erreur extrême.
        Troublez l'eau: vous y voyez-vous?
Agitez celle-ci. – Comment nous verrions-nous?
        La vase est un épais nuage
Qu'aux effets du cristal nous venons d'opposer.
– Mes Frères, dit le Saint, laissez-la reposer,
        Vous verrez alors votre image.
Pour vous mieux contempler demeurez au désert.
        Ainsi parla le Solitaire.
Il fut cru; l'on suivit ce conseil salutaire.

Ce n'est pas qu'un emploi ne doive être souffert.
Puisqu'on plaide, et qu'on meurt, et qu'on devient malade,

Il faut des Médecins, il faut des Avocats.
Ces secours, grâce à Dieu, ne nous manqueront pas:
Les honneurs et le gain, tout me le persuade.
Cependant on s'oublie en ces communs besoins.
O vous dont le Public emporte tous les soins,
        Magistrats, Princes et Ministres,
Vous que doivent troubler mille accidents sinistres,
Que le malheur abat, que le bonheur corrompt,
Vous ne vous voyez point, vous ne voyez personne.
Si quelque bon moment à ces pensers vous donne,
        Quelque flatteur vous interrompt.

Cette leçon sera la fin de ces Ouvrages:
Puisse-t-elle être utile aux siècles à venir!
Je la présente aux Rois, je la propose aux Sages:
        Par où saurais-je mieux finir?

Jean-Baptiste Poquelin, dit Molière

REMERCIEMENT AU ROI

Votre paresse enfin me scandalise;
    Ma Muse, obéissez-moi:
  Il faut ce matin, sans remise,
    Aller au lever du Roi:
      Vous savez bien pourquoi
    Et ce vous est une honte
  De n'avoir pas été plus prompte
A le remercier de ses fameux bienfaits.
  Mais il vaut mieux tard que jamais:
      Faites donc votre compte
D'aller au Louvre accomplir mes souhaits.

Gardez-vous bien d'être en Muse bâtie;
Un air de Muse est choquant dans ces lieux:
On y veut des objets à réjouir les yeux;
    Vous en devez être avertie;

Et vous ferez votre cour beaucoup mieux
Lorsqu'en marquis vous serez travestie.
Vous savez ce qu'il faut pour paraître marquis:
N'oubliez rien de l'air ni des habits;
Arborez un chapeau chargé de trente plumes
Sur une perruque de prix;
Que le rabat soit des plus grands volumes,
Et le pourpoint des plus petits:
Mais surtout je vous recommande
Le manteau d'un ruban sur le dos retroussé:
La galanterie en est grande
Et parmi les marquis de la plus haute bande
C'est pour être placé.
Avec vos brillantes hardes
Et votre ajustement
Faites tout le trajet de la salle des gardes
Et, vous peignant galamment,
Portez de tous côtés vos regards brusquement;
Et ceux que vous pourrez connaître,
Ne manquez pas, d'un haut ton,
De les saluer par leur nom,
De quelque rang qu'ils puissent être.
Cette familiarité
Donne, à quiconque en use, un air de qualité.

Grattez du peigne à la porte
De la chambre du Roi;
Ou si, comme je prévois,
La presse s'y trouve forte,
Montrez de loin votre chapeau,
Ou montez sur quelque chose
Pour faire voir votre museau;
Et criez, sans aucune pause,
D'un ton rien moins que naturel:
Monsieur l'huissier, pour le marquis un tel.
Jetez-vous dans la foule, et tranchez du notable;
Coudoyez un chacun, point du tout de quartier.

Prenez, poussez, faites le diable
Pour vous mettre le premier;
Et, quand même l'huissier,
A vos désirs inexorable,
Vous trouverait en face un marquis repoussable,
Ne démordez point pour cela,
Tenez toujours ferme là.
A déboucher la porte il irait trop du vôtre;
Faites qu'aucun n'y puisse pénétrer,
Et qu'on soit obligé de vous laisser entrer
Pour faire entrer quelque autre.

Quand vous serez entré, ne vous relâchez pas;
Pour assiéger la chaise, il faut d'autres combats:
Tâchez d'en être des plus proches,
En y gagnant le terrain pas à pas;
Et, si des assiégeants le prévenant amas
En bouche toutes les approches,
Prenez le parti doucement
D'attendre le Prince au passage.

Il connaîtra votre visage
Malgré votre déguisement;
Et lors, sans tarder davantage,
Faites-lui votre compliment.
Vous pourriez aisément l'étendre,
Et parler des transports qu'en vous font éclater
Les surprenants bienfaits que, sans les mériter,
Sa libérale main sur vous daigne répandre,
Et des nouveaux efforts où s'en va vous porter
L'excès de cet honneur où vous n'osiez prétendre:
Lui dire comme vos désirs
Sont, après ses bontés qui n'ont point de pareilles,
D'employer à sa gloire ainsi qu'à ses plaisirs
Tout votre art et toutes vos veilles,
Et là-dessus lui promettre merveilles.
Sur ce chapitre, on n'est jamais à sec.

Les Muses sont de grandes prometteuses;
Et, comme vos sœurs les causeuses,
Vous ne manquerez pas, sans doute, par le bec.
Mais les grands princes n'aiment guères
Que les compliments qui sont courts;
Et le nôtre surtout a bien d'autres affaires
Que d'écouter tous vos discours.
La louange et l'encens n'est pas ce qui le touche:
Dès que vous ouvrirez la bouche
Pour lui parler de grâce et de bienfait,
Il comprendra d'abord ce que vous voulez dire;
Et, se mettant doucement à sourire,
D'un air qui sur les cœurs fait un charmant effet,
Il passera comme un trait,
Et cela doit vous suffire.

Voilà votre compliment fait.

STANCES

Souffrez qu'Amour cette nuit vous réveille;
Par mes soupirs laissez-vous enflammer;
Vous dormez trop, adorable merveille,
Car c'est dormir que de ne point aimer.

Ne craignez rien; dans l'amoureux empire
Le mal n'est pas si grand que l'on le fait,
Et, lorsqu'on aime et que le cœur soupire,
Son propre mal souvent le satisfait.

Le mal d'aimer, c'est de vouloir le taire:
Pour l'éviter, parlez en ma faveur.
Amour le veut, n'en faites point mystère.
Mais vous tremblez, et ce dieu vous fait peur!

Peut-on souffrir une plus douce peine?
Peut-on subir une plus douce loi?
Qu'étant des cœurs la douce souveraine,
Dessus le vôtre Amour agisse en roi;

Rendez-vous donc, ô divine Amarante!
Soumettez-vous aux volontés d'Amour;
Aimez pendant que vous êtes charmante,
Car le temps passe et n'a point de retour.

Paul Pellisson-Fontanier

STANCES

Vous n'êtes que pouvoir, je ne suis que faiblesse,
Mon Dieu, mon créateur;
Je vous trouve partout, éternelle sagesse,
Toujours devant mes yeux et jamais dans mon cœur.
Arbres, fleurs et ruisseaux, dévote solitude,
Vous m'en dites assez pour des siècles d'étude.

Ces rameaux toujours verts, que l'automne révère,
Me prêchent mon devoir:
Tel serai-je, Il l'a dit, si je tâche à lui plaire.
Ah! qui ne donnerait, pour un si haut espoir,
Arbres, fleurs et ruisseaux, votre douce innocence
Qui le loue en tout temps et jamais ne l'offense?

Qui vous mène à la mer, belles et claires ondes?
Et vous, charmantes fleurs,
Où prenez-vous cet ambre et ces tiges fécondes,
Et ce divers feuillage et ces riches couleurs?
Arbres, fleurs et ruisseaux, dévote solitude,
Vous m'en dites assez pour des siècles d'étude.

DURANT LE GRAND VENT A LA BASTILLE

Vous ne battez que ma prison,
Rudes vents, terribles orages,
Quand sur la mer avec raison
On craint les plus cruels naufrages.

Tu me l'apprends, céleste foi
Dont l'ardeur m'élève et m'enflamme:
Ce faible corps n'est pas à moi,
C'est la demeure de mon âme.

Qu'un autre avec quelque raison
Craigne les plus cruels naufrages:
Vous ne battez que ma prison,
Rudes vents, terribles orages.

Antoine Rambouillet, Marquis de La Sablière

MADRIGAUX

I

Que mon Iris me plaît lorsqu'elle est négligée,
Et que je la vois dégagée
De tous les ornements qui cachent ses beautés!
La Belle les a tous quittés;
Une jupe de simple toile
Aux plus secrets appas sert à peine de voile;
On lui voit à plaisir et les bras et la main;
Et rien ne cache son beau sein.
Sur un lit de repos cette belle est couchée,
La tête dans la main nonchalamment penchée
Les yeux tournés vers son Amant.

II

Dans ce lieu bienheureux où tout plaisir abonde,
Et parmi tant de languissants,
Quelquefois, mon Iris, pour songer aux absents,
Ne quittez-vous point tout le monde?
N'êtes-vous point rêveuse et triste quelquefois?
De nos rochers et de nos bois,
N'allez-vous point chercher les plus sombres demeures?
Et de votre côté, sensible à mon amour,
Ne passez-vous point quelques heures
Comme je passe tout le jour?

III

Éloigné de vos yeux, mon ange,
Savez-vous bien ce que je fais?
Force vers à votre louange,
Des desseins de vous plaire, et d'amoureux projets.
Aux Échos d'alentour je dis de vos nouvelles,
Que vous passez par tout pour la belle des belles:
Je me fais un plaisir de mon propre tourment;
Je rêve à vous quand je sommeille;
J'y pense dès que je m'éveille,
Et je m'endors en vous nommant.

IV

A force de m'aimer tu me rends misérable;
Sans cesse contre moi tu grondes, tu te plains;
Sur le moindre soupçon tu me juges coupable,
Et tu crois tout ce que tu crains.
Que ton humeur, Philis, à ta beauté réponde;
Crois-moi toujours fidèle, et toujours amoureux,
Et ne fais pas un malheureux
Du plus heureux homme du monde.

V

Elle est coquette, sotte et belle;
Assez belle pour le plaisir;
Assez sotte pour mal choisir;
Assez coquette enfin pour n'être pas cruelle,
Elle aura la foule chez elle.

Jean Régnault de Segrais

AMIRE – ÉGLOGUE III

Tandis que je vais voir mon adorable Amire,
Garde bien mon troupeau, mon fidèle Tityre.

. . . . .

Que fait-elle à présent? de quoi s'entretient-elle?
Où dois-je en arrivant rencontrer cette belle?
Sera-ce sous ces pins aux rameaux toujours verts
Où j'ai gravé nos noms en cent chiffres divers;
Sera-ce aux bords fleuris de la claire fontaine
Où je lui découvris mon amoureuse peine:
Et que doit mieux sentir un véritable amour,
Ou l'ennui de l'absence, ou l'aise du retour?
        Enfant maître des Dieux, qui d'une aile légère
Tant de fois en un jour voles vers ma bergère;
Dis-lui, combien loin d'elle on souffre de tourment;
Va, dis-lui mon retour, puis reviens promptement
(Si pourtant on le peut quand on s'éloigne d'elle)
M'apprendre, comme elle a reçu cette nouvelle.
        O Dieux! que de plaisir, si quand j'arriverai
Elle me voit plutôt que je ne la verrai,
Et du haut du coteau qui découvre ma route,
Et s'écriant 'c'est lui, c'est lui-même sans doute',
Pour descendre en la rive elle ne fait qu'un pas:
Vient jusqu'à moi peut-être, et me tendant les bras,
M'accorde un doux baiser de sa bouche adorable,
Baiser frivole et vain, et pourtant délectable;
Et qui marque si bien à mes douces langueurs
L'inestimable prix de plus grandes faveurs.
Inutiles pensers, ou peut-être mensonges,
Un amant sans dormir se forme bien des songes.
Qui ne sait que tout change en l'empire amoureux,
Et qui peut être absent, et s'estimer heureux.
Mais pourquoi s'affliger d'une crainte mortelle,
Pouvant tout espérer de mon amour fidèle:
Espoir qui seul fais vivre un malheureux amant,
Ne m'abandonne pas en cet éloignement;
Tu pourrais adoucir la plus cruelle absence
Si tu ne venais point avec l'impatience:
Que loin de sa bergère on sent durer les jours,
Et qu'auprès d'elle aussi les plus longs semblent courts.

Laurent Drelincourt

SONNETS CHRÉTIENS

SUR LA DÉCOUVERTE DU NOUVEAU MONDE

Que ta faible raison cède à l'expérience,
    École détrompée! Ouvre aujourd'hui les yeux:
    Vois ce double hémisphère, environné des cieux
    Et d'un si vaste tour admirez l'excellence.
Tu me blesses le cœur, nouvelle connaissance,
    Dans un monde nouveau, je trouve un monde vieux,
    Race du noir Caïn, esclave des faux dieux,
    Rebelle au créateur, objet de sa vengeance.
Toi qui fis le soleil, en formant l'Univers,
    Répands par ton esprit sur ces peuples divers
    Du mystique soleil la clarté salutaire.
Que la Croix de leur ciel leur serve de flambeau
    Qui le mène à Jésus, mourant sur le calvaire,
    Et les rechange encore en un monde nouveau.

SUR LA CROIX DE NOTRE-SEIGNEUR

Prodige incomparable, étrange conjoncture!
    Quoi, le juste, le saint, le puissant Roi des Rois,
    Est, comme un criminel, attaché sur le bois!
    Et l'on verra mourir le Dieu de la Nature!
Hélas! je suis l'auteur des tourments qu'il endure.
    Pleurez, mes yeux, pleurez, à l'aspect de sa Croix.
    C'est par moi, Grand Jésus! que, réduit aux abois,
    Tu souffres cette mort, si honteuse et si dure.
Oui, pourquoi détester les Juifs et les Romains?
    Je dois chercher en moi tes bourreaux inhumains
    Pour mieux juger du prix de tes bontés divines.
Mes péchés, vrais bourreaux, ont versé tout ton sang;
    T'ont fait boire le fiel; t'ont couronné d'épines;
    T'ont cloué, pieds-et-mains, et t'ont percé le flanc.

François Malaval

LA SOLITUDE INTÉRIEURE SUR LES PAROLES DU PROPHÈTE OSÉE

Sombre désert où Dieu seul fait la nuit,
Règne de paix et de silence;
Un cœur brûlant que le monde poursuit,
A su pour te trouver se faire violence,
Comme au sein de l'amour j'ose ici recourir:
C'est ici qu'on sait vivre, ici qu'on sait mourir.

Centre de Dieu qui veut parler au cœur,
Vrai sanctuaire de la grâce,
Où l'ennemi perd toute sa vigueur,
Où l'on contemple Dieu sans que rien embarrasse.
Que l'esprit est heureux quand il habite en soi,
Paradis de la terre, asile de la foi.

Mes passions, mes sens, obéissez,
Je n'ai qu'un amour et qu'un maître:
Dans ce désert où vous vous enfoncez,
Il ne faut rien porter, et ne vous rien promettre.
L'Époux ne veut ni bruit, ni commerce, ni soin.
Venez lui rendre hommage, ou ne paraissez point.

LE SOMMEIL DE L'ÉPOUSE SUR LES PAROLES DU CANTIQUE

Depuis longtemps je suis ensevelie
Dans un sommeil très profond et très fort,
Où la nature à la grâce s'allie;
Où mon cœur veille, et mon esprit s'endort;
Je suis tranquille au bruit,
Pleine en la solitude,
Éclairée en ma nuit,
Sans nulle étude.

Là tous mes sens n'ont presque plus d'usage;
Je ne vois rien, je n'entends qu'à demi:
On voit briller jusque sur mon visage
L'attrait vainqueur qui dompte l'ennemi.
Ha! ne m'éveillez point,
Mon bien-aimé s'en fâche.
Ha! ne me cherchez point,
Puisqu'il me cache.

Si je gémis, si je plains ou soupire,
C'est un élan, ce n'est pas un regret:
C'est mon amour qui doucement respire
Pour exhaler au Ciel son feu secret.
Dans ce même moment
En Dieu je me relance,
Trouvant mon élément
Dans mon silence.

Mes passions captives et soumises
Suivent en tout l'empire de mon Roi:
Si je les sens, si nous avons des prises,
Jamais au cœur elles ne font la loi.
Mon sommeil a charmé
Leurs troubles et leurs peines,
L'ennemi désarmé
Est sous les chaînes.

Souvent l'on croit que je demeure oisive,
Mais mon loisir est un travail puissant:
Morte au dehors, au dedans je suis vive,
Et mon repos est toujours agissant.
Je marche en grande paix
Sans voir combien j'avance,
Et je ne perds jamais
La confiance.

Je n'entends plus les tumultes du monde,
Inébranlable entre les changements:
Je ne crains point quand le tonnerre gronde,
Paisible en Dieu parmi ses jugements.
Au fort de mon sommeil
Nul objet ne me tente,
Et même à mon réveil
Je suis contente.

Étienne Pavillon

PRODIGES DE L'ESPRIT HUMAIN

Tirer du ver l'éclat et l'ornement des Rois,
Rendre par les couleurs une toile parlante,
Emprisonner le temps dans sa course volante,
Graver sur le papier l'image de la voix;
Donner aux corps de bronze une âme foudroyante,
Sur les cordes d'un luth faire parler les doigts,
Savoir apprivoiser jusqu'aux monstres des bois,
Brûler avec un verre une ville flottante;
Fabriquer l'univers d'atomes assemblés,
Lire du firmament les chiffres étoilés,
Faire un nouveau soleil dans le monde chimique;
Dompter l'orgueil des flots, et pénétrer partout,
Assujettir l'enfer dans un cercle magique,
C'est ce qu'entreprend l'homme, et dont il vient à bout.

Philippe Quinault

LES JARDINS DE SCEAUX

Regarde avec étonnement
L'amas prodigieux des ondes écoulées.
Le dieu du liquide élément
Semble avoir fait passer ses flots dans ces vallées.

Deux fleuves, couronnés de joncs et de roseaux,
Ont soin d'attendre les ruisseaux
Qui sortent de ce vert bocage,
Et sont assis sur leur passage.
Avec un doux plaisir, ces vénérables dieux
Reçoivent les eaux qui descendent,
Pour grossir le tribut qu'ils rendent
A la nouvelle mer qui se forme en ces lieux.

Mille fontaines dispersées,
Après de longs détours ensemble ramassées,
Forment, d'un commun mouvement,
Sur ce riche vallon un spectacle charmant.
Malgré le penchant qui les presse
De se précipiter sans cesse
Vers le lit spacieux qui leur est préparé,
Elles semblent, comme enchantées,
Ne pouvoir détacher leurs ondes argentées
Du verdoyant émail et du sablon doré
Dont si pompeusement leur chemin est paré:
Loin de paraître impatientes
D'arriver à la fin de leurs courses errantes,
On les voit, par bouillons épais,
Tâcher à remonter dans ces lieux pleins d'attraits
A cent reprises différentes;
Et par cent bonds plaintifs, par cent chutes bruyantes,
On les entend gémir en tombant pour jamais
Dans le vaste séjour d'une profonde paix.
Au milieu de ces eaux, l'eau du ciel la plus pure,
Et de ces beaux jardins l'ornement le plus grand,
D'une étroite prison sortant avec murmure,
S'élance dans les airs en superbe torrent.

Cette onde, en jaillissant d'un mouvement rapide,
Forme une colonne liquide
Qui jusque dans le ciel s'élève avec fierté;
Contre son poids elle dispute,
Sans cesse elle remonte et répare sa chute,
Et son débris lui sert de nouvelle beauté.

Nicolas Boileau-Despréaux

A MONSIEUR MOREL, DOCTEUR DE SORBONNE

De tous les animaux qui s'élèvent dans l'air,
Qui marchent sur la terre, ou nagent dans la mer,
De Paris au Pérou, du Japon jusqu'à Rome,
Le plus sot animal, à mon avis, c'est l'Homme.
'Quoi!' dira-t-on d'abord, un ver, une fourmi,
Un insecte rampant qui ne vit qu'à demi,
Un taureau qui rumine, une chèvre qui broute,
Ont l'esprit mieux tourné que n'a l'Homme? – Oui, sans doute.
Ce discours te surprend, Docteur, je l'aperçois.
L'Homme, de la nature est le chef et le roi:
Bois, prés, champs, animaux, tout est pour son usage,
Et lui seul a, dis-tu, la raison en partage.
Il est vrai, de tout temps la raison fut son lot;
Mais de là je conclus que l'Homme est le plus sot.
   Ces propos, diras-tu, sont bons dans la satire
Pour égayer d'abord un lecteur qui veut rire;
Mais il faut les prouver. – En forme. J'y consens.
Réponds-moi donc, docteur, et mets-toi sur les bancs.
   Qu'est-ce que la Sagesse? Une égalité d'âme
Que rien ne peut troubler, qu'aucun désir n'enflamme;
Qui marche en ses conseils à pas plus mesurés
Qu'un doyen au Palais ne monte les degrés.
Or, cette égalité dont se forme le sage,
Qui jamais moins que l'Homme en a connu l'usage?
La fourmi, tous les ans, traversant les guérets,
Grossit ses magasins des trésors de Cérès;
Et, dès que l'aquilon, ramenant la froidure,
Vient de ses noirs frimas attrister la nature,
Cet animal, tapi dans son obscurité,
Jouit l'hiver des biens conquis durant l'été.
Mais on ne la voit point, d'une humeur inconstante,
Paresseuse au printemps, en hiver diligente,
Affronter en plein champ les fureurs de janvier,

Ou demeurer oisive au retour du Bélier.
Mais l'Homme, sans arrêt dans sa course insensée,
Voltige incessamment de pensée en pensée;
Son cœur, toujours flottant entre mille embarras,
Ne sait ni ce qu'il veut, ni ce qu'il ne veut pas.
Ce qu'un jour il abhorre, en l'autre il le souhaite.
– Moi! j'irais épouser une femme coquette?
J'irais, par ma constance aux affronts endurci,
Me mettre au rang des saints qu'a célébrés Bussi?
Assez de sots sans moi feront parler la ville,
Disait, le mois passé, ce marquis indocile
Qui, depuis quinze jours dans le piège arrêté,
Entre les bons maris pour exemple cité,
Croit que Dieu, tout exprès, d'une côte nouvelle
A tiré pour lui seul une femme fidèle.
Voilà l'Homme, en effet. Il va du blanc au noir.
Il condamne au matin ses sentiments du soir.
Importun à tout autre, à soi-même incommode,
Il change à tous moments d'esprit comme de mode;
Il tourne au moindre vent, il tombe au moindre choc
Aujourd'hui dans un casque, et demain dans un froc.
   Cependant, à le voir, plein de vapeurs légères,
Soi-même se bercer de ses propres chimères,
Lui seul de la nature est la base et l'appui,
Et le dixième ciel ne tourne que pour lui.
De tous les animaux il est, dit-il, le maître. –
Qui pourrait le nier? poursuis-tu. – Moi, peut-être. . . .
Ce maître prétendu qui leur donne des lois,
Ce roi des animaux, combien a-t-il de rois?
L'ambition, l'amour, l'avarice ou la haine
Tiennent comme un forçat son esprit à la chaîne.
Le sommeil sur ses yeux commence à s'épancher:
– Debout, dit l'Avarice, il est temps de marcher.
– Hé, laissez-moi. – Debout. – Un moment. – Tu répliques?
– A peine le soleil fait ouvrir les boutiques!
– N'importe, lève-toi. – Pour quoi faire après tout?
– Pour courir l'Océan de l'un à l'autre bout,
Chercher jusqu'au Japon la porcelaine et l'ambre,

Rapporter de Goa le poivre et le gingembre.
– Mais j'ai des biens en foule, et je m'en puis passer.
– On n'en peut trop avoir, et, pour en amasser,
Il ne faut épargner ni crime ni parjure;
Il faut souffrir la faim et coucher sur la dure;
Eût-on plus de trésors que n'en perdit Galet,
N'avoir en sa maison ni meubles ni valet;
Parmi les tas de blé vivre de seigle et d'orge;
De peur de perdre un liard, souffrir qu'on vous égorge.
– Et pourquoi cette épargne enfin? – L'ignores-tu?
Afin qu'un Héritier bien nourri, bien vêtu,
Profitant d'un trésor en tes mains inutile,
De son train quelque jour embarrasse la ville.
Que faire? il faut partir, les matelots sont prêts.
Ou, si pour l'entraîner l'argent manque d'attraits,
Bientôt l'Ambition, et toute son escorte,
Dans le sein du repos vient le prendre à main forte,
L'envoie en furieux au milieu des hasards,
Se faire estropier sur les pas des Césars,
Et, cherchant sur la brèche une mort indiscrète,
De sa folle valeur embellir la *Gazette*.
– Tout beau, dira quelqu'un, raillez plus à propos.
Ce vice fut toujours la vertu des héros.
Quoi donc! à votre avis, fut-ce un fou qu'Alexandre?
– Qui? cet écervelé qui mit l'Asie en cendre?
Ce fougueux l'Angely, qui, de sang altéré,
Maître du monde entier, s'y trouvait trop serré?
L'enragé qu'il était, né roi d'une province
Qu'il pouvait gouverner en bon et sage prince,
S'en alla follement, et pensant être Dieu,
Courir comme un bandit qui n'a ni feu ni lieu,
Et, traînant avec soi les horreurs de la guerre,
De sa vaste folie emplir toute la terre.
Heureux si de son temps pour cent bonnes raisons,
La Macédoine eût eu des Petites Maisons,
Et qu'un sage tuteur l'eût en cette demeure,
Par avis de parents, enfermé de bonne heure.

. . . . .

– Doucement, diras-tu. Que sert de s'emporter?
L'homme a ses passions, on n'en saurait douter.
Il a, comme la mer, ses flots et ses caprices;
Mais ses moindres vertus balancent tous ses vices.
N'est-ce pas l'homme, enfin, dont l'art audacieux
Dans le tour d'un compas a mesuré les cieux?
Dont la vaste science, embrassant toutes choses,
A fouillé la nature, en a percé les causes?
Les animaux ont-ils des Universités?
Voit-on fleurir chez eux les quatre Facultés?
Y voit-on des savants en droit, en médecine,
Endosser l'écarlate et se fourrer d'hermine?
– Non sans doute, et jamais chez eux un médecin
N'empoisonna les bois de son art assassin;
Jamais docteur armé d'un argument frivole
Ne s'enroua chez eux sur les bancs d'une école.
Mais, sans chercher au fond si notre esprit déçu
Sait rien de ce qu'il sait, s'il a jamais rien su,
Toi-même, réponds-moi. Dans le siècle où nous sommes,
Est-ce au pied du savoir qu'on mesure les hommes?
– Veux-tu voir tous les grands à ta porte courir?
Dit un père à son fils dont le poil va fleurir.
Prends-moi le bon parti. Laisse là tous les livres.
Cent francs au denier cinq, combien font-ils? – Vingt livres.
– C'est bien dit. Va, tu sais tout ce qu'il faut savoir.
Que de biens, que d'honneurs sur toi s'en vont pleuvoir!
Exerce-toi, mon fils, dans ces hautes sciences,
Prends, au lieu d'un Platon, le *Guidon des finances*,
Sache quelle province enrichit les traitants,
Combien le sel au Roi peut fournir tous les ans.
Endurcis-toi le cœur. Sois arabe, corsaire,
Injuste, violent, sans foi, double, faussaire.
Ne va point sottement faire le généreux,
Engraisse-toi, mon fils, du suc des malheureux,
Et, trompant de Colbert la prudence importune,
Va par tes cruautés mériter la fortune.
Aussitôt tu verras poètes, orateurs,
Rhéteurs, grammairiens, astronomes, docteurs,

Dégrader les héros pour te mettre en leurs places,
De tes titres pompeux enfler leurs dédicaces.
C'est ainsi qu'à son fils un usurier habile
Trace vers la richesse une route facile:
Et souvent tel y vient qui sait pour tout secret,
Cinq et quatre font neuf, ôtez deux, reste sept.
 Après cela, docteur, va pâlir sur la Bible:
Va marquer les écueils de cette mer terrible. . . .
Ou, si ton cœur aspire à des honneurs plus grands,
Quitte là le bonnet, la Sorbonne et les bancs,
Et, prenant désormais un emploi salutaire,
Mets-toi chez un banquier ou bien chez un notaire.
Laisse là Saint Thomas s'accorder avec Scot,
Et conclus avec moi qu'un docteur n'est qu'un sot.
Un docteur? diras-tu, parlez de vous, poète;
C'est pousser un peu loin votre muse indiscrète.
Mais sans perdre en discours le temps hors de saison,
L'Homme, venez au fait, n'a-t-il pas la raison?
N'est-ce pas son flambeau, son pilote fidèle?
Oui. Mais de quoi lui sert que sa voix le rappelle,
Si, sur la foi des vents tout prêt à s'embarquer,
Il ne voit point d'écueil qu'il ne l'aille choquer?
Et que sert à Cotin la raison qui lui crie:
N'écris plus, guéris-toi d'une vaine furie,
Si tous ces vains conseils, loin de la réprimer.
Ne font qu'accroître en lui la fureur de rimer?
Tous les jours, de ses vers qu'à grand bruit il récite,
Il met chez lui voisins, parents, amis en fuite;
Car, lorsque son démon commence à l'agiter,
Tout, jusqu'à sa servante, est prêt à déserter.
Un âne, pour le moins, instruit par la nature,
A l'instinct qui le guide obéit sans murmure,
Ne va point follement de sa bizarre voix
Défier aux chansons les oiseaux dans les bois.
Sans avoir la raison, il marche sur sa route.
L'Homme seul, qu'elle éclaire, en plein jour ne voit goutte,
Réglé par ses avis, fait tout à contretemps,
Et dans tout ce qu'il fait, n'a ni raison ni sens.

Tout lui plaît et déplaît, tout le choque et l'oblige.
Sans raison il est gai, sans raison il s'afflige.
Son esprit au hasard aime, évite, poursuit,
Défait, refait, augmente, ôte, élève, détruit.
Et voit-on, comme lui, les ours ni les panthères
S'effrayer sottement de leurs propres chimères,
Plus de douze attroupés craindre le nombre impair,
Ou croire qu'un corbeau les menace dans l'air?
Jamais l'Homme, dis-moi, vit-il de bête folle
Sacrifier à l'Homme, adorer son idole,
Lui venir, comme au dieu des saisons et des vents,
Demander à genoux la pluie ou le beau temps?
Non. Mais, cent fois la bête a vu l'Homme hypocondre,
Adorer le métal que lui-même il fit fondre;
A vu dans un pays les timides mortels
Trembler aux pieds d'un singe assis sur leurs autels;
Et sur les bords du Nil les peuples imbéciles,
L'encensoir à la main, chercher les crocodiles.
  Mais pourquoi, diras-tu, cet exemple odieux?
Que peut servir ici l'Égypte et ses faux dieux?
Quoi! me prouverez-vous par ce discours profane
Que l'Homme, qu'un docteur est au-dessous d'un âne?
Un âne, le jouet de tous les animaux,
Un stupide animal sujet à mille maux,
Dont le nom seul en soi comprend une satire?
– Oui, d'un âne: et qu'a-t-il qui nous excite à rire?
Nous nous moquons de lui, mais s'il pouvait un jour,
Docteur, sur nos défauts s'exprimer à son tour;
Si, pour nous réformer, le Ciel, prudent et sage,
De la parole enfin lui permettait l'usage,
Qu'il pût dire tout haut ce qu'il se dit tout bas,
Ah! docteur, entre nous, que ne dirait-il pas?
Et que peut-il penser lorsque dans une rue,
Au milieu de Paris, il promène sa vue;
Qu'il voit de toutes parts les hommes bigarrés,
Les uns gris, les uns noirs, les autres chamarrés?
Que dit-il quand il voit, avec la mort en trousse,
Courir chez un malade un assassin en housse;

Qu'il trouve de pédants un escadron fourré
Suivi par un recteur de bedeaux entouré;
Ou qu'il voit la justice, en grosse compagnie,
Mener tuer un homme avec cérémonie?
Que pense-t-il de nous, lorsque sur le midi
Un hasard au Palais le conduit un jeudi;
Lorsqu'il entend de loin, d'une gueule infernale,
La Chicane en fureur mugir dans la Grand'Salle?
Que dit-il quand il voit les juges, les huissiers,
Les clercs, les procureurs, les sergents, les greffiers?
O! que si l'âne alors, à bon droit misanthrope,
Pouvait trouver la voix qu'il eut au temps d'Ésope!
De tous côtés, docteur, voyant les hommes fous,
Qu'il dirait de bon cœur, sans en être jaloux,
Content de ses chardons et secouant la tête:
Ma foi, non plus que nous; l'Homme n'est qu'une bête!

Guillaume Amfrye de Chaulieu

AU MARQUIS DE LA FARE

Après tant de bienfaits, quoi! j'aurai l'insolence.
Dans une mer d'erreurs plongé dès mon enfance
Par l'imbécile amas de femmes, de dévots,
A cet Être parfait d'imputer mes défauts;
D'en faire un Dieu cruel, vindicatif, colère,
Capable de fureur, et même sanguinaire:
Changeant de volonté, réprouvant aujourd'hui
Ce peuple qui jadis seul par lui fut chéri!
Je forme de cet Être une plus noble idée;
Sur le front du Soleil lui-même il l'a gravée;
Immense, tout-puissant; équitable, éternel,
Maître de tout, a-t-il besoin de mon autel?
S'il est juste, faut-il pour le rendre propice,
    Que j'aille teindre les ruisseaux,
    Dans l'offrande d'un sacrifice,
    Du sang innocent des Taureaux?

Dans le fond de mon cœur je lui bâtis un Temple:
Prosterné devant lui, j'adore sa bonté,
        Et ne vas pas suivre l'exemple
Des mortels insensés, de qui la vanité
Croit rendre assez d'honneurs à la Divinité
Dans ces grands monuments de leur magnificence,
        Témoins de leur extravagance
        Bien plus que de leur piété. . . .

Madame Deshoulières

LES FLEURS – IDYLLE

    Que votre éclat est peu durable,
  Charmantes fleurs, honneur de nos jardins!
Souvent un jour commence et finit vos destins;
    Et le sort le plus favorable
Ne vous laisse briller que deux ou trois matins.
Ah! consolez-vous-en, jonquilles, tubéreuses;
Vous vivez peu de jours, mais vous vivez heureuses:
    Les médisants, ni les jaloux
  Ne gênent point l'innocente tendresse
Que le printemps fait naître entre Zéphire et vous;
    Jamais trop de délicatesse
Ne mêle d'amertume à vos plus doux plaisirs.
Que pour d'autres que vous, il pousse des soupirs;
  Que loin de vous, il folâtre sans cesse;
Vous ne ressentez point la mortelle tristesse
    Qui dévore les tendres cœurs,
    Lorsque pleins d'une ardeur extrême,
    On voit l'ingrat objet qu'on aime
Manquer d'empressement, ou s'engager ailleurs.
Pour plaire, vous n'avez seulement qu'à paraître.
Plus heureuses que nous, ce n'est que le trépas
    Qui vous fait perdre vos appas;
Plus heureuses que nous, vous mourez pour renaître.
Tristes réflexions, inutiles souhaits!

Quand une fois nous cessons d'être,
Aimables fleurs, c'est pour jamais.
Un redoutable instant nous détruit sans réserve;
On ne voit au-delà qu'un obscur avenir;
A peine de nos noms un léger souvenir
Parmi les hommes se conserve.
Nous entrons pour toujours dans le profond repos
D'où nous a tirés la nature,
Dans cette affreuse nuit qui confond les héros
Avec le lâche et le parjure,
Et dont les fiers destins, par de cruelles lois,
Ne laissent sortir qu'une fois.
Mais, hélas! pour vouloir revivre,
La vie est-elle un bien si doux?
Quand nous l'aimons tant, songeons-nous
De combien de chagrins sa perte nous délivre?
Elle n'est qu'un amas de craintes, de douleurs,
De travaux, de soucis, de peines.
Pour qui connaît les misères humaines,
Mourir n'est pas le plus grand des malheurs.
Cependant, agréables fleurs,
Par des liens honteux, attachés à la vie,
Elle fait seule tous nos soins;
Et nous ne vous portons envie,
Que par où nous devons vous envier le moins.

SUR LE PHÈDRE ET HIPPOLYTE DE RACINE

Dans un fauteuil doré, Phèdre tremblante et blême,
Dit des vers où d'abord personne n'entend rien;
Sa nourrice lui fait un sermon fort chrétien
Contre l'affreux dessein d'attenter à soi-même,
Hippolyte la hait presque autant qu'elle l'aime;
Rien ne change son cœur ni son chaste maintien;
La nourrice l'accuse, elle s'en punit bien;
Thésée a pour son fils une rigueur extrême.
Une grosse Aricie, au cuir rouge, aux crins blonds,
N'est là que pour montrer deux énormes tétons,

Que, malgré sa froideur, Hippolyte idolâtre.
Il meurt enfin traîné par ses coursiers ingrats;
Et Phèdre, après avoir pris de la mort-aux-rats,
Vient en se confessant, mourir sur le théâtre.

Jean Racine

PROMENADES DE PORT-ROYAL-DES-CHAMPS

ODE III – DESCRIPTION DES BOIS

Que ces vieux royaumes des ombres,
Ces grands bois, ces noires forêts,
Cachent de charmes et d'attraits
Dessous leurs feuillages si sombres!
C'est dans ce tranquille séjour
Que l'on voit régner nuit et jour
La paix et le silence;
C'est là qu'on dit que nos aïeux,
Au siècle d'innocence,
Goûtaient les délices des cieux.

C'est là que cent longues allées
D'arbres toujours riches et verts
Se font voir en cent lieux divers,
Droites, penchantes, étoilées.
Je vois mille troncs sourcilleux
Soutenir le faîte orgueilleux
De leurs voûtes tremblantes;
Et l'on dirait que le saphir
De deux portes brillantes
Ferme ces vrais lieux de plaisir . . .

Là l'on voit la biche légère,
Loin du sanguinaire aboyeur,
Fouler, sans crainte et sans frayeur,
Le tendre émail de la fougère.

Là le chevreuil, champêtre et doux,
Bondit aussi dessus les houx,
  En courses incertaines;
Là les cerfs, ces arbres vivants,
  De leurs bandes hautaines
Font cent autres grands bois mouvants.

C'est là qu'avec de doux murmures
L'on entend les petits zéphyrs,
De qui les tranquilles soupirs
Charment les peines les plus dures.
C'est là qu'on les voit tour à tour
Venir baiser avec amour
  La feuille tremblotante;
Là, pour joindre aux chants des oiseaux
  Leur musique éclatante,
Ils concertent sur les rameaux.

Là cette chaleur violente
Qui dans les champs et les vallons
Brûle les avides sillons,
Se fait voir moins fière et plus lente.
L'œil du monde voit à regret
Qu'il ne peut percer le secret
  De ces lieux pleins de charmes:
Plus il y lance de clartés,
  Plus il leur donne d'armes
Contre ses brûlantes beautés.

CANTIQUES SPIRITUELS

PLAINTE D'UN CHRÉTIEN

Mon Dieu, quelle guerre cruelle!
Je trouve deux hommes en moi:
L'un veut que plein d'amour pour toi
Mon cœur te soit toujours fidèle.
L'autre à tes volontés rebelle
Me révolte contre ta loi.

L'un tout esprit, et tout céleste,
Veut qu'au Ciel sans cesse attaché,
Et des biens éternels touché,
Je compte pour rien tout le reste;
Et l'autre par son poids funeste
Me tient vers la Terre penché.

Hélas! en guerre avec moi-même,
Où pourrai-je trouver la paix?
Je veux, et n'accomplis jamais.
Je veux. Mais, ô misère extrême!
Je ne fais pas le bien que j'aime,
Et je fais le mal que je hais.

O grâce, ô rayon salutaire,
Viens me mettre avec moi d'accord;
Et domptant par un doux effort
Cet homme qui t'est si contraire,
Fais ton esclave volontaire
De cet esclave de la mort.

HYMNE A LAUDES

L'aurore brillante et vermeille
Prépare le chemin au soleil qui la suit;
Tout rit aux premiers traits du jour qui se réveille:
Retirez-vous, démons, qui volez dans la nuit.

Fuyez, songes, troupe menteuse,
Dangereux ennemis par la nuit enfantés;
Et que fuie avec vous la mémoire honteuse
Des objets qu'à nos sens vous avez présentés.

Chantons l'auteur de la lumière,
Jusqu'au jour où son ordre a marqué notre fin,
Et qu'en le bénissant notre aurore dernière
Se perde en un midi sans soir et sans matin.

Racine – Hamilton

Gloire à Toi, Trinité profonde,
Père, Fils, Esprit saint: qu'on t'adore toujours,
Tant que l'astre des temps éclairera le monde,
Et quand les siècles même auront fini leur cours.

Anthony Hamilton

RONDEAU REDOUBLÉ

Par gran'bonté cheminaient autrefois
Preux chevaliers, couverts de fine armure,
Ores par monts, ores parmi les bois,
Redressant torts, et défaisant injure,

Trouvaient par cas horions, meurtrissure,
Par cas aussi, sur fringants palefrois,
Dames près d'eux, friandes d'aventure,
Par gran'bonté cheminaient autrefois.

Toujours mettaient amour dessous leurs lois,
Jeunes beautés de bénigne nature;
Et voyait-on bien reçus chez les rois
Preux chevaliers, couverts de fine armure.

Méshui s'en vont, mis en déconfiture,
Soulas déduits; et la gent à pavois
Plus ne s'ébat à coucher sur la dure,
Ores par monts, ores parmi les bois.

Princesse, en qui le ciel met à la fois
Esprit sans fin, et grâces sans mesure,
Vous seule allez du vieux temps aux abois
Redressant torts, et défaisant injure
Par gran'bonté.

Jeanne Bouvier de La Motte, Madame Guyon

FOI SANS ASSURANCE

AIR: *Mon cher troupeau*

Pour contempler l'essence nue,
Il faut la nue et pure foi;
Lorsqu'en Dieu l'âme est parvenue,
Il ne reste plus rien de moi.

Si je me faisais quelque forme,
Si je me figure un objet,
Je rends mon Dieu semblable à l'homme
Et me trompe dans mon sujet.

Si c'est Jésus que je contemple,
D'un œil simple autant qu'épuré;
Si je me forme à son exemple,
Mon état est très assuré.

Sans me former aucune image
Avec lui me perdant en Dieu,
Je la trouve sans nul partage,
Sans différence, temps ni lieu.

Tel qu'il est au sein de son Père,
Je le trouve et m'abîme en lui:
Tel qu'il était sur la terre
Il règle ma vie aujourd'hui.

Lorsque l'âme est redevenue
Simple comme un petit enfant,
C'est alors que l'Essence nue
Est sa force et son aliment.

Divin moteur de toute chose,
Principe de la Vérité,

Qu'en toi seul mon esprit repose
Et s'abîme en l'immensité.

Ah! que ce langage est barbare
Pour exprimer ce qu'on conçoit!
Car ce qu'on éprouve est si rare
Que rien en nous ne l'aperçoit.

Là, transporté hors de soi-même,
On entre en un pays nouveau,
Où Dieu qu'on adore et qu'on aime
Sert de sépulcre et de berceau.

Là les puissances suspendues,
Sans discerner ni mal ni bien,
Là les âmes en Dieu perdues
Ne voient plus même leur rien.

Là l'on vit et l'on meurt sans cesse,
On trouve la vie et la mort;
La douleur devient allégresse;
Si je disais tout, j'aurais tort.

L'ÂME AMANTE QUI NE RESPIRE QU'AMOUR

AIR: *Je ne veux que Tircis*

Je ne saurais parler, sans parler de l'amour;
J'aime mieux garder le silence:
Heureuse de perdre le jour,
En vivant sous sa dépendance.

On me dit que d'amour je parle à tout moment;
On m'en fait souvent le reproche:
Je trouve mon contentement
D'en entretenir qui m'approche.

Madame Guyon

Je veux, ô cher Amour, t'écrire dans les cieux
Que l'amour y serve d'étoiles;
Je veux t'écrire en tous les lieux,
Sur la nuit, sur ses sombres voiles.

J'écrirai sur la nuit l'amour avec du feu;
Et par ce brillant caractère,
Je ferai brûler pour mon Dieu
Le Ciel aussi bien que la terre.

Je veux écrire en toi, ô fluide Océan,
Et tracer l'amour sur tes ondes:
Car l'amour est assez puissant
Pour graver sur l'eau vagabonde.

Je te veux, cher amour, écrire sur les monts;
Je te veux graver sur la pierre:
Dans les abîmes plus profonds,
Je ferai voir ton caractère.

J'écrirai sur le cœur l'amour pur et parfait,
Le burinant à traits de flammes:
Mon esprit sera satisfait
D'imprimer l'amour dans les âmes.

J'irai dans les enfers et crierai nuit et jour:
'L'amour ôterait votre peine,
Si capables de quelque amour
Vous changiez en amour la haine.'

Je veux chanter, Amour, ta gloire à tout moment,
Tant qu'il me restera de vie;
Je veux te faire voir si grand,
Qu'à te suivre on brûle d'envie.

Mais je n'ai plus de voix: tous les hommes unis
Ne travaillent qu'à te combattre;
Je vois partout tes ennemis:
Ta force pourrait les abattre.

Je n'oserais parler, je n'oserais chanter;
  Car les hommes me font la guerre:
  Chacun cherche à m'épouvanter;
  Que craindrai-je, aimant le tonnerre?

Si l'Amour est pour moi, je me moque de tous;
  Puisque l'amour est mon partage:
  Venez sur moi, troupe de loups;
  Vous me ferez un badinage.

Qui saurait bien aimer, saurait si bien souffrir
  Sans craindre tourment ni menace,
  Qu'il viendrait à tous maux s'offrir
  Par amour, et non par audace.

O souverain Amour, immense Vérité!
  Je voudrais exhaler mon âme,
  Pour me perdre en votre unité
  Dans ce vaste Océan de flamme.

François de Salignac de La Mothe Fénelon

ADIEU VAINE PRUDENCE

AIR: *Quittons notre houlette*

Adieu, vaine prudence,
Je ne te dois plus rien.
Une heureuse ignorance
  Est ma science;
Jésus et son enfance,
  C'est tout mon bien.

Jeune, j'étais trop sage
Et voulais tout savoir.
Je n'ai plus en partage
  Que badinage,
Et touche au dernier âge,
  Sans rien prévoir.

Fénelon

Au gré de ma folie
Je vais sans savoir où.
Tais-toi philosophie!
  Que tu m'ennuies!
Les savants je défie,
  Heureux les fous!

Quel malheur d'être sage
Et conserver ce Moi,
Maître dur et sauvage,
  Trompeur volage!
O le rude esclavage
  Que d'être à soi!

Loin de toute espérance,
Je vis en pleine paix.
Je n'ai ni confiance
  Ni défiance;
Mais l'intime assurance
  Ne meurt jamais.

Amour, toi seul peux dire,
Par quel puissant moyen
Tu fais sous ton empire
  Ce doux martyre,
Où toujours l'on soupire
  Sans vouloir rien.

Amour pur, on t'ignore.
Un rien te peux ternir:
Le Dieu jaloux abhorre
  Que je l'adore,
Si, m'offrant, j'ose encore
  Me retenir.

O Dieu, ta foi m'appelle,
Et je marche à tâtons;
Elle aveugle mon zèle;

Je n'entends qu'elle.
Dans ta nuit éternelle
Perds ma raison,

Content dans cet abîme,
Où l'amour m'a jeté,
Je n'en vois plus la cime,
Et Dieu m'opprime;
Mais je suis la victime
De vérité.

État qu'on ne peut peindre:
Ne plus rien désirer,
Vivre sans se contraindre
Et sans se plaindre,
Enfin ne pouvoir craindre
De s'égarer.

Bernard le Bovier de Fontenelle

SONNET

'Je suis,' criait jadis Apollon à Daphné,
Lorsque tout hors d'haleine il courait après elle,
Et racontait partout la longue kyrielle
Des rares qualités dont il était orné,
'Je suis le Dieu des vers, je suis bel esprit né.'
Mais les vers n'étaient point le charme de la Belle.
'Je sais jouer du luth. Arrêtez.' Bagatelle:
Le luth ne pouvait rien sur ce cœur obstiné.
'Je connais la vertu de la moindre racine,
Je suis par mon savoir Dieu de la Médecine.'
Daphné courait encor plus vite que jamais.
Mais s'il eût dit: 'Voyez quelle est votre conquête:
Je suis un jeune Dieu, toujours beau, toujours frais,'
Daphné, sur ma parole, aurait tourné la tête.

Fontenelle – Anonyme

SUR MA VIEILLESSE

Il fallait n'être vieux qu'à Sparte,
Disent les anciens écrits.
O Dieux! combien je m'en écarte,
Moi qui suis si vieux dans Paris!
O Sparte! Sparte, hélas! qu'êtes-vous devenue?
Vous saviez tout le prix d'une tête chenue.
Plus dans la canicule on était bien fourré,
Plus l'oreille était dure et l'œil mal éclairé,
Plus on déraisonnait dans sa triste famille,
Plus on épiloguait sur la moindre vétille,
Plus contre tout son siècle on s'était déclaré,
Plus on était chagrin et misanthrope outré,
Plus on avait de goutte ou autre béatille,
Plus on avait perdu de dents de leur bon gré,
Plus on marchait courbé sur sa grosse béquille,
Plus on était enfin digne d'être enterré,
Et plus dans vos ramparts on était honoré.
O Sparte! Sparte, hélas! qu'êtes-vous devenue?
Vous saviez tout le prix d'une tête chenue.

Anonyme (Chansons populaires)

LA MARQUISE EMPOISONNÉE

Quand le roi entra dans la cour
pour saluer ces dames,
La première qu'il salua
a ravi son âme.

– Marquis, dis-moi, la connais-tu?
Qui est cette jolie dame?
Le marquis lui a répondu:
– Sire roi, c'est ma femme.

– Marquis, t'es plus heureux que moi
d'avoir femme si belle.
Si tu voulais, l'honneur j'aurais
de coucher avec elle.

– Sire, si vous n'étiez pas le roi
j'en aurais ma vengeance;
Mais puisque vous êtes le roi,
à votre obéissance!

– Marquis, ne te fâche donc pas,
t'auras ta récompense:
Je te ferai dans mes armées
beau maréchal de France.

– Adieu ma mie, adieu mon cœur,
adieu mon espérance!
– Puisqu'il te faut servir le roi,
séparons-nous d'ensemble.

Le roi l'a prise par la main,
l'a menée dans sa chambre.
La belle, en montant les degrés,
a voulu se défendre:

– Marquise, ne pleurez pas tant,
je vous ferai princesse;
De tout mon or et mon argent
vous serez la maîtresse.

– Gardez votre or et votre argent:
n'appartient qu'à la reine.
J'aimerais mieux mon doux marquis
que toutes vos richesses.

La reine a fait faire un bouquet
de belles fleurs de lyse,
Et la senteur de ce bouquet
a fait mourir marquise.

Le roi lui fit faire un tombeau
  tout en fer de Venise;
A fait marquer tout à l'entour:
  'Adieu, belle marquise!'

CHANSON A GRAND VENT

Le pauvre laboureur,
    il a bien du malheur.
Du jour de sa naissance
    l'est déjà malheureux.
Qu'il pleuve, qu'il tonne, qu'il vente,
    qu'il fasse mauvais temps,
L'on voit toujours, sans cesse,
    le laboureur aux champs.

Le pauvre laboureur,
    il n'est qu'un partisan;
Il est vêtu de toile
    comme un moulin à vent;
Il met ses arselettes
    c'est l'état de son métier,
Pour empêcher la terre
    d'entrer dans ses souliers.

Le pauvre laboureur,
    a de petits enfants;
Les envoie à la charrue
    à l'âge de quinze ans.
Il a perdu sa femme
    à l'âge de trente ans:
Elle le laisse tout seul
    avecque ses enfants.

Le pauvre laboureur,
  il est toujours content;
Quand l'est à la charrue,
  il est toujours chantant.

arselettes, guêtres

Anonyme

Il n'est ni roi ni prince,
ni duc ni seigneur,
Qui ne vive de la peine
du pauvre laboureur.

LES TISSERANDS

Les tisserands sont pis que des évêques.
Tous les lundis ils se font une fête.
Et tipe tape, et tipe tape,
Est-il trop gros, est-il trop fin,
Et couchés tard, levés matin
I roulant la.
En roulant la navette
Le beau temps viendra.

Tous les lundis ils se font une fête;
Et le mardi, ils ont mal à la tête, etc.

Et le mardi, ils ont mal à la tête;
Le mercredi, ils vont charger leur pièce, etc.

Le mercredi, ils vont charger leur pièce;
Et le jeudi se mettent sur la sellette, etc.

Et le jeudi se mettent sur la sellette;
Le vendredi, ils poussent la navette, etc.

Le vendredi, ils poussent la navette;
Le samedi, la toile n'est pas faite, etc.

Le samedi, la toile n'est pas faite;
Mais le dimanche ils vont à la grand'messe.
Et tipe tape, et tipe tape,
Est-il trop gros, est-il trop fin,
Et couchés tard, levés matin
I roulant la.
En roulant la navette
Le beau temps viendra.

Anonyme

LES SAVETIERS

Les savetiers de la savatterie
Saint-Pierre aux liens faisaient leur confrérie:
Dedans l'église sont entrés deux à deux.
Et place à Messieurs. . . .

Maître Tobie fut reconnu capable
D'aller aux Trois Maillets faire dresser la table,
Car en fêtard il s'y entend le mieux;
Et place à Messieurs.

Et quand ce vint à sortir de Saint-Pierre,
Aux Trois Maillets ils ont couru grand erre
Et le bedeau qui marchait devant eux:
Et place à Messieurs.

Bien altérés ils ont fait leur entrée,
Pour premiers mets des cardes de poirée,
Des pois au lard on leur mit devant eux.
Et place à Messieurs.

Après suivaient le boudin et l'andouille,
De gros navets et des plats de citrouille,
Les aloyaux y étaient deux à deux.
Et place à Messieurs.

Les pieds de porc, les grouins et les oreilles
Dans ce festin leur semblaient des merveilles,
C'étaient leurs mets les plus délicieux.
Et place à Messieurs. . . .

Voilà de quoi fut composée la fête,
Mais le dessert y était plus honnête;
Car le fromage y était tout véreux.
Et place à Messieurs.

Marrons pourris, poires et pommes molles,
En les mangeant ils semblaient de la colle,
Car leurs mentons en étaient tout baveux;
Et place à Messieurs. . . .

Ils sont sortis lorsqu'on ne voyait goutte;
De son logis chacun a pris la route;
Minuit était avant qu'être chez eux.
Et place à Messieurs. . . .

AU TRENTE ET UN DU MOIS D'AOÛT

Au trente et un du mois d'août,
On vit venir sous vent à nous
Une frégate d'Angleterre
Qui fendait la mer-z-et les flots:
C'était pour attaquer Bordeaux!
Buvons un coup, la, la, buvons en deux,
A la santé des amoureux,
A la santé du roi de France,
Et merde pour le roi d'Angleterre
Qui nous a déclaré la guerre.

Le commandant du bâtiment
Fit appeler son lieutenant:
'Lieutenant, te sens-tu capable,
Dis-moi, te sens-tu-z-assez fort
Pour prendre l'Anglais à son bord?'
Buvons un coup . . .

Le lieutenant, fier et-z-hardi,
Lui répondit: 'Capitaine-z-oui,
Faites branlebas à l'équipage:
Je vas hisser notre pavillon,
Qui restera haut, nous le jurons.'
Buvons un coup . . .

Le maître donne un coup de sifflet
Pour faire monter les deux bordées:
Tout est paré pour l'abordage,
Hardis gabiers, fiers matelots,
Braves canonniers, mousses petiots.
Buvons un coup . . .

Vire lof pour lof en arrivant:
Je l'abordions par son avant;
A coup de hache et de grenade,
De pique, de sabre, de mousqueton,
En trois-cinq-sec je l'arrimions.
Buvons un coup . . .

Que dira-t-on du grand rafiot,
A Brest, à Londres et à Bordeaux,
Qu'a laissé prendre son équipage
Par un corsaire de dix canons;
Lui qu'en avait trente et six bons!
Buvons un coup . . .

LE RETOUR DU MARIN

Brave marin revient de guerre,
Tout mal chaussé, tout mal vêtu:
– Brave marin, d'où reviens-tu?

– Madame, je reviens de guerre;
Qu'on apporte ici du vin blanc,
Que le marin boive en passant.

Brave marin se met à boire,
Se met à boire et à chanter:
Et la belle hôtesse à pleurer:

– Ah! dites-moi, la belle hôtesse,
Regrettez-vous votre vin blanc,
Que le marin boit en passant?

– Ce n'est pas mon vin que je regrette,
Mais c'est la mort de mon mari:
Monsieur, vous ressemblez à lui . . .

– Ah! dites-moi, la belle hôtesse,
Vous aviez de lui trois enfants:
Vous en avez six à présent!

– On m'a écrit de ses nouvelles,
Qu'il était mort et enterré . . .
Et je me suis remariée.

Brave marin vida son verre,
Sans remercier, tout en pleurant,
S'en retourne à son bâtiment.

LA COMPLAINTE DE MANDRIN

Nous étions vingt ou trente
Brigands dans une bande,
Tous habillés de blanc
A la mod' des . . .
Vous m'entendez,
Tous habillés de blanc
A la mod' des marchands.

La premièr' volerie
Que je fis dans ma vie
C'est d'avoir goupillé
La bourse d'un . . .
Vous m'entendez,
C'est d'avoir goupillé
La bourse d'un curé.

J'entrai dedans sa chambre
Mon Dieu, qu'elle était grande!
J'y trouvai mille écus,

Je mis la main . . .
                    Vous m'entendez,
J'y trouvai mille écus
Je mis la main dessus.

J'entrai dedans une autre
Mon Dieu, qu'elle était haute!
De rob's et de manteaux,
J'en chargeai trois . . .
                    Vous m'entendez,
De rob's et de manteaux
J'en chargeai trois chariots.

Je les portai pour vendre
A la foire en Hollande.
J'les vendis bon marché
Ils n' m'avaient rien . . .
                    Vous m'entendez,
J'les vendis bon marché
Ils n' m'avaient rien coûté.

Ces Messieurs de Grenoble
Avec leurs longues robes
Et leurs bonnets carrés
M'eurent bientôt . . .
                    Vous m'entendez
Et leurs bonnets carrés
M'eurent bientôt jugé.

Ils m'ont jugé à pendre,
Ah! c'est dur à entendre!
A pendre et étrangler
Sur la plac' du . . .
                    Vous m'entendez
A pendre et étrangler
Sur la place du marché.

Monté sur la potence
Je regardai la France,
J'y vis mes compagnons
A l'ombre d'un . . .
                    Vous m'entendez,
J'y vis mes compagnons
A l'ombre d'un buisson.

'Compagnons de misère,
Allez dire à ma mère
Qu'ell' ne m'reverra plus,
J'suis un enfant . . .
                    Vous m'entendez,
Qu'ell' ne m'reverra plus
J'suis un enfant perdu!'

CORBLEU MARION

– Qu'allais-tu faire à la fontaine?
Corbleu, Marion, corbleu Marion
– Qu'allais-tu faire à la fontaine?

– J'étais allé quérir de l'eau.
Corbleu, Marion, corbleu Marion
– J'étais allé quérir de l'eau.

– Avec qui donc que tu parlais?
Corbleu, Marion, corbleu Marion
– Avec qui donc que tu parlais?

– Avec la fille de notre voisine, etc.

– Les femmes ne portent point l'épée, etc.

– C'était sa quenouille qui pendait, etc.

– Les femmes ne portent point de culottes, etc.

– C'était sa jupe entortillée, etc.

– Les femmes ne portent point de moustaches, etc.

– C'étaient des mûres qu'elle mangeait, etc.

– Le mois de mai ne porte pas de mûres, etc.

– C'était une branche de l'automne, etc.

– Va m'en cueillir une assiettée, etc.

– Les petits oiseaux l'ont toute mangée, etc.

– Alors je vais te couper la tête, etc.

– Mais que feriez-vous donc du reste?, etc.

– Pour cette fois, je te pardonne, etc.

– Pour cette fois et pour bien d'autres!
Corbleu, Marion, corbleu Marion
– Pour cette fois et pour bien d'autres!

LA BELLE EST AU JARDIN D'AMOUR

La belle est au jardin d'amour,
Voilà un mois ou six semaines.
Son père la cherche partout,
Et son amant qu'est bien en peine:

Faut demander à ce berger
S'il l'a pas vue dedans la plaine:
– Berger, berger, n'as-tu point vu
Passer ici la beauté même?

– Comment donc est-elle vêtue,
Est-ce de soie ou bien de laine?
– Elle est vêtue de satin blanc
Dont la doublure est de futaine.

– Elle est là-bas dans ce vallon,
Assise au bord d'une fontaine;
Entre ses mains tient un oiseau,
La belle lui conte ses peines.

– Petit oiseau, tu es heureux,
D'être entre les mains de la belle!
Et moi, qui en suis amoureux,
Je ne puis pas m'approcher d'elle.

Faut-il être auprès du ruisseau,
Sans pouvoir boire à la fontaine?
– Buvez, mon cher amant, buvez,
Car cette eau-là est souveraine.

– Faut-il être auprès du rosier
Sans pouvoir cueillir la rose?
– Ah! cueillez-la, si vous voulez,
Car c'est pour vous qu'elle est éclose.

LES TROIS PRINCESSES

Derrière chez mon père,
y a un pommier doux;

D'argent sont les branches,
et les feuilles itou.

Trois belles princesses
sont couchées dessous:

– Ça, dit la première,
je crois qu'il fait jour.

– Tiens, dit la seconde,
j'entends le tambour.

– Non, dit la troisième,
ce n'est pas ci le jour:

C'est son épée claire
de mon ami doux.

– Il est en campagne (dit la plus vieille)
reviendra un jour.

– S'il gagne bataille, (dit la seconde)
il aura mes amours.

– Qu'il perde ou qu'il gagne (dit la plus jeune)
il les aura toujours.

Derrière chez mon père,
y a un pommier doux.

EN REVENANT DES NOCES

En revenant des noces,
j'étais bien fatiguée,

Au bord d'une fontaine,
je me suis reposée,

Et l'eau était si claire
que je m'y suis baignée;

A la feuille du chêne
je me suis essuyée.

Sur la plus haute branche
le rossignol chantait:

Chante, rossignol, chante,
toi qui as le cœur gai!

Le mien n'est pas de même,
il est bien affligé:

C'est de mon ami Pierre
à la guerre est allé,

Pour un bouton de rose
que je lui refusai.

Je voudrais que la rose
fût encore au rosier,

Et que mon ami Pierre
fût encore à m'aimer.

MA BELLE, SI TU VOULAIS

Ma belle, si tu voulais,
nous dormirions ensemble,

Dans un grand lit carré,
couvert de taies blanches;

Aux quatre coins du lit,
un bouquet de pervenches.

Dans le mitan du lit,
la rivière est profonde;

Tous les chevaux du roi
Pourraient y boire ensemble.

Et là, nous dormirions
jusqu'à la fin du monde.

LES FILLES DE LA ROCHELLE

Ce sont les filles de La Rochelle,
ont armé un bâtiment,
Pour aller faire la course
dedans les mers du Levant.

La grand'vergue est en ivoire.
les poulies en diamant;
La grand'voile est en dentelle,
la misaine en satin blanc;

Les cordages du navire
sont de fils d'or et d'argent,
Et la coque est en bois rouge
travaillé fort proprement;

L'équipage du navire,
c'est tout filles de quinze ans;
Le capitaine qui les commande
est le roi des bons enfants.

Hier, faisant sa promenade
dessus le gaillard d'avant,
Aperçut une brunette
qui pleurait dans les haubans:

– Qu'avez-vous, gentille brunette,
qu'avez-vous à pleurer tant?
Av'vous perdu père et mère
ou quelqu'un de vos parents?

– J'ai cueilli la rose blanche,
qui s'en fut la voile au vent:
Elle est partie vent arrière,
reviendra-z-en louvoyant. . . .

NOUS ÉTIONS DIX FILLES DANS UN PRÉ

Nous étions dix filles dans un pré,
Toutes les dix à marier:
Y avait Dine,
Y avait Chine,
Y avait Claudine et Martine,
Ah! ah!

Catherinette et Catherina;
Y avait la belle Suzon,
La duchesse de Montbazon;
Y avait Madeleine;
Puis y avait la Du Maine.

Le fils du roi vint à passer:
Toutes les dix a saluées:
Salut à Dine, etc.
Salut à Madeleine:
Baiser à la Du Maine.

A toutes il fit un cadeau,
A toutes il fit un cadeau:
Bague à Dine, etc.
Bague à Madeleine:
Diamant à la Du Maine.

Puis il leur offrit à souper,
Puis il leur offrit à souper:
Pomme à Dine, etc.
Pomme à Madeleine,
Gâteau à la Du Maine.

Puis il leur offrit à coucher,
Puis il leur offrit à coucher:
Paille à Dine, etc.
Paille à Madeleine,
Beau lit à la Du Maine.

Puis toutes il les renvoya,
Puis toutes il les renvoya:
Renvoya Dine, etc.
Renvoya Madeleine:
Et garda la Du Maine.

Jean-Baptiste Rousseau

LA CANTATE DE CIRCÉ

Sur un rocher désert, l'effroi de la nature,
Dont l'aride sommet semble toucher les cieux,
Circé, pâle, interdite, et la mort dans les yeux,
    Pleurait sa funeste aventure.

    Là, ses yeux errant sur les flots
D'Ulysse fugitif semblaient suivre la trace,
Elle croit voir encor son volage héros;
Et, cette illusion soulageant sa disgrâce,
    Elle le rappelle en ces mots,
Qu'interrompent cent fois ses pleurs et ses sanglots:

  'Cruel auteur des troubles de mon âme,
  Que la pitié retarde un peu tes pas:
  Tourne un moment tes yeux sur ces climats;
  Et, si ce n'est pour partager ma flamme,
  Reviens du moins pour hâter mon trépas.

  Ce triste cœur, devenu ta victime,
  Chérit encor l'amour qui l'a surpris:
  Amour fatal! la haine en est le prix.
  Tant de tendresse, ô dieux! est-elle un crime,
  Pour mériter de si cruels mépris?

  Cruel auteur des troubles de mon âme,
  Que la pitié retarde un peu tes pas:
  Tourne un moment tes yeux sur ces climats;
  Et, si ce n'est pour partager ma flamme,
  Reviens du moins pour hâter mon trépas.'

C'est ainsi qu'en regrets sa douleur se déclare;
Mais bientôt, de son art employant le secours
Pour rappeler l'objet de ses tristes amours,
Elle invoque à grands cris tous les dieux du Ténare,

Les Parques, Némésis, Cerbère, Phlégéton,
Et l'inflexible Hécate, et l'horrible Alecton.

Sur un autel sanglant l'affreux bûcher s'allume,
La foudre dévorante aussitôt le consume;
Mille noires vapeurs obscurcissent le jour;
Les astres de la nuit interrompent leur course;
Les fleuves étonnés remontent vers leur source;
Et Pluton même tremble en son obscur séjour.

Sa voix redoutable
Trouble les enfers;
Un bruit formidable
Gronde dans les airs;
Un voile effroyable
Couvre l'univers;
La terre tremblante
Frémit de terreur;
L'onde turbulente
Mugit de fureur;
La lune sanglante
Recule d'horreur.

Dans le sein de la mort ses noirs enchantements
Vont troubler le repos des ombres:
Les mânes effrayés quittent leurs monuments;
L'air retentit au loin de leurs longs hurlements:
Et les vents, échappés de leurs cavernes sombres,
Mêlent à leurs clameurs d'horribles sifflements.
Inutiles efforts! amante infortunée,
D'un Dieu plus fort que toi dépend ta destinée:
Tu peux faire trembler la terre sous tes pas,
Des enfers déchaînés allumer la colère:
Mais tes fureurs ne feront pas
Ce que tes attraits n'ont pu faire.

Ce n'est point par effort qu'on aime,
L'Amour est jaloux de ses droits;
Il ne dépend que de lui-même,
On ne l'obtient que par son choix.
Tout reconnaît sa loi suprême;
Lui seul ne connaît point de lois.

Dans les champs que l'hiver désole
Flore vient rétablir sa cour;
L'Alcyon fuit devant Éole;
Éole le fuit à son tour:
Mais sitôt que l'amour s'envole,
Il ne connaît plus de retour.

L'AFFECTATION – ODE

Que dis-tu, naïf Saint-Amant
Du goût de nos odes hautaines?
Il est perdu ce ton charmant
Sur lequel tu chantais les tiennes.
Ce ne sont plus que mots pompeux,
Que labyrinthes ténébreux
De phrases qu'on veut que j'entende.
De grâce, viens et donne-moi
Ce ton heureux, mort avec toi:
Mon siècle enfin le redemande.

Ennuyés de tant de liqueurs,
De vins fumeux, de bonne chère,
Désormais plus sobres buveurs,
Nous soupirons après l'eau claire.
Beau ruisseau, sur tes bords assis,
Je viens, de mes sens obscurcis
Dissiper la vapeur impure.
Loin d'ici tout page ou valet.
Ma main sera mon gobelet:
Rien n'approche de la nature.

Ne donne pas un plus long cours
A cette utile métaphore:
Mon siècle n'a que trop recours
A ce voile qu'on double encore.
D'où nous vient ce style tendu?
Pourquoi cette contrainte extrême?
C'est ceci . . . non, non; c'est cela . . .
Eh! de quoi disputez-vous là?
L'auteur ne le sait pas lui-même.

Le Français n'aurait-il donc plus
Cet air aisé qu'il tient des Grâces,
Et que tous nos voisins perclus
N'imitent que par des grimaces?
Il a encor cet air charmant
Dans le geste et l'habillement:
Tout en nous encor le respire;
Mais, témoins nos derniers écrits,
Cet air n'est plus dans nos esprits.
Que je suis honteux de le dire!

Il n'est plus de ces tours heureux,
Faits tout exprès pour la pensée:
Où, telle qu'une étoile aux cieux,
Elle étincelait enchâssée.
Jadis couchés près d'Apollon,
Sur les fleurs du sacré vallon
Nos poètes chantaient leurs rimes;
Aujourd'hui, le cothurne au pied,
Ce n'est plus que sur son trépied,
Qu'ils prononcent leurs vers sublimes.

Chaque vers est un trait d'esprit,
Que le mien croit d'abord entendre.
Je relis le céleste écrit
Et je ne puis plus le comprendre.
Je cherche l'éclair que j'ai vu,
Ou, pour mieux dire, que j'ai cru

Voir luire à travers le nuage.
C'est l'effet de fausses lueurs:
Tout est dans l'esprit des lecteurs,
Tandis que rien n'est dans l'ouvrage.

Nouvel écueil non moins fatal
Où brisent nos rimeurs célèbres!
L'obscurité n'est pas leur mal;
Le sens s'offre assez sans ténèbres,
Mais de mots nerveux et forcés
Toujours leurs vers encuirassés
Disent plus qu'ils ne doivent dire,
Vains ou communs dans leur propos,
Ils marchent armés de grands mots
Que la sotte ignorance admire.

Leur Apollon toujours grondeur,
Met en pièces tout ce qu'il touche.
Son chagrin est pis que fureur,
Et son rire même est farouche:
S'il soupire pour quelque Iris,
Ses soupirs, d'orage nourris
Font autant d'éclats de tonnerre.
Et dans sa bouche le hautbois
Épouvante le dieu des bois
Et sa flûte appelle la guerre.

Fuyez ces terribles rimeurs,
Jeunes Nymphes, Grâces fidèles;
Vous êtes le charme des cœurs,
Mais vous n'êtes pas assez belles.
De vos attraits trop délicats,
Ils ne sentent point les appâts.
Le faux-grand pique seul leur verve.
Peignent-ils l'amour? c'est Platon,
La tendre Vénus est Junon,
Et Cloris l'austère Minerve.

Des excès, ennemis du beau,
L'affectation est la même:
Toujours avides du nouveau
Nous gâtons tout pour trop bien faire.
Tyrans de notre propre esprit,
Jamais rien n'est assez bien dit,
S'il n'est mieux dit qu'on ne doit dire,
Sages arbitres de nos vers,
Proscrivez les vices divers,
En couronnant cette satire.

Antoine Houdart de La Motte

LES SOUHAITS

Que ne suis-je la fleur nouvelle
Qu'au matin Climène choisit,
Qui sur le sein de cette belle
Passe le seul jour qu'elle vit!

Que ne suis-je le doux Zéphire
Qui flatte et rafraîchit son teint,
Et qui pour ses charmes soupire
Aux yeux de Flore qui s'en plaint!

Que ne suis-je l'oiseau si tendre
Dont Climène aime tant la voix
Que même elle oublie, à l'entendre,
Le danger d'être tard au bois!

Que ne suis-je cette onde claire
Qui, contre la chaleur du jour,
Dans son sein reçoit ma bergère,
Qu'elle croit la mère d'Amour.

La Motte – Piron

CHANSON DU TEMPS QUI S'ENFUIT

Dieux! si j'étais cette fontaine,
Que, bientôt, mes flots enflammés . . .
Pardonnez, je voudrais, Climène,
Être tout ce que vous aimez.

Aimons, amis: le temps s'enfuit;
Ménageons bien ce court espace:
Peut-être une éternelle nuit
Éteindra le jour qui se passe.

Peut-être que Caron demain
Nous recevra tous dans sa barque;
Saisissons un moment certain,
C'est autant de pris sur la Parque.

A l'envi, laissons-nous saisir
Aux transports d'une douce ivresse;
Qu'importe, si c'est un plaisir,
Que ce soit folie ou sagesse!

Alexis Piron

CE PETIT AIR BADIN

AIR: *Jupin de grand matin*

Ce petit air badin,
  Ce transport soudain
Marque un mauvais dessein:
    Tout ce train
  Me lasse à la fin:
  De dessus mon sein
Retirez cette main.
Que fait l'autre à mes pieds?
  Vous essayez

De passer le genou:
Êtes-vous fou?
Voulez-vous bien finir
Et vous tenir?
Il arrivera, monsieur,
Un malheur.
Ah! c'est trop s'oublier!
Je vais crier:
Tout me manque à la fois:
Et force, et voix . . .
En rentrant, avez-vous
Tiré du moins sur nous
Les verrous?

ÉPIGRAMMES

CONTRE VOLTAIRE

Son enseigne est *à l'Encyclopédie.*
Que vous plaît-il? de l'anglais, du toscan?
Vers, prose, algèbre, opéra, comédie?
Poème épique, histoire, ode ou roman?
Parlez! C'est fait. Vous lui donnez un an?
Vous l'insultez! . . . En dix ou douze veilles,
Sujets manqués par l'aîné des Corneilles,
Sujets remplis par le fier Crébillon,
Il refond tout . . . Peste! voici merveilles!
Et la besogne est-elle bonne? . . . Oh! non!

A L'ACADÉMIE FRANÇAISE

Gens de tous états, de tout âge,
Ou bien, ou mal, ou non lettrés,
De cour, de ville ou de village,
Castorisés, casqués, mitrés,
Messieurs les beaux esprits titrés,
Au diable soit la pétaudière
Où l'on dit à Nivelle: Entrez.
Et *Nescio vos* à Molière.

SON ÉPITAPHE

Ci-gît . . . Qui? Quoi? ma foi, personne, rien:
Un qui vivant ne fut valet ni maître,
Juge, artisan, marchand, praticien,
Homme des champs, soldat, rabbin ni prêtre,
Marguillier, même académicien,
Ni franc-maçon. Il ne voulut rien être,
Et vécut nul: en quoi certe il fit bien;
Car, après tout, bien fou qui se propose,
Venu de rien et revenant à rien,
D'être en passant ici-bas quelque chose.

Charles-François Panard

LE DÉPART DE L'OPÉRA-COMIQUE

J'ai vu des guerriers en alarmes,
Les bras croisés et le corps droit,
Crier plus de cent fois: Aux armes!
Et ne point sortir de l'endroit.

J'ai vu Mars descendre en cadence;
J'ai vu des vols prompts et subtils;
J'ai vu la Justice en balance
Et qui ne tenait qu'à deux fils.

J'ai vu le Soleil et la Lune
Qui faisaient des discours en l'air;
J'ai vu le terrible Neptune
Sortir tout frisé de la mer.

J'ai vu l'aimable Cythérée,
Au doux regard, au teint fleuri,
Dans une machine entourée
D'Amours natifs de Chambéri.

J'ai vu le maître du tonnerre,
Attentif aux coups de sifflet,
Pour lancer ses feux sur la terre
Attendre l'ordre d'un valet.

J'ai vu du ténébreux empire
Accourir avec un pétard
Cinquante lutins pour détruire
Un palais de papier brouillard.

J'ai vu des dragons fort traitables
Montrer les dents sans offenser;
J'ai vu des poignards admirables
Tuer les gens sans les blesser.

J'ai vu l'amant d'une bergère,
Lorsqu'elle dormait dans un bois,
Prescrire aux oiseaux de se taire
Et lui chanter à pleine voix.

J'ai vu la vertu dans un temple,
Avec deux couches de carmin,
Et son vertugadin très ample,
Moraliser le genre humain.

J'ai vu, ce qu'on ne pourra croire,
Deux tritons, animaux marins,
Pour danser, troquer leur nageoire
Contre une paire d'escarpins.

J'ai vu Mercure, en ses quatre ailes
Trouvant trop peu de sûreté,
Prendre encor de bonnes ficelles
Pour voiturer sa déité.

J'ai vu souvent une Furie
Qui s'humanisait volontiers;
J'ai vu des faiseurs de magie
Qui n'étaient pas de grands sorciers.

Panard

J'ai vu des ombres très palpables
Se trémousser au bord du Styx;
J'ai vu l'enfer et tous les diables
A quinze pieds du paradis.

J'ai vu Diane en exercice
Courir le cerf avec ardeur;
J'ai vu derrière la coulisse
Le gibier courir le chasseur.

J'ai vu trotter d'un air ingambe
De grands démons à cheveux bruns;
J'ai vu des morts friser la jambe
Comme s'ils n'étaient pas défunts.

Dans les chaconnes et gavottes
J'ai vu des fleuves sautillants:
J'ai vu danser deux Matelotes,
Trois Jeux, six Plaisirs et deux Vents.

Dans le char de monsieur son père,
J'ai vu Phaéton, tout tremblant,
Mettre en cendres la terre entière
Avec des rayons de fer-blanc.

J'ai vu Roland, dans sa colère,
Employer l'effort de son bras
Pour pouvoir arracher de terre
Des arbres qui n'y tenaient pas.

J'ai vu des gens à l'agonie,
Qu'au lieu de mettre entre deux draps,
Pour trépasser en compagnie,
L'on amenait sous les deux bras.

J'ai vu, par un destin bizarre,
Les héros de ce pays-là
Se désespérer en bécarre
Et rendre l'âme en *si mi la*.

François Arouet, dit Voltaire

AUX MÂNES DE MONSIEUR DE GÉNONVILLE

Toi que le Ciel jaloux ravit dans son printemps;
Toi de qui je conserve un souvenir fidèle,
    Vainqueur de la mort et du temps;
    Toi dont la perte, après dix ans,
    M'est encore affreuse et nouvelle;
Si tout n'est pas détruit, si, sur les sombres bords,
Ce souffle si caché, cette faible étincelle,
Cet esprit, le moteur et l'esclave du corps,
Ce je ne sais quel sens qu'on nomme âme immortelle,
Reste inconnu de nous, est vivant chez les morts;
S'il est vrai que tu sois, et si tu peux m'entendre,
O mon cher Génonville! avec plaisir reçois
Ces vers et ces soupirs que je donne à ta cendre,
Monument d'un amour immortel comme toi.
Il te souvient du temps où l'aimable Égérie,
    Dans les beaux jours de notre vie,
Écoutait nos chansons, partageait nos ardeurs.
Nous nous aimions tous trois. La raison, la folie,
L'amour, l'enchantement des plus tendres erreurs,
    Tout réunissait nos trois cœurs.
Que nous étions heureux! même cette indigence,
    Triste compagne des beaux jours,
Ne put de notre joie empoisonner le cours.
Jeunes, gais, satisfaits, sans soins, sans prévoyance,
Aux douceurs du présent bornant tous nos désirs,
Quel besoin avions-nous d'une vaine abondance?
Nous possédions bien mieux, nous avions les plaisirs!
Ces plaisirs, ces beaux jours coulés dans la mollesse,
    Ces ris, enfants de l'allégresse,
Sont passés avec toi dans la nuit du trépas.
Le Ciel, en récompense, accorde à ta maîtresse
    Des grandeurs et de la richesse,

Appuis de l'âge mûr, éclatant embarras,
Faible soulagement, quand on perd sa jeunesse.
La fortune est chez elle où fut jadis l'amour.
Les plaisirs ont leur temps, la sagesse a son tour.
L'amour s'est envolé sur l'aile du bel âge;
Mais jamais l'amitié ne fuit du cœur du sage.
Nous chantons quelquefois et tes vers et les miens,
De ton aimable esprit nous célébrons les charmes;
Ton nom se mêle encore à tous nos entretiens;
Nous lisons tes écrits, nous les baignons de larmes.
Loin de nous à jamais ces mortels endurcis,
Indignes du beau nom, du nom sacré d'amis,
Ou toujours remplis d'eux, ou toujours hors d'eux-mêmes,
Au monde, à l'inconstance ardents à se livrer,
Malheureux, dont le cœur ne sait pas comme on aime,
Et qui n'ont point connu la douceur de pleurer!

ÉPÎTRE DES *VOUS* ET DES *TU*

Philis, qu'est devenu ce temps
Où dans un fiacre promenée,
Sans laquais, sans ajustements,
De tes grâces seules ornée,
Contente d'un mauvais soupé
Que tu changeais en ambroisie,
Tu te livrais dans ta folie
A l'amant heureux et trompé
Qui t'avait consacré sa vie?
Le ciel ne te donnait alors,
Pour tout rang et pour tous trésors,
Que les agréments de ton âge,
Un cœur tendre, un esprit volage,
Un sein d'albâtre, et de beaux yeux.
Avec tant d'attraits précieux,
Hélas! qui n'eût été friponne?
Tu le fus, objet gracieux:
Et (que l'amour me le pardonne!)
Tu sais que je t'en aimais mieux.

Ah! madame! que votre vie,
D'honneurs aujourd'hui si remplie,
Diffère de ces doux instants!
Ce large suisse à cheveux blancs,
Qui ment sans cesse à votre porte,
Philis, est l'image du Temps:
On dirait qu'il chasse l'escorte
Des tendres Amours et des Ris;
Sous vos magnifiques lambris
Ces enfants tremblent de paraître.
Hélas! je les ai vus jadis
Entrer chez toi par la fenêtre,
Et se jouer dans ton taudis.

Non, madame, tous ces tapis
Qu'a tissus la Savonnerie,
Ceux que les Persans ont ourdis,
Et toute votre orfèvrerie,
Et ces plats si chers que Germain
A gravés de sa main divine,
Et ces cabinets où Martin
A surpassé l'art de la Chine,
Vos vases japonais et blancs,
Toutes ces fragiles merveilles,
Ces deux lustres de diamants
Qui pendent à vos deux oreilles,
Ces riches carcans, ces colliers,
Et cette pompe enchanteresse,
Ne valent pas un des baisers
Que tu donnais dans ta jeunesse.

LE MONDAIN

Regrettera qui veut le bon vieux temps,
Et l'âge d'or, et le règne d'Astrée,
Et les beaux jours de Saturne et de Rhée,
Et le jardin de nos premiers parents;

Moi, je rends grâce à la nature sage,
Qui, pour mon bien, m'a fait naître en cet âge
Tant décrié par nos tristes frondeurs:
Ce temps profane est tout fait pour mes mœurs.
J'aime le luxe, et même la mollesse,
Tous les plaisirs, les arts de toute espèce,
La propreté, le goût, les ornements:
Tout honnête homme a de tels sentiments.
Il est bien doux pour mon cœur très immonde
De voir ici l'abondance à la ronde,
Mère des arts et des heureux travaux,
Nous apporter de sa source féconde
Et des besoins et des plaisirs nouveaux.
L'or de la terre, et les trésors de l'onde,
Leurs habitants, et les peuples de l'air,
Tout sert au luxe, aux plaisirs de ce monde.
O le bon temps que ce siècle de fer!
Le superflu, chose très nécessaire,
A réuni l'un et l'autre hémisphère.
Voyez-vous pas ces agiles vaisseaux
Qui du Texel, de Londres, de Bordeaux,
S'en vont chercher, par un heureux échange,
De nouveaux biens, nés aux sources du Gange;
Tandis qu'au loin, vainqueurs des musulmans,
Nos vins de France enivrent les sultans?
Quand la nature était dans son enfance,
Nos bons aïeux vivaient dans l'ignorance,
Ne connaissant ni le *tien* ni le *mien*.
Qu'auraient-ils pu connaître? ils n'avaient rien;
Ils étaient nus, et c'est chose très claire
Que qui n'a rien n'a nul partage à faire.
Sobres étaient: ah! je le crois encor;
Martialo n'est point du siècle d'or:
D'un bon vin frais ou la mousse ou la sève
Ne gratta point le triste gosier d'Ève.
La soie et l'or ne brillaient point chez eux:
Admirez-vous pour cela nos aïeux?
Il leur manquait l'industrie et l'aisance:

Est-ce vertu? c'était pure ignorance.
Quel idiot, s'il avait eu pour lors
Quelque bon lit, aurait couché dehors?
Mon cher Adam, mon gourmand, mon bon père
Que faisais-tu dans les jardins d'Éden?
Travaillais-tu pour ce sot genre humain?
Caressais-tu madame Ève ma mère?
Avouez-moi que vous aviez tous deux
Les ongles longs, un peu noirs, et crasseux,
La chevelure assez mal ordonnée,
Le teint bruni, la peau bise et tannée.
Sans propreté, l'amour le plus heureux
N'est plus amour; c'est un besoin honteux.
Bientôt lassés de leur belle aventure,
Dessous un chêne ils soupent galamment
Avec de l'eau, du millet, et du gland;
Le repas fait, ils dorment sur la dure:
Voilà l'état de la pure nature.
Or maintenant voulez-vous, mes amis,
Savoir un peu, dans nos jours tant maudits,
Soit à Paris, soit dans Londre, ou dans Rome,
Quel est le train des jours d'un honnête homme?
Entrez chez lui: la foule des beaux arts,
Enfants du goût, se montre à vos regards.
De mille mains l'éclatante industrie
De ces dehors orna la symétrie:
L'heureux pinceau, le superbe dessin
Du doux Corrège et du savant Poussin,
Sont encadrés dans l'or d'une bordure;
C'est Bouchardon qui fit cette figure,
Et cet argent fut poli par Germain:
Des Gobelins l'aiguille et la teinture
Dans ces tapis surpassent la peinture.
Tous ces objets sont vingt fois répétés
Dans des trumeaux tout brillants de clartés.
De ce salon je vois par la fenêtre,
Dans des jardins, des myrtes en berceaux;
Je vois jaillir les bondissantes eaux.

Mais du logis j'entends sortir le maître.
Un char commode, avec grâces orné,
Par deux chevaux rapidement traîné,
Paraît aux yeux une maison roulante,
Moitié dorée, et moitié transparente:
Nonchalamment je l'y vois promené.
De deux ressorts la liante souplesse
Sur le pavé le porte avec mollesse;
Il court au bain: les parfums les plus doux
Rendent sa peau plus fraîche et plus polie.
Le plaisir presse: il vole au rendez-vous
Chez Camargo, chez Gaussin, chez Julie:
Il est comblé d'amour et de faveurs.
Il faut se rendre à ce palais magique
Où les beaux vers, la danse, la musique,
L'art de tromper les yeux par les couleurs,
L'art plus heureux de séduire les cœurs,
De cent plaisirs font un plaisir unique.
Il va siffler quelque opéra nouveau,
Ou, malgré lui, court admirer Rameau.
Allons souper. Que ces brillants services,
Que ces ragoûts ont pour moi de délices!
Qu'un cuisinier est un mortel divin!
Chloris, Églé, me versent de leur main
D'un vin d'Aï, dont la mousse pressée,
De la bouteille avec force élancée,
Comme un éclair fait voler son bouchon:
Il part, on rit, il frappe le plafond.
De ce vin frais l'écume pétillante
De nos Français est l'image brillante.
Le lendemain donne d'autres désirs,
D'autres soupers, et de nouveaux plaisirs.
  Or maintenant, monsieur du Télémaque,
Vantez-nous bien votre petite Ithaque,
Votre Salente et vos murs malheureux,
Où vos Crétois, tristement vertueux,
Pauvres d'effet, et riches d'abstinence,
Manquent de tout pour avoir l'abondance:

J'admire fort votre style flatteur,
Et votre prose, encor qu'un peu traînante;
Mais, mon ami, je consens de grand cœur
D'être fessé dans vos murs de Salente,
Si je vais là pour chercher mon bonheur.
Et vous, jardin de ce premier bon-homme,
Jardin fameux par le diable et la pomme,
C'est bien en vain que, par l'orgueil séduits,
Huet, Calmet, dans leur savante audace,
Du paradis ont recherché la place:
Le paradis terrestre est où je suis.

ADIEUX A LA VIE

Adieu; je vais dans ce pays
D'où ne revint point feu mon père:
Pour jamais adieu, mes amis,
Qui ne me regretterez guère.
Vous en rirez, mes ennemis,
C'est le *requiem* ordinaire.
Vous en tâterez quelque jour;
Et, lorsque aux ténébreux rivages
Vous irez trouver vos ouvrages,
Vous ferez rire à votre tour.

Quand sur la scène de ce monde
Chaque homme a joué son rôlet,
En partant il est à la ronde
Reconduit à coups de sifflet.
Dans leur dernière maladie,
J'ai vu des gens de tous états,
Vieux évêques, vieux magistrats,
Vieux courtisans à l'agonie.
Vainement en cérémonie
Avec sa clochette arrivait

L'attirail de la sacristie:
Le curé vainement oignait

Notre vieille âme à sa sortie;
Le public malin s'en moquait;
La satire un moment parlait
Des ridicules de sa vie;
Puis à jamais on l'oubliait:
Ainsi la farce était finie.
Le purgatoire ou le néant
Terminait cette comédie.

Petits papillons d'un moment,
Invisibles marionnettes,
Qui volez si rapidement
De Polichinelle au néant,
Dites-moi donc ce que vous êtes.
Au terme où je suis parvenu
Quel mortel est le moins à plaindre?
C'est celui qui ne sait rien craindre,
Qui vit et qui meurt inconnu.

Charles Collé

MON SENTIMENT SUR LES SENTIMENTS

Vaudeville nouveau sur un air antique
(‘*Je ne suis pas si diable que je suis noir*’)

Des propos de ruelle,
De petits mots charmants,
Jouer, près d'une belle,
Tous les grands mouvements,
Une ample kyrielle
D'aimables faux serments:
Voilà ce qu'on appelle
Des sentiments.

Une actrice nouvelle
Ne veut, de ses amants,
Qu'une belle vaisselle,
De beaux ameublements;

Qu'ils y joignent, dit-elle,
L'or et les diamants:
Voilà ce qu'elle appelle
    Des sentiments.

La platonique Adèle
Cherche, dans les amants,
Un cœur pur et fidèle
Et détaché des sens;
Aussi le trouve-t-elle,
Mais c'est dans les romans:
Voilà, etc.

Églé, plus sensuelle,
N'exige, des amants,
Ni passions, dit-elle,
Ni tendres mouvements;
Faites à cette belle
Cinq ou six compliments:
Voilà, etc.

La délicate Urgèle
Tracasse ses amants;
C'est toujours, avec elle,
Des éclaircissements;
Chercher toujours querelle,
Se forger des tourments:
Voilà, etc.

Estime mutuelle,
Candeur dans deux amants,
Ardeur toujours nouvelle,
Tendres égarements,
Que leur âme se mêle
Et se joigne à leurs sens:
Voilà ce que j'appelle
    Des sentiments.

Collé – Favart

Couplet détaché sur le même air,
par M. l'abbé Lapin

Ma cousine Bellombre
Manque de jugement,
D'estimer par le nombre
Les soins de son amant.
C'est, vous dit-on, Bellombre,
Vous dit-on poliment,
Parler comme un concombre,
Du sentiment.

Charles-Simon Favart

RONDE DE LA PARODIE DE RATON ET ROSETTE

Courons de la blonde à la brune,
A changer tout nous instruit:
Le croissant devient plein' lune,
Après l'biau temps l'mauvais suit.
L'hirondelle
Peu fidèle
Change de lieu tous les ans;
L'papillon, volage à l'extrême,
Est errant dans nos champs.
Si l'papillon,
L'hirondelle,
La lune
La pluie et l'biau temps
Sont changeants,
Il faut changer de même.

A tout vent la girouette
Et les ailes du moulin
Font toujours la pirouette,
En tournant, tournant sans fin.

Dans la pente
L'eau serpente
Et fait cent tours différents.
On voit d'un' inconstance extrême
Les zéphyrs voltigeants.
Si l'papillon,
L'hirondelle,
La lune
La pluie et l'biau temps
Les ruisseaux,
Les oiseaux,
Les moulins,
Les girouettes,
Les vents
Sont changeants,
Il faut changer de même.

Les rochers de ce rivage
N'ont jamais changé d'endroits.
Et les clochers du village
Restent toujours sur les toits.
Ces montagnes,
Ces campagnes
Sont là depuis fort longtemps
Cette source, toujours la même,
Va remplir ces étangs.
Si les rochers,
Les clochers
Les ruisseaux, les étangs
Sont constants,
Je suis constant de même.

Le soleil autour du monde
N'a jamais cessé son cours;
Ainsi, charmé de ma blonde,
Je veux la suivre toujours.
La fidèle
Tourterelle

Sert d'exemple aux vrais amants;
La lierre à l'ormeau qu'il aime
S'est uni dès longtemps.
Si le soleil
Les ormeaux,
Les ruisseaux,
Les clochers,
Les rochers,
Les vallons,
Et les monts
Dans nos champs
Sont constants,
Je suis constant de même.

François-Joachim de Pierres de Bernis

LE PRINTEMPS

. . . Dans les nuits brillantes de mai,
Le sylphe, amoureux des mortelles,
Vient chercher parmi les plus belles
Un cœur qui n'ait jamais aimé.
Aidé de ses ailes légères,
Il descend, invisible aux yeux,
Sur ces étoiles passagères
Qu'on voit tomber du haut des cieux.
Roi des peuples élémentaires,
Il vole avec timidité
Dans ces châteaux héréditaires
Où l'ignorance et la fierté
Captivent sous des lois austères
Et la jeunesse et la beauté.
Le scrupule et l'inquiétude,
Enfants craintifs des passions
La peur et ses illusions,
Veillent dans cette solitude.
L'amoureux habitant des airs,
Indigné contre la clôture,

Voltige et perce la serrure;
Sans bruit les rideaux sont ouverts:
Un enfant aimable et pervers
Enlève aux Grâces leur ceinture;
Pudeur, jeunesse, amour, nature,
Tous vos secrets sont découverts.
Déjà d'une beauté naissante
Le sylphe interroge le cœur,
Sa main timide et caressante
Cherche les traces d'un vainqueur;
L'épreuve est douce et dangereuse:
Si la belle a connu l'amour,
Il l'abandonne sans retour
Au hasard d'être malheureuse;
Mais si le cœur qu'il a sondé
A toujours sagement gardé
Le faible sceau de l'innocence,
Alors le génie amoureux
Exerce toute sa puissance
Sur un cœur digne de ses feux.
De la beauté qu'il a jugée
Il devient l'invisible époux;
Dans les bras du sommeil plongée,
Elle va, sans être outragée,
Jouir des plaisirs les plus doux.
Un essaim fortuné de songes
Sert les vœux du sylphe enchanté;
Les charmes de la vérité
Percent à travers leurs mensonges.
  Bientôt sur un trône argenté
Le prince aimable des génies
Transporte la jeune beauté
Dans les régions infinies
De son empire illimité.
Émue, inquiète et charmée,
Elle jouit rapidement
Du plaisir d'avoir un amant
Et du bonheur d'en être aimée.

L'Amour, par un charme flatteur,
Soutient dans les airs son courage;
Elle ose admirer la hauteur
Ès vastes cieux qu'elle envisage;
Les grâces de son conducteur
Cachent le danger du voyage;
Son œil, avec sécurité,
Du zodiaque redouté
Contemple les signes funestes;
Sa main, avec témérité,
Mesure les cercles célestes.
Ces grands objets la touchent peu;
L'air, au mépris des Zoroastres,
N'est pour elle qu'un voile bleu;
Rien ne la frappe dans les astres;
Sur la terre elle a vu du feu.
Déjà son oreille murmure
Contre les célestes accords:
Une voix secrète l'assure
Qu'il faut chercher dans la nature
Ses plaisirs plus que ses ressorts.
Un gazon frais, une fontaine,
Un arbre qui cache le jour,
Tel est l'asile que l'Amour
Préfère à la céleste plaine.
A peine a-t-elle désiré,
Que le char brillant qui la mène
S'arrête sous l'ombre incertaine
D'un bois par un fleuve entouré.
A l'instant les buissons fleurissent,
La vigne embrasse les ormeaux,
Les palmiers amoureux s'unissent,
L'air est peuplé de mille oiseaux.
C'en est fait, la jeune sylphide
S'enivre du bonheur des dieux.
Mais le soleil brille à ses yeux;
Le songe fuit d'un vol rapide,
Et le sylphe remonte aux cieux.

Ponce-Denis Écouchard Le Brun

LA LIBERTÉ

Mortel! connais l'Abîme où ta raison s'égare;
De cet Être infini, l'Infini te sépare.
Du Char glacé de l'Ourse aux Feux du Syrius
Il règne: il règne encore où les Cieux ne sont plus.
Dans ce Gouffre sacré quel Mortel peut descendre?
L'Immensité l'adore, et ne peut le comprendre.
Et toi, songe de l'Être, atome d'un instant,
Égaré dans les Airs sur ce Globe flottant,
Des Mondes et des Cieux spectateur invisible,
Ton orgueil pense atteindre à l'Être inaccessible!
Tu prétends lui donner tes ridicules traits;
Tu veux dans ton Dieu même adorer tes portraits!
Ni l'aveugle Hasard, ni l'aveugle Matière,
N'ont pu créer mon Âme, essence de lumière.
Je pense: ma pensée atteste plus un Dieu
Que tout le Firmament et ses Globes de feu.
Voilé de sa splendeur, dans sa gloire profonde,
D'un regard éternel il enfante le Monde:
Les Siècles devant lui s'écoulent, et le Temps
N'oserait mesurer un seul de ses instants.
Ce qu'on nomme Destin, n'est que sa Loi suprême:
L'immortelle Nature est sa Fille, est Lui-même.
Il est; tout est par Lui: seul être illimité,
En Lui tout est vertu, puissance, éternité.
Au-delà des Soleils, au-delà de l'espace,
Il n'est rien qu'il ne voie, il n'est rien qu'il n'embrasse;
Il est seul du grand Tout le principe et la fin,
Et la Création respire dans son Sein.
Puis-je être malheureux? je Lui dois la naissance.
Tout est bonté, sans doute, en qui tout est puissance.
Ce Dieu, si différent du Dieu que nous formons,
N'a jamais contre l'Homme armé de noirs Démons.
Il n'a point confié sa vengeance au Tonnerre;
Il n'a point dit aux Cieux: Vous instruirez la Terre;

Mais de la Conscience il a dicté la voix;
Mais dans le cœur de l'Homme il a gravé ses Lois;
Mais il a fait rougir la timide Innocence;
Mais il a fait pâlir la coupable Licence;
Mais au lieu de l'Enfer, il créa le Remords,
Et n'éternise point la Douleur et la Mort.

Jacques-Charles-Louis de Clinchamp de Malfilâtre

NARCISSE OU L'ÎLE DE VÉNUS

LE PASTEUR DE CYTHÈRE

Il s'en occupe, il est partout, il vole
Sur eux, près d'eux, parle aux vents, aux ruisseaux;
Il adoucit le murmure des eaux,
Il tient captifs les fils légers d'Éole,
Hors le Zéphire, habitant des roseaux;
Il règne en Dieu sur les airs qu'il épure,
Des prés, des bois ranime la verdure;
Des astres même, en silence roulants,
Il rend plus vifs les feux étincelants.
Amants heureux! dans la Nature entière,
Tout vous invite aux tendres voluptés:
Les yeux sur vous, la Nocturne Courrière
D'un pas plus lent marche dans sa carrière,
Et pénétrant de ses traits argentés
La profondeur des bosquets enchantés,
N'y répand trop, ni trop peu de lumière.
Ce faible jour, le frais délicieux,
Le doux parfum, le calme des bocages,
Les sons plaintifs, les chants mélodieux
Du rossignol, caché sous les feuillages,
Tout, jusqu'à l'air qu'on respire en ces lieux,
Jette dans l'âme un trouble plein de charmes,
Tout attendrit, tout flatte; et de ses yeux,
Avec plaisir, on sent couler des larmes.

O belle nuit! nuit préférable au jour!
Première nuit à l'Amour consacrée!
En sa faveur, prolonge ta durée,
Et du Soleil retarde le retour.

Et toi, Vénus, qui présides, sans cesse,
A tous les pas de tes chastes enfants,
Qui les unis, sans témoins, sans promesse
(Précautions dont ces heureux amants
N'ont pas besoin pour demeurer constants),
Tendre Vénus, lorsque, sous tes auspices,
De tes plaisirs ils cueillent les prémices,
Descends, allume, et rallume leurs feux,
Et dans leurs sens, invisible auprès d'eux,
Verse les flots de tes pures délices. . . .

NARCISSE A LA FONTAINE

Trop ébloui des charmes qu'il voit naître,
De ses transports bientôt il n'est plus maître,
Sa main s'avance, il cherche, il veut saisir
Au sein des flots, l'objet de son désir,
Et déjà même il le touche, il l'embrasse:
Mais l'eau se trouble, et l'image s'efface . . .
'O Nymphe! arrête . . . Elle fuit . . . Malheureux!
Je la fais fuir par ma coupable audace!
J'ai trop osé. Je vois, Amant fougueux,
Mes feux trahir l'intérêt de mes feux . . .
Si cependant ma mémoire est fidèle,
Cette beauté, maintenant si cruelle,
Par des regards peu différents des miens
Semblait tantôt mieux répondre à mon zèle,
Et quand mes bras se sont portés vers elle,
Elle a vers moi paru lever les siens:
Je les ai vus; d'une ardeur mutuelle
J'ai vu son front et le mien s'approcher,
Nos mains s'unir, nos lèvres se chercher:
Elle m'aimait . . . Par quel caprice étrange
Disparaît-elle? et d'où vient qu'elle change?'

Il dit et pleure . . . A la fin, le ruisseau,
En se calmant, ramène de nouveau
De sa beauté l'image fugitive.
'Reviens,' dit-il, 'ô Nymphe trop craintive!
Reviens, pardonne, et bannis tes frayeurs.
Quoi! dans tes yeux, où j'ai vu la tendresse,
Il reste encor une ombre de tristesse!
Quoi, je t'adore, et tu verses des pleurs!'

Jean-François Ducis

STANCES

Heureuse solitude,
Seule béatitude,
Que votre charme est doux!
De tous les biens du monde,
Dans ma grotte profonde,
Je ne veux plus que vous!

Qu'un vaste empire tombe,
Qu'est-ce au loin pour ma tombe
Qu'un vain bruit qui se perd;
Et les rois qui s'assemblent,
Et leurs sceptres qui tremblent,
Que les joncs du désert?

Mon Dieu! la croix que j'aime,
En mourant à moi-même,
Me fait vivre pour toi.
Ta force est ma puissance,
Ta grâce ma défense,
Ta volonté ma loi.

Déchu de l'innocence,
Mais par la pénitence
Encor cher à tes yeux,

Triomphant par tes armes,
Baptisé par tes larmes,
J'ai reconquis les cieux.

Souffrant octogénaire,
Le jour pour ma paupière
N'est qu'un brouillard confus.
Dans l'ombre de mon être,
Je cherche à reconnaître
Ce qu'autrefois je fus.

O mon père! ô mon guide!
Dans cette Thébaïde
Toi qui fixas mes pas
Voici ma dernière heure;
Fais, mon Dieu, que je meure
Couvert de ton trépas!

Paul, ton premier ermite,
Dans ton sein qu'il habite,
Exhala ses cent ans.
Je suis prêt; frappe, immole,
Et qu'enfin je m'envole
Au séjour des vivants.

Claude-Joseph Dorat

BILLET A MADEMOISELLE

Qui me proposait d'aller dans un désert passer un mois avec elle

Un mois, dans un désert! es-tu de bonne foi?
    Qui, toi, vive, aimable et légère,
  Dans un désert, et surtout avec moi,
L'amant le moins champêtre, le moins solitaire!
On t'adore en ces lieux; ils sont ornés par toi:
Doit-on abandonner les lieux où l'on sait plaire?

Quelquefois, pour rêver, l'amour quitte Cythère;
Mais il faut, du moins je le croi,
Il faut toujours une cour à sa mère:
Va, laissons ce projet; soyons de notre temps:
Ton front brillant des roses du bel âge,
Ton doux sourire, tes talents,
Sont-ils faits pour un hermitage?
Il vaut mieux sous sa main avoir tous ses Amants;
On peut vouloir être volage;
Cela s'est vu de temps en temps:
Que devenir alors dans un antre sauvage?
Ne vois-tu pas d'ici perdre déjà courage
Deux tristes cœurs, forcés d'être constants?
Suivons donc la route ordinaire;
Souffrir mes vœux, et puis les rejeter,
Paraître, tour-à-tour, indulgente et sévère,
T'embellir, chaque jour, pour mieux me tourmenter,
Me désoler, à force de me plaire,
Me prendre par humeur, en riant me quitter,
A la ville, en un mois, tout cela se peut faire.

Jacques Delille

PARC A L'ANGLAISE

Que les flots bien conduits, que leur cours bien tracé,
M'offrent de la rivière un portrait véritable,
Son lit, ses eaux, ses bords, que tout soit vraisemblable.
De ta rivière ainsi le cours fut façonné,
O toi, d'un couple auguste asile fortuné,
Délicieux Oatlands! ta plus riche parure,
Ce n'est point ton palais, tes fleurs et ta verdure,
Ni tes vastes lointains, ni cet antre charmant
Qui d'une nuit arabe offre l'enchantement;
Mais ces superbes eaux, qu'en un fleuve factice
Le goût fit serpenter avec tant d'artifice:
L'œil charmé s'y méprend: dans ces nombreux détours
De la Tamise encore il croit suivre le cours;

Et par l'illusion d'une savante optique,
Qui confond les lointains dans sa vapeur magique,
D'un vieux pont suspendu sur ce fleuve royal
Montré de loin la voûte embrassant ton canal:
Tant l'art a de pouvoir, et tant la perspective
Qui prête à vos tableaux sa beauté fugitive
Par sa douce féerie et ses charmes secrets,
Colorant, approchant, éloignant les objets,
De son brillant prestige embellit les campagnes,
Comble ici les vallons, là baisse les montagnes,
Déguise les objets, les distances, les lieux,
Et, pour les mieux charmer, en impose à nos yeux!
Autant que la rivière, en sa molle souplesse,
D'un rivage anguleux redoute la rudesse;
Autant les bords aigus, les longs enfoncements,
Sont d'un lac étendu les plus beaux ornements.
Que la terre tantôt s'avance au sein des ondes;
Tantôt qu'elle ouvre aux flots des retraites profondes;
Et qu'ainsi, s'appelant d'un mutuel amour,
Et la terre et les eaux se cherchent tour-à-tour.
Ces aspects variés amusent votre vue.
L'œil aime dans un lac une vaste étendue:
Cependant offrez-lui quelques points de repos
Si vous n'interrompez l'immensité des flots,
Mes yeux sans intérêt glissent sur leur surface.
Ainsi, pour abréger leur insipide espace,
Ou qu'un frais bâtiment, des chaleurs respecté,
Se présente de loin dans les flots répété;
Ou bien faites éclore une île de verdure:
Les îles sont des eaux la plus riche parure.
Ou relevez leurs bords, ou qu'en bouquets épars
Des masses d'arbres verts arrêtent vos regards.
Par un contraire effet, si vous voulez l'étendre,
Aux bords trop exhaussés ordonnez de descendre;
Ou reculez vos bois, ou commandez que l'eau
Se perde en un bosquet, tourne au pied d'un coteau.
A travers ces rideaux où l'eau fuit et se plonge
L'imagination la suit et la prolonge.

Ainsi votre œil jouit de ce qu'il ne voit pas;
Ainsi le goût savant prête à tout des appas,
Et des objets qu'il crée, et de ceux qu'il imite,
Resserre, étend, découvre, ou cache la limite.
Du frais miroir des eaux, de leurs nombreux reflets
Sachez aussi connaître et saisir les effets.
Quelle que soit leur forme, étang, lac, ou rivière,
Qu'il soit pour vos bosquets un centre de lumière,
Un foyer éclatant d'où les rayons du jour
Pénètrent doucement dans les bois d'alentour,
Et de l'onde au bocage, et du bocage à l'onde,
Promènent en jouant leur lueur vagabonde;
L'œil aime à voir glisser à travers les rameaux
Et leur clarté tremblante et leurs jours inégaux:
Là leur teinte est plus claire, ici plus rembrunie,
Et de leurs doux combats résulte l'harmonie.

Stanislas, Chevalier de Boufflers

ÉPÎTRE A VOLTAIRE

Je fus dans mon printemps guidé par la folie,
Dupe de mes désirs et bourreau de mes sens,
Mais s'il en était encor temps,
Je voudrais bien changer de vie.
Soyez mon directeur; donnez-moi vos avis;
Convertissez-moi, je vous prie:
Vous en avez tant pervertis!
Sur mes fautes je suis sincère,
Et j'aime presque autant les dire que les faire.
Je demande grâce aux amours:
Vingt beautés à la fois trahies
Et toutes assez bien servies,
En beaux moments, hélas! ont changé mes beaux jours.
J'aimais alors toutes les femmes:
Toujours brûlé de feux nouveaux,
Je prétendais d'Hercule égaler les travaux,

Et sans cesse, auprès de ces dames,
Être l'heureux rival de cent heureux rivaux!
Je regrette aujourd'hui mes petits madrigaux,
Je regrette les airs que j'ai faits pour les belles,
Je regrette vingt bons chevaux,
Que, courant par monts et par vaux,
J'ai, comme moi, crevés pour elles;
Et je regrette encor bien plus
Ces utiles moments qu'en courant j'ai perdus.
Les neuf Muses ne suivent guère
Ceux qui suivent l'Amour. Dans ce métier galant,
Le corps est bientôt vieux, l'esprit longtemps enfant;
Mon esprit et mon corps, chacun pour son affaire,
Viennent chez vous, sans compliment;
L'esprit pour se former, le corps pour se refaire.
Je viens dans ce château voir mon oncle et mon père:
Jadis les chevaliers errants
Sur terre après avoir longtemps cherché fortune,
Allaient retrouver dans la lune
Un petit flacon de bon sens:
Moi, je vous en demande une bouteille entière,
Car Dieu mit en dépôt chez vous
L'esprit dont il priva tous les sots de la terre,
Et toute la raison qui manque à tous les fous.

Nicolas-Germain Léonard

LA JOURNÉE DU PRINTEMPS

J'ai laissé loin de moi ces palais orgueilleux,
Ces murs dont le rideau me cachait la nature.
Ici ma vue embrasse et la terre et les cieux.
Je foule sous mes pieds les fleurs et la verdure.

O tranquilles forêts! solitaires berceaux!
Riches vallons couverts d'une douce rosée!
Campagnes dont l'aspect réjouit ma pensée!

Que le son de ma lyre éveille vos échos:
Mes chants vont retentir au lever de l'aurore,
Et les vents à la nuit les rediront encore.

Reçois, jeune Aglaé, ce tribut de l'amour:
Mes vers sont, comme toi, l'image d'un beau jour.
La lumière encor faible argente les nuages,
Et teint d'un feu léger les bords du firmament;
Ses premiers traits épars coulent rapidement
Et descendent des airs sur de frais paysages.
Déjà l'œil aperçoit, de moment en moment,
Le jour qui s'insinue à travers les bocages.
La rosée a formé des lits de diamant;
On voit blanchir les monts, et dans l'éloignement
Une mer de vapeur enfler les pâturages.
Quel silence profond! l'oiseau sans mouvement
Demeure suspendu au milieu des ombrages.
A peine un souffle pur, errant sous les feuillages,
Imprime à leur sommet un doux frémissement.
On n'entend que le bruit de ce ruisseau fumant
Qui par bonds inégaux roule sur ses rivages.
Mais bientôt la lumière a frappé tous les yeux:
Elle vole, s'étend, brise, éclaircit les ombres,
Et les chasse à grands pas dans les cavernes sombres.
Le jeune aiglon se livre à la clarté des cieux;
L'alouette en chantant s'élève sur la plaine;
Le milan, l'épervier, dans leur course hautaine,
Traversent de l'éther l'espace lumineux.
Sur le baume et le thym la brebis se promène,
Et le cerf attiré vers la source prochaine
Amuse les regards du berger matineux. . . .

L'astre du jour s'approche: avec quel appareil
Il s'annonce de loin sur les cimes sauvages!
Des flots d'or sont partis de l'horizon vermeil;
Les bois sont animés, et les chantres volages,
Prêts de faire éclater mille joyeux ramages,
Avec un doux tumulte attendent le soleil.

O transport! est-ce lui dont je sens la présence?
L'univers retentit des accents du bonheur;
Les ruisseaux sont émus, le chant des airs commence;
L'écho mélodieux répond à leur cadence:
Tout brille de clarté, de joie et de fraîcheur.

Que j'aime les rochers ondoyants de verdure,
D'où l'œil peut embrasser un immense horizon!
Sans doute, c'était là que Virgile et Thomson,
Un crayon à la main, dessinaient la nature.
C'était là qu'ils traçaient ces tableaux enchanteurs,
Aussi grands que leur âme, aussi doux que les fleurs.
Toi que le Dieu des arts attend sous la feuillée,
Viens sur l'herbe touffue et fraîchement mouillée
De tes sens assoupis ranimer les langueurs.
Viens contempler la terre à tes yeux dévoilée;
Baigne-toi dans l'air pur, jouis de ses odeurs.
Alors éprouves-tu les accès du génie? –
Promène fièrement tes pinceaux créateurs,
Et sois sûr de franchir les bornes de la vie!

Des nuages de feu roulent sur les coteaux;
L'azur des cieux s'embrase: un torrent de lumière
Inonde tout à coup l'air, la terre et les eaux.
Le puissant roi du jour paraît dans la carrière;
Il lance les rayons de la fécondité,
Donne l'être au néant, la vie à la matière,
Et l'espace est rempli de son immensité. . . .

J'aime à me rappeler, en voyant ces ombrages
Les Îles du Tropique et leurs forêts sauvages.
Lieux charmants, que mon cœur ne saurait oublier!
Je crois sentir encor le baume de nos plaines,
Dont les vents alisés parfument leurs haleines.
O champs de ma patrie, agréables déserts!
Antille merveilleuse où les brunes Dryades
A ma Muse naissante ont inspiré des vers!
Ne reverrai-je plus tes bruyantes cascades
Des coteaux panachés descendre dans les mers?

N'irai-je plus m'asseoir à l'ombre des grenades,
Du jasmin virginal qui formait les arcades,
Et du pâle oranger vacillant dans les airs? . . .
Là, des bois sont couverts d'un feuillage éternel,
Et des fleuves, roulant dans un vaste silence,
Baignent des régions qui, loin de l'œil mortel,
Étalent vainement leur superbe opulence.
D'antiques animaux habitent ces déserts:
Peuple heureux! de nos traits il ignore l'atteinte,
Et tandis que sa race a végété sans crainte,
Des siècles écoulés ont changé l'univers. . . .

O Nature, ouvre-moi tes retraites profondes!
Montre à mes yeux ravis tes prodiges roulants,
Les mondes dans l'espace entassés sur les mondes,
Les empires cachés dans l'abîme des ondes,
Les peuples que la terre enferme dans ses flancs!
A ce hardi projet si mon sang se refuse,
Souffre au moins que sans gloire, et dans mes doux loisirs,
Distrait par les tableaux dont mon esprit s'amuse,
J'admire ce beau soir et chante mes plaisirs.

Quel moment! les zéphyrs de leur fraîches haleines
Courbent légèrement la pointe des guérets;
Un torrent de parfums sort des rives prochaines;
La lumière en fuyant se projette à longs traits
Sur le cristal des lacs, des ruisseaux, des fontaines,
Lance des gerbes d'or à travers les forêts,
Et bannit la vapeur qui descend sur les plaines;
Un superbe réseau déployé dans les airs,
Comme un voile de pourpre embrase l'univers;
Le soleil, entouré d'une légère trame,
Pénètre chaque fil qui s'écarte, s'enflamme,
Et du foyer brûlant laisse fuir les éclairs.
Soudain le feu remplit les campagnes profondes:
Le grand astre a rasé la surface des ondes.
Des bords de l'hémisphère il s'éloigne à regret,
S'arrête irrésolu, nage entre les deux mondes,
Jette un dernier regard, se plonge et disparaît.

Léonard

Adieu, consolateur de toute la nature!
Adieu, source de joie intarissable et pure!
O soleil, on dirait que tu fuis pour toujours.
Il semble qu'avec toi mon bonheur me délaisse:
Ton départ me saisit d'une amère tristesse.
Je voudrais que le temps se fixât dans son cours.
Où s'en vont ces oiseaux dont j'aimais le ramage?
Quoi! vous partez aussi, chantres joyeux des airs,
Fauvettes, dont la voix animait ce bocage!
L'écho silencieux n'entend plus vos concerts.
Quelques rayons perdus dans le vague des airs
Sur le front des rochers paraissent luire encore;
Mais d'un rouge plus foncé l'occident se colore:
L'ombre engloutit les bois et leurs panaches verts.
Déjà je ne vois plus le cristal des fontaines
Et les tapis de Flore étendus sur les plaines.
Et toi, soleil, et toi, sur de nouveaux climats
Tu répands maintenant la vie et la lumière.
Tandis que tu poursuis ta brûlante carrière,
L'univers m'abandonne, et je crois sous mes pas
Fouler des nations la tranquille poussière.
Miroir éblouissant de la divinité,
O soleil! réponds-moi: qu'as-tu vu dans l'espace?
Le troupeau des humains vers l'abîme emporté
Leur génération qui se montre et qui passe,
Comme ces moucherons qui dans un jour d'été
Vont couvrir des étangs la dormante surface.
Pendant que ta lumière éclate dans les cieux,
Le temps marche en silence et grossit ses ravages;
Il sape sourdement et l'homme et ses ouvrages,
Et les trônes des rois, et les temples des Dieux. . . .

Nicolas-Joseph-Laurent Gilbert

ODE IMITÉE DE PLUSIEURS PSAUMES

J'ai révélé mon cœur au Dieu de l'innocence;
Il a vu mes pleurs pénitents;
Il guérit mes remords, il m'arme de constance:
Les malheureux sont ses enfants.

Mes ennemis, riant, ont dit dans leur colère:
Qu'il meure, et sa gloire avec lui!
Mais à mon cœur calmé le Seigneur dit en père:
Leur haine sera ton appui.

A tes plus chers amis ils ont prêté leur rage:
Tout trompe ta simplicité;
Celui que tu nourris court vendre ton image,
Noire de sa méchanceté.

Mais Dieu t'entend gémir, Dieu vers qui te ramène
Un vrai remords, né des douleurs;
Dieu qui pardonne enfin à la nature humaine
D'être faible dans les malheurs.

J'éveillerai pour toi la pitié, la justice
De l'incorruptible avenir;
Eux-mêmes épureront, par leur long artifice,
Ton honneur qu'ils pensent ternir.

Soyez béni, mon Dieu! vous qui daignez me rendre
L'innocence et son noble orgueil;
Vous qui, pour protéger le repos de ma cendre,
Veillerez près de mon cercueil!

Au banquet de la vie, infortuné convive,
J'apparus un jour, et je meurs:
Je meurs, et sur ma tombe, où lentement j'arrive,
Nul ne viendra verser des pleurs.

Salut, champs que j'aimais, et vous, douce verdure,
Et vous, riant exil des bois!
Ciel, pavillon de l'homme, admirable nature,
Salut pour la dernière fois!

Ah, puissent voir longtemps votre beauté sacrée
Tant d'amis sourds à mes adieux!
Qu'ils meurent pleins de jours, que leur mort soit pleurée!
Qu'un ami leur ferme les yeux!

Antoine de Bertin

ÉLÉGIE A EUCHARIS

Deux fois j'ai pressé votre sein,
Et vous m'avez deux fois repoussé sans colère.
Vous avez rougi du larcin:
Ne fait-on que rougir lorsqu'il a pu déplaire?
Ah! c'est assez: oui, je lis dans vos yeux,
Et ma victoire et votre trouble extrême.
Mortel, à vos genoux, je suis égal aux dieux;
Vous m'aimez, je le vois, autant que je vous aime,
Mais de vos bras laissez-moi m'arracher;
Il n'est pas temps de combler mon ivresse.
Unis trop tôt nos cœurs, ô ma belle maîtresse!
De leurs liens encor pourraient se détacher.
Faites que mon amour dure autant que ma vie!
Laissez-moi par des soins acheter vos faveurs.
N'écoutez ni soupirs, ni prières, ni pleurs,
Combattez ma plus chère envie;
A mon désespoir même opposez des rigueurs.
Les longs hivers font les printemps durables,
Les noirs frimas épurent les beaux jours;
Et l'amant, asservi sous vos lois adorables,
Doit espérer longtemps pour vous aimer toujours.

Évariste-Désiré de Forges de Parny

LE REVENANT

J'ignore ce qu'on fait là-bas.
Si du sein de la nuit profonde
On peut revenir en ce monde,
Je reviendrai, n'en doutez pas.
Mais je n'aurai jamais l'allure
De ces revenants indiscrets,
Qui, précédés d'un long murmure,
Se plaisent à pâlir leurs traits,
Et dont la funèbre parure,
Inspirant toujours la frayeur,
Ajoute encore à la laideur
Qu'on reçoit dans la sépulture.
De vous plaire je suis jaloux,
Et je veux rester invisible.
Souvent du zéphyr le plus doux
Je prendrai l'haleine insensible;
Tous mes soupirs seront pour vous:
Ils feront vaciller la plume
Sur vos cheveux noués sans art,
Et disperseront au hasard
La faible odeur qui les parfume.
Si la rose que vous aimez
Renaît sur son trône de verre;
Si de vos flambeaux rallumés
Sort une plus vive lumière;
Si l'éclat d'un nouveau carmin
Colore soudain votre joue,
Et si souvent d'un joli sein
Le nœud trop serré se dénoue;
Si le sofa plus mollement
Cède au poids de votre paresse,
Donnez un souris seulement
A tous ces soins de ma tendresse.

Quand je reverrai les attraits
Qu'effleura ma main caressante,
Ma voix amoureuse et touchante
Pourra murmurer des regrets;
Et vous croirez alors entendre
Cette harpe qui, sous mes doigts,
Sut vous redire quelquefois
Ce que mon cœur savait m'apprendre.
Aux douceurs de votre sommeil
Je joindrai celles du mensonge;
Moi-même, sous les traits d'un songe,
Je causerai votre réveil.
Charmes nus, fraîcheur du bel âge,
Contours parfaits, grâce, embonpoint,
Je verrai tout: mais, quel dommage!
Les morts ne ressuscitent point.

ÉLÉGIE

J'ai cherché dans l'absence un remède à mes maux;
J'ai fui les lieux charmants qu'embellit l'infidèle.
Caché dans ces forêts dont l'ombre est éternelle,
J'ai trouvé le silence et jamais le repos.
Par les sombres détours d'une route inconnue
J'arrive sur ces monts qui divisent la nue:
De quel étonnement tous mes sens sont frappés!
Quel calme! quels objets! quelle immense étendue!
La mer paraît sans borne à mes regards trompés,
Et dans l'azur des cieux est au loin confondue.
Le zéphyr en ce lieu tempère les chaleurs;
De l'aquilon parfois on y sent les rigueurs;
Et tandis que l'hiver habite ces montagnes,
Plus bas l'été brûlant dessèche les campagnes.

Le volcan dans sa course a dévoré ces champs;
La pierre calcinée atteste son passage:
L'arbre y croît avec peine, et l'oiseau par ses chants
N'a jamais égayé ce lieu triste et sauvage.

Tout se tait, tout est mort. Mourez, honteux soupirs,
Mourez, importuns souvenirs
Qui me retracez l'infidèle,
Mourez, tumultueux désirs,
Ou soyez volages comme elle.
Ces bois ne peuvent me cacher;
Ici même, avec tous ses charmes,
L'ingrate encor me vient chercher;
Et son nom fait couler des larmes
Que le temps aurait dû sécher.
O dieux! rendez-moi ma raison égarée;
Arrachez de mon cœur cette image adorée
Éteignez cet amour qu'elle vient rallumer,
Et qui remplit encor mon âme tout entière.
Ah! l'on devrait cesser d'aimer
Au moment qu'on cesse de plaire.

Tandis qu'avec mes pleurs la plainte et les regrets
Coulent de mon âme attendrie,
J'avance, et de nouveaux objets
Interrompent ma rêverie.
Je vois naître à mes pieds ces ruisseaux différents,
Qui, changés tout à coup en rapides torrents,
Traversent à grand bruit les ravines profondes,
Roulent avec leurs flots le ravage et l'horreur,
Fondent sur le rivage, et vont avec fureur
Dans l'Océan troublé précipiter leurs ondes.
Je vois des rocs noircis, dont le front orgueilleux
S'élève et va frapper les cieux.
Le temps a gravé sur leurs cimes
L'empreinte de la vétusté.
Mon œil rapidement porté
De torrents en torrents, d'abîmes en abîmes,
S'arrête épouvanté.
O nature! qu'ici je ressens ton empire!
J'aime de ce désert la sauvage âpreté;
De tes travaux hardis j'aime la majesté;
Oui, ton horreur me plaît; je frissonne et j'admire.

Dans ce séjour tranquille, aux regards des humains
Que ne puis-je cacher le reste de ma vie!
Que ne puis-je du moins y laisser mes chagrins!
Je venais oublier l'ingrate qui m'oublie,
Et ma bouche indiscrète a prononcé son nom;
Je l'ai redit cent fois, et l'écho solitaire
De ma voix douloureuse a prolongé le son;
Ma main l'a gravé sur la pierre;
Au mien il est entrelacé.
Un jour le voyageur, sous la mousse légère,
De ces noms connus à Cythère
Verra quelque reste effacé.
Soudain il s'écriera: 'Son amour fut extrême;
Il chanta sa maîtresse au fond de ces déserts.
Pleurons sur ses malheurs et relisons les vers
Qu'il soupira dans ce lieu même.'

CHANSON MADÉCASSE

Nahandove, ô belle Nahandove! l'oiseau nocturne a commencé ses cris, la pleine lune brille sur ma tête, et la rosée naissante humecte mes cheveux. Voici l'heure: qui peut t'arrêter, Nahandove, ô belle Nahandove?

Le lit de feuilles est préparé; je l'ai parsemé de fleurs et d'herbes odoriférantes; il est digne de tes charmes, Nahandove, ô belle Nahandove!

Elle vient. J'ai reconnu la respiration précipitée que donne une marche rapide; j'entends le froissement de la pagne qui l'enveloppe: c'est elle, c'est Nahandove, la belle Nahandove!

Reprends haleine, ma jeune amie; repose-toi sur mes genoux. Que ton regard est enchanteur! que le mouvement de ton sein est vif et délicieux sous la main qui le presse! Tu souris, Nahandove, ô belle Nahandove!

Tes baisers pénètrent jusqu'à l'âme; tes caresses brûlent tous mes sens: arrête, ou je vais mourir. Meurt-on de volupté, Nahandove, ô belle Nahandove?

Le plaisir passe comme un éclair; ta douce haleine s'affaiblit, tes yeux humides se referment, ta tête se penche mollement, et tes transports s'éteignent dans la langueur. Jamais tu ne fus si belle, Nahandove, ô belle Nahandove!

Que le sommeil est délicieux dans les bras d'une maîtresse! moins délicieux pourtant que le réveil. Tu pars, et je vais languir dans les regrets et les désirs; je languirai jusqu'au soir; tu reviendras ce soir, Nahandove, ô belle Nahandove!

André Chénier

LA MORT D'HERCULE

Œta, mont ennobli par cette nuit ardente,
Quand l'infidèle époux d'une épouse imprudente
Reçut de son amour un présent trop jaloux,
Victime du Centaure immolé par ses coups.
Il brise tes forêts. Ta cime épaisse et sombre
En un bûcher immense amoncelle sans nombre
Les sapins résineux que son bras a ployés.
Il y porte la flamme. Il monte; sous ses pieds
Étend du vieux lion la dépouille héroïque,
Et l'œil au ciel, la main sur sa massue antique,
Attend sa récompense et l'heure d'être un Dieu.
Le vent souffle et mugit. Le bûcher tout en feu
Brille autour du héros; et la flamme rapide
Porte aux palais divins l'âme du grand Alcide.

AH! NE LE CROYEZ PAS . . .

Ah! ne le croyez pas que par moments j'oublie
Et mon cœur et l'amour, extase, poésie,
Vous surtout, belle et douce à mes rêves secrets,
Vous dont les purs regards font les miens indiscrets.
Sans doute c'est plaisir d'oublier à son aise
La tenace douleur qui déchire ou qui pèse,
Les ennuis au fiel noir, l'argent que l'on nous doit,
L'avenir et la mort qui nous montre du doigt,
Tout ce qui se résout en larmes chez les femmes . . .

Les petits maux souvent veulent de fortes âmes.
Mais aussi dans la paix voluptueux penseur,
Je suis de ma mémoire absolu possesseur;
Je lui prête une voix, puissante magicienne,
Comme aux brises du soir, une harpe éolienne,
Et chacun de mes sens résonne à cette voix:
Mon cœur ment à mes yeux, absente je vous vois;
Alors je me souviens des amis que je pleure,
Des temps qui ne sont plus, d'un espoir qui me leurre,
De la riche nature apparue à mes yeux,
De mes songes d'hier toujours vains, mais joyeux,
De mes projets en l'air; que sais-je? Galathée
De marbre, qui s'anime aux feux de Prométhée . . .
Ce qui me rit un jour, plus tard je m'en souvien,
Trop oublieux du mal et souvenant du bien.

ENTHOUSIASME, ENFANT DE LA NUIT

Salut, ô belle nuit, étincelante et sombre,
. . . ô silence de l'ombre
Qui n'entends que la voix de mes vers, et les cris
De la rive aréneuse où se brise Thétis.
Muse, Muse nocturne, apporte-moi ma lyre.
Comme un fier météore, en ton brûlant délire,
Lance-toi dans l'espace; et pour franchir les airs,
Prends les ailes des vents, les ailes des éclairs,
Les bonds de la comète aux longs cheveux de flamme.
Mes vers impatients élancés de mon âme
Veulent parler aux Dieux, et volent où reluit
L'enthousiasme errant, fils de la belle nuit.
Accours, grande nature, ô mère du génie.
Accours, reine du monde, éternelle Uranie,
Soit que tes pas divins sur l'astre du Lion
Ou sur les triples feux du superbe Orion
Marchent, ou soit qu'au loin, fugitive emportée,
Tu suives les détours de la voie argentée,
Soleils amoncelés dans le céleste azur
Où le peuple a cru voir les traces d'un lait pur;

Descends, non, porte-moi sur ta route brûlante;
Que je m'élève au ciel comme une flamme ardente.
Déjà ce corps pesant se détache de moi.
Adieu, tombeau de chair, je ne suis plus à toi.
Terre, fuis sous mes pas. L'éther où le ciel nage
M'aspire. Je parcours l'océan sans rivage.
Plus de nuit. Je n'ai plus d'un globe opaque et dur
Entre le jour et moi l'impénétrable mur.
Plus de nuit, et mon œil et se perd et se mêle
Dans les torrents profonds de lumière éternelle.
Me voici sur les feux que le langage humain
Nomme Cassiopée et l'Ourse et le Dauphin.
Maintenant la Couronne autour de moi s'embrase.
Ici l'Aigle et le Cygne et la Lyre et Pégase.
Et voici que plus loin le Serpent tortueux
Noue autour de mes pas ses anneaux lumineux.
Féconde immensité, les esprits magnanimes
Aiment à se plonger dans tes vivants abîmes;
Abîmes de clartés, où, libre de ses fers,
L'homme siège au conseil qui créa l'univers;
Où l'âme remontant à sa grande origine
Sent qu'elle est une part de l'essence divine.

ODE A VERSAILLES

O Versaille, ô bois, ô portiques,
Marbres vivants, berceaux antiques,
Par les Dieux et les rois Élysée embelli,
A ton aspect, dans ma pensée,
Comme sur l'herbe aride une fraîche rosée,
Coule un peu de calme et d'oubli.

Paris me semble un autre empire,
Dès que chez toi je vois sourire
Mes pénates secrets couronnés de rameaux;
D'où souvent les monts et les plaines
Vont dirigeant mes pas aux campagnes prochaines,
Sous de triples cintres d'ormeaux.

Les chars, les royales merveilles,
Des gardes les nocturnes veilles,
Tout a fui; des grandeurs tu n'es plus le séjour:
Mais le sommeil, la solitude,
Dieux jadis inconnus, et les arts, et l'étude
Composent aujourd'hui ta cour.

Ah! malheureux! à ma jeunesse
Une oisive et morne paresse
Ne laisse plus goûter les studieux loisirs.
Mon âme, d'ennui consumée,
S'endort dans les langueurs. Louange et renommée
N'inquiètent plus mes désirs.

L'abandon, l'obscurité, l'ombre,
Une paix taciturne et sombre,
Voilà tous mes souhaits. Cache mes tristes jours,
Et nourris, s'il faut que je vive,
De mon pâle flambeau la clarté fugitive,
Aux douces chimères d'amours.

L'âme n'est point encor flétrie,
La vie encor n'est point tarie,
Quand un regard nous trouble et le cœur et la voix.
Qui cherche les pas d'une belle,
Qui peut ou s'égayer ou gémir auprès d'elle,
De ses jours peut porter le poids.

J'aime; je vis. Heureux rivage!
Tu conserves sa noble image,
Son nom, qu'à tes forêts j'ose apprendre le soir;
Quand, l'âme doucement émue,
J'y reviens méditer l'instant où je l'ai vue,
Et l'instant où je dois la voir.

Pour elle seule encore abonde
Cette source, jadis féconde,

Qui coulait de ma bouche en sons harmonieux.
　　　　Sur mes lèvres tes bosquets sombres
Forment pour elle encor ces poétiques nombres,
　　　　Langage d'amour et des Dieux.

　　　　Ah! témoin des succès du crime,
　　　　Si l'homme juste et magnanime
Pouvait ouvrir son cœur à la félicité,
　　　　Versailles, tes routes fleuries,
Ton silence, fertile en belles rêveries,
　　　　N'auraient que joie et volupté.

　　　　Mais souvent tes vallons tranquilles,
　　　　Tes sommets verts, tes frais asiles,
Tout à coup à mes yeux s'enveloppent de deuil.
　　　　J'y vois errer l'ombre livide
D'un peuple d'innocents, qu'un tribunal perfide
　　　　Précipite dans le cercueil.

LA JEUNE CAPTIVE

'L'épi naissant mûrit de la faux respecté;
Sans crainte du pressoir, le pampre tout l'été
　　　　Boit les doux présents de l'aurore;
Et moi, comme lui belle, et jeune comme lui,
Quoi que l'heure présente ait de trouble et d'ennui,
　　　　Je ne veux point mourir encore.

Qu'un stoïque aux yeux secs vole embrasser la mort,
Moi je pleure et j'espère; au noir souffle du Nord
　　　　Je plie et relève ma tête.
S'il est des jours amers, il en est de si doux!
Hélas! quel miel jamais n'a laissé de dégoûts?
　　　　Quelle mer n'a point de tempête?

L'illusion féconde habite dans mon sein.
D'une prison sur moi les murs pèsent en vain,

J'ai les ailes de l'espérance;
Échappée aux réseaux de l'oiseleur cruel,
Plus vive, plus heureuse, aux campagnes du ciel,
Philomèle chante et s'élance.

Est-ce à moi de mourir? Tranquille je m'endors,
Et tranquille je veille, et ma veille au remords
Ni mon sommeil ne sont en proie.
Ma bienvenue au jour me rit dans tous les yeux;
Sur des fronts abattus, mon aspect dans ces lieux
Ranime presque de la joie.

Mon beau voyage encore est si loin de sa fin!
Je pars, et des ormeaux qui bordent le chemin
J'ai passé les premiers à peine.
Au banquet de la vie à peine commencé,
Un instant seulement mes lèvres ont pressé
La coupe en mes mains encor pleine.

Je ne suis qu'au printemps. Je veux voir la moisson,
Et comme le soleil, de saison en saison,
Je veux achever mon année.
Brillante sur ma tige et l'honneur du jardin,
Je n'ai vu luire encor que les feux du matin;
Je veux achever ma journée.

O mort! tu peux attendre; éloigne, éloigne-toi;
Va consoler les cœurs que la honte, l'effroi,
Le pâle désespoir dévore.
Pour moi Palès encore a des asiles verts,
Les Amours des baisers, les Muses des concerts.
Je ne veux point mourir encore.'

Ainsi, triste et captif, ma lyre toutefois
S'éveillait, écoutant ces plaintes, cette voix,
Ces vœux d'une jeune captive;
Et secouant le faix de mes jours languissants,
Aux douces lois des vers je pliai les accents
De sa bouche aimable et naïve.

Ces chants, de ma prison témoins harmonieux,
Feront à quelque amant des loisirs studieux
Chercher quelle fut cette belle.
La grâce décorait son front et ses discours,
Et comme elle craindront de voir finir leurs jours
Ceux qui les passeront près d'elle.

ÏAMBES

LA FÊTE DE L'ÊTRE SUPRÊME

Ils vivent cependant, et de tant de victimes
Les cris ne montent point vers toi.
C'est un pauvre poète, ô grand Dieu des armées,
Qui seul, captif, près de la mort,
Attachant à ses vers les ailes enflammées
De ton tonnerre qui s'endort,
De la vertu proscrite embrassant la défense,
Dénonce aux juges infernaux
Ces juges, ces jurés qui frappent l'innocence,
Hécatombe à leurs tribunaux.
Eh bien, fais-moi donc vivre, et cette horde impure
Sentira quels traits sont les miens.
Ils croyaient se cacher dans leur bassesse obscure . . .
Je les vois, j'accours, je les tiens.
Sur ses pieds inégaux l'épode vengeresse
Saura les atteindre pourtant.
Diamant ceint d'azur, Paros, œil de la Grèce,
De l'onde Égée astre éclatant,
Dans tes flancs où Nature est sans cesse à l'ouvrage,
Pour le ciseau laborieux
Vit et blanchit le marbre illustre de l'image
Et des grands hommes et des Dieux.
Mais pour graver aussi la honte ineffaçable,
Paros de l'ïambe acéré
Aiguisa le burin brûlant, impérissable.
Fils d'Archil[oque], fier A[ndré],
Ne détends point ton arc, fléau de l'imposture.

Que les passants pleins de tes vers,
Les siècles, l'avenir, que toute la nature
Crie à l'aspect de ces pervers:
Hou, les vils scélérats! les monstres! les infâmes!
De vol, de massacres nourris,
Noirs ivrognes de sang, lâches bourreaux des femmes
Qui n'égorgent point leurs maris;
Du fils tendre et pieux; et du malheureux père
Pleurant son fils assassiné;
Du frère qui n'a point laissé dans la misère
Périr son frère abandonné.
Vous n'avez qu'une vie . . . ô vampires . . .
Et vous n'expierez qu'une fois
Tant de morts et de pleurs, de cendres, de décombres,
Qui contre vous lèvent la voix!

A SAINT-LAZARE

Comme un dernier rayon, comme un dernier zéphire
Animent la fin d'un beau jour,
Au pied de l'échafaud j'essaye encor ma lyre.
Peut-être est-ce bientôt mon tour;
Peut-être avant que l'heure en cercle promenée
Ait posé sur l'émail brillant,
Dans les soixante pas où sa route est bornée,
Son pied sonore et vigilant,
Le sommeil du tombeau pressera ma paupière!
Avant que de ses deux moitiés
Ce vers que je commence ait atteint la dernière,
Peut-être en ces murs effrayés
Le messager de mort, noir recruteur des ombres,
Escorté d'infâmes soldats,
Ébranlant de mon nom ces longs corridors sombres,
Où seul dans la foule à grands pas
J'erre, aiguisant ces dards persécuteurs du crime,
Du juste trop faibles soutiens,
Sur mes lèvres soudain va suspendre la rime;
Et chargeant mes bras de liens,

Me traîner, amassant en foule à mon passage
Mes tristes compagnons reclus,
Qui me connaissaient tous avant l'affreux message,
Mais qui ne me connaissent plus.
Eh bien! j'ai trop vécu. Quelle franchise auguste,
De mâle constance et d'honneur
Quels exemples sacrés, doux à l'âme du juste,
Pour lui quelle ombre de bonheur,
Quelle Thémis terrible aux têtes criminelles,
Quels pleurs d'une noble pitié,
Des antiques bienfaits quels souvenirs fidèles,
Quels beaux échanges d'amitié,
Font digne de regrets l'habitacle des hommes?
La peur blême et louche est leur Dieu,
La bassesse; la feinte. Ah! lâches que nous sommes!
Tous, oui, tous. Adieu, terre, adieu.
Vienne, vienne la mort! que la mort me délivre!
Ainsi donc, mon cœur abattu
Cède au poids de ses maux? Non, non, puissé-je vivre!
Ma vie importe à la vertu.
Car l'honnête homme enfin, victime de l'outrage,
Dans les cachots, près du cercueil,
Relève plus altiers son front et son langage,
Brillant d'un généreux orgueil.
S'il est écrit aux cieux que jamais une épée
N'étincellera dans mes mains,
Dans l'encre et l'amertume une autre arme trempée
Peut encor servir les humains.
Justice, vérité, si ma main, si ma bouche,
Si mes pensers les plus secrets
Ne froncèrent jamais votre sourcil farouche,
Et si les infâmes progrès,
Si la risée atroce ou plus atroce injure,
L'encens de hideux scélérats,
Ont pénétré vos cœurs d'une large blessure,
Sauvez-moi. Conservez un bras
Qui lance votre foudre, un amant qui vous venge.

infâmes progrès, processions à la guillotine

Mourir sans vider mon carquois!
Sans percer, sans fouler, sans pétrir dans leur fange
Ces bourreaux, barbouilleurs de lois!
Ces vers cadavéreux de la France asservie,
Égorgée! O mon cher trésor,
O ma plume, fiel, bile, horreur, dieux de ma vie!
Par vous seuls je respire encor:
Comme la poix brûlante agitée en ses veines
Ressuscite un flambeau mourant,
Je souffre; mais je vis. Par vous, loin de mes peines,
D'espérance un vaste torrent
Me transporte. Sans vous, comme un poison livide,
L'invisible dent du chagrin,
Mes amis opprimés, du menteur homicide
Les succès, le sceptre d'airain,
Des bons proscrits par lui la mort ou la ruine,
L'opprobre de subir sa loi,
Tout eût tari ma vie; ou contre ma poitrine
Dirigé mon poignard. Mais quoi!
Nul ne resterait donc pour attendrir l'histoire
Sur tant de justes massacrés!
Pour consoler leurs fils, leurs veuves, leur mémoire!
Pour que des brigands abhorrés
Frémissent aux portraits noirs de leur ressemblance!
Pour descendre jusqu'aux enfers
Nouer le triple fouet, le fouet de la vengeance
Déjà levé sur ces pervers!
Pour cracher sur leurs noms, pour chanter leur supplice!
Allons, étouffe tes clameurs;
Souffre, ô cœur gros de haine, affamé de justice.
Toi, vertu, pleure si je meurs.

NOTES

Apart from the references given to editions and to critical studies of individual poets there are a number of general books and poetical anthologies of these two centuries which it is convenient to list here – in many cases with brief comment on their interest, since a process of considerable revaluation has been under way for more than thirty years. This process – so far as the seventeenth century is concerned – has probably been unduly concerned with terms such as Mannerism and the baroque, which the art historian has been accustomed to use with a precision too often lacking in literary studies. In an attempt to bring order to what she herself called 'the welter of terminology' Odette de Mourgues in her clever and closely reasoned *Metaphysical, Baroque and Précieux Poetry* (Oxford 1953) has perhaps encouraged some misunderstandings; in particular by her insistence on restricting the term 'metaphysical poetry' in a way unfamiliar to English usage, and by a wholly negative and deflationary discussion of the baroque in terms of excess and lack of balance. On the other hand, her pages on *préciosité* as a literary trait are probably the best we have. The most satisfactory general study of these problems is, no doubt, the rich and enthusiastic *Tableau de la littérature de l'âge baroque en France* by Jean Rousset (Paris, 1953), completed by an *Anthologie* which is perhaps confusingly tied to the thematological scheme of the *Tableau* and does not scruple to give snippets of poems. Just last year Marcel Raymond, Rousset's old master, has published *La Poésie française et le maniérisme* (Geneva, 1971) with a long introduction which attempts to distinguish between Late Renaissance Mannerism and *le baroque* and seems to draw the line at 1613.[1] Renée Winegarten's *French Lyric Poetry in the Age of Malherbe* (Manchester, 1954) is an interesting survey with some discussion of 'poetic wit' and a possible overemphasis of musical influence on Malherbe's technique – which has just been re-examined by Claude Abraham in *Enfin Malherbe...* (University of Kentucky Press, 1971). Frank Warnke's *European Metaphysical Poetry* (New Haven and London, 1961) should be mentioned also, for its introduction brilliantly situates 'this cluster of styles' (metaphysical, high baroque, *préciosité*) in half a dozen languages and examines the common concettical features. It is completed by the same author's recent *Versions of Baroque* (Yale, 1972), read too recently for its many brilliant insights to be turned to advantage here.

[1] The present writer has attempted an elementary survey of these questions in the article 'Baroque' of the new edition of Cassell's *Encyclopedia* (1972).

A spate of anthologies, published in the 1940s and 1950s – Thierry Maulnier, Dominique Aury, Paul Éluard and others – reflect the revaluation referred to above, and this is echoed less capriciously in Geoffrey Brereton's Penguin volume (seventeenth and eighteenth centuries), as well as in Alan Steele's *Three Centuries*, mentioned in my own foreword. The most scholarly of anthologies covering the second half of the seventeenth century is that of Raymond Picard which unfortunately ignores and apparently despises any fresh reassessment of the poetry of the age of Louis XIV.

On the eighteenth century in general it may be enough to mention Robert Finch's *The Sixth Sense* (Toronto, 1964) which claims to show how a new awareness of music and the arts informs French poets from the end of the seventeenth century. Unfortunately the claims made for figures like Jean-Baptiste Rousseau, 'Pindare' Le Brun and the abbé Delille are insufficiently supported by Finch's quotations and detailed comments.[1] A far more radical and revolutionary advocacy is to be found in the recent *Poètes et grammairiens du XVIIIe siècle* (Paris, 1971) by Jean Roudaut, who does not hesitate to write: 'Il serait bon de revenir à une notion plus large de la poésie et de reconnaître son existence à la fois dans le discours versifié et dans les créations oniriques.' He is led to an ingenious defence of descriptive poetry and its often despised periphrases (desperate efforts to make the language of abstraction evolve physical reality). It is also good to find at last an appreciation of verbal humour and *cocasserie* as we find them in Vadé, Collé and Favart (see here pp. 236, 246–50), although the illustrations given by Roudaut are as brief as my own. The reader has to be warned, however, that most of this *anthologie* is devoted to an attempted rehabilitation of forgotten grammarians such as Court de Gebelin and Fabre d'Olivet whose interest for Roudaut derives (so I suspect) from some of the more trendy speculations of Michel Butor.

François de Malherbe (1555–1627)

Though born and partly educated at Caen, François received some of his education at Basle and Heidelberg where his father – a new convert to Protestantism – thought fit to send him under a tutor. His career began in 1576 when he had the good fortune (as it seemed) to be appointed secretary to the Grand Prieur, Henri d'Angoulême, illegitimate son of Henri II and *la belle* Livingstone. He had just been made Governor of Provence. Malherbe spent over nine years in the south and left the Prince's service only three months before the latter and his adversary, Philippe d'Altovitis

[1] See also Finch and Joliat, *French Individualist Poetry, 1686–1760: An Anthology* (Toronto, 1971).

were both killed (2 June 1586) in mysterious circumstances which probably concerned the latter's wife, Renée des Rieux, *la belle* Chateauneuf celebrated by Desportes (*Amours de Diane*) and once mistress of Henri III. Only a few days later Malherbe's wife (daughter of De Cariolis, *Président du Parlement d'Aix*) rejoined him in Normandy. They were almost penniless.

It was then that the poet presented his *Larmes de Saint Pierre* to the King and received a small gratification. But his residence in Caen (1586–95) was one during which he appears to have written little verse – he probably translated at this time Seneca's *Epistles* – and found his life overcast by the death of two children. If he became *échevin* at Caen in 1593, his wife had already left for Aix, where a Royalist *Parlement* was again presided over by her father. Malherbe's father conveyed his post of *conseiller* to his younger brother and reassumed a Protestantism which the poet loathed. It was thus that for the second time he made his departure for the south. The recapture of Marseilles from the League occasioned a fine ode which was to be followed by another with which Henri's new Queen, Marie de' Medici, was received on her arrival in Aix. It was not, however, until five years later that the praise of Du Perron and the approval of the King resulted in a move to Paris. The establishment of the poet under Bellegarde's roof (and a pension) appear to have been clinched by the *Prière pour le Roi allant en Limousin* in November 1605. The famous 'break' with Desportes (where Malherbe told his host that he preferred his soup to his psalms) followed almost immediately, and it seems that the guest set diligently about his pedantic *Commentaire*, though the intention to publish it was abandoned when Desportes died in the autumn of 1606. In other respects the 'war' continued, for Malherbe had indisposed both the surviving older poets such as Bertaut and Des Yveteaux and the younger, such as Régnier (Desportes's nephew) whose ninth satire takes Malherbe as its subject (see p. 23). Motin and Berthelot parody Malherbe, who appears to have organized his 'school' in strictly pedagogical fashion. Those admitted were three fellow Normans, two of them cousins of his, and the others members of the Duc de Bellegarde's household and living under the same roof. Such was Racan, Malherbe's best disciple. Only one 'conversion' can be pointed to – that of François Mainard (see p. 28).

Malherbe's position thus seemed in a certain sense established by 1610 yet, though the Queen Mother's support contributed to his prestige, he became a target for a good deal of amusement, apart from the attacks of shrewd eccentrics like Marie de Gournay (see Introduction, p. lii). Malherbe lived long enough to celebrate in the last of his odes Richelieu's campaign against the Protestants and the siege of La Rochelle. The whole attitude of the *tyran des mots et des syllabes* provides a natural preparation for Richelieu's institution of an Academy whose first duty was the establishment of a dictionary and a grammar.

Les Œuvres (1630; first and posthumous publication of works). Editions with commentary were published by Ménage (1666), Chevreau (1723) and Chénier (1874); crit. ed. Jacques Lavaud (S.T.F.M., 1936); *Œuvres*, ed. Fromilhague and Lebègue (1968).

See: R. Fromilhague, *Malherbe, technique et création poétique* (Paris, 1954); *La Vie de Malherbe: apprentissages et luttes* (Paris, 1954); F. Brunot, *La Doctrine de M.* (1891); M. Raymond, in *Baroque et renaissance poétique* (Paris, 1955); F. Ponge, *Pour un Malherbe* (Paris, 1965); Renée Winegarten, *French Lyric Poetry in the Age of Malherbe* (Manchester, 1954).

p. 1, DESSEIN DE QUITTER UNE DAME QUI NE LE CONTENTAIT QUE DE PROMESSES. See Introduction p. xxviii. These *stances*, first published in the *Muses ralliées* (1599), are among the earliest poems of Malherbe which we possess and the best known, but he appears to have wished to discard it after 1607. The text is that of *Le Parnasse* of that date.

Although it is only marginally relevant to the poem, it is worth noting that Fromilhague is convinced that it was addressed to Renée des Rieux (see biographical note above, pp. 284–5) to whom it may be that the poet, like his master, Henri d'Angoulême, also paid court under the name of Nérée.

p. 1, PRIÈRE POUR LE ROI HENRI LE GRAND ALLANT EN LIMOUSIN. This noble poem was commissioned in September 1605 by Henri IV when the *Grands Jours* or Special Assizes were about to start at Limoges, where certain former supporters of Biron's faction were on trial. It was presented to the king on his return in November and marked Malherbe's début as official poet.

p. 2, Stanza 4, *Un malheur inconnu* . . . No doubt the allusion is to Biron's conspiracy, less than three years before. Armand de Gontaut had been (in the king's own words when he went on a mission to London) 'le plus tranchant instrument de ses victoires'.

p. 4, Stanza 4, *Quand un roi fainéant* . . . The tone of this elaborate reference to Henri III, while corresponding to the general view, is in shabby contrast to the eulogy pronounced by Malherbe in *Les Larmes de Saint Pierre* (1587) for which he had accepted a present of 500 crowns.

p. 5, last stanza, l. 3, *camps déconfits* . . . I have retained this earlier reading, more appropriate than the *champs déconfits* which Malherbe substituted, no doubt on account of the *can* . . . *con* . . . sequence of sounds.

p. 5, PARAPHRASE DU PSAUME CLXVI: *N'espérons plus, mon âme.* See

Introduction, p. xxiv. The Vulgate Psalm 145 – *Lauda, anima mea, Dominum* – corresponds to Psalm 146 of the Authorized, Revised and other English and indeed Protestant Versions. First published in 1627, a year before Malherbe's death.

See Henri Morier, *Psychologie du style*, for remarkable formal analysis, from which one may quote:

> . . . Formes exhortatives . . . impératives réitérées: C'est Dieu qui . . . C'est Dieu que . . . Ligne mélodique exclamative, descendante qui trahit l'abattement . . . ou l'explosion du sarcasme . . . La mélodie binaire, tranchante, hâche l'hémistiche, hâche le vers. L'effet de chute abrupte est accentué: (1) par une phrase symétrique [. . . ils sont mangés des vers] (2) par . . . le retour précipité des rimes . . . Articulation: pétrie d'amertume, de dégoût, de mépris. La mimique dépréciative déposée dans les gestes articulatoires est saisissante (voyelles et consonnes accompagnées d'une projection des lèvres), etc. etc. (op. cit., p. 202).

p. 6, CHANSON: *Sus, debout, la merveille des belles.* First published in 1627. See Introduction, p. xxix and p. xxx.

Stanza 3, l. 4 *La fille de Pénée.* For the story of the sun-god, Apollo, and Daphne, daughter of the river-god, Peneus, see Ovid, *Metamorphoses*, I, vi.

p. 7, last stanza, *Votre honneur, le plus vain des idoles*, etc. Possible reminiscence (according to Jacques Lavaud) of Tasso's *Aminta*, Act I, final chorus: 'Quel vano Nome senza soggetto, Quell'idolo d'errori, idol d'inganno'. At least it is true that the *Aminta* was the only Tasso which Malherbe admired.

p. 8, RÉCIT D'UN BERGER: *Houlette de Louis, houlette de Marie. Le Ballet de Madame*, performed in March 1615, was one of the most notable of the court entertainments of this whole period, both as an artistic and even a political gesture. Since 1611 the Queen Mother had set her heart on a double Spanish marriage (of her son, Louis, with Anne, daughter of Philip III; and of Elizabeth, his elder sister (Madame) with Anne's brother, the future Philip IV of Spain). The unpopularity of this proposal was such that it was largely responsible for the convocation of the *États* late in 1614. It was only a month after the close of this ineffectual assembly that the same Salle de Bourbon in the Louvre was the scene of a sumptuous ballet devised by Étienne Durand (see p. xliv). It appears to have been highly episodic – 'un simple défilé de personnages' – but sensational for the scenic devices of Francini who had contrived a whole series of transformation scenes.

The *récit* was sung by *le sieur* Marais, also one of Bellegarde's household, who, appearing from a forest perspective as a shepherd 'qui ramène ses troupeaux en l'étable au couchant du soleil, sortit des bois en chantant et alla jusque devant leurs Majestés, toujours récitant les vers faits par le sieur Malherbe'. The poet, who saw two performances, came to regard this *récit* as one of the best of his works.

See Introduction, pp. xxxii–xxxiii.

Stanza 1, l. 1. On crooks, see Introduction, p. xxxii.

ll. 4, 5, *en la même contrée / Des balances d'Astrée.* Astraea, the daughter of Zeus and Themis, and thus a goddess of justice, dwelt among men in the golden age; hence the saying *au temps d'Astrée* = in a legendary, a fictitious past. She was then transformed into the constellation Virgo. To allow the influence of the royal *houlettes* to be banished to the skies instead of reigning on earth would be a poor reward! There is in these lines an echo of Virgil's prophecy of the 'world's great age begins anew':

Magnus ab integro saeclorum nascitur ordo.
Iam redit et Virgo: redeunt Saturnia regna. (*Eclogue* IV, ll. 3, 4.)

Stanza 2, l. 2, *cinq ans*, 1610–15.

Stanza 3, ll. 2, 3 First revision: *Jusqu'où les flots du Var ont leur rive parée / De forêts d'orangers.*

p. 9, Stanza 1, l. 5, *Élize*, Madame Elizabeth.

Stanza 2, l. 1, *Le jeune demi-dieu*, the infante, Philip (1605–65), who inherited from his father in 1621, was a fine horseman, hunter and patron of the arts (see Velázquez's many portraits).

Stanza 3. The appearance of Madame Elizabeth as Minerva was the climax of the ballet and the theme which caused the Queen Mother's choice of this 'Ballet de Minerve'. The last two lines allude to Anne of Austria, whose marriage took place six months later.

Two stanzas are omitted here (one added later) in which the poet presents Concini, the Queen's favourite, as *Pan qui la conseille* (and for whose plans success is prophesied). They have acquired a grimly inappropriate flavour from 'Pan''s assassination two years later at the young King's request.

Malherbe originally wrote:

Esprits malavisés, qui blâmez un échange
Où se prend et se baille un ange pour un ange
Jugez plus sainement;
Notre grande bergère a Pan qui la conseille;
Serait-ce pas merveille
Qu'un dessein qu'elle eût fait n'eût bon événement?

Stanza 5, *Les terres en tous endroits*, etc. The general inspiration of Virgil's Fourth Eclogue predicting the golden age to come upon the arrival of a yet unborn child. As is well known this was believed to be a pagan prophecy of Christ and the opening of the poem was part of the lesson for Christmas Day in many Christian churches throughout the Middle Ages. (See also above note on Stanza 1.)

Charles-Timoléon de Beauxoncles, Seigneur de Sigogne (c. 1560–1611)

Born of a noble Norman family, Sigogne would seem to have spent his childhood at Dieppe. He fought at Ivry (1590) against the King but handed over the Guise White Ensign to Sully who made him prisoner. His position of confidence with the King's mistress, Henriette d'Entraigues, Marquise de Verneuil, led eventually to his disgrace (1605) – a poor reward for revealing to the King the Comte d'Auvergne's plot. He was obliged to reside at Dieppe, of which he was governor, and died there in 1611.

He was a friend of Régnier's and, according to Fernand Fleuret, an enemy of Motin, whom he considers in some sense Sigogne's disciple. The gusto with which he uses language is, however, all his own.

Les Œuvres satiriques du Sieur de Sigogne, ed. F. Fleuret and Louis Perceau (Paris, 1920).

p. 10, SONNET POUR UN SOLLICITEUR DE PROCÈS. This sonnet, a remarkable example of a highly individual comic vision, is founded, like one or two others, on looking at people (as it were) through the wrong end of a telescope. He is reduced by comparison to the famous figure on the Pont-Neuf clock.

Jean Godard (1564–1630?)

Parisian by birth, as his frontispieces claim, he spent most of his life at Villefranche-en-Beaujolais as *Lieutenant Général au baillage de Ribemont.* His *Prémices de Flore* (1587), included in the *Œuvres* of 1594, show a Ronsardian facility and what first gained him some celebrity was, above all, the sonnets of *Les Trophées.*

Les Loisirs (1606) exhibit his second manner (see p. xxxv) and were re-edited in amended form as *La Nouvelle Muse* in 1618. Similarly, his play *La Franciade*, included in *Les Œuvres*, was reissued in 1622. He also published *Le Gant de Jean Godard* (1588).

The Greifswald thesis of Franz Claus (1913) is completely barren of information.

See: Boase, 'Then Malherbe Came', *The Criterion* (January 1930).

p. 10, L'AMBITION (13 stanzas of 21 – text of *Les Loisirs*). See Introduction, p. xxxv. The antithetical principle governs every stanza, indeed almost every phrase of this poem, but with a considerable degree of intellectual finesse. Ambition was the sin of Lucifer, ambition is the negation of the hierarchic principle (Stanza 6, *Chenille sur . . . l'arbre de l'honneur*), it acts indirectly, contradicts itself. The unexpected turn of the final thought is that, even in someone as unimportant as the poet himself, ambition can be felt.

No text could indicate more clearly the different status given in the modern world to ambition where, as often as not, it figures as a virtue or, at least, a beneficent source of energy.

p. 12, LA PENSÉE (text from *La Nouvelle Muse*). In the Faust *Puppenspiel* which was Goethe's first inspiration, there is a splendid exchange between Faust and Mephistopheles, summoned up after all the other devils, of each of whom Faust asks how quickly he can do his bidding. It is Mephistopheles who answers 'as fast as thought' and this, Faust immediately declares, is 'die grösste Geschwindigkeit'. Godard's poem always makes me think of this passage. Both seem to indicate a precise stage in self-consciousness – well before Valéry's *me voyant me voir*. A comparison between *Les Loisirs* and *La Nouvelle Muse* shows that the most striking 'thoughts' are afterthoughts. The seductions of the *pointe d'esprit* – obtained by more antithesis – rose but thorn, hope–fear, ice–sulphur, winter–summer, etc. – has resulted in a dilution of poetical matter to which this kind of style is prone. I have abridged from 28 stanzas to 14. A more complete text may be found in Jean Rousset, *Anthologie de la poésie baroque française* (Paris, 1961), I, pp. 94–7.

Pierre Motin (1566–1614?)

Born and brought up at Bourges, where he studied later under Cujas. Up to 1595 we find him always described as P. Motin de Bourges. The *Œuvres inédites*, published in 1883, give some vivid impressions of life in that city around 1590. A few years later Motin would appear to have moved to Paris. His protector appears to have been Le Comte d'Auvergne, brother of Henriette d'Entraigues (see p. 289), one of Henri IV's many mistresses. Some excellent poems appear in the *Recueils collectifs* up until 1620 when the poet had already been dead for at least six years. Although his help was evidently solicited in connection with several ballets of the period and his friendship with Régnier and Lingendes is known from their works, remarkably little is known of this writer of talent.

Œuvres inédites, ed. Paul d'Estrées (1883). Most of the dispersed poems are to be found in *Les Délices de la poésie française* (1620) and in the *Secondes Délices*, except those in the *Cabinet satyrique* (republished Paris, 1924).

Jean Rousset, *Anthologie de la poésie française baroque.*

See: T. B. Rudmose-Brown, art. in *Seventeenth-Century Studies* presented to Sir Herbert Grierson (1937).

p. 14, SONNET A MLLE LA CROIX. See Introduction, p. xxxvi. The *Délices de la poésie française* (1621), p. 859, contain a *Plainte* signed Motin in which the moon simile is tediously elaborated: . . . *Elle a sans doute aussi, puisqu'elle est infidèle / La Lune à la cervelle*, capped by the assertion that as the moon goes through twelve *maisons* in the year, so she has to change a dozen times in the month.

p. 14, STANCES: *Est-ce mon erreur ou ma rage.* The lover's despair has a surprisingly romantic intensity of expression and *L'Amour – m'apparaît en corbeau* has a touch of Poe – especially in the charnel-house setting which is evoked. Whereas the final stanza, with its *attends que Ma Dame entende . . . ma douleur*, lends a certain ambiguity to the declared resolve to commit suicide.

Stanza 2, l. 2, *une de ces fureurs célèbres . . .* This refers here to one of the *furies* or Eumenides – with her *noir flambeau* – and not to one of the Platonic *divines fureurs.*

p. 15, CHANSON: *Que j'aime ces petits rivages* (from *Les Muses gaillardes*, 1609). Purely frivolous as it is, this *chanson* shows a sophisticated lightness of touch which is characteristic of Motin, so much so that some of the bawdy pieces *à gros mots* included posthumously in *Le Cabinet satyrique* are, no doubt, no more than attributions.

Honoré d'Urfé (1567–1625)

Younger son of an important family of Forez, related by his wife to the House of Savoy. While still at the Collège de Tournon, he had official verses published in 1583. The narrative poem of *Le Sireine* was begun soon after, but only published twenty years later. Like his two brothers, he was involved in the civil war as a Ligueur and especially attached to the Duc de

Nemours. Twice made prisoner, he withdrew on release to Savoy. In prison he composed his *Épîtres morales* and planned the first draft of *L'Astrée* by 1593. In 1600 he married Diane de Châteaumorand, whose marriage to his brother nearly thirty years before had been annulled. The marriage was, perhaps, only determined by reason of family interest. In 1607 the publication of *L'Astrée* began and, by 1619, had created an immense public demand for the fourth and last part of the romance, which his secretary, Baro, supplied after his death from a fall from his horse while serving with the Duke of Savoy in Piedmont.

Épîtres morales (1598 and 1608); *Le Sireine* (1607); *L'Astrée*, Part I (1607), Part II (1611). See modern editions of H. Vaganay (Lyon, 1925–8), Magendie (Strasbourg), selections of G. Genette (Paris, 1966); *La Silvanire, fable bocagère* (1627).

See: Reure, *La Vie et l'Œuvre de H. d'U.* (1610); Henri Bochet, *L'Astrée, ses origines* (Paris, 1923); Jacques Ehrmann, *Un Paradis désespéré, l'amour et l'illusion dans l'Astrée* (Paris, 1963).

p. 17, STANCES DES DÉSIRS TROP ÉLEVÉS (from *L'Astrée* I, 8). See Introduction, p. xlviii for situation of Silvandre (who loves Diane).

p. 18, LES HOMMES SONT SANS AMITIÉ (from *L'Astrée IV*, Stances de Floris).

Honorat Laugier de Porchères (1572–1633)

Born at Forcalquier and died at Paris at the age of eighty-one. As Tallemant des Réaux reports, he and his cousin, Arbaud-Porchères, were both of the Academy, both from Provence, and each accused the other of being illegitimate. He seems to have begun his career as a writer of *vers de ballet* in 1594 by celebrating the birth of Gabrielle d'Estrées's child, the Duc de Vendôme. Other verses in praise of the favourite followed. He made himself responsible for publishing the poems of Jean de Sponde (1597), at whose death-bed he claims to have been present. In the early years of the century he moved to Turin, where like Marino he was in the service of the Duke of Savoy. He was back in Paris as the principal organizer of the *Carrousel du Camp de la Place Royale* (1612).

His principal later work for the ballet was the *Ballet de la Reine tiré de la Fable de Psyché* (1618).

The Princesse de Conti gave him a pension and he chose the title of *intendant des plaisirs nocturnes.* He acquired a reputation for picturesque eccentricity but, as Tallemant says, was little better in verse than Nervèze and Des Escuteaux in prose.

Recueil de diverses poésies (Raphael du Petit Val, 1597); *Muses ralliées*

(1603); *Le Carrousel du Camp de la Place Royale* (1612); *Le Coq-à-l'Âne envoyé de la cour* (1622); *Cent lettres d'amour* (1646).

See Tallement des Réaux (éd. Pléiade, Paris, 1960), pp. 153–6; Lachèvre, *Bibliographie des recueils collectifs* (Paris, 1901–5), I, pp. 278–81, IV, pp. 171–4; Berluc-Perussis, *H. Laugier de Porchères* (1880); P. de Brach (ed.), *Œuvres poétiques* (1861–78).

p. 19, ORPHÉE QUI ATTIRE LES ARBRES PAR SA VOIX (from *Le Carrousel du Camp de la Place Royale*, 1612). See Introduction, p. xli. Admirers of Paul Valéry may well be reminded of his *Au platane*. It is here the same fluidity of the 12 + 6 lines which is used for a similar topic – the poet to the laurel that was Daphne (the same piece of classical mythology which figures in Malherbe s *Chanson*, p. 6). If the *stances* turn in the end into a compliment for the Queen Mother and her son, Louis, in terms of their laurels, this is an emblematic *jeu d'esprit*, fitting to a great occasion as was this festivity to inaugurate both a new reign and what is today the Place des Vosges.

Jean-Oger Gombauld (?–1666)

Born near Brouage, the youngest son of a fourth marriage, hence (it is said) his poverty. Studied at Bordeaux and arrived in Paris before Henri IV's death. His sonnet on the king's death brought him to Marie de' Medici's notice and he became a great favourite of hers with a good pension and a post of *gentilhomme ordinaire du roi*, although he remained a Protestant. He was one of the first Academicians, despite Richelieu's dislike of his independent spirit. The Cardinal cut down his pension, but other protectors (Montausier and Seguier) were more generous.

L'Endimion de Gombauld (1626); *L'Amaranthe, pastorale; Les Poésies* ... (1646); *Les Épigrammes* (1657; reimpression, 1861); *Traités et lettres touchant la religion* (Amsterdam, 1669), with biographical preface by Conrart. See: L. Morel, *J. O. de G., sa vie, son œuvre* (Paris, 1910).

p. 20, SONNETS D'AMOUR.

p. 20, *Il est beau, vous l'aimez* ... See Introduction, p. xlix. The constant change of point of view (... *me nuire* ... *vous rendre*, etc.) is one of the elements which gives its quality to this sonnet.

l. 14, *un autre Thésée*. The allusion is to Ariadne.

p. 21, *Puisqu'elle a pu changer* ... See Introduction, p. xlix.

p. 21, *Messagers du sommeil.* The ambiguity of dreams is played upon throughout – *fantômes vains* or *Truchements du bonheur et de la vérité.*

l. 8. *Affligez-vous Iris, afin qu'Alcide meure?* Is it really working on the feelings of Iris, the messenger of the gods, which produces the fact that Hercules dies?

p. 21, SONNETS SPIRITUELS.

p. 21, *La voix qui retentit . . .* See Introduction, p. xlix.

p. 22, *Ils sont mes ennemis*, i.e. as *profanes* (l. 2).

l. 3. . . . *font encore les vains.* Cf. Malherbe, *Paraphrase*, Stanza 31 (p. 6).

p. 22, *J ai pris congé de vous.* See Introduction, p. xlix.

Mathurin Régnier (1573–1613)

Son of Jacques Régnier, *Échevin* of Chartres, and his wife who was Desportes's sister. At the age of fifteen he went to Italy as secretary of the Cardinal de Joyeuse (1589). It is thought he spent several years, probably in Venice, and returned to France only in 1596. He was one of a group with Des Yveteaux, Porchères and Rapin who were employed to sing the praise of Gabrielle d'Estrées. Régnier went once more to Italy as part of a further diplomatic mission (to Rome) in 1603 to 1604. From then until 1609 he lived in Paris and cultivated his uncle, Desportes, and his literary friends. The earlier satires were written at this time and the fourth already refers to the *sauvages lois* which now fetter verse, an allusion to Malherbe who had just arrived in Paris. The famous *affaire du potage* between Desportes and Malherbe took place a few months later in Régnier's presence. They were both dining with Desportes and the soup was already on the table, but the host wished to offer his guest a copy of the last edition of his *Psaumes.* 'Comme il se mit en devoir de monter dans sa chambre pour l'aller quérir, M. de Malherbe lui dit qu'il les avait déjà vus, que cela ne valait pas qu'il prît la peine de remonter et que son potage valait mieux que ses Psaumes' (Racan). They never spoke again and Desportes died the following year. There is no indication that Régnier and Malherbe were ever reconciled, though both were ordered to write verses for Henri IV's hysterical courtship of the elusive Princesse de Condé. The first ten *Satires* were published in 1608, and another edition the following year. Régnier received a pension, and in 1609 a canonry of Chartres cathedral. He appears to have been able to plead ill health and reside, however, during the last four years of his life at the Abbaye de Royaumont, where his bishop, Hurault de Cheverny, had gathered around him a learned and cultivated circle of friends, and where he was buried.

Œuvres complètes (ed. Raibaud, Paris, 1958). See: J. Vianey, *M.R.* (Paris, 1896).

p. 23, LE CRITIQUE OUTRÉ – SATIRE IX. See Introduction, p. xl. It is clear that this satire must have been written before Desportes's death, late in 1606. In the disposition of the original edition (1608), it was followed only by the satire addressed to the painter Nicolas Fréminet – fervent admirer of Michelangelo, as can be seen from the newly restored ceiling of the Fontainebleau chapel – and by a loyal address to the King.

l. 1, *Rapin.* Nicolas (1540?–1608) was next to Baïf the most important of those experimenters with *vers mesurés* on the classical model. This is alluded to in l. 3 (*vers nombreux*).

l. 7, *me précipiter*, sc. unlike Icarus.

ll. 17–28, *Contraire à ces rêveurs*, etc. A single *rêveur* is attacked, Malherbe (if we neglect his one or two obscure friends) whose disdain for antiquity was already celebrated; *les Hébreux* are a reminder that Desportes's paraphrases of the Psalms were the occasion of their quarrel.

l. 32, *Parler comme à Saint Jean parlent les crocheteurs.* Malherbe used to say that the *porteurs* of the Hay Market (close to Saint-Jean-en-Grève) were *ses maîtres pour le langage.* This paradox – which in any case limited itself to vocabulary – is here taken literally, as is no doubt the satirist's right.

p. 24, l. 8, *Alors qu'une œuvre brille . . .* Horace's *Ars Poetica* is being quoted.

Verum ubi plura nitent in carmina non ego paucis
Offendar maculis

The same quotation formed Régnier's epigraph to the whole volume.

l. 10, . . . *discours hautains et généreux.* This apparent pleonasm, frequent in Desportes, was condemned by Malherbe.

l. 14, . . . *trouvé la pie au nid*, ironical = find a mare's nest.

l. 24, *Prendre garde qu'un qui . . .*, etc. The details mentioned are those which the Pléiade regarded differently. *Qui* followed by a long vowel appeared to Ronsard the one excusable case of hiatus, while his solution *re* words like *envie* followed by a consonant was to suppress the mute 'e' (*envi'*). Du Bellay's attitude towards such rhymes as *profanes: ânes*, which ends this satire, was not to regard 'so superstitiously such trifles'.

p. 25, l. 18, *Que l'art trouve au palais* . . . The gallery of the Palais de Justice (cf. title of Corneille's play) was the great centre for cosmetics and millinery.

l. 25, *mon oncle*, sc. Desportes.

l. 28, *De ses fautes un livre aussi gros que le sien.* Malherbe's annotated copy of Desportes's poetry may be found in the Lalanne edition. Analysed by F. Brunot (*La Doctrine de Malherbe*).

l. 33, *Sur le luth de David* . . . Desportes's paraphrases were in effect set by his contemporary, Denys Coignet.

l. 35, . . . *une aussi bonne table.* Desportes's hospitality was celebrated. The jest which completes this part of Régnier's retort (like the allusion to his income) helps to preserve the humorous tone appropriate to a satire.

p. 26, l. 15, *Philosophes reveurs* . . . The term included 'natural science'. The cosmology which is alluded to is a reminiscence of Plato's *Republic* (X, 617) or Ronsard's *Hymne de la philosophie.* Régnier is laughing at the 'naturalists'' pretension to have the eight firmaments dance to their tune, to determine the 'astral humours', the chemistry of colour, the 'heat' of medicinal herbs, and be themselves responsible for fish hatcheries.

l. 29, *Or, ignorant de tout.* Régnier's plea is for a Christian humility rather than a Socratic ignorance.

François Mainard (1582–1626)

His family came from Saint-Céré on the Lot and both father and grandfather figured as members of the Parlement de Toulouse. A fortunate chance made him *secrétaire des commandements et de la musique* in the household of Marguerite de Valois when in 1605 she (the ex-wife of Henri IV) was allowed to set up again an establishment in Paris. The young Mainard was, therefore, at first thrown into a milieu where the Valois intellectual traditions were preserved. His appointment to a post of president at the subordinate court of Aurillac (not far from Saint-Céré) meant that from then on he was no longer resident in Paris. However, before that date he had deserted the *Cour de la Reine Margot* for an ardent discipleship of Malherbe, who recognized in him the most talented of his followers. He had also acquired a reputation for witty, if highly improper, verses.

In the thirties he was successful in getting a place in the Comte de Noailles's mission to Rome. His private letters home were grossly critical of the ambassador and his private conduct was scandalous. When all this came to light, any chances he may have had of obtaining preference from

Richelieu were nullified, though fortunately for him he had already been elected to the Academy (1633). He remained 'exiled' in Languedoc until after the Cardinal's death, but his subsequent return to Paris to see a new edition of his poems published produced nothing more than a handsome present of a thousand *livres* from Mazarin. He died almost immediately on his return to Saint-Céré, at the end of that same year. The mixture of *nostalgie de l'indépendance* and *manque de dignité* show up in Tallemant's tale of his duel.

Œuvres poétiques, ed. Gaston Garrison (1888), 3 vols, the first of which contains the poems of Mainard's homonym, François Ménard of Nîmes.
See: Charles Drouhet, *Le Poète François Mainard* (Paris, 1909).

p. 28, SONNETS. Mainard, as can be seen, practises a variety of types of sonnet, but not nearly as many as Baudelaire. H. Morier (*Dictionnaire de poétique*) counts 32 in *Les Fleurs du mal.*

p. 28, *Je touche de mon pied le bord de l'autre monde.* Here at last, instead of the too frequent querulousness of a disappointed man, Mainard has given a noble yet clear-sighted turn to his theme and made something worthy of the *grosse corde vibrante* which his verse can assume more readily than any writer of his epoch. Judged by the golden age of Augustus (and Maecenas) the modern age is Philistine and anti-poetic. But it is this which reinforces the salutary truth, now clear since death is not far away: the faithful (e.g. his Muses – *ces fameux solitaires*) can only fulfil their vocation in poverty – courtier and poet define themselves by opposition.

p. 29, *Mon Âme, il faut partir. Ma vigueur est passée.* The laconic statements of fact lead in the end to the touching recognition of that quite different life he could have led. Part of the effect comes from the alternation of twelve- and ten-syllable lines.

p. 29, *Rome, qui sous tes pieds as vu toute la terre.* All Lucan in a sonnet: the battle of Pharsalia, the *sole* consulship granted to Pompey, the lust for power which possessed both father-in-law and son-in-law, no longer united by Julia already dead, the suicide of Cato upon the news of Caesar's decisive victory and, above all, the tragedy of it.

p. 30, ODE: *Alcippe, reviens dans nos Bois.* Cf. Introduction, p. l. Probably written in the 1640s. Alcippe (it has been suggested) is simply 'the courtier in general' and, in a sense therefore, himself so that the poet writes his own *memento mori.*

p. 31, Stanza 2, l. 5, *Cocyte*, 'the river of wailing', one of the streams of Hades.

Stanza 3, l. 3, *Clothon*, the Fate who spins each destiny.

p. 32, Stanza 3, l. 2, *petits débris*. The glories of the Habsburgs, Troy, Rome, all are such compared to the cosmic cataclysm to be finally evoked.

p. 32, RONDEAU: *Il est passé, il a plié bagage* (from *Tableau de la vie et du gouvernement de Messieurs les Cardinaux Richelieu et Mazarin et de Monsieur Colbert représenté en diverses satyres et poésies ingénieuses* (1693)). This *rondeau* had appeared already with slight differences in a *Nouveau recueil de divers rondeaux*, 160. Tallemant in his *Historiettes* (on Louis XIII) relates that the King set it to music (!) but attributes it to a certain Miron. However, it is clearly a revised version of the *rondeau: Il n'est pas mort, il n'a que changé d'âge:*

Il n'est pas mort, il n'a que changé d'âge,
Le Cardinal, de quoi chacun enrage,
Et sa maison en prend grand passetemps,
Maints chevaliers n'en sont pas trop contents;

Ains l'ont voulu mettre en pauvre équipage;
Mais sa faveur ravit son parentage,
Et par ma foi, c'est encore leur temps.
Il n'est pas mort!

Or nous l'avons forcé d'entrer en cage;
Il est en Cour, l'éminent personnage,
Pour y durer encor plus de vingt ans.
Demandez voir à ces vieux importants;
Ils vous diront en leur piteux langage:
Il n'est pas mort!

This is certainly by Mainard and looks as if it was an earlier version when the Cardinal had, as on more than one occasion, cheated those who had counted on his death. There is a query whether the *Il n'est pas mort* could not be most plausibly about the way in which Mazarin and his *parentage* had simply replaced Richelieu. In either case the argument for Mainard's authorship is reinforced as against Miron although *Or nous l'avons forcé d'entrer en cage* is obscure; perhaps an allusion to the 'cage' in which the dying Cardinal made his last journey from the South.

p. 33, ll. 4–5, *Le Roi de Bronze . . . sur le pont*. The statue of Henri IV on the Pont-Neuf.

p. 33, ÉPIGRAMME: *Charmant Rossignol* (from *Les Priapées*, No. CXX).

Étienne Durand (1585–1618)

A Parisian of varied talents, he appears to have inherited a post of *contrôleur ordinaire et provincial des guerres*, but was certainly actively employed in the preparation of *ballets de cour* from 1608 until his death, his principal ballets being the specially sumptuous *Ballet de Madame* of 1615 (see pp. xliv–xlv) and the *Ballet de la délivrance de Renaud* of 1617. He was also *poète ordinaire de la reine*. Two books published during his lifetime were a short novel, *Les Épines de l'amour* (1604 and 1608), and privately – *sans date ni lieu* – his poetry, the *Méditations* of 1611. Both testify to his infatuation with his cousin, Marie de Fourcy, who married the future Maréchal d'Effiat in 1610. It is, therefore, plausible to think that his involvement in a political intrigue in favour of the Queen Mother and the party of Concini, assassinated on the King's orders a few months before, had to do with the hope of supplanting d'Effiat. In fact, Durand was only responsible for translating into French a pamphlet in Italian. Luynes, who was bent on succeeding to all the property (wherever situated) of the Concinis, saw to it that the case was judged rapidly and Durand and his two Italian confederates condemned to death. As a concession, he was strangled before being broken on the wheel and burnt with his pamphlet on the Place de Grève.

Les Épines de l'amour (1604 and 1608); *Méditations d'E. D.*, reprint by F. Lachèvre (Paris, 1907); in Paul Lacroix, *Ballets et mascarades* (Geneva, 1868–70), Vol. 2 for ballet descriptions.

See: Amelia Bruzzi, 'Metafora e Poesia nelle *Méditations* di Étienne Durand' (in *Il Barroco nella Poesia di Théophile de Viau*, 1965).

p. 33, DIALOGUE: *Pourquoi courez-vous tant, inutiles pensées*. See Introduction, p. xlii.

ll. 6–8, *Que d'un plaisir perdu triste est le souvenir . . .* The poet's second thought in this internal dialogue is a reply to the *Nessun maggior dolore* which Dante lends to Francesca da Rimini when he addresses her in the fifth canto of the *Inferno*.

p. 34, STANCES A L'INCONSTANCE. See Introduction, p. xliii.

Stanza 1, l. 2, *Qu'Éole, roi des vents avec l'onde conçut*. For Aeolus as a figure of the *ballet de cour* see *Ballet de Madame . . . à Fontainebleau, 17 novembre 1613* and *Aeole au Roi et à la Reine* (*Loin de l'horrible sein des vieux rochers plantés / Sur les rives de l'onde . . .*) in Paul Lacroix, *Ballets et mascarades anciens*, Vol. I, pp. 317, 318.

Jean Auvray (?–1633?)

Almost nothing is known of Jean Auvray, but his *Banquet des muses* i dedicated to Président Maynard of the Rouen Parlement. He spent som time in Holland (1608), and appears to have been an admirer of Bacon, t whom he addressed an ode. It is not certain whether he was the author o two plays (*La Madonte* and *La Dorinde*). See Introduction, p. lxi.

Le Trésor sacré de la muse sainte (1611); *Les Poèmes du Sr. Auvray primés au Puy de la Conception* (Rouen, 1622); *Pourmenade de l'âme dévot accompagnant son Sauveur depuis les rues de Jérusalem jusques au tombea* (1622); *Le Banquet des Muses* (1623); *Les Œuvres saintes* (1626 and 1634)

See: Balmas (ed.), *Banquet des Muses* (Milan, 1953).

p. 36, DEUX SONNETS SUR LA PASSION DU SAUVEUR.

p. 36, *Serait-ce là mon Dieu que ce fantôme affreux!* See Introduction, p. lxii The third sonnet of seven from *La Vierge au pied de la Croix*. M Donaldson-Evans (art. in *French Studies*, October 1971) draws atten tion to the threefold structure and the three questions, each introduce by *Serait-ce là mon Dieu?*

l. 6, *difforme Lépreux*, suggested, as he notes, by Isaiah 53: 4. 'Th closing image ... reminds us not only of a Villon-like portrayal of dea bodies hanging on their scaffolds at Calvary, but that the poet and indeed, man in general is nothing but a living corpse, whose eyes th three birds are continually blinding unless Christ gives them light. (Donaldson-Evans.)

p. 36, *Sacrés ruisseaux de sang qui baignez ce saint bois* (as above – Sonne IV of the same series). The transformation of the cleansing metaphor of blood into jewel images and the subsequent refusal of an out pouring of blood where a drop would suffice is elaborated in the articl quoted.

Claude Hopil (c. 1585–after 1633)

Parisien, as all his works insist, and it is one of the few facts known abou him. The family may be related to a Paris printer of the sixteenth century A brother was *Fermier Général des Gabelles du Lyonnais*, and the earl *Œuvres chrétiennes* are dedicated to him. However, there are two differen collections (1603 and 1604) published under the same title and with som repetition of contents. Twenty-five years later, Hopil published in fairl rapid succession a prose commentary on the Song of Songs (*Les Douce*

Extases de l'âme spirituelle, 1627), *Les Divins Élancements d'amour exprimés en cent cantiques faits en honneur de la Sainte Trinité* (1629) and in the same year *Les Doux Vols de l'âme amoureuse de Jésus, exprimés en cinquante cantiques spirituels*, which I would put on the same plane as *Les Divins Élancements* as the essential mystical poetry of Hopil, and finally *Le Parnasse des odes* (1633).

See: Jean Rousset, art. *Nova et Vetera* (1957); *Anthologie de la poésie baroque* (Geneva, 1961); *Intérieur et extérieur: un poète de l'ombre et de la lumière* (Paris, 1968); Jean-Claude Brunon, *Cahiers du baroque*, 3 (1969); Alan Boase, 'La Lumière sans flamme est-elle salutaire?', *Studi Francese* (1972); T. Cave and M. Jeanneret, *Métamorphoses spirituelles* (1972).

An edition of *Les Doux Vols* is in preparation. Both examples are taken from this little-known collection.

p. 37, DU CACHOT DIVIN (Cantique 22, *Les Doux Vols*). See Introduction, pp. lxiii, lxiv.

Cachot. As Jean Rousset reminds us, the easier key to this image is Sponde's *Stances de la mort* where, in the opening lines, the poet writes:

> Sillez-vous, couvrez-vous de ténèbres, mes yeux,
> Car je vous ferai voir de plus vives lumières,
> Mais sortant de la nuit vous n'en verrez que mieux.

The excess of light emphasized by the surrounding darkness is constantly used by Hopil, following the Pseudo-Denys and other mystics, as the symbol of the brilliance of mystical ecstasy, never more fully developed than here.

Stanza 3. The indication; *vous qui dès ma faible enfance / Révéliez à mes yeux / Ce cachot lumineux*, has every appearance of personal confession, in which the other key term of *brouillard* – the indistinct vision of the divine – also figures.

p. 39, CANTIQUE DE L'INDIFFÉRENCE (Cantique 47, *Les Doux Vols*). See Introduction, p. lxv.

Honoré du Bueil, Marquis de Racan (1589–1670)

Orphaned at an early age, this son of a distinguished family was brought up as a page in the Duc de Bellegarde's household and, as a mere boy, came under the influence of Malherbe (cf. p. l). His real gifts and personality were masked by an uncouth appearance, a stutter and an inability to pronounce the letters R and K, somewhat prominent in his own name. His great success was *Les Bergeries*, a *pastorale dramatique*, published in 1625. Although the *Stances sur la retraite* were written around 1618, it was not until after his marriage to the young Madeleine de Bois that he retired to live principally at La Roche Racan in Touraine.

Œuvres, éd. Tenant de Latour (1857); *Poésies choisies* (S.T.F.M. Geneva and Paris, 1930–37).

See: L. Arnould, *Histoire anecdotique et critique de la vie et l'œuvre de Racan* (1896).

p. 41, A TIRCIS SUR LA RETRAITE. The familiar theme of Horace's *Beatus ille* (*qui procul negotiis . . . paterna rura bobus exercet suis*) is echoed here – happy the man who ploughs the field his father ploughed before him. It is however worth noting that the poet was not yet thirty when these *Stances* were written – at a moment when the struggle for power after Concini's death was particularly fierce (see Stanza 11).

Stanza 1. *Tircis*. Here stands for René d'Armilly, a country neighbour of Racan's.

Théophile de Viau (1590–1626)

Born at Clairac-en-Agenais, younger son of Jacques Viau or de Viau, an ex-*conseiller* of the Bordeaux Parlement who had retired to his property of Boussères after difficulties over his Protestantism. Théophile studied at Nérac and Montauban before enrolling as a medical student at Bordeaux and then seems to have led the bohemian life of *poète à gage* in one of the companies of strolling players. After visiting Leiden at least once with the young Guez de Balzac, he took service in 1615 with the Duc de Candale (and Balzac with Candale's father, d'Épernon). For the next four years his fortunes and movements were determined by Candale's stormy career. He transferred his allegiance to Liancourt after Concini's assassination. His odious sonnet on Étienne Durand's execution was written to mollify Luynes, the all-powerful favourite, who nevertheless appears in 1619 to have instigated a trumped-up charge of publishing the bawdy *recueil* of *Le Parnasse satyrique* and got the King to exile the poet, who spent the next twelve months at his home. That this was a deliberate softening-up process seems clear from the fact that, on his return, he was forced to transfer his position from Liancourt (who was a real friend) to Luynes himself, a mere political master. He thus was ordered on the expedition of 1620 against the Queen Mother, on a mission to London, and returned for the publication of his poems in 1621. At this time Montmorency became his patron and events (above all Luynes's death) conspired, despite Viau's conversion to Catholicism, to make him the victim of a second prosecution (1623), primarily for heresy, instigated by two Jesuits, Voisin and Garasse. Condemned *in absentia* to the stake, he was caught on the way to Flanders and, while an appeal was urged by friends, he was kept for two whole years in appalling conditions of imprisonment. His eventual release and practical rehabilitation availed him little, his health was undermined and he died only a year later.

His evolution from the Protestantism of his youth to a 'naturalism' influenced by the unfortunate Vanini, and finally, under the stress of prosecution, to a sincere conversion to Catholicism (see A. Adam) is no less complex in its details than his poetic production is varied.

Œuvres poétiques, première, seconde et troisième parties, ed. Jeanne Streicher (Geneva and Paris, 1951 and 1958) (follows original edition with useful, but inadequate, notes); *Pyrame et Thisbé* crit. ed. G. Saba (Trieste, 1967); *Prose*, crit. ed. G. Saba (Torino, 1965).

See: Théophile Gautier, *Les Grotesques* (1844); F. Lachèvre, *Le Libertinage au XVIIe siècle: Le Procès du poète, Théophile de Viau*, 4 vols. (Paris, 1909); A. Adam, *Th. de V. et la libre-pensée française en 1620* (Paris, 1935); Guido Saba, *Th. de V. e la critica* (Trieste, 1965).

p. 44, LA SOLITUDE – ODE. See Introduction, pp. lv–lvii. First published in *Le Cabinet des muses* (1619). See O. de Mourgues in *L'Esprit créateur* (1961).

Stanza 4. The quatrain suggests a miniature Pompeian-style pictorial composition, but what co-ordination is there?

p. 45, Stanza 2. See Introduction for Saint-Amant's equivalent passage (*La Solitude*, Stanzas 8–10). We pass there from the decadence *De ces vieux châteaux ruinés* to witches, snakes and owls, and finally, to the tree of the suicide for love.

Stanza 5. Three stanzas here omitted evoke Cupid and Apollo, Hyacinthus and Boreas.

Stanza 7, *Mon ange ira par cet ombrage*. According to the critical edition, the first of the three *odelettes* from which *La Solitude* was put together ended here.

p. 46, Stanza 3, . . . *ton esclave* . . . *Se voit lui-même retenu*. His own image in her eyes. Four rather flat, exclamatory stanzas are omitted here. They did not appear in the first published version (*Le Cabinet des muses*).

p. 47, Stanza 5, *Sus, ma Corinne*, etc. Claimed as the third *odelette* from here to the end.

p. 48, STANCES: *Quand tu me vois baiser tes bras*. First pub. in *Les Œuvres* . . . (1621). See Introduction, p. lvii.

p. 49, RÉCIT DE BALLET – APOLLON CHAMPION. *Le Ballet d'Apollo* was given on 18 February 1621. See M. McGowan, *L'Art du balle de cour*, pp. 180–1, who shows how the whole affair was planned t the greater glory of the Duc de Luynes who was to die ten month later. See Introduction, pp. lvii, lviii.

Stanza 2. The *mortels* presented as the objects of Luynes's attack are th Protestants.

Stanza 4. According to Bordier's narrative, 'Apollon' prophesied th birth of a dauphin. The *savante voix* looks like an allusion to the tru oracle of Dodona, but this was a site sacred to Zeus and not to Apoll who, however, was the god who protected seafarers and also, o course, presided over all the arts.

Stanza 5, . . . *la blancheur des lis*, i.e. *lys de France*.

p. 50, ÉLÉGIE: *Souverain que régis l'influence des vers*. Said to have bee begun in 1620 on return from exile. The final section (omitted here about his home at Boussères was only added two years later, accordin to Jeanne Streicher, in reply to some of the calumnies of Garasse. Th opening twelve lines only are given here of the first gambit devote to a modest assessment of his own poetic talents. See Introduction pp. lviii–lix.

p. 55, ÉLÉGIE: *Cloris, lorsque je songe, en te voyant si belle*. According t Jeanne Streicher, written at Boussères, summer 1621.

p. 57, LA MAISON DE SILVIE – ODE III: *Dans ce parc un vallon secret* The *cabinet de verdure* or hermitage – but reconstructed by the Gran Condé – can still be visited in the Chantilly park. Silvie was Marie Félicie Orsini, the wife of Henri de Montmorency, who was to prov to be the last duke (beheaded in 1632 after his rebellion directed agains Richelieu). It would appear that a part of the ten odes was alread written at the time of his arrest. They were published in 1624 after hi release. See Introduction, pp. lix–lxi.

Stanza 1, l. 6, . . . *deux ruisseaux d'argent*. The bed of the streams belov the *cabinet de verdure* is still there, but dry. Below the marble fountai where they united stretches, in the direction of the château, *l'étang d Silvie* (stanza 2).

p. 58, Stanza 1, l. 7, *ces Naïades vagabondes*, i.e. the streams of stanza 1 (se also stanza 6).

Stanza 2, l. 1, *Mélicerte*. The story of Juno's vengeance on Ino and he son, Melicertes, changed into a sea-god (Palaemon or Portumnus) is told by Ovid both in the *Fasti* (IV, 493–550) and in the *Metamorphoses* (IV, 2).

Stanza 3, l. 6, *Ce monstre*, i.e. Scylla whose plaintive cries allured seafarers.

59, Stanza 1, l. 7, *aux Néréides*: sea-nymphs.
Stanza 2, l. 8, *Diane . . . son Berger*: Endymion.
Stanza 3, l. 5, *Le Dieu de l'eau*, i.e. Mélicerte.
l. 9, *ce jeune cocher . . .*, Phaéton.

60, Stanza 2, l. 2, *Il demande*, that is Cycnus.
l. 3, The seventeenth-century readings – *chacun Dieu* or *chaque Dieu* seem to require correction to *chacun d'eux* – i.e. each of the *Amours*.

60, ODE A MONSIEUR DE L. SUR LA MORT DE SON PÈRE: *Ôte-toi, laisse-moi rêver*. Published by Scudéry in 1632 as having been found among Théophile's papers after his death. Modern editors give no guidance to the identity of M. de L., a letter which could stand for Liancourt or for Lauzières.

61, Stanza 1, l. 4, *Iris*, i.e. the rainbow?
Stanza 2, l. 2, *Tircis*, the name of the young shepherd in one of Virgil's eclogues is, of course, here applied to M. de L., though more often elsewhere applied by the poet to Des Barreaux, the young man whom some wit described as *la veuve de Théophile*.
Stanza 4, l. 8, *Charon*, the ferryman across Cocytus, Acheron and Lethe.

62, Stanza 3, l. 1, *Saturne . . . ses maisons*, etc. It is not impossible that we have in this stanza an echo of Vanini who rejected, as Théophile does here, the whole apparatus of 'judicial' astrology (see Robert Lenoble, *Mersenne ou la Naissance de mécanisme* (1943), p. 179, note 1).

Marc-Antoine de Girard, Sieur de Saint-Amant (1594–1661)

ɔrn at Rouen, where the Girards were *gentilshommes verriers*. Two of his others took to the sea and Antoine himself was, for much of his life, in e service of the Comte d'Harcourt, one of the important French naval mmanders of the period. The family were Protestants, but Antoine does ɔt seem to have benefited, as did Théophile and other writers, from the ort period of outstanding Huguenot education. According to tradition, came to Paris in 1616 and attached himself to the Duc de Retz, with whom retired to Belle-Île after Concini's assassination. Although his relations ith the Gondi family continued, his most active patron, and indeed boon mpanion, was Le Comte d'Harcourt. With him Saint-Amant sailed rough the Straits of Gibraltar (see below). With him, too, he served on land against the Duke of Savoy. In fact, the poet's life was punctuated by both the campaigns and diplomatic missions of his patrons. Hence, indeed, the political topicality of many poems of the author of *Rome ridicule*, *L'Albion*, *Le Gobbin* (on the hunchback Duke of Savoy). He and Nicolas Faret, secretary of Harcourt, were among the first Academicians. After Faret's death (in 1646), in which Harcourt's ingratitude played some part, Saint-Amant attached himself to Marie-Louise de Gonzague, daughter of the Duc de Nevers, who married the Polish king, Vladislas. She became the recipient of the long pondered *Moïse sauvé*. In 1649 he left for Poland where 'Saint-Amanski' was magnificently received by Marie-Louise and her second husband, John Casimir. After visiting Sweden on the way home, he returned to live on for ten years either in Paris or Rouen. His *Moïse* – *Idylle héroïque* – had appeared at last in 1653; he scraped together the good and the dull, the forgotten and the refound pieces to figure in a last edition of his works in 1658 ('ma dernière main dans la partie que je joue . . .'). It remained to him to address a frankly begging poem to the young Louis XIV – *La Lune parlante*. He died six weeks later. It was the end of December 1661.

Œuvres complètes (Bibliothèque elzévirienne, Paris, 1855); the Live edition is about to be replaced by the *édition critique* of Jean Lagny (S.T.F.M.) but the first volume has not yet appeared, nor the *Moïse sauvé; Œuvres choisies* (ed. Garnier).

See: Théophile Gautier, chapter in *Les Grotesques* (1844); R. Audibert and R. Bouvier, *S.-A., capitaine du Parnasse* (Paris, 1946); Jean Lagny, *Le Poète S.-A.* (biographical, Paris, 1964); R. A. Sayce, *The French Biblical Epic in the Seventeenth Century* (Oxford, 1955); G. Genette, *Figures* (Paris, 1966) ('L'Or tombe sous le fer'); Rolfe, *Saint-Amant* (1972). It is difficult to recommend the American theses of Françoise Gourier (1961) or Samuel Borton (1966) for any useful critical insight.

p. 63, LA SOLITUDE. See Introduction, pp. lv and lvii.

p. 64, Stanza 1. The antidiluvian trees provide a hyperbolic conceit.

p. 65, Stanza 2. The details of one of the waterfowl preening itself and another two mating exemplify Saint-Amant's love of pictorial detail.

Stanza 3. *Forêt vierge, lac vierge*, such is the sense informing each detail given.

Stanza 4 and p. 66, Stanzas 1 and 2. Cf. Introduction, p. lvi, on this dragging in of the macabre which turns into a moralizing reflection on suicide and ghosts! A transition directly from *poisson* to *Là, se trouven[t]* would be more natural. Indeed, Saint-Amant was later to suppress stanza 10 altogether.

66, Stanza 4 and p. 67, Stanza 2. The touches of allegorical fantasy are tied into the poem by the introduction of the poet, whose lute creates, with the aid of the echoing vault, a new music.

67, Stanza 3, etc. *Tantôt . . . tantôt . . .* On the dispersive effect of this repetition see Introduction, p. lxvii.
l. 9, *Palémon*, the sea-god whose mortal name was Melicertes.

68, Stanza 3, l. 1, *Alcidon*, Charles Maignard de Bernières, *président au Parlement de Rouen.* This dedication encourages the belief that *La Solitude* is one of Saint-Amant's earliest poems, written before he left Rouen.

69, Stanza 2. Follows up a meaningful statement of poetic belief with a clumsy compliment.

69, LE CONTEMPLATEUR. See Introduction, pp. lxvii–lxviii. Dedication to Philippe Cospeau, bishop of Nantes, as the agent of his 'conversion'. The first three stanzas devoted to him and his request for an account of the poet's life are here omitted.
Stanza 1, l. 1, *Loin, dans une île.* That is Belle-Isle, off the coast of Brittany, ten miles from Quiberon, famous for its cliff scenery and superb views. The original citadel at Le Palais was constructed in 1572 by Albert de Gondi, Maréchal de Retz, the father of Saint-Amant's patron, and had from the beginning a special role of base against the Huguenots of La Rochelle and against English attacks which were to culminate in the attempts to relieve the second siege of 1627–8.

71, Stanza 1, l. 5, *Celui que l'Euripe engloutit.* The poet follows the tradition according to which Aristotle was drowned in the channel which divides Euboea from the Greek mainland.
Stanza 2, l. 4, *la boussole.* The magnetic compass has had a disputed origin, but would seem to have been in use since the thirteenth century.
Stanza 4. All the features associated with the fabulous Halcyon are here united.

72, Stanzas 2–4. The reference to *La Solitude* (pp. 63–9) is to pp. 67–8 where a less elaborate mythological sea-piece is given. Glaucus, the Boetian fisherman who ate a divine sea-herb, is a deity far more solidly anchored in Greek folk-beliefs than Palaemon (or Melicertes). Saint-Amant's evocation has been compared to Adamastor, the Cape Giant described in Camoens's *Lusiades*, but the latter appears as a Titanic figure half-hidden in cloud whose monstrous voice comes to threaten the navigator Diaz who discovered him. Saint-Amant's evocation is far more in the classical tradition.

p. 73, Stanza 4 and p. 74, Stanza 2. The theme of *terreurs nocturnes* figures in *La Solitude*. It is also the subject of a fragmentary poem of Théophile (*Un Corbeau devant moi croasse*). Another parallel can be found in Tristan.

After p. 74, Stanza 2, five stanzas are omitted.

p. 75, Stanza 1, l. 6, *ce fameux peintre romain*. Michelangelo's *Last Judgement* in the Sistine Chapel.

p. 76, Stanza 3. Here two stanzas are omitted.

p. 77, LE PASSAGE DE GIBRALTAR – CAPRICE HÉROÏCOMIQUE. See Introduction, pp. lxviii, lxix. First published separately with its important preface in 1640.

Stanza 1, l. 3, *Ça du vin, etc.* It's 'wine ho' to drink to both the Bear and the pole star which (when the sun has gone to bed) serve to keep the ships' bearings.

p. 78, Stanza 1, l. 6, *Jamais le pauvret . . .*, i.e. the Little Bear.

Stanza 2, l. 6, *les piliers d'Alcide*, i.e. *les piliers d'Hercule*.

Stanza 3, l. 1, *vieux crocheteur*, i.e. Atlas as the *porte-faix par excellence*, since he was condemned to carry heaven (here Mount Olympus) on his shoulders.

Stanza 4, l. 2, *Voguer le pin des Argonautes*, i.e. the constellation Argo. The mast of Jason's ship, taken from Jupiter's grove of oaks at Dodona, was said to render oracles.

p. 79, Stanza 1, l. 7, *ton Jason*, i.e. Le Comte d'Harcourt, who is in pursuit of the Golden Fleece, regarded as the emblem of Spanish power.

Stanza 4, l. 4, *pavillon*: 'c'est la principale Enseigne qui est blanche, et que l'Amiral porte seul au grand Mât' (note of Saint-Amant).

p. 80, Stanzas 1 and 2, *Le portrait du fameux chapeau*, i.e. the cardinal's hat, flown in effigy (*figure*) on the sloop *Cardinale*. The *plus grand chef* is, of course, Richelieu himself, and the *nouveau Gérion* (King Philip, no doubt), an allusion to the three-headed giant who is described as *Roi d'Espagne qui dévorait les passants* and killed by Heracles.

p. 81, Stanza 2, l. 9, *l'ombre d'Albornoz*, i.e. the fourteenth-century cardinal who fought the Moors and later succeeded in getting Pope Urban V back to Rome, thus ending the Avignon exile.

Stanza 3, l. 1, *Guzman*, the famous Duke of Olivares, the all-powerful Minister of Philip IV.

l. 4, *l'animal de Saint Luc*, the ox.

p. 82, Stanza 2, l. 2, *fort du Mont-aux-Singes*, at Ceuta near Tangiers. Tarifa is the most southerly point in Europe. *La Tour* is, no doubt, *Torre del Cabo de Gracia*, a few miles to the west.

Stanza 3. Omission of 39 stanzas describing the ships of the fleet (see Introduction), after which Saint-Amant relates, in a 'prophetic vision', the rebuff to the Spaniards off Mentone and the retaking of the Îles de Lérins.

l. 2, *Ces deux caps*, i.e. Gibraltar and Ceuta.

p. 83, Stanza 2, l. 2, *Calpe . . . Abile*. Calpe is the Rock of Gibraltar and Abile the *Mont-aux-Singes* referred to on p. 82: in fact the two 'pillars of Hercules'.

l. 7, *Alarbes*, according to Moreri, a Berber tribe of brigands.

Stanzas 3 and 4, *Il faut, il faut . . . Non . . .* These opposite views represent the conflicting proposals of d'Harcourt and his technical superior, Archbishop Sourdis. *Nocher* was then the Mediterranean term for a ship's captain. These, and d'Harcourt as Admiral, were against taking the risk of attacking the Rock and hazarding their vessels.

Stanza 4, l. 9, *villes qui ne fument point* . . . Saint-Amant's verses frequently celebrate not only the pleasures of drinking, but equally of smoking.

Stanza 5, l. 1, *mon cher Faret*. Nicolas Faret, author of *L'Honnête Homme*, and boon companion of Saint-Amant, was d'Harcourt's secretary.

p. 84, l. 2, '*Et pas un pauvre cabaret!*' Allusion to his own *Imprécation* against the inhospitable town of Évreux.

p. 84, LE MELON. First appeared in *Suite des œuvres* (1649). Only the early and more original part of *Le Melon* is printed here. For the long *alexandrin* section which ends it see Introduction, p. lxix.

Denis Sanguin de Saint-Pavin (1595–1670)

Hunchback son of a *conseiller* at the Paris Parlement, he was educated at La Flèche and took such minor orders as permitted him to receive a series of commendatory benefices. He was a friend of Des Barreaux and Théophile and had the reputation of a sodomist and hardened atheist. He made a death-bed conversion and died in 1670.

There is often a real *finesse* in his accomplished sonnets. His self-portrait in verse was once admired.

Les Poésies . . . (1861); Lachèvre, *Disciples et successeurs de Théophile* (Paris, 1911); *Choix de poésies*, ed. Michaut (Paris, 1913).

Jean Desmarets de Saint-Sorlin (1595–1676)

Jean, and his learned brother, Roland, were born at Paris. Jean frequented the Hôtel de Rambouillet, published his *Ariane* (1632) and Bautru introduced him to Richelieu, with whom he was a great favourite. He became the Cardinal's right-hand man in literary matters, and wrote much to order, including *Les Visionnaires* (1657) – a 'literary' parody in the eyes of G. Hall, editor of a recent critical edition. After Richelieu's death he accepted a post of intendant with the Cardinal's nephew, the Duke, and left Paris in spite of being a member of the Academy. The later pious phase of his career began with the *Délices de l'esprit*, a seventeenth-century *Génie du christianisme*. Desmarets thereafter not only indulged in controversy with Boileau on the epic, but became one of the most unscrupulous agents of *la Cabale des Dévots*. His behaviour as *agent provocateur* caused the unfortunate Simon Morin to be burned at the stake and he did much damage to the Jansenists.

Poetical works: *Œuvres poétiques* (1643); *Promenades de Richelieu* (1653); *Clovis, poème héroïque* (1657), etc. etc.

See: René Kerviler, *Desmarets de S.-Sorlin* (1879); H. Bremond, *Histoire littéraire du sentiment religieux* (Paris, 1916–68), Vol. VI.

p. 88, LA MANSUÉTUDE. See Introduction, pp. lxxix–lxxx.

As explained above, Desmarets was the Duke's *intendant* for seven or eight years at the fabulous palace built by Lemercier for the Cardinal near Loudun, and of which only the austere model village remains (and the *parc* belonging to the Institut de France).

l. 9, *statue*. Anthony Blunt points out that the chief embellishment of the principal elevations was a series of statues, many of them Greco-Roman (and which presumably disappeared when the château was demolished after the Revolution).

p. 89, ll. 7–8, *L'ombre aux corps attachée . . . Suit l'astre*. Cf. Lamartine, *La Vigne et la maison*.

p. 90, l. 3, *Ces secrets confidents*. Cf. those named in the preceding line who accompany Sleep.

ll. 31 et seq., *Aussi le doux Jésus*. The long passage (nearly 100 lines) which follows, and in which the repetition of *doux*, *douceur* constantly recurs, might almost be a commentary on 'Blessed be the meek'.

Pierre de Marbœuf (1596–1645)

A Norman country-gentleman, Sieur de Sahurs, educated at La Flèche, where he must have been the exact contemporary of Descartes. He deserted his law studies at Orléans, according to one of his own poems, in order to follow the girl he was in love with. Published *Le Psaltérion chrétien* in 1618, obtained Palenod prize at Rouen for his *Anatomie de l'œil.* Frequented the Lorraine court, subsequently the court of Savoy. Married in 1627. Queen Anne of Austria's silver Virgin for Notre-Dame-de-Sahurs involved him as local *seigneur.* His *Recueil de vers*, published at Rouen in 1628, is the principal event of his life. The best poem in the book is, unquestionably, the *Tableau de la beauté de la mort*, of which the greater part is given (pp. 90–5). *Le Solitaire* is an interesting example of the *solitude* poem and contains a fine passage on eternity (cf. Rousset II, p. 252), which involves a questioning of the doctrine of eternal punishment.

Recueil de Vers, republished A. Héron (1887).

p. 92, TABLEAU DE LA BEAUTÉ DE LA MORT (*présenté pour Hylas, Seigneur de Mérite, lequel ne pouvait goûter les Félicités de la Vie dans les Appréhensions de la Mort*). The general theme and the particular stanza form make the reader think inevitably of the end of Malherbe's *Consolation à M. du Périer.* But Marbœuf's commonplaces have that extra energy which comes from the concrete individualized image, and which reinforces the manly doctrine of death in battle or the *Laissons pleurer après les femmes et les cloches . . .*

Claude de Malleville (1597–1647)

Born in Paris, he was the son of one of de Retz's household who became secretary of the Maréchal de Bassompierre, who was the most formidable of Richelieu's enemies. After a short period when Malleville tired of inaction with Bassompierre, he took service with the Cardinal de Bérulle, then much in favour. He always said that he found more intrigue and duplicity in these pious surroundings than at court. He, therefore, soon returned to Bassompierre, whom he accompanied to England, and to whom he still remained faithful during the latter's long imprisonment in the Bastille. He was one of the earliest members of the Academy, with some reluctance, since it was officially established by the Cardinal. He was one of the contributors to the *Guirlande de Julie.* Many of his sonnets are inspired by Italian models. The *Belle Matineuse*, regarded by contemporaries as a 'chef d'œuvre' of its kind, was imitated by Voiture and others. His poems were only collected and published after his death.

Poésies (1649 and 1659); *Stratonice*, *Almérinde*, two novels translated from the Italian.

See: G. Montgrédien, 'Malleville', *Mercure de France* (Nov.–Dec. 1962); Maurice Cauchie, *Documents pour servir à l'histoire littéraire* (Paris, 1924).

p. 96, SONNET: *Fontaine dont les eaux plus claires que profondes*. The beauty whose image should appear mirrored in a stream is a commonplace of the whole period, treated with some of the charm of Marino and his disciples. It has to be assumed that Philis, like the sun, blinds the poet and stills the *eaux vagabondes*. Thus the sonnet is, basically, akin to Malleville's *Belle Matineuse* sonnet (see Introduction, p. lxxiv).

Vincent Voiture (1597–1648)

Born at Amiens, his father being one of the twelve recognized vintners to the Crown. He was educated at the Collège de Boncourt, and then read law at Orléans. Madame Sainctot (Dalibray's sister) and the Marquise de Sablé introduced him at the Hôtel de Rambouillet where his gaiety and wit were much appreciated. Madame Sainctot was infatuated with Voiture. He appears to have treated her very shabbily – as also Madame des Loges.

El rey chiquito (as someone called him) was small, always suffering from colds, and never drank wine. He was an inveterate gamester, and assumed such an arrogant and offhand manner that Condé once said: 'Si Voiture était de notre condition, il n'y aurait moyen de le souffrir.' He pretended to improvise his verses, whenever possible, and was, as Tallemant wrote, 'le père de l'ingénieuse badinerie'. His speciality, one might say, was the practical joke, and the successive 'plebeian' *petits genres – ponts bretons*, *petits doigts*, and later *rondeaux* and *lanturlus* were launched 'just for fun'. The claim to have revived the *rondeau* is made in a letter of 8 January 1636 (Balzac wrote sourly: 'Faut-il aller chercher un mauvais jargon dans la mémoire des choses passées?'). Other *rondeaux* seem to me superior to Voiture's. For *la querelle d'Uranie*, see pp. xcvi–xcix. More serious was, perhaps, his cult of the medieval romances. He held various posts in Gaston d'Orléans's household, and followed him to Flanders at least once. His mission to Madrid with Monsieur de Fargis was more significant, and with various visits to London and Brussels kept him abroad for two years (1632–4). His four duels made him something of a laughing stock. Still more his flirtation with the youngest Rambouillet daughter. He was elected to the young Academy in 1634, but only once attended a meeting. (See Introduction, pp. lxxvi–lxxviii.)

Œuvres, ed. Ubicini (1855); *Stances, sonnets et œuvres choisies*, ed. A. Arnoux (Paris, 1907).

See: E. Magne, *Voiture et les origines de l'Hôtel de Rambouillet* (Paris, 1911); *Voiture et les années de gloire de l'Hôtel de Rambouillet* (Paris, 1929–30).

p. 96, RÉPONSE A LA PLAINTE DES CONSONNES, etc. See Introduction, p. lxxvi. Louis de Neufgermain (1574–1662), eccentric but not mad. Tallemant calls him 'un pauvre hère de poète'. One of his best pieces began: *L'autre jour Jupiter manda / Par Mercure et par ses prévots / Tous les Dieux et les commanda / Qu'on fît honneur au grand D'Avaux* (the diplomat to whom this was addressed). Hence *C'est Jupiter qui parle.*

Stanza 11, l. 4, *Palamède.* The legendary Greek who was said to have added four letters to the Greek alphabet.

p. 98, CHANSON SUR L'AIR DE LANTURLU. Written in the early thirties. The refrain is found first at the beginning of the century in an anti-Huguenot song (*Quatre grosses bestes*), but this vaudeville (or *voix-de-ville*) achieved celebrity in 1629. As the tune was *brusque et militaire*, it was used by the *vignerons malcontents* who demonstrated at Dijon on 28 February 1629 and the following day. The affair was called the Lanturlu de Dijon.

Voiture here plays upon the measures taken against political songs in general. Silence has been made golden.

p. 99, Stanza 1, l. 1, *La Reine sa Mère*, Marie de' Medici. In fact, she never returned from her exile in Brussels, where she fled in 1631 after La Journée des Dupes.

l. 3, *Monsieur son Frère.* Gaston also took the road to Brussels after he married, as second wife, Marguerite de Lorraine, without her brother's permission.

Stanza 4, l. 2, *le bon Cardinal*, Richelieu (irony).

l. 6, . . . *dit à Bautru.* Guillaume Bautru, Comte de Serrant, was made *introducteur des Ambassadeurs* in 1631. One of Richelieu's men.

Guillaume Colletet (1598–1659)

The Parisian Colletet, an eclectic figure mixing with a variety of circles, including the young purists of Piat Maucors's *petite académie* and *Les Illustres Bergers* (for whom see A. Adam's *Histoire*, Vol. I, pp. 339–45), continued to vindicate the best qualities of both Ronsard and Malherbe. Appropriately enough, he devoted much effort to chronicling the lives of the French poets of an earlier age, and indeed inhabited – with his third wife Claudine who also wrote – the house which had belonged to Ronsard. He was an early member of the Academy.

Divertissements poétiques (1631); other collections in 1642, 1653, 1656

(*Poésies diverses*); also reprint in Bib. elzévirienne of *Le Trébuchement de l'ivrogne* in Fournier, *Variétés historiques III*.

See: Théophile Gautier, *Les Grotesques* (1844).

p. 100, LES AMOURS DE CLAUDINE (Sonnet 30). The sonnet plays on the heroes of Ariosto and those of d'Urfé. In the *Orlando* Rinaldo adores Angelica who hates him, but it is a draught from Merlin's magic spring in the Ardennes which reverses this situation. With the twin springs of Merlin's diabolical invention is contrasted the fountain of true love which figures in *L'Astrée* (see above p. xlvii). The folksong whose refrain is *A la claire fontaine* is attested from before 1704 by Ballard. The *Pas* and the *Ost* – 'pass' and 'host' – contribute to the evocation of the exemplary world of romance.

In another sonnet (no. 29) of the same series, entitled *Les Amadis*, Colletet multiplies the allusions to the romance and ends:

N'as-tu pas fait pour moi ce que fit Élizenne
Dès que chez Garinter elle eut vu Périon?

These were the parents of Amadis.

p. 100, AU CHEVAL PÉGASE (*Poésies diverses*, 1656).

p. 101, PLAINTE POÉTIQUE (ibid.).

Both these sonnets reflect a nice touch of irony and self-criticism.

Gabriel Du Bois-Hus (1599– after 1652)

Born at Nantes, the son of Oudart Hus, Sieur du Bois, *conseiller* at the Parlement de Bretagne. The diligent researches of Annarosa Poli have established that he possessed, as well as his talent as a poet, some genius of tact which allowed him to occupy simultaneously a post of almoner in the households of Gaston d'Orléans and the Prince de Conti, although these men were at daggers drawn, except at the moment of Condé's greatest triumphs in 1643, two years after Du Bois-Hus had produced – after delay caused probably by illness – his *Nuit des nuits*, celebrating the birth of Louis XIV, no doubt originally composed in 1637. Both patrons made efforts to obtain ecclesiastic preference for the poet. Their attempts having failed, Du Bois-Hus, discouraged by the troubles of the Fronde des Princes asked for a passport in 1652 to join Virfort, the French Resident in Brandenburg. Nothing more is known of him subsequent to that date.

La Nuit des nuits, *Le Jour des jours*, *Le Miroir du destin*, etc. (1641) reprinted with critical study by Annarosa Poli (Bologna, 1967); *Le Princ savant* (panegyric of the Prince de Conti) (1644); *Le Prince illustre* (panegyric of Le Grand Condé) (1645).

p. 101, LA NUIT DES NUITS (Extracts). See Introduction, pp. lxxxii–lxxxv. The first of the two parts contains more than a hundred *sizains* of which only 40 are given here. The principal omissions are indicated both here and in the portions of *Le Jour des jours*. The following stanzas of Milton's *Ode on the Morning of Christ's Nativity* illustrate the *rapprochement* mentioned on p. lxxxiii:

> But peacefull was the night
> Wherin the Prince of light
> His raign of peace upon the earth began:
> The Windes with wonder whist,
> Smoothly the waters kist,
> Whispering new joyes to the milde Ocean,
> Who now hath quite forget to rave,
> While Birds of Calm sit brooding on the charmèd wave.
>
> The Stars with deep amaze
> Stand fixt in stedfast gaze,
> Bending one way their pretious influence,
> And will not take their flight,
> For all the morning light,
> Or *Lucifer* that often warn'd them thence;
> But in their glimmering Orbs did glow,
> Untill their Lord himself bespake, and bid them go.

p. 104, Stanza 2, l. 1, *tes fertiles regards*, etc. That is, of the sun.

Stanza 4, *Riche et miraculeuse nuit* . . . This is followed by two stanzas built round the contrast between those other nights – *ces brunes* – and *Ce verbe divin dont ton sein ennobli | N'est plus qu'un sein de gloire* . . . The *concetto* of this Christmas night whose emblem becomes an aureoled breast is perhaps the most extravagantly baroque image in the poem.

p. 105, Stanza 4, l. 1, *Cloris, envoyez vos valets*. The conventional name for a young girl (χλωρὶς, green, fresh, young).

Stanzas 5–6, *oiseaux*, *luths animés* . . . *Volantes voix*. Also p. 110. On the type of metaphor (reversal of substantive and adjective), particularly affected by the poets of the period in Spain, France, Italy and England (Crashaw), see J. Rousset, *Littérature de l'âge baroque*, pp. 184–7 and Introduction, p. lxxxv.

p. 106, Stanza 4, *Magicienne divinité* . . . This stanza is followed by an intensely emotive passage on the infant tears of a half-frozen Christ – *Le plus charmant objet des âmes et des cœurs / C'est une belle face / Sur qui l'amour souffrant a dépeint des langueurs* . . . leading to a comparison between these tears and the dew and the rainbow which revive the colour and fragrance of the flowers.

p. 107, Stanza 4, *Encore avant ces étrangers*, etc. Cf. p. cxiv where attention is drawn to the continuing vogue of the *Noël* where popular, egalitarian feeling constantly finds its expression.

p. 109, LE JOUR DES JOURS (Extracts). See Introduction, pp. lxxxiv, lxxxv. The second part of *Le Jour des jours* makes great play with historical fact and topography as a means of creating an effect of *émerveillement.*

Stanzas 1, 2, *Un Dauphin est né* . . . The date 5 September 1638, and the place Saint-Germain-en-Laye. As explained (Introduction), until Versailles and other gardens were created, the Château Neuf at Saint-Germain was the most ambitious garden creation in France. Claude Mollet writes: 'En l'an 1595 le feu Roi Henri le Grand me commanda de planter le jardin du Château neuf de Saint-Germain-en-Laye . . . si bien que je le fis planter tout de buis . . .' The plan was that of Du Peyrat, the terraces and stairways by Guillaume Marchant and his son, and the hydraulic engineer, Thomas Francini, was sent by the Grand Duke of Tuscany. André Du Chesne (*Antiquités et recherches des villes*, 1602) gives a detailed description of the grottoes (see below), including *La Grotte de la Demoiselle qui joue des orgues* (see engraving by Bosse, 1624).

Stanza 3, *Bois de Meudon et de Limours*, etc. The whole stanza guides attention to three celebrated properties: *Meudon* where his part of the château was created by Primaticcio for the Cardinal de Lorraine (1552–60). La Grotte, as it was called, was the first example in France of a vast *intérieur en rocaille* with stucco and frescoes as well as *jets d'eau*. *Limours*, built by François I for the Duchesse d'Estampes was bought by Richelieu in 1622 when he had just been made Cardinal. *Rueil* was also purchased by Richelieu in 1638. The château was a modest, symmetrical building, but the gardens – with their water works – were famous and regarded as second only to Saint-Germain. The Grande Cascade was the first on such a gigantic scale to be constructed in France. Thomas Francini was also in charge.

Stanza 5, *Mais toi, Seine majestueux*, etc. The following stanzas are addressed to all the other rivers of France who, the poet claims, should vie in offering their services for the royal baptism!

p. 111, Stanza 2, *Les tristes fourriers des hivers*. One cannot help thinking of Charles d'Orléans's *fourriers d'été*, but apart from a few poems plagiarized by Mellin de Saint-Gelais, his poetry was unknown to the seventeenth century.

Stanzas 3 et seq., *Nos grottes plus délicieuses*, etc. André Du Chesne's description of the *Table de marbre* on which were a series of cups and goblets *made of water* explains the kind of *jeux d'eau* writing *un nom d'eau* on the air which is here described in verse.

p. 112, Stanzas 2 et seq., *Du fond de la grotte voisine, / Orphée*, etc. See André Du Chesne's description:

> Au dessous et un peu plus bas se voit une autre grotte, que vous diriez d'un rocher ridé, caverneux et calfeutré de mousse épaisse et délicate, comme s'il eût été tapissé de quelque fin coton. Là vous voyez les bêtes, les oiseaux et les arbres s'approcher d'Orphée touchant les cordes de sa lyre, les bêtes allonger les flancs et la tête, les oiseaux trémousser les ailes et les arbres se mouvoir, pour entendre l'harmonie de ce divin chantre.

Elsewhere 'divers petits oisillons . . . branlant l'aile . . . font retenir l'air de mille sortes de ramages, et surtout les Rossignols y musiquent à l'envi, et à plusieurs chœurs.'

Stanza 5, *Le plus lourd élément . . . Et c'est l'unique Fée*. In other words: all done by water power!

p. 113, Stanza 3 . . . *le char de Neptune . . . ses Tritons*. Cf. Du Chesne:

> On voit de l'autre côté un bassin de fontaine . . . Sur l'une des faces . . . s'élèvent deux Tritons . . . qui embouchent leurs conques, tortillées et abouties en pointe, mouchetées de taches de couleur, âpres et grumeleuses en quelques endroits. Ils ont la queue de poisson large et ouverte sur le bas. Au son des conques s'avance un roi assis en Majesté sur un char couronné d'une couronne de joncs mollets mêlés de grandes et larges feuilles qui se trouvent sur la grève de la mer. Il porte la barbe longue et hérissée de couleur bleue, et il semble qu'une infinité de ruisseaux distillent de ses moustaches allongées et cordonnées dessus ses lèvres, et de celles de ses cheveux . . . etc. etc.

Charles de Vion, Sieur de Dalibray (c. 1600–53?)

One of three brothers, their sister was Madame Sainctot, a well-known beauty who was Voiture's mistress for a time. Charles de Vion gave up an army career early. Like his friends, Saint-Amant and Faret, he cultivated friendship and poetry; food and drink no less, and his expansive figure was famous. His poems, mainly sonnets or *chansons*, whether simply witty or sentimental or serious, have always their individual quality. One of his editors places him between Scarron and Saint-Amant.

Œuvres poétiques (1653); *Poètes d'autrefois* (Van Bever, Paris, 1906).

p. 115, SUR UNE CÉRÉMONIE FUNÈBRE (*La Musette*, 1647). Van Bever (see above) thinks that the *Cérémonie* in question may well have been the funeral of Le Grand Condé's father, who died in 1646. Dalibray's girth gives even more point to the sonnet.

p. 115, VERS D'AMOUR – SONNET X. See Introduction, p. lxxv.

François Tristan L'Hermite (? 1601–55)

Born at the Château de Soliers in La Marche of a family which claimed descent from the L'Hermite who preached the First Crusade, the poet could claim as father a man pardoned on the scaffold by Henri IV (for a political murder which he never avowed) and a mother who married him on liberation – the daughter of one of the Mirons who were for several generations royal physicians. François, a captivating and precocious child, was chosen by the King at the age of five as companion to Henri de Bourbon, his child by the Marquise de Verneuil (cf. p. 289). For nearly ten years he was thus brought up in the royal nursery (full of half-brothers and sisters), taught by a distinguished, if heavy-fisted, tutor. The *Page disgracié* (his autobiography) brings us a picture of his talent for story-telling, his various escapades, culminating in the ill luck of killing one of the guards at Fontainebleau. He can only have been fourteen. He decamped in terror, and his adventures in England, Scotland and Norway related in the *Page* may or may not be true in all details. What is certain is that, on his return to France, he was befriended by Nicolas de Sainte-Marthe and his uncle Scévole, who continued the remarkable humanist tradition of the family. Thus Tristan (it is at this point he seems to have adopted the name), while hidden at Loudun and acting as reader to the old man, received a splendid literary education and was fired with the ambition to be a writer. Through them he obtained a post of secretary with the Marquis de Villars.

A year later, in October 1620, a coincidence brought him face to face with the son of one of his childhood friends, the son, indeed, of the man who saved his father's life – the Marquis d'Humières. The place was Louis XIII's antechamber at Blaye, where the King was staying on his way back from

Béarn. Thus Tristan's peace was made, his past faults forgiven, and his poem of welcome to the King secured him a post in the royal household. In 1622, he was transferred to the household of Gaston, whom he served for twenty years, alas! with little recognition yet, almost to the end, with an admiration which must seem ill placed for a prince who always betrayed his friends. *La Mer* was written waiting for Gaston's attack on La Rochelle (1627), the *Plaintes d'Acante* a by-product of the exile in Flanders, accepted in order to follow Gaston, in spite of a lawsuit involving the inheritance of the Château de Soliers where he was born. Among the missions with which he was entrusted was a visit to England in 1634.

His tragedy, *Marianne* (1636), began his career as dramatist with a resounding success, and his succeeding plays aroused Richelieu's jealousy. One of the last, *La Mort de Sénèque*, was written for the young Molière's Illustre Théâtre. After *Les Amours* and *La Lyre*, *Les Vers héroïques* were collected in haste to be in time for a Guise triumph in Naples which never came off. He died of tuberculosis in the Hôtel de Guise where, a century before, Rémy Belleau died.

Principal poetical works: *La Mer* (1627); *Les Plaintes d'Acante* (1633); *Les Amours* (1638); *La Lyre* (1641); *Les Vers héroïques* (1648).

Modern editions: *Les Plaintes*, ed. Madeleine (Geneva and Paris, 1909); *Vers héroïques*, ed. Grisé (Geneva and Paris, 1967); *Les Amours* (with other selected poems), ed. Camo (Geneva and Paris, 1925); *Poésies* (Philip Wadsworth, Evanston, 1962).

See: N. Bernardin, *Un Précurseur de Racine* (1895); A. Carriat, *Tristan ou l'Éloge d'un poète* (Paris, 1925); D. Dalla Valle, *Il Teatro . . .* (1964).

p. 116, LE PROMENOIR DE DEUX AMANTS (*Les Plaintes d'Acante*). See Introduction pp. lxxi–lxxii.

Stanza 4, *L'ombre de cette fleur*, etc. In the version of this poem given in *Les Plaintes d'Acante* we find:

> Ces roseaux, cette fleur vermeille,
> Et ces glaix en l'eau paraissant
> Forment les songes innocents
> De la Naïade qui sommeille.

Stanza 5, l. 3, *Ont relevé ces tapis verts*. Compare Charles d'Orléans's *Rondel* (30): *Les fourriers d'été sont venus . . . / Et ont fait tendre ses tapis / De fleurs et de verdure tissus.*

p. 117, Stanza 1, *Ce rossignol . . . son malheur*. See Ovid, *Metamorphoses VI*, 6, for the 'full story' of Tereus' crime against his sister-in-law, Philomela, and her vengeance.

Stanza 7, *Crois mon conseil, chère Climène.* In Debussy's musical setting (*Chansons de France*) this and the following eight verses form a second song and *Je tremble*, etc., a third.

p. 119, LE MIROIR ENCHANTÉ (*Les Plaintes d'Acante*). See Introduction, p. lxxii.

Stanza 1, l. 2. *Pour se conseiller de sa grâce.* Compare La Fontaine, *L'Homme et son image* (I, ii): *Les conseillers muets dont se servent nos dames.*

It will be noted that many of the same elements as in *Le Promenoir* here receive a new treatment.

p. 120, LA SERVITUDE (*Vers héroïques*). See Introduction, p. lxxiii. It was in 1645 that Tristan deserted Gaston at Orléans for the service of Claire Charlotte d'Ailly, Duchesse de Chaulnes, one of the great heiresses of the period, whom Luynes had married off in 1619 to his brother. When the Duke was appointed Governor in Auvergne late in 1645, Tristan decided not to follow her and excused himself in the poem which has, as its refrain, *Belle Duchesse, je me meurs.*

Last stanza. A further eight stanzas are devoted to praise of the Duchesse. The poet's final formula, *C'est servir mais c'est dans un temple*, applied particularly well to her house in the Place des Vosges, in many ways a personal creation.

p. 123, LE CABALISTE (*Plaintes d'Acante*, where the title is *Prière à son cher Timante*). Tristan's cabalist friend must have been, as the name suggests, a painter (after Timanthus, the famous Greek painter of the Sacrifice of Agamemnon) – perhaps his friend, Jacques Stella.

p. 124, LA BELLE ESCLAVE MAURE (*La Lyre*). One of several imitations of Marino's *La Bella Schiava* (*Nera si, ma se'bella . . .*). See Ferrero, *Marino i Marinisti* (Milan, 1954), p. 374.

p. 124, LA BELLE GUEUSE–MADRIGAL (*Vers héroïques*). Masterly imitation of the *Bellissimi Mendica* of Claudio Achillini (pub. 1632) (*Sciolta il crin, rotta i panni e nuda il piedi*). See Ferrero, *Marino i Marinisti*, p. 699.

p. 125, AIR (from *Les Plus Beaux Vers qui ont été mis en chant . . .*, 1668).

Le père Martial de Brives (c. 1600–before 1653)

Paul Dumas was born at Brives, though the date of his birth seems to be uncertain. After studying at Paris he entered the Capuchin order and spent ıis career at Toulouse. According to Bremond, his health was so poor that ıe had to give up preaching. His verses must have circulated widely in ıandwritten copies during his lifetime. An earlier, but posthumous edition - less complete – dates from 1653, published by *le père* Dupuys. *Le père* Zacharie de Dijon collected his poems in order to publish in 1660 *Le* *Parnasse séraphique*, but some of the pieces may well not be his (cf. Bremond).

Les Œuvres poétiques et saintes (1653); *Le Parnasse séraphique et les* *derniers soupirs de la Muse du R.P. Martial de Brives, Capucin* (1660).

See: M. G. Clément-Simon, *Le père Martial de Brives* (*Bulletin de la* *Société scientifique . . . de la Corrèze*, Vol. x); H. Bremond, *Histoire du* *sentiment religieux* (Paris), I, pp. 200–5.

. 125, PARAPHRASE SUR LE CANTIQUE: *Benedicite omnia opera Domini Domino.* The technique of 'multiple metaphoric definition' (see Introduction, p. lxxxvi) demands adequate room to be fully appreciated. It has seemed, however, permissible to make a few omissions in what is, perhaps, *le père* Martial's best-known work. The text of 1660 has been adopted.

Georges de Scudéry (1601–67)

Georges and his sister, Madeleine, were the children of a Governor of Le Havre, reputedly of Sicilian origin. Georges gained a reputation as a soldier ı Italy. He, in his turn, was for eight years Governor of Notre-Dame-de-ı-Garde at Marseilles, but this was after a career as a dramatic author in which flattery of Richelieu served him better than his talent for the theatre. The *Réflexions sur le Cid*, which he wrote to please the Cardinal, brought) a head the celebrated *querelle* which compromised the reputation of the ıen young Academy. He was, however, faithful to Théophile and his ıemory, editing his works. He was influenced by Marino and eventually ublished a long epic, *Alaric.* He is said to have had a hand in his sister's ildly successful romances, *Le Grand Cyrus* (1649–53), in which she figures erself as 'Sapho', and *Clélie* (1654–80) in which she introduced the famous *'arte du Tendre.* Her *samedis* took the place of Madame de Rambouillet's *ıardis* after 1650, but with a far more blue-stocking flavour.

(Apart from his dramatic works) *Œuvres poétiques* (1631); *Le Cabinet* :646); *Poésies diverses* (1649); *Alaric ou Rome vaincue* (1654); *Poésies* *ɔuvelles* (1661).

See: Théophile Gautier, *Les Grotesques* (1844); A. Adam, 'Le Prince éguisé . . . et l'Adone de Marino', *R.H.L.* (Jan. 1937).

p. 133, LA BELLE ÉGYPTIENNE (*Poésies diverses*, 1649). After an Italian model.

p. 133, LA FONTAINE DE VAUCLUSE (*Poésies diverses*, 1649). The second of twelve sonnets on this subject.

p. 134, POUR UNE INCONSTANTE. Cf. *Sonnets d'amour* of Gombauld.

Pierre Le Moyne (1602–71)

Born at Chaumont-en-Bassigny (Haute-Marne), he entered the Jesuit College at Nancy as a novice in 1619. As a member of the Society, he taught philosophy at their college at Dijon and acquired a reputation as a preacher. Appointed to the Collège de Clermont in Paris in 1638, and in 1650 the Maison Professe adjoining (approximately enough) the Église-Neuve-Saint-Louis. Costar wrote of him and his poetry: 'beaucoup de grandeur et d'élévation et une diction noble et magnifique. D'autres y ont trouvé une trop grande égalité et disent que dans le poème de Saint Louis ce Père parle toujours d'un ton martial et qu'il a l'air trop cavalier.' The epic appeared in 1651–3, apparently much criticized, although Guez de Balzac said he read it three times through *de suite*, a tribute to Le Moyne's narrative inventiveness. Corneille appreciated Le Moyne. Boileau parodied Corneille's own comment on Richelieu:

> Il s'est trop élevé pour en dire du mal
> Il s'est trop égaré pour en dire du bien

– a comment occasioned by their different view on *le merveilleux chrétien*.

The *Annales poétiques* of Sautereau de Marsy (1778–89) found Le Moyne 'la tête la plus poétique de son siècle', an opinion which provoked the ire of La Harpe, who devotes several pages of *Le Lycée* to his reply.

Pascal's attack on Le Moyne's *La Dévotion aisée* (in *Les Provinciales*) is unfair.

Apart from the celebrated *La Dévotion aisée* (1656) and the epic *Saint Louis* (1653), poetical works, *La France guérie* (1631), *Hymnes* (1641), *Peintures morales* (1643–5), are all included in the *Œuvres poétiques* (1671).

See: Chérot, *Études sur la vie et l'œuvre du père Le Moyne* (1887); Asbjørn Aanes, *En fransk barokdikter* (Oslo, 1965), reviewed in *Orbis Litterarum*, XXV, 1 (1970).

p. 134, L'AMOUR DIVIN – HYMNE PREMIER (abridged). 'Les merveilles de l'Amour divin en Dieu, en la Nature, et dans les Amours inférieurs.' See Introduction, p. xci. The first three stanzas invoke the Holy Spirit under various forms or aspects.

p. 135, Stanza 2, l. 3, *Ardeur moyenne entre deux jours*, sc. two brightnesses – the Father and the Son?

Stanza 4, l. 6, *De féconds et mobiles yeux*. Centres of radiance rather than mirrors.

p. 136, Stanza 2, l. 3, *du lion des cieux*, fifth sign of the zodiac of which Regulus is the main star.

p. 137, Stanzas 2, 3, *L'alliance et les sympathies . . . Un cœur entra dedans la Lune*, etc. A whole system of attraction, physical and moral, is given as the cohesive and active principle of God's creation.

p. 138, ANNIBAL: *La Haine, la Colère et la Cruauté sont représentées en ce Tableau* (abridged). See Introduction p. xcii. Le Moyne's intentions in the *Tapisseries* are remarkably illustrated here. The evocation of hatred, rage and the acts of murder and worse which he is to paint have an atrocious reality which demands a paradoxical excuse:

> Le sang qu'ils ont versé n'est pas un sang liquide:
> Leurs blessures sont moins en leur corps qu'en nos sens.

It is literally a series of symbolic landscapes which are constructed for us: first a vision of volcanoes – home of anger – which can devastate as totally as Vesuvius. Anger, then, brings the evocation of the burning of Persepolis by Alexander (*Barbare outrageux*) and similar acts of destruction where all the effigies true or false of Darius and Alexander, Ulysses and the sculptors, all works of Apelles, Zeuxis, Timanthes perish in the flames. The Dantesque vision continues into the forest of Hatred where are found the Temple of Death and the instruments by which it is procured. Like a blackened pine Hannibal holds the centre of the stage, incarnation of Hatred and its works. The climax is the solid embankment of corpses which foul the river, kill the fish, put the forces of Nature, Diana and the Nymphs to flight and force them to seek the Ocean as their only pure retreat (perhaps an echo of Silius Italicus on the battle of the Trebia).

Charles Cotin (1604–82)

Probably born and certainly educated in Paris. He appears as an early example of the fashionable abbé who, though granted a canonry at Bayeux, resigned it rather than reside there. Frequented several salons, especially that of Mlle de Montpensier. Received appointment as preacher and almoner to the King and was a member of the Academy. It was Cotin who appears to have launched the vogue for *énigmes*, of which an example is given

(p. 143). His *Discours de la métamorphose* indicates a quite subtle mind, and accompanied his *Uranie ou la Métamorphose d'une nymphe en oranger* (1659). His later celebrity derives above all from the attack of Boileau (*Satires* VIII and IX) and of Molière, who lampooned him as Trissotin in *Les Femmes savantes*. Cotin's reply to Boileau, *La Satire des satires*, lacks any real verve, but it is difficult not to feel that he is one of the many whom Boileau treated unfairly.

Recueil d'énigmes (1646); *Poésies chrétiennes* (1657); *Œuvres mêlées* (1659); *Œuvres galantes* (1663); *La Satire des satires* (1666).

p. 143, SONNET SUR L'ECCLÉSIASTE: *Souviens-toi de ton Créateur avant que les jours mauvais arrivent* (*Œuvres chrétiennes*, p. 1213).

p. 143, ÉNIGME (from the *Œuvres mêlées*, No. 49, *Le Vent*). This sonnet on *le vent* makes good some of the poetic virtues claimed by Cotin for this parlour game.

Pierre Corneille (1606–84)

It would be absurd to do more than remind the reader of a few facts. Born at Rouen, Corneille was educated at the Jesuit college there. In 1624, *avocat* who never practised. Before 1629 *Mélite* at the Marais, before he 'knew the rules'. Brilliant series of comedies till *Médée* followed in 1636 by *Le Cid*. The great 'Roman' tragedies before the Fronde. Failure of *Pertharite* in 1652. Corneille (Academician since 1647) gives up writing for the stage. Principal non-dramatic work the verse translation of the *Imitation of Jesus Christ* written in the three following years. Return to stage in 1659 with his *Œdipe*. Ten plays before *Suréna* in 1674. Corneille survives for another ten years. Another translation exercise in religious verse (*Office de la Vierge*) was published in 1670 and *Hymnes de St Victor* in 1680.

Choice among the huge literature on Corneille is inevitably arbitrary. My own would include R. Brasillach, *Corneille* (Paris, 1938); J. Schlumberger's essay, *Plaisir à Corneille* (Paris, 1936); G. Couton, various studies; S. Doubovsky, *Corneille et la dialectique du héros* (Paris, 1963); J. Rousset, *Tableau de la littérature de l'âge baroque en France* (Paris, 1953), chapter 'Une Œuvre dramatique'.

p. 144, QUE LA VÉRITÉ PARLE AU DEDANS DU CŒUR. From *Paraphrases de l'Imitation de Jésus-Christ*, Book III. The translation is surprisingly close, yet the way in which Corneille succeeds in imparting a new intensity by a syntactical strength and the simplest of vocabularies may remind us of how much in the plays is owed to mere repetition of key words. The Latin text of the *Imitation* is as follows:

Loquere tu, Domine: quia audit servus tuus.

Da mihi intellectum, ut sciam testimonia tua. Inclina cor meum in verba oris tui.

Fluat ut ros eloquium tuum.

Dicebant olim filii Israel ad Moysem:

'Loquere tu nobis, et audiemus: non loquatur nobis Dominus, ne forte moriamur.'

Non sic, Domine, non sic oro, sed magis cum Samuele propheta humiliter ac desideranter obsecro:

'Loquere, Domine, quia audit servus tuus.'

Non loquatur mihi Moyses, aut aliquis ex prophetis; sed tu potius loquere, Domine Deus, inspirator et illuminator omnium prophetarum:

Quia tu solus sine eis potes me perfecte imbuere; illi autem sine te nihil proficient.

Possunt quidem verba sonare; sed spiritum non conferunt.

Pulcherrime dicunt; sed, te tacente, cor non accendunt.

Litteras tradunt; sed tu sensum aperis.

Mysteria proferunt; sed tu reseras intellectum signatorum. Mandata edicunt; sed tu juvas ad perficiendum.

Viam ostendunt; sed tu confortas ad ambulandum. Illi foris tantum agunt; sed tu corda instruis et illuminas.

Illi exterius rigant; sed tu fœcunditatem donas.

Illi clamant verbis; sed tu auditui intelligentiam tribuis.

Non ergo loquatur mihi Moyses; sed tu, Domine Deus meus, æterna veritas: ne forte moriar, et sine fructu efficiar,

Si fuero tantum foris admonitus, et intus non accensus.

Ne sit mihi ad judicium verbum auditum, et non factum; cognitum, nec amatum; creditum, et non servatum.

Loquere igitur, Domine, quia audit servus tuus; verba enim vitæ æternæ habes.

Loquere mihi, ad qualemcunque animæ meæ consolationem, et ad totius vitæ mæ emendationem; tibi autem ad laudem et gloriam, et perpetuum honorem.

Jean de Bussières (1607–78)

Born at Villefranche-en-Beaujolais, joined the Jesuits in 1631, taught rhetoric for eleven years, then became *préfet d'études* at Lyon. He finally became *recteur* of the Jesuit college at Mâcon. He was best known to his contemporaries for his Latin epic, *Scanderbegus*, admired by Chapelain, to which he later added his *Idylles*. When the editors of the *Annales poétiques* discovered the French poems of Jean de Bussières, they wrote with enthusiasm, but were obliged to add that to draw a rather far-fetched lesson from what he describes is, indeed, Bussières's weakness.

Les Descriptions poétiques par J. d. B. (1648).

See: P. Olivier, *Cent poètes lyriques, précieux ou burlesques du 17e siècle* (1898); Jean Rousset, *Anthologie* and *Tableau de la littérature de l'âge baroque*.

p. 147, LA NEIGE – AIMER LA CHASTETÉ. See Introduction, p. lxxxviii. The transformation worked by snowfall and its effect is also the subject of one of the few undated poems of Robert Bridges (*London Snow*), but Bridges limits himself to seizing a later moment – the strange light and the eerie silence, while Bussières's vision is, essentially, of the wonderful movement of falling flakes and flurries, and the dazzling whiteness which ensues. The comparison may, nevertheless, help us to recognize Bussières's rare sensibility.

Hippolyte-Jules [Julien] Pilet de La Ménardière (1610–63)

Born at Laroux-Bottereau outside Nantes where he trained as a doctor. His *Traité de la mélancolie* (1634), in which he lent himself to the official view of the 'possession' of the nuns of Loudun and the burning of Urbain Grandier in opposition to the rational attack of Marc Duncan, ensured his popularity with Richelieu. He combined a medical career (doctor of Gaston d'Orléans and of Mme de Sablé) with literary work, especially dramatic theory. As Dr Reese indicates, he emerged as a poet by social ambition (verses for Julie d'Angennes and Mme de Rambouillet) and sought to make himself 'maître des poètes par les règles qu'il leur donne'. Although his *Poétique* (devoted to drama) was circulating by 1639 and his play *Alinde*, founded on Mlle de Gournay's *Promenoir*, only survived one single performance (1642), his verse (written about this date) was mostly contained in a de luxe folio only published in 1656, the year before he became *lecteur du Roi*. Though a member of the Academy, his rather deceitful, anonymous criticism of Chapelain's *Pucelle* caused a rift. He remained a friend of Scarron's, and the story that he was the doctor who caused Scarron's rheumatism to assume its extreme form can hardly be true. A member, with Ménage, Chevreau and others, of L'Académie Bachique organized by voiture's son-in-law, Pinchesne. 'Un virtuose', said Chapelain; his works were 'sérieux et galants'.

Poetical works: *Alinde* (1643); *Les Poésies* (1656); *Chant-nuptial pour le Roi* (1660).

See: Helen Reese, *La Ménardière's 'Poétique'* (Baltimore, 1937).

p. 148, LE SOLEIL COUCHANT – A MADAME LA COMTESSE D'ESTRADES – ODE. See Introduction, p. lxxxix. The forty-three *quatrains* of this poem have never (to my knowledge) been reprinted in their entirety. Dominique Aury and Odette de Mourgues give twelve, Geoffrey Brereton nineteen, Paul Éluard twenty-three and Alan Steele thirty. This is pardonable, as the poet has been deliberately enigmatic, and several of the clues – characteristic as they are of certain aspects of *préciosité* – are sometimes of a clumsiness which one is obliged to regard as involuntary. The ode is addressed to Mme la Comtesse d'Estrades who is, therefore, the 'Alceste' of the poet. This name was then still (before *Le Misanthrope*) quite unusual for a man. The allusion to the Greek Alcestis is irresistibly suggested when we note from Tallemant (ed. Adam, II, p. 1359) that Godefroi d'Estrades had been deeply in love with Angélique Tallemant (the cousin of the author of the *Historiettes*) who died (1632) before she was twenty. He adds that d'Estrades married Marie Lallier because she so exactly resembled Angélique. Like the Greek Alcestis, then, she was regarded by her husband as one who had come back from the dead. Méré says she had 'quelque chose de délicat, tendre et mélancolique'.

The elaborate, though banal compliment paid to Alceste at the end of the ode (as printed here):

> Il prendrait fort mal aux étoiles
> De voir des astres comme vous.

is extended into another three stanzas, which make play with the name of Pontac:

> dont les beautés
> Vont à cent cœurs livrer la guerre,
> Dit que pour éclairer la terre,
> Il ne lui faut que vos clartés . . .

Geoffroy de Pontac was the *second* husband of Mme d'Estrades's mother. However, although an element of ambiguity remains, the allusion would appear to be to Mme de Pontac, Alceste's mother, rather than to her stepfather. However this may be, the heavy gallantry of La Ménardière appears not only in this series of final allusions, but mars the poem at two or three other points. The sun goes down in the west, the direction of the Americas (stanza 2). He need not dress up for the savages (stanza 3), and thus he

> ne sort en grand équipage
> Que pour charmer la fleur de lis. (stanza 4)

– symbol not merely of France (as might be supposed) but of Louis himself:

> . . . L'astre confesse lui-même
> Que Louis brille autant que lui.

A later *pointe* (stanzas 17–19) is built round the rubies of the East and then of the 'westering sun', but one of the author's pedantic marginal notes informs us that Java is a 'province de l'Amérique d'où viennent les Rubis' [*sic*]. Thirdly, an elaborate piece of 'fancy' mythology pictures the sun – *le plus beau galant du monde* – in the arms of Thetis (except when the tears of *la belle* provide the ocean's pearls). The purest piece of *galimatias*, however, is the *invisibles soupirs* (!) of Hippolytus, whose secret passion is presented as being like the *merveilleuse pudeur* of the sun itself!

p. 151, Stanza 4, l. 3, *Clymène*, mother of Phaeton.

Paul Scarron (1610–60)

Born in Paris, son of a *conseiller au Parlement de Paris*. His mother died when he was three and, on his father's remarriage, he spent part of his childhood at Charleville. Took minor orders, and after several years of a fairly gay life obtained a canonry at Le Mans (1633). Continued, however, to reside mainly in Paris. At the age of twenty-eight became paralysed by some form of rheumatic fever or desseminated sclerosis. It would appear that an ignorant doctor who treated him on a false diagnosis for a venereal infection made him completely immobile – a tragic fate for an elegant little man who had liked dancing ballets. His courage and good humour brought him a host of loyal friends. The Queen Mother gave him a pension, and he liked to call himself *le malade de la Reine*. He launched the craze for *le burlesque* with his *Tiphon* and *Virgile travesti*, and his *Roman comique* was an immediate success. In 1651 he announced that he was off to America (Orinoco probably): 'Je renonce aux vers burlesques, aux romans comiques, et aux comédies, pour aller dans un pays où il n'y aura ni faux béats ni filous de dévotion, ni inquisition, ni hiver qui m'assassine, ni fluxion qui m'estropie, ni guerre qui me fasse mourir de faim' (the Fronde was starving Paris). It did not come off but, within a year, he had married a young girl of fifteen, the granddaughter of Agrippa d'Aubigné, the future Mme de Maintenon. Tallemant's account indicates Scarron's good heart in this affair too, but he adds that he became too much of the professional wag. He died bravely after the aggravation of his illness in 1660.

Le Tiphon ou la Gigantomachie (1644); *Le Virgile travesti*, completed in 1652; *Œuvres complètes* (Paris, 1951–); *Œuvres diverses*, crit. ed. Cauchin (Paris, 1948).

See: Th. Gautier, *Les Grotesques* (1844); Émile Magne, *Scarron et son milieu* (Paris, 1905).

p. 153, SONNET: *Assurément, Cloris, vous me voulez séduire*. An early sonnet. Compare Saint-Pavin but also for irony with La Sablière.

p. 153, SONNET SUR PARIS. The spirited description of Paris is a free imitation of Góngora's sonnet, *Una vida bestial* (included in edition of 1654).

p. 154, CHANSON A BOIRE: *Si l'on me voit devant Mardic*. Written in July 1646 or before 23 August when Mardyck was captured. The Maréchal de Gassion (1607–47), one of the most seasoned French generals of the Anti-Habsburg War (he had served under Gustavus Adolphus and saved his life at Ingolstadt) was killed the following year at Lens.

Stanza 3, l. 1, *d'Enghien*, the Prince de Condé (1621–86), the victor of Rocroi.

p. 154, CARTEL DE DÉFI: *En qualité de Jobelin*. Scarron's comment on the furious and frivolous *querelle* as to the merits of two indifferent sonnets written by Voiture (*Il faut finir mes jours en l'amour d'Uranie*) and by Benserade (*Job de mille tourments atteint*). All this divided the fashionable salons at the moment of the Fronde. Sarasin's *Glose* on Job is clever; Corneille's efforts to compose the quarrel are amusing but not as revealing as Scarron, who does at least bring us back to Job (from the land of 'Hus'), and does so with a use of *vers mêlés* which looks forward to La Fontaine.

Isaac de Benserade (1612?–91)

Born at Paris of a family *de petite noblesse*, probably in 1612. Baptism attested in Paris, 1613. Other accounts claim he was eight when he was rebaptized as a Catholic and told the priest he would stick to his Jewish (i.e. Protestant) first name. His first success on the stage, *Cléopâtre* (1635), may therefore well have been when he was thirty and not twenty-two. A clever, red-headed man, he had the facility, verve, vanity and impertinence of Voiture, whose place at the Hôtel de Rambouillet he assumed temporarily while the latter was in Brussels and Spain. He contrived to be pensioned by Richelieu and later by Mazarin on a more handsome scale. His coach, however, was financed by Mme de Rocheguyon until they quarrelled. The *Querelle d'Uranie* (*Sonnets de Job*) took place in 1648–9. Benserade's durable success was founded on his talents as a composer of *vers de ballet*, where *équivoques* or *jeux d'esprit* on the dancer's role and his real-life identity were appreciated, and his success was finally assured by his collaboration with Lully, giving the two men a most profitable monopoly. At an earlier date – in the thirties and forties – he had a group of somewhat solemn friends like Chapelain, Patru and Ablancourt – even the young Pascal. In the fifties it was rather Saint-Évremond and his group (see Adam, *Histoire* III, pp. 168, 169). The shadow which fell over his last years was the fiasco of the *Métamorphoses d'Ovide en rondeaux*. At the Academy (from 1674) he appears as a 'modern', hostile to Racine and Boileau (as he had been to Molière) but friendly to La Fontaine.

Œuvres complètes (1668–1752), etc. See: C. Silin, *B. and his Ballets de cour* (Baltimore, 1940).

p. 156, ÉPITAPHE DES PLUS GRANDS HÉROS.

p. 156, ÉPITAPHE D'UN HOMME DE NÉANT ORGUEILLEUX.
Both from *Les Ci-Gît.*

p. 156, L'HOMME CRÉÉ – RONDEAU. One of the much-criticized series, *Les Métamorphoses d'Ovide en rondeaux*, which provoked the rondeau attributed to various hands:

A la fontaine oú l'on puise cette eau,
Qui fait rimer et Racine et Boileau,
Je ne bois point ou bien je ne bois guère.
Dans un besoin si j'en avais affaire,
J'en boirais moins que ne fait un moineau.

Je tirerai pourtant de mon cerveau
Plus aisément, s'il le faut, un rondeau,
Que je n'avale un plein verre d'eau claire
A la fontaine.

De ces rondeaux un livre tout nouveau
A bien des gens n'a pas eu l'heur de plaire;
Mais quant à moi, j'en trouve tout fort beau,
Papier, dorure, images, caractère,
Hormis les vers, qu'il fallait laisser faire
A La Fontaine.

p. 157, AIR: *Il n'est livre ni raison.* This celebration of his house at Gentilly is the most successful of two exercises in the same vein, though the hesitation between seven- and eight-syllable lines – let alone six! – may disturb.

p. 158, Stanza 3, l. 1, *Cet empereur ridicule.* Perhaps Commodus who fancied this disguise.

Jean-François Sarasin (1614–54)

Son of a *trésorier de France* at Caen. Tall, good-looking and well educated, he was introduced by Mlle Paulet into Paris society. Frequented several *salons* including the Hôtel de Rambouillet, where he almost established himself during Voiture's absence abroad. Chavigny, one of Richelieu's chief lieutenants, took him under his wing and he accompanied him on a visit to Italy in 1637. His ambition was to serve the Condé-Bourbons and the *grande passion* of his life was his devoted adoration of the sister of Condé and Conti, Anne de Bourbon, the future Duchesse de Longueville, La Rochefoucauld's mistress during the years of the Fronde. In 1644 (a year after contracting marriage – briefly – with a rich widow) Sarasin left Chavigny for Paul de Gondi, the future Cardinal de Retz and, three years later, with his protector's help, he became secretary to the Prince de Conti. Henceforth his life was inextricably mixed and his movements – Normandy, Bordeaux, Roussillon, Languedoc, with occasional visits to Paris – determined by the kaleidoscopic changes of the Fronde. His death at Pézenas (1654) was more probably due to a fever than to poison administered by a jealous Catalan husband, but Conti's patent ingratitude to the man who had achieved his marriage to one of Mazarin's nieces coincided with it.

During Sarasin's lifetime his manifestos, his letters for Mme de Longueville, his *Pompe funèbre de Voiture* and *Dulot Vaincu ou la Défaite des bouts-rimés* appeared. Ménage and Pélisson collected his works after his death and published them two years later.

Œuvres, ed. P. Festugière, 2 vols. (Paris, 1926).

p. 158, CHANSON: *Nommer un ange . . .* There is an enigmatic title on a MS version: *Couplet à une Écossaise dont le petit monsieur est amoureux . . .*

p. 159, ÉPIGRAMME – A UNE DAME SUR SA PÂLEUR. Addressed to Françoise Bertaut, his Philis (*ange* no. 2), who married the aged Président de Motteville in 1639 and left for Rouen. On his death in 1642, she returned to Paris. Author of important *Mémoires*.

p. 159, VILLANELLE. See Introduction, p. xcvii. It is difficult not to associate this song with Mme de Longueville. Set to music anonymously. This song, exquisite and yet only one remove from many a folksong, as the *rossignol* is there to remind us (stanza 6), is not a *villanelle* in any ordinary sense of the term. It has no refrain. The title is perhaps the author's way of suggesting its nearness to the Italian *villanella*, a village song or dance. (The most familiar type of *villanelle* is Passerat's *J'ai perdu ma tourterelle.*)

p. 160, AIR DE COUR: SUR LE CHANT DE M. D'ELBŒUF. See Introduction, p. xcviii, on Mme de Longueville's *accouchement* in the Hôtel de Ville. The Elbœuf family (Guises) were the subject of a quantity of topical songs of the Fronde. *Le parc de Poissy* was the assembly point for all the beef supplies from north of Paris.

p. 161, DU PAYS DE COCAGNE. See Introduction, p. xcviii. This excellent *ballade* (genre restored to fashion by Voiture) may well be inspired by the Duchesse de Longueville's adventures in Normandy after her escape from Paris.

Stanza 1, l. 9, *disant 'pays' en Normand*, that is 'in one syllable', as the following line confirms.

l. 10, *pays de Cocagne*, land of (legendary) milk and honey.

Stanza 3, ll. 1–2, *Amadis . . . Oriane*. The love of Amadis for the English princess Oriana is the one link between all the romances which concern this hero.

l. 9, *Turpin*. The chronicle, solemnly declared genuine by a medieval pope, has become a byword for unreliability.

Envoi, *Caux*, etc. The domaine of Yvetot (in the *pays de Caux*) claimed sovereignty until the sixteenth century and its lords took the title of king.

p. 162, CHANSON: *Thyrsis, la plupart des amants.*

Last stanza, l. 4, *Donner Jodelet*. To 'play the Jodelet' – after the famous *farceur* (*enfariné*) utilized by Scarron and Molière – is just one of the talents which Sarasin possessed.

p. 163, SUR L'AIR: *Et oui, par la morguienne . . .* The most topical of Sarasin's songs written at the end of July 1650. It was hoped by the poet and all his friends that Turenne's army advancing from the east would take Vincennes and liberate Condé, his brother Conti and their brother-in-law Longueville, imprisoned there. Beaufort, 'le roi des Halles', Mme de Chevreuse and Mme de Montbazon were all notable enemies of Mazarin.

François Maucroix (1619–1708)

La Fontaine's lifelong friend, who became canon of Reims. Tallemant has given us some account of his melancholy love affairs and his grief for the death of the wretched Mme de Brosses. He was both scholar and poet. The ode printed (p. 164) shows that Malherbe's grandiloquent style, which was so admired by the young La Fontaine (see p. c), could still bear fruit. *Les Malheurs de la guerre* is a deeply felt protest against the extreme misery produced by the years of the Fronde, following on the wars of the previous reign – twenty years, as the poet notes in the second line.

Pierre d'Auteille, Baron de Vauvert (c. 1620–?)

A friend of Molière to whom he gave a part in the *Ballet des incompatibles*, he played in Montpellier in 1653 for the Prince de Conti. Later *conseiller à la cour des comptes de Languedoc*. His verses appeared in the *Recueil Sercy* of 1657.

p. 166, STANCES SUR UNE DÉBAUCHE. This composition – more in the nature of an emblematic series – is wittier and more elegant than Brébeuf's *Hôtel des ragoûts*.

p. 166, LE SEL (follows on *Bouteilles et verres* and *Vin*).

p. 166, L'ORANGE (precedes *L'Artichaut*).

p. 166, L'AIL (end of the series).

Jean de La Fontaine (1621–95)

Born at Château-Thierry, where his father was *maître des eaux et forêts*, a post which the poet was to inherit. At the local college his lifelong friend, Maucroix, also studied. At twenty, Jean spent a year at the Oratorian Seminary at Juilly, but found *L'Astrée* more engrossing than St Augustine. The declamation of a Malherbe *ode* is said to have revealed to him his poetic vocation, but it was during his law studies in Paris (1645–7) that his group of literary friends was constituted round Paul Pellisson (see p. cv) through whom, as well as through his wife's uncle, he was to be drawn ten years later into the orbit of Fouquet, his first important patron, to whom he dedicated his *Adonis* in 1658. Fouquet's encouragement led to the *Songe de Vaux*, a group of descriptive episodes incomplete when the *Surintendant* was arrested (September 1661), leaving La Fontaine without protector or pension. In the fifties he had married, produced a son, and left his wife – a separation partly due to financial difficulties. Having found a new patron in the dowager duchess of Orléans in 1664, he began that year to publish the first series of the *Contes et nouvelles en vers tirées de Boccace et de l'Arioste*, and in 1668 the first six books of the *Fables*, dedicated to the Dauphin. The following year *Psyché* appeared (with *Adonis*). The novel was only moderately successful with the public, though the dramatic version, written with Corneille, Quinault and Lully, was greatly applauded. With this exception, La Fontaine's varied dramatic ventures were curiously ill fated.

A new collection of *Contes*, published *sub rosa* in 1674, gave offence to the authorities for its anticlerical bias. In 1678–9 appeared the complete *Fables*, as now divided into twelve books. Meantime in 1672, after the death of the Duchesse d'Orléans, La Fontaine was offered hospitality by the charming Mme de La Sablière (wife of *le grand madrigalier*, see p. 185), in whose house he lived for twenty years. In 1684 he was eventually elected to the Academy, where he was a moderate supporter of *les Anciens*. Two years before his death his confessor succeeded in persuading him to make a rather exaggerated and humiliating retraction of his *Contes*.

Principal works quoted in notice above. Among the innumerable editions may be mentioned the *Œuvres*, pub. H. Régnier in 11 vols (1883) and ed. La Pléiade by P. Clarac, 2 vols. (1942).

See: P. A. Wordsworth, *The Young La Fontaine* (Evanston, 1952); P. Clarac, *La Fontaine, l'homme et l'œuvre* (Paris 1947); Margaret Guiton *La Fontaine, Poet and Counterpoet* (New York, 1961); Odette de Mourgues, *O Muse, fuyante proie . . .* (Paris, 1962).

p. 167, ADIEUX DE VÉNUS A ADONIS MORT (Fragment). This passage is the end of the poem – the lamentations of Venus over the body of the dead Adonis. See Introduction, p. xcix, for the circumstances in which the poem was first written, to be published more than ten years later in January 1691. Ovid (*Metamorphoses* X) describes the anemone which was to grow from the nectar shed upon the bloody corpse and which serves to link the story with the still extant spring festival of antiquity associated with Adonis. The grief of Venus is the whole subject of the passage, more admired than the elaborate account of the boar hunt in which the miraculous though mortal son of Myrrha meets his death during Venus' absence on her cosmic duties.

ll. 25 et seq. Passage which recalls Orpheus' lament for Eurydice a few pages earlier in *Metamorphoses* X.

p. 168, ÉLÉGIE VI: *pour Monsieur le comte de?* First published in *Œuvres posthumes* (1696). Attributed to 1663 'élégie pour un prisonnier'.

p. 169, L'HYMNE A LA VOLUPTÉ (from *Psyché*, pub. 1669, a year after the *Fables*). On *Psyché*, La Fontaine's splendid fairy story for grown-ups, see Jean Rousset's pages in *Intérieur et extérieur*, pp. 115–23, and Introduction p. c.

This *Invocation* of the pleasure principle – *aimant universel de tous les animaux* – is the close of the story as related in the gardens of Versailles by Acante (no doubt La Fontaine himself) to his friends. He has just reached the end of his version of Apuleius' story with the immortalization of Psyche and the birth of a daughter to Love and Psyche, whom men are to worship under the name of *Volupté*.

The universal appeal of *Volupté* is what makes the poets sing, the athletes run, and to which the pleasures of sense as well as art and the charms of feminine beauty all owe their appeal, even resistance to one's own desire. This philosophic sweep leads to the personal prayer of a subtle and sensitive man, with the regret that only thirty years should perhaps remain. He achieved twenty-five but finished them in a hair shirt.

p. 171, L'ASTROLOGUE QUI SE LAISSE TOMBER DANS UN PUITS (II, 13), from Aesop, 19, 166, *Astrologus*, also Saadi, *Gulistan* (where the star-gazer goes home to find a friend making love to his wife). Also similar fable in Corrozet. Benserade devotes two quatrains to the theme where the astronomer's house is robbed. In Plato's *Theaetetus* the anecdote is related as having happened to Thales himself. Voltaire, strange to say, found the subject 'ill chosen' for a fable.

l. 1, *Astrologue* still in the seventeenth century the synonym of *astronome*.

ll. 10, 11, *Livre du Destin . . . Homère et les siens*. Not mentioned by Homer but plenty of figures of Destiny with her scroll exist.
les siens, poets in general.

l. 24, *de la Sphère et du Globe*, i.e. the celestial sphere and terrestrial globe.

l. 30, *Le firmament. . . .* Furetière's dictionary still defines it as the uppermost heaven to which the fixed stars are attached; whereas *astres* are here the planets each with their own motion.

p. 172, l. 6, *Charlatans*, etc. The alliance of quack doctors and judicial astrology was founded on the principle of the microcosm (man) and the macrocosm. Astrology had been under attack since the beginning of the century.

l. 8, *souffleurs*, the current name for alchemists, but more particularly those involved in the alleged transmutation of metals.

p. 172, LES ANIMAUX MALADES DE LA PESTE (VII, I). The first of the new 1678 series of the *Fables*, dedicated to Mme de Montespan, *Olympe*, then Royal Mistress for ten years.

Les Animaux, a model of the fable which becomes a miniature drama and reflects the refined iniquities of organized society. The subject of lion, wolf and ass figures in Guérault's first book of *Emblèmes* as also in one of Strapparola's *Facetiae*. The fable has been analysed *ad nauseam* as an example of dramatic technique without perhaps emphasizing how even sentence (and verse) structure contribute to this end. Thus the *entrée en matière*, a six-line unit, thanks to the whole complicated sentence dividing *un mal* from the *faisait la guerre*, acquires a surprising breadth and intensity while stated wholly in general terms. The more specific description offers eight aspects in as many verses before we arrive at the *conseil du roi* involving a change in narration.

p. 173, l. 2, *On fait de pareils dévouement*. For the whole subject of the *pharmakos* or scapegoat see James Frazer, *The Golden Bough* (abrd. ed. London, 1924), pp. 373 et seq. (periodic and occasional expulsion of evils). The classical example of T. Decius Mus involves a voluntary 'self-devotion' which is hypocritically offered by the lion and proposed to the assembly.

p. 174, LES DEUX PIGEONS (IX, 2). The subject goes back originally to the Sanscrit *Pança tantra* (3rd century A.D.) attributed to the Brahmin, Bidpay, and known to La Fontaine as *Le Livre des lumières* in a verbose and digressive form.

l. 12, *zéphyrs*, i.e. the spring.

p. 175, l. 19, *lier*, the proper word in falconry for the taking or seizing of a hawk's prey.

ll. 36 to end. The nineteen lines of La Fontain's nostalgic personal reflexions at sixty-eight are what constitute the special attraction of this fable. Compare with those of *L'Hymne à la Volupté* (p. 169).

p. 176, LE BERGER ET SON TROUPEAU (IX, 19). From Laurent Abstemius's *Hecatomythion* (a sixteenth-century collection).

A wonderful example of narration which begins *in medias res*. The shepherd's funeral oration has the true popular flavour – humorous yet touching – which Rabelais knew how to find. Robin-Mouton is in fact a reminiscence of a scene in *Le Quart Livre* (ch. 6), and Guillot (l. 12), the name of the shepherd, is also in *Fables*, III, 3.

p. 177, LE SONGE D'UN HABITANT DU MOGOL (XI, 4). The anecdote is one of the most direct reminiscences of Saadi's *Gulistan* where it is a dervish who dreams he sees the king in paradise and the holy man in hell. It appears that the king trusted in holy men, but the holy man only in kings. The praise of solitude reflects Virgil's *Georgics.*

l. 1, *Mogol.* La Fontaine uses the word both for country and king.

l. 8, *Minos*, judge of the dead.

ll. 22 et seq., *Solitude*, see Introduction, p. lvi, and reference to Karl Vossler's *Poesie der Einsamkeit.*

ll. 5–8, *des Cieux / Les divers mouvements . . . nos destins et nos mœurs différentes.* The theme of a 'scientific poetry' is dear to La Fontaine and the different destinies of men, though he elsewhere rejects indignantly astrology (i.e. the influence of *les clartés errantes*) as invalid (*L'Horoscope* and above *L'Astrologue*).

178, LE JUGE ARBITRE, L'HOSPITALIER ET LE SOLITAIRE (XII, 29). This 'fable' based on a chapter of Arnaud d'Andilly's *Vie des saints pères du désert* is La Fontaine's final word, as he says, or 'spiritual testament', written a few months before his death in 1693. The three young student friends become *solitaires* and choose their vocations. The cost and slowness of judicial procedure gave rise in the seventeenth century to the experiment of *appointeurs*, a kind of private ombudsman under ecclesiastical influence. The thankless task of tending the sick is one which, one is obliged to reflect, La Fontaine had plenty of time to observe, lodged as he was by Mme de La Sablière close to *les Incurables*, to whom she had devoted her whole life for the past five years. Andilly's third young man fills a glass with water and holds it up to the light, as in the fable.

179, ll. 33–4 . . . *demeurez au désert. / Ainsi parla le Solitaire.* Given La Fontaine and Mme de la Sablière's acquaintance with Rancé, it could well be la Trappe or simply a Chartreuse community which figured in La Fontaine's mind and not Port-Royal, since the contemporary engraving shows the *solitaire* in a monastic robe, contrary to the custom of *les Messieurs de Port-Royal.*

Jean-Baptiste Poquelin, dit Molière (1622–73)

›n of one of the patentee upholsterers to the King, he received a good lucation at the Collège de Clermont, the Jesuit house in Paris. At twenty-ıe he founded, with Joseph and Madeleine Béjart, the Illustre Théâtre, an actor. On its failure, he spent with his colleagues thirteen years in the :ovinces, during which he wrote and performed *L'Étourdi* and *Le Dépit noureux*, as well as a couple of farces in the Italian manner (*Commedia ll'Arte*). The real foundation of his success in Paris came a year after the :st verse plays with *Les Précieuses ridicules* in 1659 – a farce in which he revived the Hotel de Bourgogne tradition, adding a topical finesse. The development of this kind of play into the *comédie de caractère*, with all its heritage of farcical exaggeration, leads on to *L'École des femmes*, *Don Juan*, *Tartuffe*, *Le Misanthrope* and the other great plays. One need only mention here the *comédie-ballet* formula, which also helped to make his success at court, despite his many enemies.

p. 180, REMERCIEMENT AU ROI. Molière's tribute to the King in 1665 when, during the tempest provoked by *L'École des femmes* (and which prompted Molière's two stage *ripostes*), Louis awarded him a pension of 1,000 livres – a third of what Chapelain was receiving at this date.

p. 181, l. 25, *Grattez du peigne à la porte* . . . One never knocked on the King's bedroom door, but scratched – usually with one's pocket comb.

p. 182, l. 13, *la chaise*. The chair on which the King was seated at his *levée*.

p. 183, STANCES (from *Les Délices de la poésie galante*).

Paul Pellisson-Fontanier (1624–93)

Born at Béziers of a Protestant family. His father was *conseiller* at Castres and he followed in his father's footsteps. After smallpox had deformed his features, he gave up the bar and came to Paris on the advice of Conrart. His *Histoire de l'Académie Française* appeared in 1653 and the Academy elected him as a member. Fouquet chose him as his *homme de confiance* and like his master he was imprisoned in the Bastille for four years. He had the courage to write from his prison three memoranda in defence of the *Surintendant*, and this fidelity later served to gain the King's esteem. He was converted to Catholicism in 1670 and became Historiographer Royal. His friendship with Madeleine de Scudéry was celebrated. For years *la fauvette* and *le roitelet* wrote to each other daily.

As mentioned (Introduction, p. civ), the principal publication of Pellisson – apart from the history of the Academy (continued by d'Olivet) – was the *Recueil de pièces galantes en prose et en vers*, composed by Pellisson, the Comtesse de la Suze and others.

See: F. L. Marcou, *Étude sur la vie et les œuvres. . . .* (1859).

p. 184, STANCES: *Vous n'êtes que pouvoir, je ne suis que faiblesse.* (*Recueil La Fontaine*, 1671.) See Introduction, p. cvi.

p. 184, DURANT LE GRAND VENT A LA BASTILLE. For Pellisson's imprisonment, see Introduction, p. cv. It lasted four years, during which his defence of Fouquet brought him much admiration. The minutes of their confrontation have disappeared, doubtless because these were too favourable to Fouquet. Apart from Pellisson's long *Eurymédon*, another defence under classical disguise, there are other verses which pass under the title of 'invented from the Greek'.

Antoine Rambouillet, Marquis de La Sablière (1624–79)

The second son of Nicolas de Rambouillet, a highly successful Protestant financier, was the brother of Tallemant des Réaux's wife. With La Fontaine, Paul Pellisson and Furetière, he was a member of a group of poets, 'les Chevaliers de la Table Ronde', who were all in varying degrees involved in Fouquet's fall. He married Marguerite Hessein in 1654, but parted after a few years. The *Iris* of so many of his *madrigaux* was Manon van Ghangelt, the daughter of a Dutch banker who had been the partner of his father as a tax-farmer. She died quite unexpectedly and Antoine appears to have been shattered by her death and died a year later in 1679. Many of La Sablière's *madrigaux* appeared in the *recueils* (from the *Recueil Sercy* of 1656 onwards). They were published as a collection in 1680 and have never been completely forgotten, having been reprinted in 1758, in 1825 by Charles Nodier and in 1879 by Prosper Blanchemain.

Madrigaux (as above).

See: Walchenaer, *Histoire de . . . La Fontaine . . .* (1820); A. M. Boase, 'Le Grand Madrigalier' in *De Ronsard à Breton, Hommages à Marcel Raymond* (Paris, 1967).

p. 185, MADRIGAUX. This Italian term was first employed in French by Mellin de Saint-Gelais. Richelet's *Dictionnaire* (1680) says: 'C'est une espèce d'épigramme amoureuse composée le plus souvent de vers inégaux. Elle a pour matière l'amour . . . Son caractère est d'être tendre, polie et délicate.' It would be hard to find a more exact description of La Sablière's poems in general.

p. 185, I: *Que mon Iris me plaît lorsqu'elle est négligée* (*Recueil Sercy*, 1656). The Venus and Adonis motif is given a pictorial element which only finds its fullest realization in certain poems of Baudelaire; but it is a long way to *Les Bijoux*.

p. 185, II: *Dans ce lieu bienheureux où tout plaisir abonde* (*Recueil Sercy*, 1660). It does not seem absurd to see here the possible evocation of La Folie Rambouillet or Le Jardin de Reuilly, constructed by La Sablière's father. Its beauties are described by Sauval. It was open to the public.

p. 186, III: *Éloigné de vos yeux, mon ange* (*Madrigaux*, 1680, also *Recueil Barbin*, 1692).

p. 186, IV: *A force de m'aimer tu me rends misérable* (*Madrigaux*, 1680, also *Recueil Barbin*, 1692).

p. 186, V: *Elle est coquette, sotte et belle* (*Madrigaux*, 1680, also *Recueil Barbin*, 1692). If one wishes a gloss on *coquetterie*, it is brilliantly rendered in one of Mathieu de Montreuil's *madrigaux*:

> Hier je rencontrai ma charmante Phillis,
> Les yeux étincelants et la bouche allumée;
> Elle avait sur son teint cent roses contre un lis,
> Et de mille désirs paraissait enflammée:
> Son mari qui dormait sur le pied de son lit
> Fit qu'à l'oreille elle me dit:
> Aujourd'hui je commence à sentir que je t'aime.
> Hélas! depuis longtemps mon ardeur est extrême,
> Lui répondis-je aussi tout bas;
> Mais si nous étions seuls, que feriez-vous, Madame?
> Elle, avec un regard languissant, plein d'appas,
> Comme une femme qui se pâme,
> Me dit en soupirant, ah! nous n'y sommes pas.

Jean Régnault de Segrais (1624–1701)

Like so many poets of his century, Segrais was born at Caen and studied with the Jesuits there. He also died there. His patron, the Comte de Fiesque, obtained for him a position with Mlle de Montpensier as secretary. He followed her in her exile after the Fronde to Saint-Fargeau, where his eclogues were written. After her return in 1657, he remained with her for fifteen years. In her salon he met Mme de La Fayette, whose friend and literary adviser he became. He is the author of the ingenious poem of *La Carte du Tendre*, of which it is enough to quote the first stanza:

> Estimez-vous cette carte nouvelle
> Qui veut de Tendre apprendre le chemin?
> Pour adoucir une beauté cruelle
> Je m'en servais encore ce matin.
> Mais, croyez-moi, ce n'est qu'une bagatelle,
> Ces longs détours n'ont souvent point de fin,
> Le grand chemin et le plus sûr de tous,
> C'est par Bijoux.

Other verses mention Estime, Petits Soins, Révérence and Jolis Vers, but declare Bijoux the best. See: W. M. Tipping, *J. R. de S., l'homme et l'œuvre* (1943).

p. 186, AMIRE – ÉGLOGUE III (abridged). The skilful ease of this passage evokes the same fears of the absent lover which La Fontaine puts in the mouth of his anonymous (and imprisoned) friend (see p. 168). The banal Virgilian beginning has been abridged, and a clumsy final passage (30 lines) omitted.

Laurent Drelincourt (1626–79)

Eldest son of Charles Drelincourt, *pasteur* of the Église de Charenton – Laurent's thesis for Saumur, *De Ecclesiæ nomine atque definitione*, was prepared under the direction of Moyse Amyrault. He was appointed at La Rochelle in 1651, but was prevented from taking up this charge by royal interference with freedom of the Rochellois to choose ministers from elsewhere. He therefore was sent to Niort, where he spent the remainder of his life. He was a friend of Conrart, who much valued his views on the French language. His grammatical observations have been lost. His talent as a preacher was widely recognized and some of his sermons were printed. Drelincourt was stricken with blindness at the end of his life. The *Sonnets chrétiens* (1680) were published shortly after his death and frequently reissued. A paraphrase of the Penitential Psalms was added in 1723.

p. 188, SONNETS CHRÉTIENS. The author's annotations have been reproduced here from the second edition.

p. 188, SUR LA DÉCOUVERTE DU NOUVEAU MONDE (I, 7). See Introduction p. cvii.

Author's notes:

l. 2, 'Un docte Prélat du huitième siècle, nommé Virgile, fut accusé d'hérésie et jugé digne d'excommunication par le Pape Zacharie, pour avoir cru aux Antipodes.'

l. 3, 'L'Amérique ne fut découverte qu'en 1492 par Christophe Colomb, Génois, et en 1497 par Améric Vespucci, Florentin, qui lui donna le nom d'Amérique.'

l. 12, *La Croix de leur ciel.* 'C'est la Croisée ou la Croisade, belle Constellation du Ciel de l'Amérique, composée de quatre Étoiles en forme de Croix.'

p. 188, SUR LA CROIX DE NOTRE-SEIGNEUR (III, 25).

l. 10, *Je dois chercher en moi tes bourreaux inhumains.* Compare Donne, *Holy Sonnets*, XI ('Spit in my face, you Jews, and pierce my side').

François Malaval (1627–1719)

Born at Marseille of well-to-do parents. He was totally blind from the age of a few months, but received an excellent education and was able to keep up correspondence with a wide circle of learned and pious friends. His *Pratique facile pour élever l'âme à la contemplation en forme de dialogue* he was encouraged to expand by Cardinal Bona just before the condemnation of Molinos (see Introduction, p. cviii). It was published as *Instructions familières sur l'oraison mentale pour ceux qui commencent à pratiquer ce saint exercise* in 1685. He had also published his *Poésies spirituelles* in 1671 and in revised and augmented form in 1714. Mme Guyon visited him in Marseille and he found himself eventually involved in the Quietist controversy and his *Instructions* and *Pratique facile* were attacked in Bossuet's famous *Instructions contre le Quiétisme*. Bossuet taunted him with not being a man of learning and rudely ignored his letter of justification. He is also the author of two minor works, one of them against the *superstition des jours heureux et malheureux* (cf. Boileau, p. 198, ll. 6–8).

Apart from works mentioned, the *Dialogue* and *Instructions* have been reprinted in translation by Lucy Menzies in 1932.

See: L. T. Dassy, *Malaval, l'aveugle de Marseille* (1868).

p. 189, LA SOLITUDE INTÉRIEURE. (*Poésies spirituelles*, Livre VI, 4, with the additional title: *sur les paroles du Prophète Osée: Je la mènerai à la Solitude, et je parlerai à son cœur.*)

The *Solitude intérieure* where (as Vaughan writes: 'O for that Night when I in Him / Might live invisible and dim') is that salutary void which God alone can fill.

p. 189. LE SOMMEIL DE L'ÉPOUSE. (*Poésies spirituelles*, Livre VI, 13, with the additional title: *sur les paroles du Cantique: Je dors et mon cœur veille.*)

See Introduction, p. cix. The imagery of the Song of Songs, as renewed by St John of the Cross (see *le père* Cyprien's translation, abridged in Rousset), is here implied throughout. The Bride is the soul.

Stanza 1, l. 8, originally *O quiétude*. This line was changed to *Sans nulle étude* in the revised edition, an indication of Malaval's wish to avoid what had become a scandalous expression.

p. 190, Stanza 3, l. 3, *prises*. Here 'moments of conflict' as opposed to *loi*. In its development the poem is in itself a perfect elucidation of the essential rightness of the Quietist approach to prayer (see Bremond, vols 10, 11).

Étienne Pavillon (1632–1705)

Nephew of Nicolas Pavillon, Bishop of Alais in Languedoc, one of the last bishops to give in to the anti-Jansenist pressure. Became *avocat-général* at Metz but retired young and was a well-known figure of the Paris *ruelles*, an indefatigable rhymer. It was only after his death that his *poésies* were collected. He is often considered as the inheritor of Voiture's gifts.

See: V. F. Lachèvre, *Bibliographie des recueils* (Paris, 1901–5).

p. 191, PRODIGES DE L'ESPRIT HUMAIN. From *Poésies diverses*. See Introduction, p. xcv.

Philippe Quinault (1635–88)

Son of a Paris baker whom Tristan L'Hermite helped to educate. His tragedy *Astarté* (1664) was successful, though ridiculed by Boileau. He helped to create a new love-interest in tragedy, and his comedies were still more successful. His *libretti* for Lully – at least twelve in 16 years – created the French opera or *tragédie en musique*, as it was called. See Introduction, p. cxiii.

See also: C. M. Girdlestone, *La Tragédie en musique (1673–1750)* (Paris, 1972).

p. 191, LES JARDINS DE SCEAUX (abridged). Colbert was the creator of Sceaux. Claude Perrault rebuilt for him the previous *maison de campagne*. Le Nôtre began the gardens which were much enlarged by Colbert's son, Seignelay, who nearly ruined himself in so doing, and sold in 1699 to the Duc de Maine. The layout follows Le Nôtre's plan, but the cascades descending to the *bassin de l'Octogone* are modern. Quinault's delightful description makes it sound as if the statues surrounding the *Octogone* were not yet in position when he wrote.

Nicolas Boileau-Despréaux (1636–1711)

Fifteenth child of sixteen born to Gilles Boileau, usher at the Parlement de Paris, who rose to the rank of clerk. His mother, second wife of Gilles, died when he was eighteen months old, and he had a wretched and neglected childhood. However, his father died when he was twenty-one and he commenced a career at the bar. He was left a handsome capital sum and, having taken minor orders, added a commendatory priory to his income. The *satires* were already under way in 1660 and seven were published in 1666. Boileau's views were formed in part by his learned brother, Gilles, and also the circle of Furetière, Marolles and Cotin, who were protégés of Colbert. The first satire was originally an onslaught directed at Fouquet, the second, dedicated to Molière, shows Boileau's impatience with the *précieux* literature of Mlle de Scudéry, the recent *recueils*, and with the fashionable Quinault. The seventh registers the relative audacity of an attack on Chapelain, dispenser of literary pensions, since Boileau realized that he had nothing to lose by openly decrying the author of *La Pucelle*, already privately a figure of fun. Together with *Le Repas ridicule* (III), the fourth 'contre la raison' and the satire on *la noblesse* which echoes Molière's *Don Juan*, written in the same year, Boileau became a favourite of the taverns, reading his own work. An avowable edition came in 1666. To read him as his first readers did justifies the charge that his satires, hitting out all round, made him *un roquet* (a 'barker'). The added satires, the ninth, his defence, and the eighth, which I give, show him in the more serious mood assumed in *Les Épîtres*.

Boileau, gaining the King's ear through la Montespan and her sister, assumed a new role. Not only the earlier *Épîtres* but *L'Art poétique* as well as the burlesque *Lutrin* were contained in the works published in 1674. Three years later he was made historiographer royal, a post in which Racine was to be associated. The historical products of the pair provoked some smiles, especially Boileau's feeble *Ode sur la prise de Namur* (1693). After his admission to the Academy in 1684, the *Querelle des Anciens et des Modernes* flared up between him and Perrault. His *Réflexions sur Longin* show his critical acumen in a better light.

Apart from works mentioned above, the *Dialogue des héros de roman*, the *Arrêt burlesque* (against the attempt to revive the *ordonnance* forbidding anti-Aristotelian novelties) may be mentioned.

Œuvres, crit. ed., C. Boudhors (Paris, 1934–42), 6 vols.

p. 193, A MONSIEUR MOREL, DOCTEUR DE SORBONNE – *Satire VIII* (abridged). Written in 1667. See Introduction, pp. cxi, cxii. The theme lends itself to an amusing moral sermon and thus replies to those critics who found Boileau's satires merely malicious. He visibly adopts the more earnest tone of Persius, but repeats to some extent the earlier *Satire* II.

The dedication to Claude Morel, doyen of the Sorbonne is, according to Boudhors, to be explained possibly less by his 'jaw-bone of an ass' and his theological rationalism than by the episode in which his passionate arrogance led him to protest against a *curé* who had dared to call the ecclesiastical commissioners 'des ânes bâtés'. The ecclesiastical umpire (*official*) who had to be called in merely decreed that the *curé* 'les débâtera, sauf à les rebâter s'il y échet'.

p. 194, l. 9, *Bussi*. Roger de Bussy-Rabutin, Mme de Sévigné's cousin, had been imprisoned and then exiled a few years before for his scurrilous *Histoire amoureuse des Gaules*, but it appears that this is an allusion to a pseudo-Missal, whose illustrations were of husbands 'illustrés à leur dommage par leurs femmes', and the text supplying their fictitious prayer. The portraits carried the names and attributes of saints.

l. 21, . . . *casque* . . . *froc*. Probable allusion to Roannez, Pascal's friend, who had successively given up his Government of Poitou and his duchy to become an Oratorian recluse.

l. 25, . . . *dixième ciel*. The Empyrean, seat of the deity.

ll. 33 et seq. The dialogue echoes Persius (*Satire V*).

p. 195, l. 6, *Galet*, the *controleur des finances* under Henri IV who, having lost all his money at gaming, had to sell his uncompleted house in the rue Saint-Antoine.

last line, *enfermé de bonne heure*. Omitted here 48 lines, giving a long list of the thefts, violence and wars peculiar to man, allusions to the iniquity of various laws including one decision of impotence by judicial *congrès*, abolished, thanks to Lamoignon, in 1677.

p. 196, l. 24, *Cent francs au denier cinq*, i.e. 20 per cent.

l. 28, *le 'Guidon des finances'*. Title of a book by Jean Hennequin, published 1585 and 1610, etc.

p. 197, l. 23, *Et que sert à Cotin la raison*, etc. The notion that this attack on Cotin was originally the starting-point of the whole *Satire* seems to be a legend created by Brossette, Boileau's confidant. What is undeniable is that we have here his reply to *La Critique désintéressée* and the *Discours au cynique Despréaux*. The open warfare was continued in the 9th *Satire* and, since Cotin was unwise enough to attack Molière as well, a still more virulent vengeance was to be suffered by him in *Les Femmes savantes*.

p. 199, l. 6, *un ieudi*. The day of full session.

Guillaume Amfrye de Chaulieu (1636–1720)

Son of an old Norman family. Educated at the Collège de Navarre with La Rochefoucauld's sons. Friend of Ninon de Lenclos and of the Bouillons. In 1675 he was one of a diplomatic mission to Poland, but failed to get a post as Polish representative in Paris. He was an intimate of the Vendôme brothers, whose *intendant* he became, while enjoying the revenues of several *abbayes*. He thus became the creator of the Société du Temple, home of a non-aggressive epicureanism. Anthony Hamilton and La Fare were among the poets of the group. Tormented by gout and eventually blind, Chaulieu considered his poems as simply *pièces de circonstance*: 'C'est ainsi que j'ai chanté les Amours et le Vin, toujours voluptueux et jamais débauché.'

Œuvres diverses (1750); 'Poésies libertines' in F. Lachèvre (ed.), *Les Derniers Libertins* (Paris, 1924).

p. 199, AU MARQUIS DE LA FARE (abridged). Written in 1708. A typical statement of the Deist creed.

Madame Deshoulières (Antoinette de la Garde) (1637–94)

The daughter of an officer of Anne of Austria's household, she was married as a girl of fourteen in 1651 to a major of Condé's regiment. Their adventures during the Fronde and its aftermath would make a splendid historical romance. Jean Dehesnault discovered her poetic talent and corresponded with her for several years. One of the *femmes savantes* of Somaize, she had a wide circle of friends and admirers. Her friends of the Hôtel de Bouillon and the Hôtel de Nevers involved her in the intrigues against Racine, whose use of Madame de Montespan's protection (elimination of a rival *Iphigénie*) laid him open to attack by all enemies of the royal favourite. Her poems, of which many appeared in collections such as *Le Nouveau Mercure galant* from 1677 onwards, were already collected in her lifetime. She died reconciled with the Church after a long and painful illness.

Poésies, 2 vols (1871); see also F. Lachèvre, *Les Derniers Libertins* (Paris, 1924).

p. 200, LES FLEURS – IDYLLE. See Introduction, p. cv. This sequence of reflections on the short life of flowers (but who die to be born again) ends by finding it a consolation that life is, for the sensitive and the honest, an adventure which for us has no repetition. The tone, the gentle manner with which the 'lesson' is urged, give the poem its real originality.

p. 201, SUR LE PHÈDRE ET HIPPOLYTE DE RACINE. Mme Deshoulières's daughter included this sonnet in her poems a few years after her death. It is said to have been improvised a few days after the first performance of Racine's *Phèdre*, at a supper when Pradon, the rival dramatist, was being entertained. The beauty of it is that apart from the bust of Mlle Ennebaut as Aricie (for which we have only hearsay to judge by), all the other details, if cruel, are strictly accurate. Racine's sonnet in reply, pillorying the Duc de Nevers, was outrageous. The fact is that Racine's attempt to suppress Pradon's *Iphigénie* for the benefit of his own play touched off the whole shabby business.

Jean Racine (1639–99)

The orphan of a *procureur* at La Ferté-Milon, was brought up in a couple of Jansenist communities, the second – from his sixteenth year – being Port-Royal-des-Champs itself. One may guess, as Giraudoux would have it, that the world of Greek imagination, from *Daphnis and Chloe* to the tragedians, were almost the reality for the boy, and his early notes on Aristotle's *Poetics* prove that he gave a Jansenist predestinate interpretation to the tragic ἀναγκη. The abortive attempt of relatives to wean him from the stage by an ecclesiastical apprenticeship at Uzès allowed him to observe detachedly with what intensity tragic passion could appear in real life. His return and his break with his Jansenist pietist milieu coincide with the fifteen years of dramatic activity from *La Thébaïde* (1664) to *Phèdre* (1677). Success did not make him easier in his exacting demands on all associates, as Molière was the first to learn. If la Du Parc, his first mistress, was thrown over for la Champmeslé it was no doubt due in part to the superior dramatic talent of the second. The ministerial order invoked to squash a rival *Iphigénie* produced, in turn, the shabby intrigue against *Phèdre*.

The second crisis in his life saw him abandon the stage, break with Marie Champmeslé, contract a marriage and accept appointment as historiographer royal (with Boileau). Only the entreaties of Mme de Maintenon induced him to write over twenty years later *Esther* and *Athalie* for amateur performance at the girls' school of Saint-Cyr. It is alleged that his courage in conveying a memorandum on the suffering caused by the interminable war brought him into the King's disfavour in the last year of his life.

Apart from the dramatic works, the early *Promenades de Port-Royal* and the *Nymphe de la Seine* – an ode on Louis XIV's marriage – Racine wrote four *Cantiques spirituels* and the hymns of the breviary in translation mentioned below.

A useful résumé of recent trends in critical assessment of Racine may be found in the Short Appendix to Odette de Mourgues, *Racine, or the Triumph of Relevance* (Cambridge, 1967).

p. 202, PROMENADES DE PORT-ROYAL-DES-CHAMPS. ODE III – DESCRIPTION DES BOIS. See Introduction, p. cxi. These six odes were written about 1657–8 when Racine was seventeen or eighteen.

The play of light and shade, the brightness above from which one is closed off (stanza 2), the half-light that seems so dark by contrast (last stanza), as well as the different kinds of deer, bespeak a nice observation, so that only the pun on woods and antlers fully enters into the Marinist world of the *concetto.*

p. 203, CANTIQUES SPIRITUELS. III: PLAINTE D'UN CHRÉTIEN *sur les contrariétés qu'il éprouve au dedans de lui-même.* These *cantiques* were first published in 1697. This one is based on the well-known passage from the end of St Paul's Epistle to the Romans, chapter 7. The poet's son relates in his *Mémoires:* 'Le Roi . . . la première fois qu'il entendit chanter ces paroles . . . se tourna vers Mme de Maintenon, en lui disant: "Madame, voilà deux hommes que je connais bien".'

p. 204, HYMNE A LAUDES (*Aurora jam spargit polum*). The verses of the breviary are closely followed.

Anthony Hamilton (1646–1720)

Born in Scotland, he was brought to France as a child, and only returned with Charles II. His exact connection with the Duke, who strove so hard for an agreement between Charles and the Parliament, is not clear. He left England after the 1688 revolution and was a faithful supporter of James II, frequenting his little court of Saint-Germain. His best-known work is his *Mémoires du Comte de Gramont*, but he also wrote much light verse, praised by Voltaire. In the words of Sainte-Beuve, he ushers in the eighteenth century. His *Contes*, written for the amusement of his sister, the Comtesse de Gramont, owe something to the *Arabian Nights*, just translated in those years.

p. 205, RONDEAU REDOUBLÉ. Sent to the Duchesse de Maine, who is the *Princesse* of the last verse. The appropriateness of *vieux langage* to a eulogy of a chivalrous past is part of the charm of this poem.

Jeanne Bouvier de La Motte, Madame Guyon (1648–1717)

Born at Montargis, married a rich invalid neighbour in 1664 who died twelve years later, leaving her a widow with three small children at the age of twenty-eight. Her interest in the spiritual technique of Quietism was aroused by a missionary cousin, as her autobiography relates. It was through him that she met *le père* Lacombe, who became her confessor and with whom she embarked, in 1681, on a missionary series of journeys centred round work for new Catholic converts, mainly in Savoy, the province from which Lacombe came and in which he had an appointment. In Turin she had one of her most sensational visions. In Grenoble her charismatic power received impressive confirmation. It was there she wrote *Le Moyen court et très facile de faire oraison* (i.e. mental contemplative prayer). In Marseille she met the blind Malaval. Eventually her half-brother, a Barnabite priest, engineered her return to Paris, intending to divide her from Lacombe and keep her in her domestic sphere. By 1687 intrigues initiated by her brother had rigged up forged accusations of indiscreet behaviour against the unfortunate Lacombe, who was arrested and, after a farcical inquiry, was condemned to perpetual imprisonment. His reason eventually gave way. Lacombe's sentence was not unexpected, since this was after the condemnation of Molinos, obtained largely by French diplomatic intrigue in Rome. Four months later, Mme Guyon was confined to the Visitandine convent in Paris by *lettre de cachet*, though her book still circulated with approval. Her spiritual defence under close examination would not have saved her, had it not been for her young cousin, Mme de la Maisonfort, who taught at Saint-Cyr. The King was thus induced to order her release. It was shortly after this that she first met Fénelon, three years her junior, at the house of the daughter of Fouquet, but now one of Mme de Maintenon's close associates.

The friendship with Fénelon and the letters and poems they exchanged for several years did much to train the intelligence of Mme Guyon, but her teaching and unerring intuition in spiritual guidance certainly contributed something essential to his subtle personality.

While the influence of the now devout court had saved Mme Guyon, her charm quickly won adherents and admirers in new circles, especially in the Saint-Cyr school, the apple of Mme de Maintenon's eye. She in turn became somewhat jealous of her influence, though Mme Guyon was now most discreet, but when she was asked to stay away, she was determined to clear herself. Fénelon was absolutely loyal and was to remain so to the end. He was now tutor to the Duc de Bourgogne, the royal heir, and the Ducs de Chevreuse and Beauvilliers were her friends. Apprehensive of what might come, she put herself in the hands of Bossuet. She could not, alas! have made a worse choice, and his duplicity and bullying not only of the lady but of the Pope himself are hard to credit.

In December 1695 she was arrested, by a trick of Bossuet's devising, and taken to Vincennes where lengthy but unsuccessful efforts were made to get her to admit heresy. The battle of the two great bishops continued. Fénelon fell into disgrace, Bossuet obtained at last an unwilling and half-hearted brief from the Pope, and Mme Guyon was kept in prison until 1703, mainly owing to the uncomprehending hostility of the King.

She spent her last years at Blois in the midst of her 'spiritual family', among whom the Chevalier de Ramsay should be mentioned. Many of her poems are said to date from this period. She thus outlived Bossuet, Fénelon and the King himself.

See: Michael de la Bayodère, *The Archbishop and the Lady* (London, 1956) (a good recent account); M. Bremond, *Apologie pour Fénelon* (Paris, 1910); R. A. Knox, *Enthusiasm* (London, 1950).

p. 206, FOI SANS ASSURANCE (Air: *Mon cher troupeau*). One of the poems sent to Fénelon. The correspondence is undated; probably after his disgrace and her release, during her residence at Blois. The search for a simplicity of statement is impressive.

See Introduction, p. cx. The first five stanzas give, with admirable clarity, a cogent reply to some of the accusations she had to face. *L'essence nue* is contrasted with God, as seen in his works or attributes. In the struggle against anthropomorphism the position of Christ – twofold, as he is now and for ever, or as he was seen on earth – meets an obvious objection. The rest of the poem or *cantique* urges the inevitably negative nature of all attempts to make statements about the nature of mystical union – *Ah! que ce langage est barbare . . .*

p. 207, L'ÂME AMANTE QUI NE RESPIRE QU'AMOUR (Air: *Je ne veux que Tircis*) (from *Poésies et Cantiques*, 1790, III, p. 166). Abridged by six stanzas after the first two. Subtitled *Sentiments et transports d'une âme perdue en Dieu et appelée par lui à aider le prochain.* Cf. Introduction, p. cx.

François de Salignac de La Mothe Fénelon (1651–1715)

Of an old Gascon family, he had a brilliant Church career. A protégé of Bossuet, he was sent, after the Revocation of the Edict of Nantes (1685), to convert Huguenots, first in the west and then in Savoy. He became the leader of a devout group round the Duc de Beauvilliers, the tutor of the Duc de Bourgogne, Louis XIV's grandson, and was supported by Mme de Maintenon. In 1689, he became tutor of the young Duke, whom he transformed. He became an Academician in 1699 and Archbishop of Cambrai two years later. At this point, his friendship with Mme Guyon set Bossuet, and eventually Mme de Maintenon and the King, against him. His defence of his position in the masterly *Explication des maximes des saints* was condemned at Rome after shabby intrigues conducted by Bossuet's brother. But the Pope issued a brief, not a bull as Bossuet had hoped. The surreptitious publication of his *Télémaque* in 1699 put him further out of favour with the King. The so-called *Tables de Chaulnes* is the name given to the scheme of reforms to be submitted to a future King, which was drawn up by Fénelon and the Duc de Beauvilliers in 1711.

The long *roman d'éducation* (*Aventures de Télémaque*), despite a certain florid unction, is a remarkable achievement. Fénelon not only showed a comprehension of the Homeric world in advance of his time, but the novel has been described as a 'prose poem'. In fifty copies of *Télémaque* his nephew inserted a few of the poems from his correspondence with Mme Guyon.

Œuvres (Paris, 1848–52; or smaller collection).

See: A. Pizzorusso, *La Poetica di F.* (1959).

p. 209, ADIEU, VAINE PRUDENCE (Air: *Quittons notre houlette*). The descriptive title in the Fénelon correspondence is: *Renoncer à la sagesse humaine pour vivre en enfant*. From this correspondence with Mme Guyon found after his death. Voltaire quoted one stanza of this poem in his *Siècle de Louis XIV* (*Jeune, j'étais trop sage*), parodying a well-known air of Lully. Fénelon's nephew (according to Voltaire) maintained that it was written at the end of his life and in his presence, but Masson has shown that the Fénelon–Guyon correspondence is probably earlier, and that a second poem, *Heureux si la prudence / N'est plus pour nous un bien*, is *her* comment on *his* poem, though printed as his second version.

p. 210, Stanza 5, ll. 3–6. That is, a conditional or limited love of God is worthless.

Bernard le Bovier de Fontenelle (1657–1757)

Born at Rouen, he was nephew of the two Corneilles on his mother's side. Though he was to miss his 100 years by little over a month, he was despaired of as an infant. His *début littéraire* was an unsuccessful tragedy (*Aspar*, 1680), some ingenious *Dialogues des morts* (e.g. Socrates *versus* Montaigne on progress) to be followed by his *Églogues* or *Pastorales* (1688) and a collection of *Lettres galantes*. Like C. Perrault and later La Motte, he was a Modernist in the *Querelle*. The first Fontenelle is a professional *bel esprit*, whom La Bruyère described as 'Cydias', but already one letter tackles the scientific problems of the day: Descartes's views on animals and on colours. The scientific vocation of Fontenelle asserted itself fully in the *Entretiens sur la pluralité des mondes* (1686), where the new astronomy was elegantly expounded 'for the ladies'. Simultaneously, his *Histoire des oracles* was a subtle attack on superstition and credulity which, like the *Origine des fables* (published only in 1724), was not only an illustration of the scientific attitude, but offered the surprisingly modern view that religious myth was not merely the origin of religious doctrine but a form of pre-scientific explanation. Meanwhile, Fontenelle had become a member of the Académie des Sciences in 1697 and, two years later, its permanent secretary. His work as such, and the *Éloges des savants* which sprang from it, made him a central figure in the whole European scientific world.

Poésies pastorales (1688); *Œuvres complètes* (1738–1761), etc.

See: J. R. Carré, *La Philosophie de Fontenelle* (Paris, 1932); Dagens, arts., in *R.H.L.F.* (1966); A. Pizzorusso, *Il ventaglio e il compasso* (1964).

p. 211, SONNET: '*Je suis,' criait jadis . . .* (*Œuvres diverses*, 1722).

p. 212, SUR MA VIEILLESSE (*Œuvres diverses*).

Anonyme (*Chansons populaires*)

p. 212, LA MARQUISE EMPOISONNÉE

Quand le roi en - tra dans la cour pour sa - lu -
- er ces da - - mes, La pre - miè - re qu'il sa - lu -
- a, elle a ra - vi son â - - - me.

See Introduction, p. cxiv. Leroux de Lincy (*Chants historiques*, 1842, Vol. 2, pp. 7–8) is the first to have printed a version of *Marquise*, as sung the previous year to a pupil of the École des Chartes 'par un berger de la Solange'. It is current not only in Saintonge, Forez, but in Canada (reports H. Davenson). The 'historical' element probably reflects the tragedy of Gabrielle d'Estrées, whose sudden death (from eclampsia or convulsions in childbirth) gave rise to the belief that Zamet, the Italian financier with whom she had dined the previous day, had poisoned her on behalf of Marie de' Medici (10 April 1599). It is hardly necessary to show how little the circumstances correspond. The sentimental song which Henri IV did get some poet (N. Rapin?) to improvise on his suggestion, and enclosed in a letter to Gabrielle in 1592, is the well-known *Charmante Gabrielle.*

Marquise formed the scenario of one of the most successful ballets of the *Ballets Joos* under the title: *Ballade.*

Stanza 1, l. 1, *Quand le roi entra dans la cour . . .* Alternative openings in some versions are *Le roi a fait battre tambour* or *C'est le roi entrant dans Paris.*

p. 214, CHANSON A GRAND VENT

Le pau - vre la-bou - reur, il a bien du mal-
- heur. Du jour de sa nais - san - ce l'est
dé - jà mal - heu - reux. Qu'il pleuve, qu'il tonne, qu'il
ven - te, qu'il fas - se mau - vais temps, L'on
voit tou - jours, sans ces - se, le la - bou - reur aux
champs, le la - bou - reur aux champs.

See Introduction, p. cxiv. 'Chanson à grand vent' is the title given in Bresse to the ploughman's song, more particularly to encourage the slow progress of an ox team. The custom is celebrated in a passage of George Sand's *Mare au diable* (1846) under the Berrichon term of *briolage*, whereas *érauder*, *éraudage* and *huchage* are the shepherd's summons to his flock.

The words of *Le Pauvre Laboureur* are judged by Davenson to be 'semi-lettrée, du type chansonnier du Pont-Neuf', but the melody, with its sustained notes and improvised ornamentation, bespeaks its origin in the *briolage*.

p. 215, LES TISSERANDS

See Introduction, p. cxv. Known all over France in various versions, sometimes substituting *cordonniers* or *armuriers*. The Breton version of the air (given here) has a descriptive refrain with its imitation of the flying shuttle.

Couplet 4. Adds in some versions:

Allez à Loudiac, compagnon que vous êtes.

the allusion being to a small town near Saint-Brieuc, once famous for linen-weaving.

Anonyme (Chansons populaires)

p. 216, LES SAVETIERS. See Introduction, p. cxv. Printed in *Le Nouveau Entretien des bonnes compagnies* (1635), with no less than fifteen couplets. It has seemed better to abridge the account of their feast.

p. 217, AU TRENTE ET UN DU MOIS D'AOÛT

Au trente et un du mois d'a - oût, Au trente et
un du mois d'a - oût, On vit ve - nir sous vent à
nous, On vit ve - nir sous vent à nous U - ne fré -
- ga - te d'An-gle - ter - re Qui fen - dait la mer - z - et les
flots, C'é - tait pour at - ta - quer Bor - deaux! Bu-vons un
coup la la bu - vons en deux, A la san -
- té des a - mou - reux, A la san - té du roi de
Fran - ce, Et merde pour le roi d'An - gle -
- terre Qui nous a dé - cla - ré la guerre.

See Introduction, p. cxv. One of the best of the fo'c'sle (*gaillard d'avant*) songs, with their racy nautical details and rousing refrain. The background indicates the incessant eighteenth-century engagements of French and English ships, whether regular naval vessels or *corsaires*.

p. 218, LE RETOUR DU MARIN

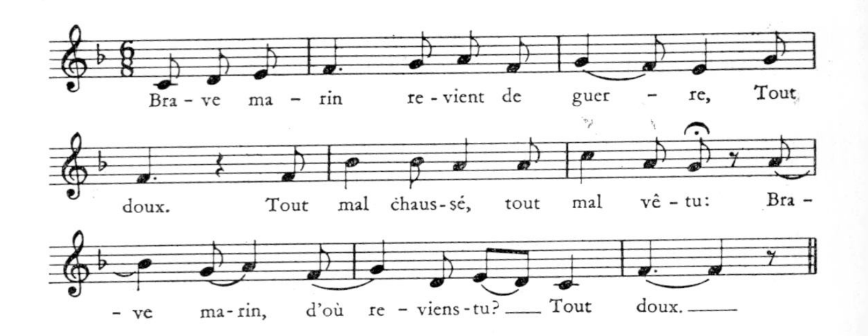
Bra - ve ma - rin re - vient de guer - re, Tout
doux. Tout mal chaus - sé, tout mal vê - tu: Bra -
- ve ma - rin, d'où re - viens - tu? Tout doux.

See Introduction, p. cxv. Pierre Coirault has shown that the air is found, with its pathetic *tout doux*, as part of the repertoire of Paris *chansonniers* at the time of the Revolution. Oral tradition has improved it and married it to the universally popular 'Enoch Arden' theme. The *marin* is sometimes a *soldat qui s'en retourna au régiment.*

p. 219, LA COMPLAINTE DE MANDRIN (OU LES TRENTE BRIGANDS). See Introduction, p. cxv. Collected by Marie-Rose Clouzot, current in Dauphiné and Franche-Comté. It is said that Rameau set it to music at the request of Mme de Deffand. The story of Mandrin has been fully written up in rather romanticized form by Grandpré. It is correct that his trial took place at Grenoble, but the place of execution was Valence. Though the sentence was that he should be broken on the wheel, his conduct provoked such admiration that he was strangled as an act of mercy before the sentence was carried out. See also Erwan Bergot, *Mandrin ou la Fausse Légende* (Paris, 1972).

p. 221, CORBLEU MARION. Celebrated in Berry. Several versions, one with the refrain:

Jésus, mon ami,
J'étais à la fontaine,
Mon fils,
Laver tes bas de laine,
Mon mari.

222, LA BELLE EST AU JARDIN D'AMOUR

La belle est au jar - din d'a - mour, Voi - là un
mois ou six se - mai - nes. Son pè - re la cher-che par -
- tout, Et son a - mant qu'est bien en pei - ne.

See Introduction, p. cxv. As P. Bénichou has indicated (p. 96), Nodier shows that he knew this song in 1819 (*Thérèse Aubert*). Davenson regards it as originally (end of seventeenth or early eighteenth centuries) a rustic imitation of the idyllic poetry of the day. Sung all over northern France, as well testified in Bresse (1883) and the Franche-Comté. The Picard version of Champfleury and Weckerlin (1860) is given.

The opening line in some versions is *Là-bas dans un jardin d'amour* or *Là-bas dans le jardin d'amour*. The second phrasing gives, as Bénichou points out, a more symbolic touch.

223, LES TROIS PRINCESSES (LE POMMIER DOUX)

Allegro moderato
Der - rière chez mon pè - re, Vo - le, vo - le, mon cœur
vo - le, Der-rière chez mon pè - re, Ya un pom - mier
doux, Tout doux, et you, tout doux,
et you, Ya un pom-mier doux.

See Introduction, p. cxvi. This song is still well known in Canada, as well as in the northern half of France. It is vouched for by a version published at Troyes in 1715, but is related to the *Trois serors sur mer rive* of a twelfth-century *chanson de toile*, and a fifteenth-century song, where the three maidens are sheltering under a rosebush. The *pommier doux*, with different couplets to follow, goes back to 1575. The air from *le pays de* Beaune which is given here appears to be the one which the painter François, who was a friend of Nerval's, sang the song to for Tiersot (Bénichou, p. 243).

p. 224, EN REVENANT DES NOCES (A LA CLAIRE FONTAINE)

See Introduction, p. cxvi. This *ronde* appears in the first of Ballard's *Brunettes* (1704). It is referred to in 1834 by Boulay-Paty in his Breton novel, *Élie Mariaker*, and was adopted by the Canadian patriots of the Quebec revolt of 1837. The authorities, Doncieux et Coirault, have each studied in great detail the song and the forms of the air to which it has been sung. The more familiar Lorraine version is given.

In France it is a girl's song, not a man's; but in Canada it is put into a man's mouth. *En revenant des noces* does not refer to the girl's marriage, as has sometimes been supposed. Bénichou also points out that 'il faut entendre que la fleur refusée et le cœur dont elle est inséparable restent réservés au seul ami, qui a eu seulement le tort de manquer de patience', and adds that the suggestion of an obvious symbol, then ignored, imparts a tinge of characteristic humour.

p. 225, MA BELLE, SI TU VOULAIS.

See Introduction, p. cxvi. The most condensed and 'poetic' of any French folksong. To the 'river' and the unending *dormirions ensemble* one can give a whole range of erotic ambivalence more or less at choice. What is curious is to note that the brief text is only the conclusion of a

Ma belle si tu vou - lais, Ma belle si
tu vou - lais, nous dor - mi - rions en - sem - ble lon -
- la nous dor - mi - rions en - sem - ble.

more literate and anecdotal version current in eighteenth-century song books.

> Sur les marches du palais
> y a une jolie Flamande.
> Elle a tant d'amoureux
> qu'elle ne sait lequel prendre:
> L'un est un boulanger,
> l'autre un valet de chambre;
> C'est un petit cordonnier,
> qui a eu la préférence.
> Lui fera des souliers
> de maroquin d'Hollande.
> C'est en les lui chaussant,
> qu'il en fait la demande:
> 'Ma belle, si vous vouliez,
> nous dormirions ensemble . . .' etc.

p. 225, LES FILLES DE LA ROCHELLE.

Well known over the whole Channel and Atlantic coasts, as well as in Canada. Fo'c'sle song with a remarkable mixture of technical term, fairy-tale and a frankly *grivois* ending. The song, as it stands, cannot

Sont les filles de La Ro - chel - le, ont ar -
- mé un bâ - ti - ment, ont ar - mé un bâ - ti -
- ment, Pour al - ler fai - re la cour - se de - dans
les mers du Le - vant. Ah! la feuil - le s'en - vo - le s'en -
- vo - le Ah! la feuil - le s'en - vole au vent.

be older than the eighteenth century (says Davenson), but compare in the Chansonnier Paris-Gevaert (*Que faire s'amour me laisse*):

> Voyez-ci mes amours venir
> En un bateau sur Seine
> Qui est couvert de sapin;
> Les cordons en sont de soie,
> La voile en est de satin;
> Le grand mât en est d'ivoire,
> Le gouvernail en est d'or fin . . .

Claude Roy gives the whole text (pp. 82, 83).

p. 226, NOUS ÉTIONS DIX FILLES DANS UN PRÉ.
See Introduction, p. cxvi. One of several genuine songs of oral tradition which have survived simply in the nursery. Nerval suggested (*Bohême galante*, 1852) that it could well be a song of the early eighteenth century (Regency of Philippe d'Orléans). The charming list of names in some versions does not include either Mme de Montbazon, famous for numberless *galanteries* as well as political intrigues against both Richelieu and Mazarin, or the Duchesse Du

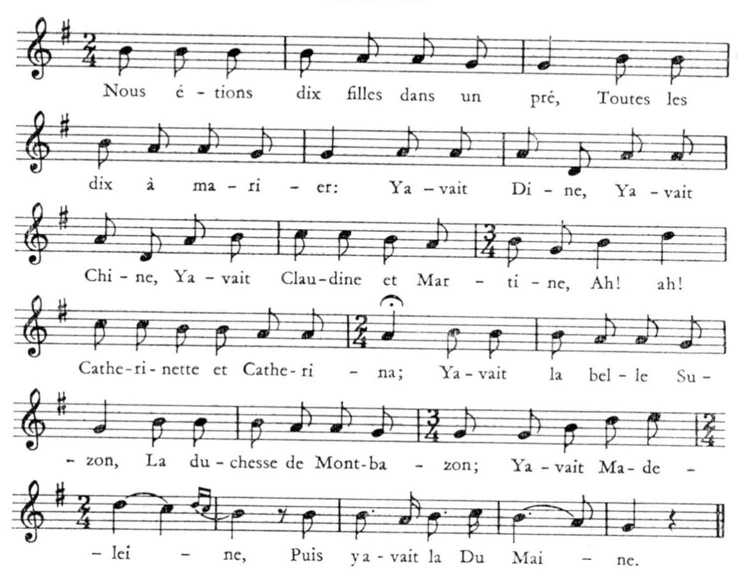
Nous é - tions dix filles dans un pré, Toutes les
dix à ma - ri - er: Ya - vait Di - ne, Ya - vait
Chi - ne, Ya - vait Clau-dine et Mar - ti - ne, Ah! ah!
Cathe-ri-nette et Cathe-ri - na; Ya-vait la bel - le Su -
- zon, La du-chesse de Mont-ba - zon; Ya - vait Ma- de -
- lei - ne, Puis ya-vait la Du Mai - ne.

Maine, Louis XIV's daughter-in-law and granddaughter of the Grand Condé who made Sceaux so famous. A 1547 collection gives a similar song as Spanish, but as imitating a French song (Davenson).

Jean-Baptiste Rousseau (1671–1741)

Born in Paris, his father was a well-to-do shoemaker, who was able to give him a good education at the Collège de la Marche, where the Jesuits admired his literary promise. He was befriended by Boileau, was a social success, enjoyed a stay in England under the ambassador's auspices. His penchant for satire was encouraged by his companions at the Café Laurent, but in 1710 scurrilous verses attributed to him caused a scandal and he was beaten by La Faye, who had been accused of writing them. Rousseau succeeded in getting Saurin arrested on the charge of authorship, but Saurin was able (?) to prove that Rousseau had rigged the whole affair, and he was condemned to damages and was banished from France. He went to Switzerland and then to Venice under the auspices of M. de Saint-Luc, ambassador. He refused the conditional pardon extended to him in 1716 and continued to live in exile, mainly in Brussels. His attempt to return incognito in 1738 was opposed by the legal authorities. He fell ill in Brussels and died there in 1741, still protesting his innocence.

Œuvres (1743) or *Œuvres*, ed. H. Latour (1868).

See: H. A. Grubb, *J.-B. R.* (1940).

p. 228, LA CANTATE DE CIRCÉ (*Cantate* VII). Set to music by J. B. Morin (1706) and by F. Colin de Blamont (1723). See Introduction, p. cxviii.

p. 230, L'AFFECTATION: 'Ode adressée à l'Académie de Jeux Floraux en 1737'. Written at the moment of Rousseau's last attempt to re-enter France. Rousseau bemoans what have generally been considered his own faults. The final appeal to the jury rather spoils the effectiveness of the ode. (*Lettres de J.-B. Rousseau*, Geneva, 1749.)

Antoine Houdart de La Motte (1672–1731)

Born in Paris, his father was a hatter, and he was educated by the Jesuits. His abridged translation of the *Iliad* was furiously debated. His *Fables nouvelles* claimed to be original in a sense in which La Fontaine's were not. His *Inès de Castro* was his great stage success. Like Fontenelle, he supported *les Modernes*, and his critical paradoxes obtained a certain celebrity, largely for his criticism of the limitations of verse as a medium. He continued to write verse, however, and the two charming little songs printed here seem to justify this decision. Elected to the Academy in 1710.

Œuvres (1754).

See: *Paradoxes littéraires de La Motte* (1859); P. Dupont, *Un Poète philosophe au commencement du 18e siècle* (1898); A. Rebelliau, *La Poésie française au 18e siècle*, Rev. Cours et Conférences (1892–3).

p. 233, LES SOUHAITS. This simple song has a strange charm which comes perhaps from its close resemblance to a folksong. It uses repetition in the same way, and its symbols remind one of the metamorphosis theme so common in folksongs.

p. 234, CHANSON DU TEMPS QUI S'ENFUIT. Again a real song: just the right length for its easy 'message'.

Alexis Piron (1689–1773)

Son of a Dijon apothecary. A clever, witty man like his father. He only practised for a short time at the Bar. Came to Paris in 1718. He wrote first for the Théâtre de la Foire and later for the Théâtre Français (*La Métromanie*). His juvenile *Ode à Priape* was held against him forty years later, and prevented his being elected to the Academy. Mme de Pompadour got him a pension.

Gaudrioles chantantes (Paris, 1820?); *Œuvres badines* (Paris, 1928).

See: Paul Chaponnière, *Piron, sa vie et son œuvre* (Paris, 1910 and 1935).

p. 234, CE PETIT AIR BADIN (Air: *Jupin de grand matin*). One of the typical *gaudrioles*.

p. 235, ÉPIGRAMMES. Some of Piron's *bêtes noires*: Voltaire, La Chaussée, the elder Crébillon and the Academy are represented here.

Charles-François Panard (1694–1765)

Born at Courville (Eure-et-Loir). Author of a quantity of vaudevilles, parodies and light comedies. Those published are interspersed with epigrams and *madrigaux*.

Œuvres choisies (1803). See: J.-L. Gonzalle, *Panard et la chanson* (Reims, 1866).

p. 236, LE DÉPART DE L'OPÉRA-COMIQUE. Panard was one of those who, with Collé and Favart, forged the Opéra-Comique by the amalgamation of Les Italiens and the Théâtre de la Foire, though this final development only took place three years before his death.

Stanza 4, l. 4, *D'Amours natifs de Chambéri*. An indication of one form of employment of *les petits Savoyards* – those wretched children who were the little sweeps of eighteenth-century Paris.

The heritage of the mythological ballet and the *pièce à machine* are clearly indicated in this amusing poem.

François Arouet, dit Voltaire (1694–1778)

Born in Paris, the younger son of a lawyer, he was educated by the Jesuits at Louis-le-Grand and kept up his friendship with many of his teachers. His education was completed by Ninon de Lenclos's leaving the boy her library, and by his friendship with the circle of Le Temple. Voltaire's long life is so full and so well documented it must suffice to recall that he had had one dramatic success (*Œdipe*) when the Duc de Rohan's attack and Voltaire's attempt to challenge him to a duel resulted in the exile which took him to England (1726). The publication of *Les Lettres anglaises* in 1734 determined him to take shelter in Lorraine at the château of Cirey with Mme du Châtelet and her husband. The forties were the years when he cultivated the court and was successful in being elected to the Academy. In 1749 the death of Mme du Châtelet left him inconsolable for a while, and Frederick of Prussia took the opportunity to renew his pressing invitation to Potsdam. As was foreseen by many, this ended badly and a new pessimism appears in *Candide*, written just after his escape from Germany. The purchase of Les Délices on the outskirts of Geneva and then of Ferney on the edge of French territory enabled Voltaire to feel secure. His energies were liberated and hardly stopped before the last months of his life. The humanitarian campaigns to correct injustices, the outpouring of *contes*, pamphlets and an enormous correspondence are witnesses to Voltaire's authority and influence, eventually consecrated by the triumphant visit to Paris a few months before his death.

Œuvres complètes (ed. Moland, Paris, 1877–85); under the auspices of T. Bestermann a complete new edition has started, so far mainly the enormous correspondence.

See: A. Noyes, *Voltaire* (London, 1946); Jean Orieux, *Voltaire* (Paris, 1970); R. Naves, *Le Goût de Voltaire* (Paris, n.d.), etc. etc.

p. 239, AUX MÂNES DE M. DE GÉNONVILLE. See Introduction, p. cxix. A schoolfellow and friend. Both of them fell in love with Suzanne de Livry (see *Des vous et des tus* below), but she deserted Voltaire for Génonville. He and Voltaire caught smallpox at the same time, and Génonville died (1723). This poem is one of the many touching indications of Voltaire's cult of friendship.

p. 240, ÉPÎTRE DES *VOUS* ET DES *TU*. See Introduction, p. cxix. Suzanne de Livry (see above), a charming woman but an indifferent actress, whose performances did not help Voltaire's own first play. He supported her with pertinacity and got her an engagement in London, where she met a rich La Tour du Pin who married her. Voltaire's treatment when he called on his former mistress is indicated. It should be added that, on Voltaire's return to Paris forty years later, they did meet and he was horrified at their aged and grotesque appearance, but touched by the fact that she had kept what is the best portrait of him as a young man.

p. 241, LE MONDAIN (written in 1736). See Introduction, p. cxx. Note that it is not only Adam and Eve but the ancient cult of the primitive, which can be found in Fénelon's *Télémaque*, that is laughed at, and *Salente* is the imaginary city where the sage Mentor teaches the principles of good government. With more accent on art and less on economics Fréron's *Épître à M. V. amateur de la belle Nature* goes further in advocating a rococo fantastic art, thus to some extent preparing the reaction of Rousseau's *Premier Discours*.

p. 242, l. 33, *Martialo*, author of the *Cuisinier français.*

p. 243, l. 30, *Bouchardon*, sculptor.
l. 31, *Germain*, 'excellent orfèvre', says Voltaire.

p. 244, l. 12, *Camargo* (1710–70), the *danseuse* who revolutionized ballet. *Gaussin*, actress. *Julie*, unidentified.

p. 245, l. 9, *Huet, Calmet.* Daniel Huet, bishop of Avranches (b. 1630), and Don Calmet, the learned Benedictine (b. 1670), were both ecclesiastical historians.
l. 11, *Le paradis terrestre est à Paris* (1st ed.).

p. 245, ADIEUX A LA VIE (written in 1778, a few months before his death). See Introduction, p. cxxi.
Last stanza, l. 4, *De Polichinelle au néant.* Polichinelle, by his ludicrously violent actions, makes the contrast with *le néant* still more striking.

Charles Collé (1709–83)

Born at Paris, son of a minor legal official at the Châtelet, his facility for writing songs and his good nature made him a favourite with the Duc d'Orléans, for whom he wrote his *répertoire* of *Théâtre de société* (i.e. with parts for amateurs). His best title to fame is the comedy *La Partie de chasse de Henri IV*. His *Journal historique* is entertaining on the literary world of his day.

Chansons joyeuses (1765); *Théâtre de société* (1768); *Recueil complet de chansons* (1805–7).

See: Augustin Thierry, *Trois amuseurs d'autrefois* (Moncrif, Carmontelle, Collé) (Paris, 1924).

p. 246, MON SENTIMENT SUR LES SENTIMENTS.

p. 248, Stanza 1, *l'abbé Lapin* and *Ma cousine Bellombre* are obviously *personages inventés à plaisir* and whose names describe them.

Charles-Simon Favart (1710–92)

Son of a Paris pastry cook, who was also a *poète à ses heures.* He married the beautiful Justine Duronceray, the most popular actress and singer of the day. The first attempts to establish the Opéra-Comique had such success under Favart and his wife that the Comédiens Français got the new theatre closed. The Maréchal de Saxe engaged the Favarts' troupe, but persecuted both of them when Justine refused his attentions. Eventually, Justine had to give way, and thus became the ancestress of George Sand. Fortunately, de Saxe died in 1750, and the Favarts sealed their reunion in the immense success of *Bastien et Bastienne* (1753). The *chef-d'œuvre* of Favart is probably *Les Trois Sultanes*, for which Haydn wrote music. Justine acted till the day of her death, and encountered the usual clerical *chantage*. Favart went blind and lived on into the Revolutionary period.

The typical Favart songs include those with charming, proverbial refrains: *C'est une excuse*, *N'y a plus d'enfants*, *Qu'en dira-t-on*. They often have a curiously modern turn.

Œuvres choisies, 3 vols. (1812).

See: Zacuzzi, *The European Vogue of Favart* (1937).

p. 248, RONDE DE LA PARODIE DE RATON ET ROSETTE. This *ronde* with its lengthening refrain is a form of the *randonnée* of folksong.

François-Joachim de Pierres de Bernis (1715–94)

Born at Saint-Marcel (Ardèche), educated at Louis-le-Grand, then seminarist at Saint-Sulpice. His hesitations about priesthood prejudiced him in the eyes of Cardinal Fleury, the all-powerful minister. His literary career was precocious and he became an Academician at twenty-nine. Thanks to Mme de Pompadour, with whom he was on very good terms, he later became Ambassador in Venice, where he was a great success. Three years later, in 1756, he became a minister, and in 1758 a cardinal and at length decided on the priesthood. After a few years in eclipse, he became Archbishop of Albi. He was ambassador in Rome from 1769 till 1792.

Poésies diverses (1744); *Les Quatre Saisons* (1763); *La Religion vengée* (1795); *Poésies*, ed. Drujon (1882).

See R. Finch, *Sixth Sense* (1966).

p. 250, LE PRINTEMPS (abridged). See Introduction, p. cxxiv. The *sylphe* of this poem should perhaps be studied in connection with a one-act comedy, *L'Amour et les fées*, which Bernis wrote in 1746 and of which the MS is given in the Catalogue Soleinne as folio III, No. 3591, as well as the indications of Bernis's preoccupation with projects of a scientific poetry.

Ponce-Denis Écouchard Le Brun (1729–1807)

Born in Paris, his father was a retainer of the Prince de Conti who saw to it that he was well educated and gave him a secretarial post. Louis Racine, the dramatist's son, also coached him in poetics. His self-advertisement over an ode to Corneille's niece (Mlle Denis) caused some criticism and launched him in the cultivation of satirical epigrams. The odes made his celebrity, hence the nickname of Pindare Le Brun. His elegies were judged feeble and he quarrelled violently with his wife to whom they were addressed. After twenty years a legal separation was obtained by her, and his own mother and sister testified against him. He lost what money he had in a princely bankruptcy (Guéméné not Conti). During the Revolution he was violently Jacobin and Bonapartist after Brumaire, which earned him a garret in the Louvre. He became blind and died in relative poverty. Among his illustrious friends had been Buffon, also Chénier's family and their circle, but he failed to speak out on the injustice of André's death.

Œuvres, 4 vols (1811).

See: Sainte-Beuve, *Portraits littéraires* (Paris), I.

p. 253, LA LIBERTÉ (from first canto of *La Nature*). See Introduction, p. cxxvii. Here at least Le Brun achieves at once and for once real force and sublimity.

Jacques-Charles-Louis de Clinchamp de Malfilâtre (1733–67)

Born at Caen and educated by the Jesuits. He was at an early age *lauréat* of *le Palinod* of Rouen – again and again – his great success being an ode on *Le Soleil fixe au milieu des planètes* (1758), which was reprinted by Marmontel who encouraged him to come to Paris. The *philosophes* soon lost interest in such a *bien-pensant* young man, but Lauraguais (who bought out the noblemen's privilege of seats on the stage) took him on as secretary and he worked for one of the Paris booksellers. His early death was principally due to bad health, though no doubt hastened by poverty. It was Gilbert, another short-lived poet, who created the legend that he died simply because Marmontel and his friends abandoned him. His *Narcisse ou l'Île de Vénus* (1769) is his best work.

Œuvres complètes (1805, etc., or ed. Derôme, 1884).

p. 254, NARCISSE OU L'ÎLE DE VÉNUS.

p. 254, LE PASTEUR DE CITHÈRE (from *Chant* I).

p. 255, NARCISSE A LA FONTAINE (from *Chant* IV).

Jean-François Ducis (1733–1816)

Born at Versailles and educated there. As secretary of the Marquis de Belle-Isle, he was fortunate enough to be given only very light duties and much free time. The work to which he devoted himself was the translation (or adaptation) of Shakespeare's plays. Unfortunately, he did not himself read English. He wrote some indifferent tragedies himself. In a sense the Revolution and the Empire passed him by, his piety unaltered and refusing to accept favours from Napoleon. Several of the serene poems written in his old age have a beauty of their own, not least his last poem.

p. 256, STANCES: *Heureuse solitude.* Ducis wrote as an epigraph at the head of this poem (*Stances écrites peu de jours avant sa mort*) Saint Bernard's exclamation:

O beata solitudo
O sola beatitudo.

Claude-Joseph Dorat (1734–80)

Son of a Paris lawyer, he was left an orphan at an early age. Tired of legal training, he joined the army and only abandoned a military career to please a rich old aunt. He was an enthusiast for drama, and his first play, *Zulika*, was a disappointment. Voltaire encouraged him to write verse, and he considered himself a disciple of Chaulieu and Voltaire. A convivial nature, he was the friend of Colardeau, who launched the fashion of imaginary epistles with his *Héloïse à Abélard*, to which Dorat's reply was judged inferior. Bertin and Parny, the two creole poets, and also Bonnard were among his friends. Both the creoles were officers, and their favourite rendezvous near Paris at Feuillancourt was called La Caserne. Dorat seems to have lived happily with *two* mistresses for years, Mlle Dervieux, a *danseuse* at the Opéra, and Fanny de Beauharnais, whose husband was a relative of Joséphine Bonaparte's first husband.

La Déclamation théatrale, poème didactique (1766); *Mes Fantaisies* (1768); *Les Baisers*, précédés du *Mois de mai* (1770); *Fables . . .* (1772) *Mes nouveaux torts* (1775); *Œuvres complètes* (1780).

See: Desnoiresterres, *Le Chevalier Dorat et les poètes légers du 18 siècle* (1887).

p. 257, BILLET A MLLE . . . (*Mes fantaisies*). See Introduction, p. cxxviii The proposal is like Alceste's invitation to Célimène but the roles are reversed.

Jacques Delille (1738–1813)

Born 'on the wrong side of the blanket', he was put out to nurse by his well-born mother and brought up in a little village of La Limagne, the plain north of Clermont-Ferrand. His father – an *avocat* at Clermont – left him a small annuity and, after showing himself a brilliant scholar, he became professor of Latin and received encouragement from Louis Racine to complete a translation of Virgil's *Georgics*. He read his own verse and his many translations well, and was a social success. The Academy elected him in 1774 with Voltaire's support and, after the publication of *Les Jardins* (1782), he was carried off to Constantinople for a year by the ambassador, De Choiseul-Gouffier. On his return, he was given a chair at the Collège de France. L'abbé Delille survived the Revolution without exile, but acquired, during these years, a dominating wife. He left France for England after Thermidor (July 1794), and it was in England that he completed a translation of the *Aeneid* and of *Paradise Lost* as well as his later works: *L'Homme des champs ou Les Géorgiques français* (1805), *L'Imagination* (1806), *Les Trois Règnes de la nature* (1809) and *La Conversation* shortly before his death from apoplexy. His funeral in 1813 was conducted with a pomp which allows one to measure his reputation. However, this reputation rapidly fell.

Œuvres complètes, ed. Tissot in 10 vols (1837).

See: L. Audiat, *Un Poète oublié: J. Delille* (Paris, 1902).

p. 258, PARC A L'ANGLAISE (from *Les Jardins*, Chant III). See Introduction, pp. cxxx–cxxxi. The first part of this passage was included in *Les Jardins* of 1782, the rest in 1801.

l. 6, *Oatlands*. The allusion is Oatlands Park, near Weybridge. Henry VIII's palace was destroyed during the Commonwealth, but around 1725 Lord Lincoln acquired the grounds, later enlarged by the creation of the still existing Broadwater, which appears as though connected with the Thames. This and the celebrated grotto (in which the allied sovereigns were to have a lunch party in 1815) were due to the Duke of Newcastle. Frederick, Duke of York, had the house (now a hotel) rebuilt after a fire – 'an anomalous mixture of castellated and pointed styles . . .' – and his Duchess continued to live there till her death.

p. 259, last line, *L'imagination la suit et la prolonge*. Cf. William Gilpin's *Five Essays on Picturesque Beauty*: 'Nature gives us the material of landscape: woods, rivers, lakes, trees, ground and mountains; but leaves us to work them up into pictures, as our fancy leads.' Delille is applying this in words.

Stanislas, Chevalier de Boufflers (1738–1815)

Born at Nancy, Stanislas was named after King Stanislas, his godfather. His mother was the most loved and admired beauty of the little court of Lunéville. As a younger son, he was sent to Saint-Sulpice where, still a boy, he wrote the charming story of *Aline de Golconde*, the first of many. As the Church clearly was not going to suit him, he became a *chevalier de Malte* and followed an active military career for more than twenty-five years, though enjoying a benefice with which his godfather had provided him. He retired at forty-seven and to re-establish his fortune obtained in 1785 the governorship of Senegal, where he was a great success, both conscientious and humane. But he was only able to stand the exile for three years and returned in time to be elected as a deputy to the États-Généraux. He went into exile, however, after the King's imprisonment on 10 August 1792, and only returned in 1800, rallying to Napoleon's service.

Poésies et pièces fugitives (1780); *Œuvres complètes* (1799).

See: P. de Croze, *Le Chevalier de Boufflers* (1894).

p. 260, ÉPÎTRE A VOLTAIRE. The background to this charming address to Voltaire is, no doubt, the visit he paid to Ferney in the 1770s and of which he wrote a delightful account in prose.

Nicolas-Germain Léonard (1744–93)

Born at Guadeloupe where his father held a government post, he was sent home to be educated in France. His talent as a poet was already shown by an award from the Académie de Rouen when he was only eighteen. Four years later (1766) came his first collection of *Idylles morales*. The tragedy of his life was an unfortunate love affair. The mother of the girl considered him too poor and not of sufficiently noble birth. She herself who loved him deeply was sent to a convent where she died of a broken heart. The story is given in a novel, *La Nouvelle Clémentine* (1772). He was for many years a diplomatic attaché at the French mission in Liège. After he resigned in 1782 for reasons of health, frequent voyages to Guadeloupe and returns to France (*en convalescence*) punctuated his life. His post as *lieutenant de sénéchaussée* at Pointe-à-Pitre seems to have brought him into trouble with some of the *colons*. After an attempt to assassinate him he was about to set out again in January 1793, just after Louis's execution, when he died in hospital at Nantes.

Œuvres complètes (Paris, 1798); the *Idylles et poèmes champêtres*, ed. Émile Henriot (Paris, 1910), do not contain the *Journée du printemps*.

See: Barquisseau, *Les Poètes créoles au 18e siècle* (Paris, 1949).

p. 261, LA JOURNÉE DU PRINTEMPS (abridged). See Introduction, pp. cxxxii–cxxxiii, for the character of this long poem which only appears in a late collection.

Nicolas-Joseph-Laurent Gilbert (1751–80)

Born at Remiremont in Lorraine of farming parents, who gave him a good education at the Collège de Dôle. His school successes inspired him to go to Paris, where he competed unsuccessfully for an Academy prize in 1772, when his *Poète malheureux* was not given a prize, nor his *Jugement dernier* submitted in the following year. His satires on *Le Dix-huitième Siècle* and *Mon apologie* are entertaining, and he dedicated the first of them to Fréron. He was hostile to the *Encyclopédistes* and, of course, they had no use for him. However, he was not destitute, as the legend has it, for a pension was given him by the Archbishop of Paris. His death was caused by concussion from falling off his horse. It was in the last moments of lucidity that he wrote the famous ode printed here.

Œuvres choisies avec les corrections de l'auteur (Paris, 1903).

E. Laffay, *Le Poète Gilbert* (1898).

p. 266, ODE IMITÉE DE PLUSIEURS PSAUMES. The combination of *alexandrins* and *octosyllabes* (as in Chénier's *Iambes*), though here in strict stanzaic form, gives a kind of firm simplicity which corresponds exactly with the attitude of resignation.

Antoine de Bertin (1752–90)

Born in Réunion five months before Parny, he was sent off to Paris at the age of nine, leaving behind the easy-going life and handsome property of Gol, to which there are several allusions in his verse. Like Parny he was an army officer and very much the *animateur* of Feuillancourt, a property conveniently situated near Marly. The Eucharis whom he celebrated in his verses was probably a creole girl, like the Catilie whom, it is supposed, he set out for San Domingo to marry, for we know that Catilie too had been met by him in Paris and had returned home (1789). On the very day of his marriage he fell ill with a fever, from which he never recovered, but died seventeen days later at the early age of thirty-seven.

Poésies et œuvres diverses (Voyage de Bourgogne), ed. E. Asne (1879).

See: Barquisseau, *Les Poètes créoles au 18e siècle* (Paris, 1949).

p. 267, ÉLÉGIE A EUCHARIS (III): *Deux fois j'ai pressé votre sein.* The third of the *Élégies* addressed to Eucharis (see above).

Évariste-Désiré de Forges de Parny (1753–1814)

Born at Réunion, then called l'Île Bourbon. Sent to the Collège de Rennes at the age of nine. With Antoine de Bertin, he joined the army and formed the circle of 'La Caserne' at Feuillancourt (a property belonging to the latter, near Saint-Germain). In 1773, when he was twenty, his family called him home. There followed the love affair with a Mlle Troussais (Éléonore). They had a child, but his family refused to allow them to marry and Parny returned to France. The first edition of *Les Poésies érotiques* appeared in 1778. In 1785 he went back to l'Île Bourbon with a new Governor-General, only to find (hardly surprising, after all) that 'Éléonore' was happily married. His distress is expressed in the *Élégies*, added to the *Poésies érotiques* in a new edition.

The *Chansons madécasses* (for which Ravel wrote settings with flute and piano accompaniment) were published in 1787, and aim at reproducing (on what basis?) the character of native songs. Having lost all his fortune in the *assignat* operation, he took a post in the Ministère d'Instruction Publique. Married in 1802 (at forty-nine), he was elected to the Academy in the following year. He was house-bound after 1810.

Œuvres complètes (1808); *Élégies et poésies diverses*, ed. A. J. Pons.

See: Barquisseau, *Les Poètes créoles au 18e siècle* (Paris, 1949); De Parny, *Le Chevalier de Parny et ses poésies érotiques* (Paris, 1949).

p. 268, LE REVENANT (from the original *Poésies érotiques*) The hypothetical supposition which the last line reveals gives an added affectionate, but only half-serious, flavour.

p. 269, l. 6, *Cette harpe.* Note that Évariste and Éléonore originally met through music lessons.

p. 269, ÉLÉGIE (VI) (from the fourth book of the Second Edition of the *Poésies érotiques*). See Introduction, p. cxxxiv. The construction of this *élégie* around the scene and character of Réunion ought to be kept in mind. The island (otherwise densely wooded and cultivated) is literally divided by the enormous mass of Le Piton des Neiges (10,000 feet).

l. 15, *Le volcan.* The second highest peak in Réunion bears this name, and the plateau between had a notable eruption in 1778, only five years or so before Parny's second return as Governor's A.D.C.

p. 270, l. 23, *les ravines profondes*. The so-called 'enclosures', which are in fact chasms or drops of more than 600 feet.

p. 271, CHANSON MADÉCASSE (XII of the series). The presentation of natural uninhibited sexuality (cf. Diderot, *Supplément au voyage de Bougainville*), the brutality of native life and the oppression of the white man are all themes expressed in this series of possibly apocryphal 'adaptations'.

Maurice Ravel's settings are referred to above.

André Chénier (1762–94)

Born at Galata, Constantinople, son of Louis de Chénier, French consul-general after being a cloth exporter. The poet was proud of his maternal Greek blood, although the race and origins of his mother are somewhat mysterious. However, this conviction was one of the impulses in his development as a poet (says Francis Scarfe). The family returned to France when he was only three, but his mother who sang Greek songs, danced Greek folk-dances and wrote essays on Greek customs must have powerfully advanced this belief. The boy (third of four sons of the marriage) spent much of his childhood at Carcassonne and at Limoux, before rejoining his mother and youngest brother (Marie-Joseph) in Paris, though his father was away in Morocco as consul there until the boy was grown up. His mother's circle of literary friends, among them 'Pindare' Le Brun (see pp. cxxvi–cxxvii), played as great a part in his upbringing as his schooling at the Collège de Navarre, which was to become the École Polytechnique. It was there that he made some of his best friends – the two de Pange and the two Trudaine brothers, liberal and intellectual aristocrats of rich families. Louis Trudaine supported André financially for several years. His health was never very good and he suffered from attacks of nephritis. In 1782, he was granted a cadetship in the army and commenced his service at Strasbourg. When the commission, which should legally have followed after six months, went by favouritism to another man, he resigned in 1783. He was already busy, not only with varied reading but with the composition of *Les Bucoliques*, which only survive in brilliant fragments. The *Élégies*, which reflect his various rather unhappy passions and pangs of jealousy, were also in progress, as well as plans for various major poems – *L'Invention*, reflecting his interest in science and invention (Montgolfier's *ballon aérien* and Bailly's astronomy were to have played a part in it); *L'Amérique*, of which several brilliant passages were written; and even a Miltonic *Suzanne*. In 1784, he went to Switzerland with the Trudaine brothers and, in the following year, to Italy in the same company.

In 1787, André obtained a post as private (and thus unofficial) secretary to La Luzerne, Ambassador in London, where he remained with intervals of leave until 1790. Here, as in the army, the slight of occasionally not being regarded as the equal of his associates rankled and prepared his enthusiasm for the coming Revolution. Like Alfieri, whom he knew, he was convinced that art and literature could only really flourish with political freedom. His first political gesture (written with father and brothers) – *Idées pour un cahier du Tiers État de Paris* (not published) – shows a shrewd notion of the principles of a constitutional monarchy on the lines advocated by Montesquieu. In November, after the King and Queen had been brought back to Paris, prisoners of the mob, he returned to his London post and came back only in June 1790. He had already enrolled as a member of the Société des Amis de 1789, the first and most comprehensive of the political clubs, dominated by La Fayette, Bailly and the moderates.

When Chénier returned in mid-1790, the drift to mob rule had already gone far. Early that year, François de Pange had issued a pamphlet condemning the encouragement given to informers. In these circumstances, André wrote his *Avis au peuple français sur ses véritables ennemis*, these being not only the émigrés, the Austrians and the English, but also the enemies at home – all those who despised legality and social discipline and failed to see the need for taxation and property rights. It was still the expression of monarchist convictions. During the same summer, he wrote one of the only two poems of his to be given publication in his lifetime – *Ode sur le serment du Jeu de Paume*, dedicated to the painter David. These are some of the steps which mark Chénier's emergence as a brilliant political journalist, to be recognized shortly as the spokesman of the Feuillants, the 'moderates' of the former Club des Amis de '89. Chénier's next pamphlet of March 1791 (*Réflexions sur l'esprit de parti*) contains a violent attack on Burke, on Calonne, former minister, and on the partisan character of the political clubs as pressure groups, as well as on 'Mesdames de la Halle'. It was the start of a journalist's career, and he published 26 articles in the following year in the *Journal de Paris*. In August 1792, the *Journal* was suspended, censorship was imposed and the *Journal*'s offices were sacked. Chénier and others were outlawed.

At this point he was absent from Paris – hiding from July to October in Rouen and Le Havre. It is now thought that he was involved in both of the two plans to allow the Royal family to escape. When the King's trial began, he aided the ex-minister, Malesherbes, to prepare the King's defence, though it is doubtful whether the brief was used. He did, however, with great courage print two letters in the *Mercure de France*. For the next months – over a year – he lived for some time at Versailles with his friends,

Fanny Lecoulteux and her family. He was then arrested (March 1794) and taken to Saint-Lazare prison, tried in July and guillotined two days before the fall of Robespierre.

The final phase of his poetry, from the *Ode à Charlotte Corday* (July 1793) through the various *Ïambes*, shows the emergence of a new type of poetry, flaming with indignation. From the heavy sarcasm of the *Hymnne aux Suisses de Châteaurieux*, he progressed to a far more subtle use of 'negative emotions'.

Œuvres complètes, 3 vols, ed. Dimoff (Paris, 1908–12); *Poems of André Chénier*, ed. F. Scarfe (Oxford, 1961); *Œuvres complètes*, ed. Pléiade (Paris, 1950).

See: Venzac, *La Jeunesse d'André Chénier* (1957); J. Fabre, *André Chénier, l'homme et l'œuvre* (Paris, 1955); Francis Scarfe, *André Chénier* (Oxford, 1965).

p. 272, LA MORT D'HERCULE. From the projected *Bucoliques*. Model for many Parnassian poems of the following century. The concentrated description gives a formula not unlike the sonnet.

l. 1, *Œta*. Mount Œta was where Heracles (Alcide) lit the pyre which consumed him, after putting on the poisoned shirt of the centaur, Nessus (whom he had killed), a present from his jealous wife, Dejanira.

l. 11, *sa récompense*. His death and also the constellation named after him.

p. 272, AH! NE LE CROYEZ PAS . . . This intensely personal reflection looks forward to Baudelaire. He does not hesitate to mention worries like *l'argent que l'on nous doit* (l. 7). The situation is that in which he found himself in April 1789 when in London. He had just paid a debt for his brother-in-law.

l. 4, *Vous dont les purs regards*. Probably his English friend, Mrs Cosway, wife of the painter.

p. 273, ll. 12–13, *Galathée . . . Prométhée*. The sea nymph and the fire-stealer become the symbols of the transmutation of cool recollection into poetry.

p. 273, ENTHOUSIASME, ENFANT DE LA NUIT. This fragment of the projected *L'Amérique* is preceded in the MS by the following note: 'Le poète Alfonse, à la fin d'un repas nocturne en plein air, prié de chanter, chantera un morceau astronomique: quelles étoiles conduisirent Christophe Colomb, "O nuit . . . ô ciel . . . ô mer . . . ô enthusiasme, enfant de la nuit . . ."'

p. 274, ODE A VERSAILLES. Written late in 1793, when Chénier lay in hiding, mostly at Versailles or Louveciennes, where his friends, the Lecoulteux – Fanny, his deepest, purest love – lived. The transformed Versailles and the distinct menace of the Revolution combine with the poet's tenderest feeling to make this one of the most personal of his poems. He had already seen one of the Lecoulteux children die, and the mother herself was visibly menaced by tuberculosis.

p. 276, LA JEUNE CAPTIVE. Written in Saint-Lazare and made known within a year of his death (*Almanach des muses*). Marie-Joseph claimed that the poem was inspired by Aimée de Coigny, who was his brother's fellow prisoner. He must, indeed, have met her many years before with the de Pange brothers, but the flirtation imagined by Vigny in *Stello* is most unlikely and involves a double 'love affair'. At least as harmful to the poem as these sentimental embroideries is the drawing-room music supplied for it in the Romantic period by Vernier. Its real achievement is to employ a hackneyed pastoral imagery, which may remind us of the *Bucoliques*, with a refinement of stanza and rhythm and an element of irony fully justified by the situation which gave rise to the poem. The poet's own feelings are indirectly given in the words lent to the young woman. The final stanza reduces all the nostalgia to an admitted illusion or 'temporary distraction'.

p. 277, Stanza 5, l. 4, *Palès*, god of flocks.

p. 278, ÏAMBES.

p. 278, LA FÊTE DE L'ÊTRE SUPRÊME (VII). Text of two fragments (now joined in the correct order) written in Saint-Lazare. The subject is the *Fête de l'Être Suprême* celebrated at the instigation of Robespierre in May 1794. The introductory prose on the hypocrisy of the Jacobins in 'recognizing' God ends with the lines:

> Et tu ne tonnes pas et les cris de tant d'infortunés ne montent pas jusqu'à toi! et tu laisses un pauvre diable de poète se charger de la vengeance et tonner seul sur ces scélérats, et sur l'horrible tribunal et jury . . .

(for further discussion, see F. Scarfe, *Poems of André Chénier*, p. 141).

l. 8, *juges infernaux*, i.e. of the classical Underworld.

l. 15, *Sur ses pieds inégaux l'épode vengeresse.* The line constitutes the explanation of the title, *Ïambes*, which Chénier gave to these last poems of his. There is no analogy with the iambics of classical or English prosody, but to the *uneven* (hurrying and slackening) speed given by the alternation of alexandrine and octosyllabic lines. This darting effect was the original Greek meaning. However, the traditional inventor of Greek iambic verse was Aristolochus, famous for its use in taking satiric vengeance on his intended father-in-law, Lycambus.

l. 17, *Paros, œil de la Grèce*, the island birthplace of Aristolochus, is thus the fitting symbol of Chénier's last poems, with their combination of lyrical exaltation and satirical thrust.

l. 26, *fier André*, himself.

p. 279, ll. 8 et seq. F. Scarfe suggests that a personal reference to his father and his Jacobin brother, Marie-Joseph, may be concealed here (see Scarfe, *André Chénier*, pp. 337–9).

p. 279, A SAINT-LAZARE (XI). Chénier's last poem. Written probably on the night of 23 July 1794, when he knew he was to be transferred to the Conciergerie the following day for 'trial' and sentence.

Between three lines of prologue and three lines of an abrupt and poignant coda, the superb piece of declamation falls into two parts, the spiral of descent into despair (to p. 280, l. 17, *que la mort me délivre*), followed by a spiral of *redressement*, of the will to live. In each part the gathering intensity is rendered in the building-up of longer and longer sentences. For the speaker (and such a poem demands to be spoken) key-words are the repeated *peut-être* which punctuate the development on the imminence of his condemnation, the accumulated *quel* (*Quelle franchise auguste*, etc.) which explain, interrogatively, Chénier's despair. Or, in the second part, the succession of *si*, of *sans*, of *par vous* and *sans vous* and finally of those *pour* on which the savage indignation rises to its height. No poem shows better the expressive value of *inversion* in the hands of a great poet.

l. 13, *Le messager de mort*, the emissary of the Revolutionary Tribunal.

l. 17, *ces dards*, the *Iambes* themselves.

p. 280, l. 14, *La peur blême et louche*. I prefer this to Chénier's alternative reading: *La peur fugitive*.

p. 281, l. 26, *le triple fouet, le fouet de la vengeance*. The lash of *Justice, Verité, Vertu* which Chénier substitutes for *Liberté, Égalité, Fraternité* (Scarfe).

INDEX OF FIRST LINES

INDEX OF AUTHORS